ミステリーの書き方

日本推理作家協会 編著

幻冬舎文庫

ミステリーの書き方

まえがき

時々、人から訊かれることがあります。ミステリって、どうやって書くの？　どうやったらアイデアが出てくるの？　ストーリーを思いつくの？

結構難しい質問です。おそらく多くのミステリ作家は、そんなことを考えずに書いています。しかしだからといって、原稿用紙やパソコンに向かえば自然に文章が浮かんできてすらすらと書ける、というわけではありません。むしろそんな天才は少数派でしょう。ごくわずかと断定してもいいと思います。無論私もそうではありません。

では多くのミステリ作家は、どうやって作品を生み出しているのか。

一言でいえば、苦労して、です。

悩みに悩んで小説のテーマを見つけます。あるいは、考えに考えてアイデアを捻り出します。もちろんそれだけでは終わりません。どう書けば面白くなるか、自分のイメージ通りの小説に仕上げられるかを考え、プロットを立て、キャラクターを作り、文体を選びます。必要な場合には資料を揃えたり、取材に出かけたりもします。決して楽な作業ではありません。ほかに特技があれば別の職業を選んだのに、と思うことも多々あります。

しかもここまでで、ようやく執筆の準備が整った段階です。あとは書くだけ、というわけですが、ここからが辛いのです。

想像してみてください。ある映画の一番面白かったシーンを、他人に説明する必要があったとします。文章だけで正確に伝えるのはとても困難だと感じるはずです。ところが作家には、その作業が要求されるのです。しかも書いた文章が退屈なものであってはいけません。読者が次々にページをめくりたくなるように書かなければならないのです。

このように、ひとつのミステリ作品が生まれるまでには、作家はいくつもの壁を乗り越える必要があります。そしてプロ作家たちは、自分なりの「乗り越え方」を持っています。

本書は日本推理作家協会に所属するプロの作家たちが、独自のノウハウを開陳したものです。これからミステリ作家を目指そうという方々はもちろん、単にミステリが好きだという読者の皆様にとっても、興味深い読み物になっていると自信を持ってお薦めいたします。


日本推理作家協会第25・26期理事長　東野圭吾

目次

まえがき　東野圭吾　4
本書について／巻末「ミステリーを書くためのFAQ」について　13

第1章　ミステリーとは　15
はじめに人ありき　福井晴敏　17
ミステリーを使う視点　天童荒太　26
ミステリーと純文学のちがい　森村誠一　34

第2章　ミステリーを書く前に　55
オリジナリティがあるアイデアの探し方　東野圭吾　57

どうしても書かなければ、と思うとき　法月綸太郎　70
アイデア発見のための四つの入り口　阿刀田高　81
実例・アイデアから作品へ　有栖川有栖　90
アイデアの源泉を大河にするまで　柄刀一　98
ジャンルの選び方　山田正紀　107
クラシックに学ぶ　五十嵐貴久　123
冒険小説の取材について　船戸与一　134
長期取材における、私の方法　垣根涼介　140

第3章　ミステリーを書く

ミステリーを書く　149
プロットの作り方　宮部みゆき　151
プロットの作り方　乙一　187
本格推理小説におけるプロットの構築　二階堂黎人　199
真ん中でブン投げろっ！　朱川湊人　215

語り手の設定　北村薫　223
視点の選び方　真保裕一　250
ブスの気持ちと視点から　岩井志麻子　263
文体について　北方謙三　271
登場人物に生きた個性を与えるには　柴田よしき　304
登場人物に厚みを持たせる方法　野沢尚　319
背景描写と雰囲気作り　楡周平　331
セリフの書き方　黒川博行　345
ノワールを書くということ　馳星周　357
会話に大切なこと　石田衣良　379

第4章　ミステリーをより面白くする

391
書き出しで読者を摑め！　伊坂幸太郎　393
手がかりの埋め方　赤川次郎　412

トリックの仕掛け方　綾辻行人　425
叙述トリックを成功させる方法　折原一　469
手段としての叙述トリック――人物属性論　我孫子武丸　480
どんでん返し――いかに読者を誤導するか　逢坂剛　489
ストーリーを面白くするコツ　東直己　500
比喩は劇薬　小池真理子　506
アクションをいかに描くか　今野敏　522
悪役の特権　貴志祐介　529
性描写の方法　神崎京介　535
推敲のしかた　花村萬月　557
タイトルの付け方　恩田陸　563
作品に緊張感を持たせる方法　横山秀夫　569

第5章　ミステリー作家として　579

シリーズの書き方　大沢在昌　581
連作ミステリの私的方法論　北森鴻　628
書き続けていくための幾つかの心得　香納諒一　638
あとがき　大沢在昌　662
文庫版　あとがき　今野敏　665
ミステリーを書くためのFAQ　686

ミステリー作家への質問

Q. アイデアを書きとめておくノートはありますか

Q. 名刺を持っていますか………033

Q. 執筆する前の儀式や縁起担ぎはありますか………053

Q. 愛用している執筆道具は何ですか………080

Q. 小説を書き始めた時点で、
タイトルが決まっていないことはありますか

Q. 小説のタイトルを、書籍化するときなどに
変えることはありますか………106

Q. 執筆は規則正しいですか、集中的ですか

Q. いつ執筆しますか………122

Q. ペンネームを使っていますか………133

Q. 執筆の前に取材をしますか

Q. 取材をするときに気をつけていることは何ですか

Q. 取材をしない理由は何ですか………145

Q. ミステリーを書くとき、最初に考える部分は
どんな要素ですか………186

Q. 書きはじめるときからラストシーンは決まっていますか

Q. ラストシーンや犯人を
途中で変えたりすることがありますか………198

Q. プロットはどの程度作りますか

Q. プロットを立てる具体的な方法があれば教えてください………212

Q. 登場人物の名前をどのようにして決めますか………222

Q. 登場人物に厚みをもたせるには何が大切ですか………326

Q. スランプ脱出方法があったら教えてください………344

Q. 執筆する中で、絶対にしないと決めていることがあれば教えてください………388

Q. 理想とする作品とその理由を教えてください………411, 424, 479, 488, 499, 521, 528, 556

Q. 推敲するときに気をつけていることは何ですか………575

Q. 職業作家として成立する条件は何ですか………625

Q. 職業作家の大変さと楽しさは何ですか………634

Q. 作家志望の方にアドバイスがありましたらお願いします………652

※「ミステリー作家への質問」は、2003年に日本推理作家協会会員の作家を対象に実施したアンケート137名の回答から抜粋しました。

本書について

本書『ミステリーの書き方』には、日本推理作家協会に所属するミステリー作家がテーマにそって寄稿した43編のテキストと、執筆の秘密に迫るアンケート「ミステリー作家への質問」が収録されています。

本書を、最前線で活躍するミステリー作家のエッセイとして楽しみながら、ミステリー小説を書くためのノウハウが凝縮された指南書としても活用して頂けましたら幸いです。

巻末「ミステリーを書くためのFAQ」について

ミステリー小説を書こうとしている人が抱くであろう様々な疑問を、質問形式で「ミステリーを書くためのFAQ」として巻末（P.686〜670）にまとめています。

本文中の、その回答となる箇所には色を付けて紹介してあり、この「FAQ」を活用して頂くことで、疑問に対するミステリー作家の回答を効率的に探すことができます。

『ミステリーの書き方』編集部

第1章

ミステリーとは

はじめに人ありき

福井晴敏
FUKUI Harutoshi

①作家になるために、やっておいたほうがいいことは何ですか
②プロの作家とアマチュアの違いは何ですか
③プロの作家になるためにはどんな才能や努力が必要ですか
④映画から何かを学ぶことはできますか
⑤⑥小説が映像より優れている点は何ですか
⑦どうしたら小説に厚みがでますか
⑧読者が一番求めているものは何だと思いますか
⑨プロの作家に必要なことは何ですか

①あなたが学生さんなら、ただちにこの本を閉じてください。そして旅行に出かけるなり、多様な職種のアルバイトを経験するなりして、なるたけ多くの人と環境に接することをお勧めします。そこでの発見、喜び、いら立ちが、すべて後の作劇の肥やしになります。それができるのは今だけだと覚えておいてください。その上で、さまざまなメディア、さまざまなジャンルの作品に触れ、自分の感度に合ったもの（目標となり得るもの）を見つけるよう心がけていただければと思います。

あなたが就業なさっている方なら、余暇の貴重さはすでにご存じのことでしょう。やはりただちにこの本を閉じ、ひとつでも多くの作品に触れ、一分でも早く書き始めることをお勧めします。自分が目標とする作品に出会えたら、セリフを暗記できるくらいくり返し鑑賞してみてください。自分がどこで感動したのか、その感動を成立させるためにどのような要素が積み重ねられているのか、自然と見えてくるようになりますから。また、メールやネットへの書き込みに時間を取られすぎるのは禁物です。それがなんであれ、物を表すということは〝気〟を吐き出すことでもあります。メールやネットで〝気〟を吐き出しすぎると、それで文字通り気が済んでしまって、せっかくの才能を浪費する結果にもなりかねません。どんなことでも、思いの丈は作品のために取っておくべきです。

最後に、「作家になりたいけど、なにをどう書いたらいいのかわからない」という方。作家になるために書く、というのは順序が違いますし、書くために作家になる、というのも少し違っています。[②③]この仕事に就く人は、考える前に書いてしまっているものです。業病のようなもので、なにをおいても書かずにはいられない哀れな人々なのです。プロになれるかどうかは、純粋に結果論です。技術は後からついてきますから、書きたい衝動があるなら恐れずに書き、まずは自分の言葉で世界を切り取る修練を積んでください。小手先の技術や方法論を学んで新人賞に引っかかっても、長続きはしないものだと忠告しておきます。

　それでもなにを書いたらいいのかわからないという方は、この仕事には向いていません。世間で言うほど実入りもよくありませんし、華やかな職業でもありませんから、早々に別の道を模索することをお勧めします。

　つまり、この仕事は教えるものでも教わるものでもないというのが持論なのですが、他山の石という考え方もあります。人の数だけ方法論はあるとお断わりした上で、自分の作劇法、と言うか制作上の留意点を述べさせていただこうと思います。ここまで読んで、まだ頑強に本書を手放さないひねくれ者のあなたには言うまでもないことですが、「そういう考え方もあるのね」と軽く聞き流すつもりで、ここから先はどうぞ。

　拙著は、よく映像的であると評されます。読むことによって喚起される映像を一から十まで規定しなければ気が済まない、いわゆるビジュアル世代の小説であるという言い方です。これは単純に、小説より映画志向が強い作者の生理が反映された結果で、やろうと思ってやれることではありませんし、真似する必要もまったくありません。実際、文体をビジュアル的にコンクリートしたって、いいことはあまりないのです。やたらと原稿枚数は食うわ、効率悪いわで……。

ただ、活字よりビジュアルの方が身近であると感じる世代がマスになりつつある現在、小説は小説と競っていればいいというものではなく、映画やマンガ、ゲームを競合メディアとして捉える視点を忘れるべきではありません。小説市場の売上げがマンガのそれの足もとにも及ばない現実を、我々の世代以降はシビアに見つめなければならない。活字のみを綴って読解作業を強いられる小説は、他のメディアより不利な立場に置かれていることを自覚する必要はありましょう。

その不利を覆す方法は、ひとつ。他のメディア作品を凌駕する内容を提示してゆくしかありません。④これは逆説的に、他のメディアの長所を吸収し、弱点を検証するということでもあります。

具体的に言いましょう。たとえば映画。中でも、ひとり勝ちを続けているハリウッド映画を例に挙げましょうか。CGの台頭があらゆる表現を可能にし、映画から人の温もりを奪ったと非難する向きもありますが、人の想像力を残らず具現する術を映画が備えたという事実は、エンターテインメント小説にとっては脅威です。映像化不可能なものがなくなってしまったら、小説の最後の砦が破られたも同然ですから。でもたったひとつ、映画がどんなに進化しても破れない壁があります。

それは、長さ。いわゆる尺、上映時間の問題です。常識的には二時間前後、長くても三時間強の作品しか作れないのが、ハリウッドに限らず映画の最大の弱点なのです。

上映時間の規定は、当然のことながら展開できるドラマの量を限定します。多くの映画作家は、これに対抗する手段としてキャラクターの単純化という方法を用います。アクション映画なら、善悪を図式化してキャラクターに割り当て、俳優の個性で味付けするというやり方です。無論、二時間前後の尺内で複雑な陰影を持つキャラクターを登場させ、深化した人間ドラマを描いた作品も存在するのですが、その場合、舞台の規模は必然的に小さくなり、描けるキャラクターの数も少数に絞り込まれます。すべてを十全にやろうとすれば、それこそ『七人の侍』のような四時間クラスの映画か、『ロード・オブ・ザ・リング』のように端《はな》から三部作を見越した映画になってしまうわけで、これはそう滅多に実現できるものではありません。

大予算をかけたスペクタクル大作、大勢の人が見るオープン・エンターテインメント作品では、微に入り細を穿《うが》ったキャラクター造型は放棄され、ドラマ構造も単純化せざるを得ない。舞台が大きければそれだけ関わる人間の数も多くなり、生死を分ける戦いを描くことの多いスペクタクル・アクションにおいては、いくらでも深化した人間ドラマを描ける――いや、描かなければならないにもかかわらず、です。結果、見た目は派手でも中身の薄い大作が巷に溢れ、見識ある観客の顰蹙を買うことになるのですが、それでも多くの人は、カンヌで評価された芸術作品より『アルマゲドン』の方を観に行くという現実があります。それこそハリウッド大作の悪しき見本のような映画ですが、劇場に足を運ぶなら自分も迷わずそちらの方を選ぶでしょう。なぜなら、そこには大作特有の〝ハレの気分〟があり、自分を含めた多くの観客は、芸術より一時の娯楽を求めて映画を観に行くものだからです。

ですから、せっかくお楽しみの中身が薄っぺらだと、がっかりしてしまう。大がかりなスペクタクルと、深化した人間ドラマの両立はできないものか。いや、よその国で作られたものに文句をつける前に、日本を舞台にしてそれをやる方法はないだろうか――。拙著『亡国のイージス』や『終戦のローレライ』は、すべてそこからスタートしています。大作映画のハレの気分を取り込みつつ、それらがおざなりにしがちな部分にこだわった物作りを目指したのです。

『イージス』に例を取って言うなら、義憤に駆られて護衛艦を乗っ取った一部自衛官と、彼らを利用する北朝鮮工作員、対策に右往左往する日本政府、艦内に残った主人公たちという四つの勢力のせめぎあいがドラマの柱ですから、ひとつひとつに善悪を割り振っていくのは簡単です。後は迫力のあるアクション・シークエンスを設定できれば、それなりのスペクタクル・アクションに仕上がるでしょう。が、それでは巷にいくらでもあるハリウッド大作と変わりありませんし、小説で描く意味もありません。

そこで、本作においては主要キャラクターの背景を執拗なまでに描き、善悪という概念を排除して、時々の状況によって揺れ動く人物像をすべての勢力に均等配置するという方法を取りました。この手のドラマの場合、最後には事件が解決することはわかりきっているわけですから、ドラマの流れより、敵味方のキャラクターの人生を追う構造にして、読者の興味を最後まで引っ張ることに留意した……という言い方もあります。単純なことのようですが、実はこれができるのが小説の特性であり、他のメディアに対抗し得る最後にして最大の武器なのです。

前述した通り、⑤映画は尺の規制を受けるし、マンガは人気次第で短縮や引き延ばしが起こる不自由さがある。ゲームにしても、プレイヤーが自身を投影しやすいようにとの配慮から、キャラクターの陰影が必要以上に描き込まれることを嫌う傾向があります。連載や雑誌掲載で枚数制限をされることはありますが、小説には基本的にそれらの規制がない。書きおおせる気力さえあれば、どんなに巨大な物語でも紡ぐことができるし、キャラクターを描き込むこともできる。テンポを損なわずにそれらを描出するテクニックは、他の執筆陣の方々の意見を参考にしてもらうとして、ここでは⑥「小説はもっとも容量の大きいメディアである」という事実を心に刻んでおいてください。語りたいドラマを、まっすぐ、なんの規制もなく語れるという点において、小説ほど有利なメディアは他にないのです。

などと偉そうに言ってますが、自分も最初から小説の特性を理解していたわけではありません。ミサイルや銃弾が飛び交う作品世界であっても、そこで繰り広げられる人間ドラマにしか興味を持てない自分の生理が、たまたま小説の特性を引き出したに過ぎないというのが正直なところです。しかし、それが市場に受け入れられたお陰で、確信できたことが二つあります。ひとつは、⑦自分同様、多くの読者も人同士の関わりあいにドラマの醍醐味を見出しているということ。もうひとつは、奇抜なトリックも新奇性あふれるアイデアも、人間が描けていない限り、宝の持ち腐れになってしまうのだろうということです。

ネタにこだわるのは、ドラマずれした一部のマニアのみで、⑧大衆が求めるのは普遍的な人間ドラマなのだということは、絶えず念頭に置いておく必要があります。過去の名作にしろ、いまベストセラー作家と呼ばれる方々の作品にしろ、どんな題材であってもどこかで普遍的な人の情に触れているでしょう? 実際に会って話してみると、売れる人ほどベタなものが好きだったりします。アーティスティックな作品を志向するなら別ですが、ミステリという大衆文学で本当に売れるものを書きたいなら、天才やマニアであってはいけないというのが自分の結論です。

なるたけ多くの経験を積み、人間観察に努めていただきたいと言ったのは、だからこそです。小説という大容量のメディアの特性を活かしきるには、ただ優れたストーリーテラーであればいいというものではありません。あえてベタに言いきりましょう。人の喜びや痛みを我が物にできる人こそが、多くの人の共感を得る豊潤な物語世界を構築できるものである、と。

⑨まずは人間に興味を持つこと。持てないなら、持てない自分があがくさまを照れずに描き出すこと。いろいろ書きちらかしましたが、小説を書くコツはこの大原則に尽きると思います。あとは、一本の作品を描ききるのに必要な体力と、病的な執念をどこまで維持できるか、でしょう。

ミステリーを使う視点

天童荒太
TENDO Arata

（P.027-032）読者をひきつける技術とは何ですか
（P.027-032）物語を描くときに何を意識すべきですか
①アイデアはどのようにとどめますか

高校生の頃。だから昭和五十二年前後。よく通っていた古本屋で、一冊の本が目にとまった。

江戸川乱歩、松本清張共編『推理小説作法―あなたもきっと書きたくなる』（光文社／昭和三十四年初版）。

二百八十円の本が、確か百円だったと思う。

当時、わたしは小説家になる意志はまったくなく、自分の想像力が、映画のスクリーン上でかたちを結ぶことを夢見ていた。

なのに、この本が目にとまったのは、まさに江戸川、松本両氏の作品が、数多く映像化されており、読書家ではなかった高校生のわたしにも、映画やテレビを通してなじみがあり、お二人の小説作法にふれることで、映画の作り方のヒントを得られないかと思ったためだ。

その本には、八名の名だたる方々の推理小説に関わるエッセイが並んでいる。江戸川乱歩氏は、まえがきで、「アメリカなどでは古くから二、三年に一冊ぐらいの割合で、推理小説作法の本が出ている。日本にそれが今まででなかったのは、ふしぎなようなものだが、ついにこの本が出たことは慶賀にたえない」と書いておられるから、日本で初めてミステリーの書き方を標榜した本だったらしい。

つまり、今回のこの日本推理作家協会が編む本の、さきがけと言える。推理小説を書きたかったわけではないわたしが、古本とはいえ、気になり、手に取ったのだから、この本も、ミステリーを書くことを志す人ばかりのものではないだろう。

＊

ちなみに、わたしは、その『推理小説作法』をすぐ買ったわけではない。なにしろ百円とはいえ、当時のわたしには貴重で、できれば立ち読みで済ませたいと考えていた。

何度も古本屋に通い、ついに授業後に一服するためのセブンスターをあきらめ、買うことにした理由は、松本清張氏のエッセイに、ご自身の創作メモが、かなりの量で公開されていたことによる。小さなヒントから、作品がどういった経緯で生み出されていったのか、こまかく書き添えられてもいた。

プロの作家とは、これほどまめにメモを取り、ともかく気になったものは何でも残して、みずからの引出しにしてゆくのかと、当時は驚き、進路は違うとはいえ、手本にしたいと思った。

松本氏が示していたのは、「ミステリーの書き方」そのものではなく、創作をなりわいとする者の心構えや、物語を生む背景についてだった。

わたしもそれまで、未熟とはいえ、映画用に浮かんだアイデアを、映画手帳のようなものに書きとめてはいたが、松本氏のメモを見て以来、もっと頻繁に、ある程度は系統だて、日付も加えて、専用のノートに書くようにした。のちに思いついたことを書き添えるための余白を取ることにしたのも、松本氏の忠告に従ってのことだ。

いまでも、高校生当時ほど熱心ではないにしろ、思いついたことは、できるだけノートに書くようにしているし、その際には日付も入れ、余白も、なかなか埋まらなくて困るのだが、多く取っている。

[①]この本の読者が、どういった進路をとるにせよ、創作者の道を望むのであれば、やはり気になったり思いついたりしたことはメモする癖をつけたほうがよいと思うし、日付も入れ、余白も取り、のちのち見返せるように整理しておいたほうが役に立つと、松本氏の見解を橋渡ししたい。

*

ものごころつく頃から、身近なところに漫画があった。

家の隣が、貸本屋をかねた雑貨屋で、兄たちが借りてきた少年漫画を、幼稚園に通う前から読んでいた記憶がある。

いまでは巨匠・名匠と呼ばれ、殿堂入りしているような方々が第一線で活躍していた頃で、幼いわたしは興奮しながらページを繰りつづけた。主人公がこの先どうなってしまうのか……こう思わせない漫画などなかった。あっても退屈して、覚えていないのだろう。『巨人の星』や『あしたのジョー』や『タイガーマスク』や『愛と誠』は……と、これはみな原作者が同じだけれど、いわば「主人公の運命やいかに?」といったサスペンスの技術で、わたしや、わたしの周囲の子どもを釘づけにした。

また「これは誰がやったの?」という謎も、多くの漫画で見られたことだった。手塚治虫氏や石ノ森章太郎氏の漫画では、よくミステリー展開の話があり、ドンデン返しも見事に決まって、わたしは幾度となく、うわっと、言葉にならない感嘆の声を上げた。水木しげる氏やジョージ秋山氏の漫画も、どうなっちゃうの、誰がやったの、の連続だった。アクション系の『ワイルド7』や『ゴルゴ13』では、それは当然の手法だったし、時代劇漫画の『無用ノ介』『子連れ狼』でも同様の技術が使われていた。藤子不二雄氏は、『オバケのQ太郎』『怪物くん』といった、ほのぼのした漫画のなかでも、ときおりミステリーの技術を用い、赤塚不二夫氏や永井豪氏も、あえてギャグ漫画で、それを使うことがあった。

書き出せばキリがなく、漫画評論を書きたいわけでもない。自分にとって、幼い頃からサスペンスやミステリーは、特別なものでも、あえて学ぶというようなものでもなく、ごく身近なものだった。そして幼くして淫するように身に染み込ませたそれは、ジャンルではなく、あくまで表現上のテクニックだった。

その後、テレビっ子となり、さらには中学時代に映画に溺れるようになって以後も同じで、子ども時代からミステリーやサスペンスは、あらゆる物語の運びにおける、しごく当たり前の手法として感じ取ってきた。

＊

若い頃の希望進路と違い、もの書きを職業としたいま、ミステリーやサスペンスを「書こう」としたことはなく、技術として「使おう」とした意志があり、「使った」という自覚がある。

上梓した物語はわずかだが、『家族狩り』も『永遠の仔』も、サスペンスやミステリーの技術を用いて、表現したいテーマを、読者に届けようとした。家族問題や児童虐待など、選んだモチーフが厳しい内容を含んでいたため、多くの人に読んでもらうには、それが有効に思えたからだ。

わたしごときが、「ミステリーの書き方」について、正しい道を伝えられるはずなどないが、すでにプロの方々には自明のことでも、この本全体の表題に対し、もうひとつの見方の提案として、これから小説を「書こう」という人は、ミステリーを「書く」視点だけでなく、技術として「使う」視点も持っていいのではないかと思っている。

今後、恋愛小説を主に書かれようと、時代小説を主に書かれようと、また漫画の道や、高校生の頃のわたしと同様、映像の方向へ進むつもりであろうと、サスペンスやミステリーの技術は、身につけておいたほうが、きっと力になる。……というより、身につけておかないと、少なくとも物語は創造できないだろう。

自分自身、さらに勉強を重ねたいと願っているが、技術とは、形となってあらわれたときには、個々の作品にのみ有効なものと化していることが多く、すぐれた作品だからといって、その技術を他者がすぐに学んだり、使ったりすることは実は難しい。そのため、他者の作品からは、本質的な部分と、大きな流れのようなものを感得してゆくほかは、プロ・アマを問わず、実際に創作を繰り返し、自分以外の人の目にさらしつづけていくことが大事だろうと、経験からは感じている。

もの書きとは別の、様々なクリエーターの方にお会いする機会が、幸いにもあるけれど、どの世界も、まず安易なものではない。基本的には、くさらず、あまえず、ときには傲慢なほど思い上がってでもしがみつき、ただただ辛抱強くあるしかないようだ。

これからの人へ。時間がかかることを嫌がらず、遠回りの道を避けないで、はじめは自分のためであっても、いつかは誰かのために書いてほしい。

ミステリー作家への質問

Q.アイデアを書きとめておくノートはありますか

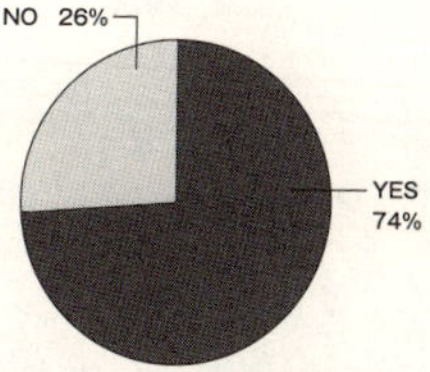

有効回答数(134)

YESのコメント

●書きとめておいてもノートがどっかへいってしまうのでパソコンに入れてある。＜辻村真琴＞

●仕事場に1冊と、自宅の書斎と居間に1冊ずつメモ帳があり、そうしてメモしたものをあとで書き写すアイデア帳が、長篇用と短篇用に1冊ずつ。＜香納諒一＞

●パソコンに「アイデアメモ」というファイルがありますが、ほとんどそこには書かないし、読み返しもしません。メモをとらないと忘れてしまうようなことは、どうせ大したことではないですから。＜薄井ゆうじ＞

Q.名刺を持っていますか

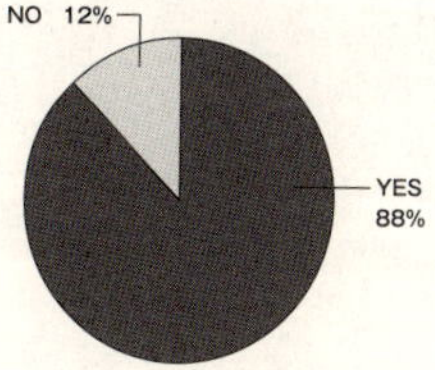

有効回答数(137)

YESのコメント

●取材をするときやされるときに便利なように、裏面に略歴と筆歴と近著を、表面に著者写真を刷りこんである。＜鈴木輝一郎＞

●主に初めて会った同業の方、おつき合いのない出版社の方々にお渡しします。営業上、不可欠ととらえています。＜浅暮三文＞

ミステリーと純文学のちがい

森村誠一
MORIMURA Seiichi

①ミステリー小説を書くときに何に一番気をつけるべきですか
②③ミステリー小説を書くときの心構えを教えてください
④新人賞に応募するときに気をつけるべきことは何ですか
⑤文芸小説とミステリー小説の違いは何ですか
⑥説明描写は入れてもいいですか
⑦説明描写を魅力的な文章にする方法を教えてください
⑧⑨本格推理小説とは何ですか
⑩ミステリー小説を書くときに何に一番気をつけるべきですか
⑪犯罪の動機を設定するときに注意すべきことはありますか

⑫ミステリー小説に不可欠な要素は何ですか
⑬⑭ミステリー小説に不可欠な要素は何ですか
⑮前例のあるトリックを使ってもいいですか
⑯過去の作品は読んだほうがいいですか
⑰ミステリー小説を書くときに何に一番気をつけるべきですか
⑱トリックを考えるときに参考となる作品を具体的に教えてください
⑲⑳密室ミステリー小説を書く上で参考となる作品を教えてください
㉑アリバイトリックを書く上で参考となる作品を教えてください
㉒アリバイトリックを考える上で気をつけなければならないことは何ですか
㉓ミステリー小説を書くときに何に一番気をつけるべきですか
㉔過去の作品を参考にしてもいいですか
㉕プロットを作るときに注意すべきことはありますか
㉖日常生活の中でどんなことがヒントになりますか
㉗プロの作家になるにはどう努力すべきですか
㉘クライマックス設定の際の注意点は何ですか
㉙結末にどんでん返しを書くときに注意しなければいけない点は何ですか

㉚ミステリー小説を書くときに犯罪以外のものを題材にしてもいいですか
㉛ミステリー小説の趣向とは何ですか
㉜ミステリー小説で避けるべき題材は何ですか
㉝ミステリー小説の中に偶然の出来事を書いてもいいですか
㉞自分の文体をどのように確立すべきですか
㉟独自の文体を身につけたほうがいいですか
㊱ミステリー小説はどんなジャンルですか
㊲ミステリー小説はどんなジャンルですか

ミステリーを書こうと志す者は、おおかたミステリーが好きで、内外のミステリーを読み漁り、自分もミステリーを書いてみたいとおもい立った者である。つまり、かつての読者が作者になったというケースが多い。他の文芸ジャンルに比べて、読者から作者に転向した人が圧倒的に多い。その点、俳句に似ているジャンルである。それだけにミステリーの作者には、他の文芸ジャンルとは異なった心構えが求められる。

①ミステリー、特に本格推理には読者が参加する。読者の参加を拒否する本格推理はあり得ない。読者に、犯人、または真相に合理的に導くすべての資料が提示されなければならない。これを隠して書かれたミステリーはアンフェアである。

第二に、読者に謎を提示して挑戦する。作者と読者の知恵比べとなり、謎の浅いミステリーは読者からばかにされる。たとえば密室に抜け穴があったとか、犯人は双子の片割れや、事件を追うべき探偵や警察官であったとか、アリバイの基礎となるべき死亡推定時間に解剖医のミスがあったとか、探偵が街を歩いていたら犯人を示す重大なキイを偶然発見したというようなミステリーは、ミステリー以前であり、読者から軽蔑される。

②また、ミステリーの読者には直感的に犯人を当てようとする悪い癖がある。ミステリーの読者は他の文芸ジャンルと異なって、極めて挑戦的であり、意地が悪い。また、古今東西のミステリーに通じた鬼の読者が犇《ひしめ》いている。ミステリーを志すからには、このような

海千山千の読者と渡り合う覚悟が必要である。

第三に、他の文芸ジャンル、特に歴史小説や、純文学と称する私小説などは、同じテーマを異なる史観や視点から、何度書こうと許容されるが、③ミステリーでは同じトリックや趣向は忌避される。オリジナリティが極めて尊重されるジャンルであって、どんなに素晴らしい作品世界を構築しても、先行作品に同じトリックや趣向があると減点されてしまう。特に④新人賞応募作品には、先行作品の有無は当落に大いに影響する。

拙作を例に挙げるのは、同業作品を例とするよりも難しいが、編集部の注文なのでやむを得ない。

■推理か小説か

ミステリーは人工の美学と呼ばれるように、人工性が尊重される。たとえば難攻不落の密室（拙作『高層の死角』『密閉山脈』）の壁を、苦心惨憺して乗り越えて人を殺したり、曲芸まがいの乗り物の乗り換えや乗り継ぎをして、一分一秒のアリバイ工作に憂き身をやつしたり（拙作『虚構の空路』『新幹線殺人事件』）する現実の犯人はいない。

⑤文芸の永遠のテーマは、人間と人生を描くことにあるとされる。そのことに異議はない。だが、ミステリーは犯人を隠して書くという宿命があるために、犯人の人間性や人生を描きにくい。最後の絵解きにおいて、わずかに

〝説明〟する程度である。この宿命《ネック》を克服するために発明されたのが、犯人側から描く倒叙ミステリーである。だが、いずれにしても、真相解明の時点において説明しなければならない。文芸の文章では、説明は忌避される。

文章の二大機能に、知識・情報の伝達と情緒の創造がある。文芸の本領は、言葉を結び合わせて、情緒を紡ぎ出すことである。説明文の具体的な見本としては、薬の効能書きや、テレビ、ビデオ、パソコン等のマニュアルがある。こんなものを読んでも、読者はなんの感動も共鳴もおぼえない。説明文に求められるものは客観性、正確性、そしてわかりやすさである。これに対して文芸においては、客観性や正確性よりは、まず情緒が正面に押し出される。

⑥だが、ミステリーにおいては合理性が尊重されるので、どうしても説明が多くならざるを得ない。密室やアリバイ、その他のトリック、犯罪環境などの絵解きが不正確であれば、ミステリーの合理性が損なわれ、アンフェアとなる。この矛盾をどのように克服すべきか。ミステリー作家の腕のふるいどころである。

⑦だが、説明文も情緒的な文章の間にはさみ込むと、より一層効果を引き上げることがある。拙作の一例を挙げれば、『新幹線殺人事件』において、捜査報告書を結末に配した。人工の美学こそミステリーの栄光である。説明を恐れることはない。必ずしも感動を本義としない、一見、無味乾燥な説明文でも、構成の工夫によって充分読者の共鳴を引き出せるのである。

■本格か変格か

[8]本格推理小説はミステリーの宗家と言えよう。本格は別名パズラーと言われるように、冒頭において謎が提示され（おおむね犯人はだれか）、読者がこの謎解きに参加して、すべての読者が納得するような合理的な解決をするという小説形式である。謎は難解で、不可解であるほどよい。解決不可能とおもわれるような複雑怪奇な謎の網目をくぐって、物語は二転三転、名探偵の登場によって快刀乱麻を断つごとく、爽快に解決するというのが古典的手法であり、いまもってその形式はあまり変わっていない。

ミステリーの範囲が広がり、サスペンス、ハードボイルド、冒険、犯罪小説、SF、ホラーなども広義のミステリーに含まれるようになると、古典的な謎解き小説が本格と呼ばれるようになった。

本格以外が変格ということであろうが、最も人工性が濃いのが本格であることはまちがいない。他の文芸ジャンルやサスペンス作品で、登場人物が勝手に動き出すというような現象は、本格では好ましくない。[9]まず設計図を綿密に引き、登場人物は設計図の枠組の中でのみ忠実な行動を求められる。先に設計があり、次に人間がくるのが本格の宿命である。同時に、この宿命は人間を操り人形と化す。あるいはまったく人間不在の作品となる危険性を孕《はら》んでいる。主役は謎であり、人間は謎を構成するための脇役、またその謎を解くための道具とされる。この弊を救済するために発明されたのが倒叙ミステリーであり、社会派ミステリーである。

だが、ミステリーの中心が犯罪の動機や社会性に移行すると、肝心の謎が薄められてしまう。どんなに謎が深くとも、航空機とインターネットによって、人間の行動がグローバルになったいま、明哲、神のような名探偵と、山奥の閉鎖された村や孤島が舞台とあっては、現実から著しく遊離してしまう。

犯罪の広域化に伴い、一人の名探偵では犯人を追いきれなくなってしまう。携帯電話が普及した今日、ミステリー環境を設定する重大な要件の一つである連絡不可能の壁は、いとも簡単に乗り越えられてしまう。また、豊富な情報網は一人の人間を所在不明にすることも難しくなった。文明の利器は山間離島も大都会も大差なくしてしまった。

[10]今日では名探偵の独壇場である本格の舞台は、文明の利器や情報網という、以前にはなかったバリアをクリアしなければならない。現代社会を踏まえて合理性を尊重するミステリーを書くとき、最先端のハイテクの介入を無視できなくなっている。これを無視したミステリーは捕物帳になってしまう。

■犯罪の動機

ミステリーにおいて、人間をより深く描くために、[11]松本清張が創唱した動機の重視は、戦後の時代潮流を反映して、物質的貧困に置かれた。これが高度成長に伴う繁栄により、日本人の生活水準が向上した今日、動機は精神の貧困や奇形に置かれるようになった。人間の精神に深く入り込んでいくミステリーは、本格の人工性から遊離していかざるを得ない。本格には常に遊びの感覚がつきまとうが、人間の精神の暗黒を描くミステリーに遊びはなく、息づまるような現実との密着感、あるいは一体感がある。

かつて、松本清張が「お化け屋敷の掛け小屋」と呼んだ、精神のレジャーランドに入ったかのように現実とは別のこととして楽しめた本格ミステリーが、ひょっとすると我が身にも起こり得るかもしれないという、等身大の世界として迫ってくる。

前者が遊び感覚のメルヘン的面白さであれば、後者はリアリティの持つ恐怖である。いずれもミステリーであり、同じ物差しで優劣を比べることはできない。読者の好みによって評価が分かれるだけである。

ミステリーを書こうとするとき、まず本格か、本格以外か。また本格にしても、犯人・フーダニット、トリック・ハウダニット、動機・ホワイダニット等のどれに照準を定めて書くかによって書き方が変わってくる。

■ミステリーの要素

ミステリーにはさまざまな書きようがあり、作家それぞれに切り口が異なるが、最大公約数的な要素とも言うべきものがある。

一、ショッキングな発端

[12]推理作家は書き始めに最も苦心する。第一

ステージで読者を作品世界に引き込むために、魅力的な導入部が求められる。私小説のように「私」について長々と書き始めるわけにはいかない。

　いまに面白くなりそうだという予感を読者に抱かせながら、長々と読ませて、一向に面白くならないミステリーもあるが、長々と読ませるだけで、一応の技術である。

　⑬巻措《お》くあたわずというようなインパクトのある導入が望ましい。冒頭に殺人事件や、不可解な現象や、いきなり結末から書き始めたりする手法が多用されるのは、読者をキャッチするためである。

二、トリック

　⑭トリックは本格推理の核《コア》である。優れたトリックによって欺かれる快感は、ミステリーの醍醐味である。物理的なトリックが出尽くした今日、心理的なトリックにその大勢が移行している。だが、今後、ハイテク最先端を利用した機械的なトリックが出てくるであろう。

　本格の場合、トリックが先行して、人間や事件によって肉付けをするという作法が多い。人間が不在になったり、操り人形になったりする所以《ゆえん》である。だが、トリックには文芸の使命とされる人間を犠牲にするだけの魅力があるのである。本格ミステリーにおけるオリジナリティは、特にトリックにおいて要求される。⑮先行作品に用いられたトリックを再使用するときは、よほどバリエーションの工夫を凝らさなければならない。バリエーションですら、オリジナリティはかなり減殺される。

[16]いやしくも本格を志す者は、古今東西の有名トリックに通暁する必要がある。

ただし、トリックは読んだ後、メモに書き留めておかないと忘れてしまう。[17]名作や、心に残ったトリックはメモしておくべきである。

私は自分のメモ以外に、[18]江戸川乱歩『続・幻影城』におさめられている内外の「類別トリック集成」や「探偵小説に描かれた異様な犯罪動機」を読まれることを勧める。

拙作では、まずトリックが生まれて、人物を肉付けした作品は『高層の死角』『密閉山脈』『新幹線殺人事件』『黒魔術の女』『空洞星雲』『日本アルプス殺人事件』などがある。

・密室

密室はトリックの粋である。出入不可能な厚い壁に囲まれた密室から煙のように消え失せた犯人は、読者の不可能興味を盛り上げる。密室の機械的トリックは出尽くしたと言われ、これに次いで心理的トリックが盛んになったが、近年に至り、島田荘司氏、綾辻行人氏、有栖川有栖氏など、新本格派の作家によって大仕掛けな機械的トリックが次々に発明されるようになった。

拙作『高層の死角』は心理と機械を配合した密室トリックである。『超高層ホテル殺人事件』『黒魔術の女』『凶水系』『日本アルプス殺人事件』『終着駅』は機械的トリックである。心理的トリックでは『密閉山脈』『致死海流』が代表である。

[19]前段で触れたように、密室のタブーは抜け穴であるが、拙作の短編『盗まれた密室』において抜け穴を使用している。だが、この作

品の主眼は密室にはなく、密室を囮にして読者を誤導《ミスディレクト》することにある。作者の真の狙いは、密室そのものが盗まれ、完全犯罪が崩壊するところにある。抜け穴も読者が納得のいくように使えば、それは抜け穴ではなく、心理の盲点となる。[20]抜け穴ではなく、難攻不落の密室そのものを囮に使った傑作に、東野圭吾氏の『放課後』がある。

・アリバイ

アリバイは密室に並ぶトリックの双璧である。犯人は捜査線上に浮上しているが、犯行現場に立てないという証明がある。共犯者を使うわけでもなく、犯人は現場に立たず、いかにして殺人を遂行したか。この謎に不可能興味をかき立てられる。

トラベルミステリーでは、おおむね時刻表の盲点や、乗り換えや〝三角跳び〟による心理の錯覚によって、アリバイを構築する。何日もかけて少しずつ時間を貯蓄してアリバイを築く[21]松本清張の短編『留守宅の事件』は秀作である。時刻表の盲点だけでは面白みが少なく、アリバイのスケールが小さくなる。犯人と現場の間にできるだけ距離があり、鉄壁の時間の壁があることが望ましい。

たとえば東京で事件が発生し、犯行時間帯、容疑者はニューヨーク、パリ、あるいは絶海の孤島にいたというような設定である。事件発生時、容疑者が隣りの家にいたというような設定では小さい。仕掛けを大きくするために、電話、カメラ、その他各種文明の利器と組み合わせる。

拙作では『虚構の空路』（事件発生時、犯

人は海外にいる)、『新幹線殺人事件』(事件発生時、犯人は新幹線の車内にいる)、『新・新幹線殺人事件』(先行列車の乗客が殺害され、犯人は絶対に追いつけない後続列車に乗っている)、『日本アルプス殺人事件』(川崎市で被害者が殺害された時間帯、犯人は日本アルプス山上にいた)等がある。

[22]アリバイ崩しの難しさは、容疑者のアリバイを崩したことが、即有罪の証拠にならないことである。アリバイがないということは、犯行時、どこにいたかわからないということであって、犯行現場にいたことにはならない。これをどのように犯行に結びつけるか、アリバイトリックの難しいところである。

この点、密室の壁が崩れると同時に、犯人が逮捕される密室トリックよりも、仕掛けに工夫を要する。本格ミステリー作家たる者、一度は密室やアリバイに挑み、あるいは挑もうとするのも、この抜群の不可能興味にある。

三、プロット

[23]物語性はミステリーの生命である。どんなにトリックが優れていても、プロットがつまらなくては、読者はついてこない。トリック同様、プロットにもオリジナリティが求められるが、バリエーションはトリックほど厳密ではない。[24]優れたバリエーションであれば、先行作品があっても、別のオリジナリティと見なされる。バリエーションとリメイクはちがう。俳優の演技で見せる映画や演劇には、リメイクは許されるが、小説の場合、リメイクは少ない。せいぜい別の分野からのノベライゼーションである。

私の場合、プロット[25][26]は劇的な体験や、波瀾万丈の人生などよりも、平凡な日常体験や、ありふれた生きようから作品のヒントを得ることが多い。日常性における非日常性を面白いとおもう。たとえば街角の主婦の立ち話や、ゴミ集積場におけるゴミの出し方の個性や、タクシーの運転手とのなにげない会話などから、作品のヒントを得ることが多い。

作品の劇的な要素と構想のヒントは直接の関わりを持っていない。作者の中で、平凡な題材から劇的に化学変化するのである。化学変化させる触媒が、[27]作者の感性や、経験や、アンテナということになるのであろう。常にアンテナを張りめぐらしていないと、せっかくの千載一遇のテーマやモデルを見過ごしてしまう。

作者が持って生まれた感性に加えて、ものを見る訓練が必要である。つまり作者の目と傍観者の目は異なるということである。作家たらんとする者、常に自分の作品を通してものを見なければならない。

四、サスペンス

とにかく読者を誘い込んだものの、中だるみすると、読者は飽きてしまう。一体、作品の行方はどうなるのかと、読者に固唾を呑ませ、手に汗をにぎらせて緊張を持続させるのがサスペンスである。サスペンスを盛り上げるために時間を限ったり（例：時限爆弾）、危機的な状況（例：事故や災害、拙作『黒い墜落機《ファントム》』『誉《よ》生《せい》の証明』）を設定したりする。また、大向こうを意識した派手なサスペンスではなく、彼我の対決による緊迫した心理によって、静かに緊張を高めていく（例：討ち入り前の赤穂浪士や巌流島での決闘前の武蔵と小次郎）。

五、クライマックス

サスペンスが登路であるとすれば、クライマックスは山頂である。ミステリーにおけるクライマックスは、言うまでもなく探偵が犯人を追いつめ、犯人を落とす場面であろう。幾重にも障壁《バリア》を張りめぐらした難攻不落の犯人に、ついに王手をかけ、まいったと屈伏させる。謎[28]が不可解であればあるほど、クライマックスのカタルシス（快感）は大きい。

六、意外な結末

討ち入りや巌流島は、その場面で一応終わるが、ミステリーの一筋縄でいかないところは、犯人が陥落した後、さらに二転三転して、意外な真相が露《あらわ》れることである。どんでん返[29]しによって、これまで構築されてきた世界が一変する。まったく予想もしなかった未知の風景は、読者に強烈な衝撃をあたえる。しかもどんでん返しによる世界の化学的変化には、合理的な説明がなされなければならない。拙作例では『捜査線上のアリア』がある。

読者はこれまで信じていた世界が、最後の一ページによって、まったく虚像にすぎなかったことを知らされ、愕然とするであろう。

七、ミステリーの趣向

ミステリーはなぜ犯罪をテーマとするのか。ミステリーのテーマには特に殺人が多い。これは謎を設定するのに、殺人が最も適しているからである。殺人にはフー、ホワイ、ハウという謎を構成する三大要素が含まれている。

謎があれば、犯罪でなくともよいはずであるが、たとえば善行の主はだれかという設定では、その主が判明しても表彰されるだけで、罰せられない。犯人が捕まれば死刑に処せられるかもしれぬとなれば、犯人は自分を守るために必死の知恵をめぐらし、何重ものバリアを設け、これを追う捜査陣と攻防の火花を散らす。つまり、㉚犯罪は推理の趣向なのである。もっと深い謎や、面白いミステリー環境が設けられる趣向があれば、べつに犯罪でなくともよい。いまのところ、犯罪に勝るミステリーの趣向はなさそうである。

㉛犯罪に伴う社会、経済、国際状況、また人間の精神の暗黒、性、恐怖なども、すべてミステリーの趣向と解釈してよい。つまり、ミステリーである限り、中核は謎にあり、本格、変格を問わず、ミステリー環境を構成するすべてのものは、ミステリーの趣向である。拙作の例としては『人間の証明』における西条八十の詩の挿入、『黒い神《み》座《くら》』における政治、『白の十字架』や『日本アルプス殺人事件』における山岳、『人間の条件』における新興宗教、『悪しき星座』の風土病、『雪の蛍』の昆虫の習性。

㉜趣向に制限はないが、殺人はなるべく節約したい（多く殺すと必然性と合理性が破綻する）。幼児の殺害、幼少年のポルノグラフィ、過度の残虐、大量虐殺、残忍性、変態性欲、超不潔な行為などはミステリーの品格を落とす。

　趣向のちがいによって、ミステリーの各ジャンルに分かれていく。また、推理の趣向の選択に、作者のタイプが表われる。

八、必然性

合理性を要求されるミステリーでは、偶然は極力排される。犯人、または事件の真相解明に直接関わらない偶然は許容されるが、重大な関連を持つ偶然はタブーである。行末のなにげない描写にも、必然がなければならない。[33]

たとえば登場人物がなにげなく喫茶店に入る。一般の小説であれば、その喫茶店に入った意味は求められないが、ミステリーでは、なぜそのときその喫茶店に入ったかという必然性が要求される。これが伏線である。結末において、あのとき喫茶店に入ったのはこういう意味があったのかと、読者が納得するような理由が欲しい。

一般小説のように予定より早く終わってしまったとか、物語が発展して、いつ終わるかわからないというような構成では、人工の美学に反するのである。必然性はミステリーのキイワードと言ってもよい。

■文章

文章には説明と描写と抽象がある。

説明については、すでに述べたように主観性を排し、客観性と正確性が求められる。描写において主観が入ってくる。文章は抽象化が進めば進むほど高度になり、カバーする範囲が広くなる。反面、具体性が失われ、難解となる。読み手にも、それ相応の素養が求められるようになる。

芭蕉の「五月雨をあつめて早し最上川」は説明句の見本であり、同じ作者による「夏草や兵《つわもの》どもがゆめの跡」は抽象句である。前者は、雨が降って川の流速が増したと説明しているだけであるのに対して、後者は、単に空間の描写に止まらず、時間軸（歴史）が加わる。わずか十七文字によって膨大な歴史が描かれている。俳句の素養のない者でも、後者の完成度と抽象度の高さはわかるであろう。

㉞文章は書けば書くほど上達する。私はまず、好きな作家の文章の模倣から始めて、自分の文体を積み上げていった。文体とは、その作者独特の個性的な文章である。作者独自の誤用や誤字も、文体に含まれる。

㉟作家は個人の名前によって、多数の読者にアピールしなければならない。署名を入れなくとも、だれの文章ということがわかるような文体を練り上げなければならない。

㊱ミステリーは基本的人権の保障される民主主義社会において発達する。犯人の人権の保障されない社会や国家においては、合理的な証拠は必要なく、容疑者を捕らえて拷問にかけ、自供させれば、一件落着である。つまり、ミステリーは人権保障の指数とも言える。

ミステリーがなくとも、人間は生存できる。ミステリーに限らず、文芸は生存にとって必要ない。だが、文芸以下すべての芸術、創作は、人間が人間らしく生きるために必須である。私の少年時代、太平洋戦争最中、国民が食うや食わずの生活を強いられているとき、文庫二百冊が配給（有料であるが、販売ではない）される書店の前に、長蛇の列が並んだことをおぼえている。その作品も、本人が選べるのではなく、お上のお仕着せであった。まさに人はパンのみによって生きるにあらずを実感した。

㊲だが、そのとき配給された作品はミステリーではなかった。ミステリーは香り高いコーヒーや紅茶とよく似合う。人生いかに生くべきかという重い命題を問いかける（作品もあるが）ものではなく、人間が余裕を持って人生をエンジョイしているときに最も合う文芸ジャンルである。

ミステリー作家への質問

Q.執筆する前の儀式や縁起担ぎはありますか

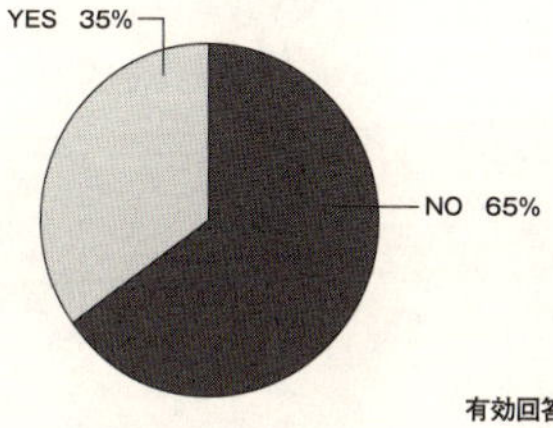

有効回答数（136）

YESのコメント

●儀式や縁起と呼ぶには、生活感がありすぎますが、プロットその他、構成に関する作業は家の外（馴染みの喫茶店）で行い、執筆は書斎でするようにしています。なぜだか、その方がうまくいくからです。どうも刺激の問題みたいです。＜浅暮三文＞
●長編に取りかかる前、石鹼で手をきれいに洗います。執筆に詰まったときは、キッチンで包丁をていねいに研ぎます。＜薄井ゆうじ＞
●ギターを弾く。早撃ちの練習をする。＜逢坂剛＞
●アルコールでほろ酔い状態になる（したがって、飲めなくなった現在では筆の動きが鈍くなった）。＜草川隆＞
●パソコンのデスクトップを執筆中の作品に合ったものに替える。＜鯨統一郎＞
●長編を何日もかかってかく場合、同じ「心の状態」になれるよう事前に同じ本をよんだり、同じ匂いをかいだりします。電磁波を防ぐエプロンをするのも、「やるぞ」の儀式のひとつかも？＜久美沙織＞
●最初に書きはじめた日の次の日は一行も書かない。なんとなく頭を冷静にする儀式みたいなものです。＜近藤史恵＞
●長編を書き出す前には必ず宝塚の手塚治虫記念館に行く。＜田中啓文＞
●意味もなく、部屋の中を歩く。落語（志ん生）のテープを聞く。原稿用紙に、イタズラ書きをする。＜西村京太郎＞
●ピカレスクや官能を描いていると、「汚れ」を感じてしまいます。窒息しそうになるのです。そのため、寺社などの「聖域」へ清浄な空気を吸いにゆき、「汚れ払い」をします。＜松島令＞
●現在執筆中の作品と無関係の古い作品を、無意味に開いてみたりする。＜森村誠一＞

第2章

ミステリーを書く前に

オリジナリティがあるアイデアの探し方

東野圭吾 HIGASHINO Keigo

①プロの作家に必要なことは何ですか
②日常生活の中でどんなことがヒントになりますか
③専門分野はどのような役に立ちますか
④トリックは謎とタネ、どちらから考えますか
⑤⑥オリジナリティのあるアイデアを考えるにはどうすればいいですか
⑦オリジナリティのあるアイデアを考えるにはどうすればいいですか
⑧読者を驚かせるにはどうしたらいいですか
⑨映画は多く観たほうがいいですか
⑩読書はたくさんしたほうがいいですか

⑪⑬⑮読書をするときに心がけるべきことはありますか
⑫⑭⑯⑱映画を観るときに心がけるべきことはありますか
⑰映画は多く観たほうがいいですか
⑲読書をするときに心がけるべきことはありますか
⑳映画を観るときに心がけるべきことはありますか
㉑アイデアに詰まったときはどうしたらいいですか
㉒作家にとってタブーは何ですか
㉓思いがけない発見にめぐり会うためにはどうしたらいいですか

■プロとしてやっていける人間の条件

日常生活の中で、おやっと驚いたこととか、こうだとは思わなかったといった、些細なことがありますよね。それが全部小説のネタになると考えないといけないと思います。この世界でプロとして飯を食っていける人間とそうじゃない人間との違いというのは、些細[1]なことを真剣に考えるかバカにするかどうかなんです。一見くだらないことでも、いったんは真面目に考える。その考える作業を、すべてにおいて何回も繰り返すわけです。その中からいいものになると思われる発想を、作品にしていくんです。

アイデアがひとつひらめいた時に、それをそのまま作品化するということは滅多にありません。ひらめいたものをいくつかストックしておいて、その中からいいものを選ぶわけです。だから、もとになるアイデアは、自分の中にたくさん持っていないといけない。トリックにしてもそうで、日常生活の中で意外に感じたりしたことを全部ストックしておくしかないわけです。そして、なぜ自分が意外に思ったのかを掘り下げていく。

アイデアは、これは忘れそうだなと思うものはメモにとっておきますね。ただ、印象的なアイデアは、わりと早く使ってしまうものなんです。使えないネタは、いつまでも使えない。だから、長い時間をかけてストックするんじゃなくて、何かネタを思いついた時に、そこからアイデアの選択肢をいろいろ広げて、その中から今の自分に書けるものを選んでいくことが多いです。

■日常的な発見を小説に生かす

②日常の中の些細な発見から小説のアイデアを膨らませた例を挙げます。

なぜか戸が開かないということがありました。「なんで開かないんだろう」と思ったら、テーブルがつかえてる。「なんだテーブルがつかえてるんじゃん」と、テーブルを片づけてみる。「それでも開かない」と思ったら、何か下に挟まっていた……というふうなことから、ある密室トリックが浮かんできたという経験があります。この場合、何かが挟まっていたという原因よりは、「テーブルを片づけても戸が開かない」という驚きが、トリックのアイデアに発展していったわけです。

それと、③僕は作家になる前は技術職だったんですが、当時の職場で得た知識が、後にトリックを考える際に役立ったことも多いです。『探偵ガリレオ』に出てくるような物理的トリックは、ほとんど自分が目にしたことのあるものばかりなんですよ。例えば「この機械はこういう理由で危険だ」と説明を受けることがあります。ということは、危険じゃないように見えるけど実は危険なんだということですよね。そういったものは、裏を返せばトリックになるわけです。

『探偵ガリレオ』のある話では、赤い糸が見えた、という証言から謎が解けるわけですが、これも、なぜそう見えたかという原因が先にあるんじゃなくて、見えないはずのあるものが「赤い糸みたいに見えた」事実への驚きから生まれた話なんです。驚いたという記憶から、ではなぜそのように見えたのか、という原因を追究していくと、ひとつのトリックの可能性に到達するわけです。

今挙げた例のように、トリックを考える時は、最初は自分自身の素朴な驚きから出発すべきだと思います。逆はあまり成功しません。つまり、こうやれば驚くだろうという計算では、なかなか読者の心をうまくコントロールできないんです。それよりもまず、自分が驚いたり意外に思ったりしたことから逆に突き詰めていって、なぜ自分が驚いたか、その仕組みを突き止める。自分も驚いたんだから、きっとみんなも驚くだろう、ということですね。そういう書き方をすると、案外他の作家とアイデアが重ならないものなので、そのあたりからオリジナリティが生まれると言えるかもしれません。

自分の中に壁を作らない

オリジナリティのあるアイデアを考えるには、「今までのミステリーではおざなりにされていた部分を膨らませてみる」というのもひとつの手だろうと思います。『殺人の門』の場合は、まずタイトルを思いついたんですよ。なぜかというと、こういう仕事をしていると普通、人殺しをしてしまった人の話ばかり書いているんですが、実は「こいつを殺そう」という発端から「殺すかどうか」という結末までにも、きっとドラマがあるはずだと考えたんです。それを自分の中で「殺人の門」と名付けて、それについて書こうと……。つまり今までは、こういう動機で人を殺しましたと一行で済ませていたところを、それだけで千枚くらい書いてやろうという野心ですね。

同じような発想法から生まれたアイデアの例を言えば、人を殺した犯人自身は普通、逮捕されてそれで終わりですが、では犯人の周りの人間にとっては事件の後はどうなのかと考えたんです。実際に一番大変なのは周りの人たちかもしれないのに、それを中心に書いた小説はないわけですね。そういう発想で生まれたのが『手紙』という作品です。

また、殺人事件を描く時に、探偵側から描いたり、ワトソン側から描いたり、犯人側から描いたりといった例はいっぱいあるわけです。ならば別の方向から書こう、例えば一見まったく事件とは関係なさそうな人々ばかりの視点で書こうか、事件が終わった後のことを書こうか、それとも事件が起こる直前までを書こうか……と、とにかく考えられるだけいっぱい考えるんですよ。そうやって生まれたのが『白夜行』であり、『手紙』であり、『殺人の門』です。こうやっていくつも考えて、その中から今回はこれが一番いいだろうと選ぶ。そこからアイデアを磨いていくことで、小説はかたちを成すわけですね。

だから、[7]今までないアイデアを探す時に、「こういうネタは小説にならないだろう」とか、「こういうのはきっと面白くないだろう」とかいった壁を自分の中に作ってはいけない。先入観で自分を遮断させてアイデアを摘み取ってしまうようなことはしないで、どういうことでもいいから、まだ誰もやっていないものを拾い上げていくことが大事だと思いますね。

■ひとつのキーワードから複数のアイデアが

『どちらかが彼女を殺した』は、読者は本当に小説を読んで推理しているのだろうかという疑問が発想の原点のひとつです。もうひとつは、自分の読書体験からすると、犯人当て小説を読む時に、明らかに真犯人ではない、当て馬だというのが見え見えな登場人物が多すぎるんですね。結局、読者は二人か三人くらいの中から推理するわけです。読者が犯人を当てるといっても、その程度の人数からの絞り込みであって、大勢の容疑者の中からずばりひとり見つけたということは実はない。こいつかこいつのどちらかだと思っていたんだ、というのがほとんどですね。ならば最初から容疑者が二人だったらどうなのか、という発想です。要は、自分が読者だったらどう考えるかというのも、ひとつの発想の原点なんです。しかも自分をかなり意地の悪い読者に仕立ててあげて、自分がこれから書こうとしている作品をどう思うかという客観的な視点を用意しておく。そういう視点も必要だと思います。[8]

『どちらかが彼女を殺した』は、今となっては「犯人が誰か書いてない」ということが一般に有名になっていますが、実はあれは、自分としては「犯人が書いてなかったら、読者は驚くだろうな」という意外性を狙ったものだったんですけどね。あと、「犯人は明かさなくてもいいじゃないか」という思いつきもありました。ではどう明かされなくていいのかと考えた時に、ひとつはストレートに「書かない」という方法ですね。これが『どちらかが彼女を殺した』でやったことです。もうひとつは、「誰がやったかに意味がない、誰がやってもいい」という書き方なんですが、これをやったのが『レイクサイド』です。あれは『どちらかが彼女を殺した』と同時期に発想したものです。犯人を明かさないという思いつきから分岐した作品ということですね。

それから、「自己崩壊」というキーワードで書こうと思った時に、そこからいろいろなアイデアが生まれたこともあります。自分が変わっていくのが『変身』で、自分が唯一だと思っていたらもうひとりいたというのが『分身』で、自分が自分だと思っているのは記憶を持っている脳が思っているだけであって、それが変わったら自分でなくなるというのが『パラレルワールド・ラブストーリー』で……という具合に。ひとつのキーワードから、いろんなアイデアが生まれる可能性があるものなんです。

■気[9][10]に入った映画や本は何度でも味わう

ストーリーにおける意外性のヒントをどこから得るか、というお話をします。

僕は本からも映画からもテレビからも、「これは意外だ」という発見をすることがありますが、⑪⑫意外に思った体験をそのままにしておくのではなく、なぜ意外に思ったのか、その時の自分の気持ちを重視します。そこを突き詰めていくと、小説のアイデアに突き当たる。

凄いどんでん返しが仕組んである本があったとしても、そういうのは思ったよりも参考にならない。「ああ、この手か、うまくやっているな」と思うことはあるのですが、事実、もうそこで使われてしまってるんだから、同じ手はもう使えない。そういう前例よりも、別に⑬⑭作者がこんなところで意外性を出そうとか意図していないようなところ、たまたま自分が勝手に驚いたところに、アイデアのヒントが埋もれているものなんです。例えば、映画「タイタニック」で、ヒロイン役のケイト・ウィンスレットが、シーンによって太ってたり痩せてたりします。あれは、シーンごとの撮影の時期の違いが原因なんでしょうが、「このシーンに映っている彼女と、別のシーンに映っている彼女は実は別人なんじゃないか」という見方もできるわけで、それをトリックに応用しようと思えば可能なんです。それは監督のジェームズ・キャメロンはまったく意図していない、ちょっと意地悪な見方なんだけど、トリックのヒントはそんなところにも転がっています。⑮⑯ひねくれてモノを見るということも必要ですよ。

⑰⑱僕は、好きな映画は何度でも観るんです。ただ「良かったな」じゃなくて、今観ている

シーンに対して自分がどう思っているかを大切にする。観察していると、その中にヒントがある。小さな意外性や驚きがたくさんあるんですよ。映画がいいのは、ビデオとかDVDで繰り返し観られる点ですね。僕は、気に入った映画はほとんど記憶するくらい、もう何度も何度も観るんです。なぜ自分がその時にそう思ったのかを突き詰められるからです。その突き詰める作業の中から、自分が意外感や違和感を抱いた理由がはっきりしてくる。そこからアイデアが出てくる。それが実際に使えるかどうかはともかく、膨大な数のアイデアを拾えるわけです。

本もそうです。僕は決[19][20]してたくさんの本は読んでいない。ただ読んだ本は、ミステリーだろうが何だろうが、何度も読み返すようにしているんです。たとえ一回しか読まない本にしても、それこそ一日一ページとか、時間をかけて読む。ストーリーだけではなくて、読みながら自分が何を思ったかを大切にしているわけです。

以前は本も一回読んだらおしまいだったんですが、何がそういう読み方をするきっかけになったかというと、作家になったこととしか言いようがないんです。作家になる前からそういう訓練をされていた方々もいるようなんですけれど、自分はそんなこともしないうちにデビューしてしまったので、作家になってから訓練をしなくちゃいけなかった。それで、自分が面白いと思った本から、どのタイミングで事件を起こしているのか、どうやって犯人を隠しているのかといったことを勉強しようと思ったわけです。そのようなことをやっていたので、普通に本を読む時でも、構造をただ学ぶだけじゃなくて、その中にある、作者が意図していない宝を探し出すような癖がついたんでしょうね。

ただ、[21]アイデアに詰まった時は、小説を読んでも駄目です。文字を追わなくてはならない小説よりも、映画やマンガの方が、情報が映像や絵としてすぐに目に入ってくるぶんアイデアのヒントを早く見つけやすいんです。それに、自分が気に入ったものである必要があるんですよ。なぜそれを自分が好きなのかを掘り下げることからもアイデアを拾えるから。

映画では、一番繰り返し観たのは「007」シリーズですね。マンガでは「パタリロ」を何度も読み返しています。「パタリロ」は僕が書くものとあまり関係ないようですが、実はあのマンガから、小説のアイデアをたくさん拾っているんですよ。「パタリロ」は、ああいう絵柄でああいうストーリーだから、男か女かわからない人物がいっぱい出てきますね。男であるとか女であるとかは書いてあるんだけど、これ、全然説明がなければどう思うんだろうとか考えてみる。そういう読み方をしていくと、アイデアをいろいろ拾えるわけです。

■興味のない領域を作らない

[22][23]これは自分の主義なんですが、興味のないものを作ってはいけない。僕も人間ですから、

本当はちょっと苦手なことはありますけど、でも口には出さない。何か話題を持ち出された時に、「関心ないです」とか「興味ないです」とは絶対に言わないようにしています。とりあえず、関心があるかのように芝居をするんです。例えば相手が歌舞伎に連れて行ってくれるとして、そこで「関心がない」と言ってしまったら、相手は僕を二度と歌舞伎に誘わない。そうすると、せっかくの未知の世界に触れるチャンスを逃してしまうわけですね。

ずっと昔、クラシック・バレエをやむなく観なければいけない時があって、嫌いだったんだけど、覚悟して行ったんですね。でも、実際に観たらやっぱり勉強になるし、その勉強の結果が『眠りの森』という小説になった。それに、バレエの取材から、今までまったく関心がなかったミュージカルや芝居を観に行ってみようという関心も生まれてくるわけですよ。そこからまた新たに、小説のテーマを拾うこともあるわけです。

アメリカン・フットボールにしても、よくテレビでやっているけれど、最初はルールも知らないし、興味もなかった。でも一回観てみるかと思って、ルールブックを参考にしながらテレビで試合を観ていると、だんだん面白くなってきて、結局大好きになったんです。それで、アメフトの選手たちは何を考えているんだろうと思った時に、『片想い』という作品が生まれた。本当に何が役に立つかわからないですから、いろんなものに興味を持っていることが大事だと思います。「自分は本格ミステリーは関心がない」とか、自分の守備範囲外の小説に興味がないとはっきり言う小説家の人もいるんだけど、そんなことを言う人たちを尊敬はできないです。自分に縁のないジャンルでも、それを楽しむ読者はいるわけですから、なぜそれが楽しいのか、どの部分が面白いのか、何をそんなに面白がっているのかを突き止めないといけないと思うんです。

結局、オリジナリティのあるアイデアというのは、自分が何を面白いと感じるのかを突き詰めて考える姿勢から生まれるものなのだと考えています。

（談）

どうしても書かなければ、と思うとき

法月綸太郎
NORIZUKI Rintaro

(P.071-079) トリックは謎とタネ、どちらから考えますか
(P.071-079) 単純明快なトリックに新鮮味をもたせるにはどうすればいいですか

私の小説はほとんど頭でこしらえたもので、小説作法とか創作のコツをしっかり会得したという実感を抱いたことがありません。書けば書くほど、小説の書き方がわからなくなるばかりで、いつまでたっても眼高手低な素人臭さが抜けきらない。これから説明の材料にする「盗まれた手紙」(「メフィスト」二〇〇三年五月号)という短篇は、そうした頭でっかち(尻すぼみ?)の最たる作品なので、こういう場で取り上げるのに適切ではないかもしれません。楽屋落ちという感も否めないのですが、漠然とした「書きたいもの」が、作者の頭の中で「このように書かなければならない」という内容と形式を獲得するまでのプロセスを述べるために、乏しい経験の範囲内からあえて選んだサンプルだということをあらかじめお断りしておきます。

さて、話は何年か前に遡ります。個人的な興味から(それについては後述します)『暗号解読』(サイモン・シン)という暗号技術に関する一般向けの入門書を読んでいた時、次のような記述が目に留まりました。

「アリスはごくプライベートな手紙をボブに送りたいと思う。そこでアリスは鉄の箱に秘密の手紙を入れ、南京錠を掛けてボブに送る。箱が届いたとき、ボブはさらに自分の南京錠を掛け、箱をアリスに送り返す。アリスのもとに届いた箱は、二重に施錠されているわけである。アリスが自分で掛けた南京錠をはずせば、いまや箱を守っているのはボブの南京錠だけになる。そうしておいて、アリスはボブに箱を返送する。ここに決定的な違いがある——ボブが受け取った箱には、ボブの南京錠しか掛かっていないのだ。ボブは箱を開けることができるのである」（青木薫訳）

これは、二千年に及ぶ暗号の歴史において最大のジレンマとされた「鍵配送問題」——秘密（鍵）を共有していなければ、秘密（暗号文書）はやりとりできない——が技術的に（数学的に）解決可能であることを示唆するシナリオです。こうした思考実験を経て、一九七〇年代の半ばに、公開鍵暗号という画期的な技術が発明されるのですが、私が惹かれたのは、何よりもこのシナリオの単純明快で、エレガントな手順そのものでした。

しかしこの手順には、付け入るスキがあります（ある程度ミステリーを読み慣れた読者なら、そのことにすぐ気づくのではないでしょうか）。すなわち、第三者であるイヴが、ニセの箱と南京錠を用意してアリスとボブの間に割り込み、アリスに対してはボブのように、ボブに対してはアリスのようにふるまえば、二人の通信者にまったく気づかれることなく、秘密の手紙を盗み読むことができるからです。

こうしたなりすまし行為は、暗号の世界でも周知のテクニックで、右のようなケースは「ディフィー－ヘルマン鍵交換に対する中間者攻撃」と呼ばれているらしい。インターネットでよく話題になる「デジタル署名」とか

「認証技術」とかいうのは、悪意を持った第三者によるなりすましを防ぐための技術的な対応策にほかならないわけです。

それはさておき、私はこの「中間者攻撃」の手順を応用して、不可能犯罪を扱った本格ミステリーが書けないだろうかと考えました。

ふつうミステリーのアイディアというのは、それ自体がむき出しで描かれることはまずありません。アイディアが最大の効果を挙げるように設定や状況を考え、プロットを組み立てなければならないからです。そうでなければ、簡単に作者の狙いが見抜かれてしまうでしょう。単純明快なアイディアに、さまざまな要素を加えて肉付けしていく――小さな雪のつぶてを転がして、大きな雪だるまをこしらえるようなものです。

今回のケースだと、たとえば二つのそっくりな部屋を用意して、手のこんだ密室トリックを実現することができるかもしれません。しかしそうしたトリックはありふれていて、どんなに苦心惨憺して極端に人工的な状況を作り出しても、目新しいものとは映らないでしょう。鮎川哲也氏のような先達が、死体の詰まったトランクやコインロッカーを利用して、こうしたアイディアの鉱脈をギリギリの限界まで掘り尽くしているからです。

それだけではありません。雪だるま方式には、もうひとつ難点がありました。

少し話が大げさになりますが、そもそもどうして私が前記のシナリオに惹かれたのかというと、本格ミステリーの「謎とその論理的解決」なる図式を、現代的な暗号理論の体系によって解釈し直すことができないだろうか、という目論見《もくろみ》が念頭にあったせいです。これはまあ、単なる思いつきというか、まだトンデモの域を出ない作業仮説にすぎないのですが、二〇〇〇年に東浩紀氏と対談したのをきっかけに（東氏の情報論集『サイバースペースはなぜそう呼ばれるか＋』に収録された「謎解きの世界」を参照）、ぼちぼちと考え始めていたことで、『暗号解読』という本を手に取ったのも、それがいちばん大きな理由でした。

そうした目論見の取っかかりとして、アリスとボブ（それにイヴ）のシナリオに注目したわけですから、設定上あまりにも大きな変更を加えることはできません。暗号理論への入門篇として、できるだけ元のシナリオに近い形を維持しないと、最初の考えにそぐわないことになります。

しかし思考実験のためのたとえ話を、小説の中の出来事としてそのまま描くことはむずかしい。少なくとも物語を進めていくうえで、何らかの特殊な枠組みを用意しなければなりません。「書きたいもの」にふさわしい枠組みを、その時の私は見出すことができなかったので、このシナリオはお蔵入りになってしまいました。言い換えれば、「書かなければならない」という強迫観念が生じるためには、そうした枠組みの発見が不可欠だということです。

物語の枠組みを見出したのは、それから一

年以上たってからのことです。アルゼンチンの詩人・小説家ホルヘ・ルイス・ボルヘスの自撰短篇集『ボルヘスとわたし』が文庫化されたので、読み落としている作品を読んでおこうと思ったのがきっかけでした。ボルヘス風の小品という形式なら、アリスとボブ（そしてイヴ）のシナリオをそのままの形で書くことができるのではないか？　本を読んでいるうちに、ふとそのような連想が頭をよぎったのです。

二十世紀最高の短篇作家のひとりであるボルヘスが、黄金時代の本格ミステリーの愛読者であり、謎解きや迷路、暗号といった要素を自作に取り込んでいることは、作家を志す皆さんならよくご存じでしょう。代表作である『伝奇集』に収められた序文の中で、彼は次のように記しています。

「厖大な書物を物すること、数分間で語りつくせるひとつの着想を五百ページにわたって展開するのは、労のみ多くて功少ない狂気のさたである。もっとましな方法は、それらの書物がすでに存在すると見せかけて、要約か解説を差しだすことだ」（鼓直訳）

もちろん私は「数分間で語りつくせるひとつの着想を五百ページにわたって展開する」ことが、「狂気のさた」であるとは思いません。しかし時と場合によって、あるいはアイディアの性格によっては、「もっとましな方法」に頼らざるをえないこともあります。ボルヘス風の文体を用いれば、思考実験というものの抽象性を保ったまま、ダイレクトに物語の中へ組み込むことができるのですから。けっして何度も使える方法ではありませんが、アリスとボブ（そしてイヴ）のシナリオを小説化するのに、これ以上ふさわしい枠組みはないと判断しました。具体的には、「死とコンパス」という短篇を下敷きに、そのパロディを書くことにしたわけです。

とはいえ、パロディとかパスティーシュ（贋作）というのは、型にはまって書きやすい反面、安易に流れてしまいがちなものですし、そうでなくても読者から色物扱いされて、まともな評価を得られない可能性が高い。しかも、博覧強記で知られるボルヘスのパロディを書くというのは、あまりにも身の程知らずな蛮行というか、プロ作家なら一番やってはいけないことでしょう。

そのことは承知のうえで、私はあえて無謀な試みに着手しました。というのも、一見そうは見えないけれど、このアイディアが暗号の原理に基づいていることを示唆するために、「暗号の作家」という顔を持つボルヘスの小説に擬態する必要があると考えたからです。

具体的なストーリーをイメージするには、もうひとつ補助線を引かなければなりません。物語の骨子が通信セキュリティの問題と密接に関わっていることを強調するために、エドガー・アラン・ポーの古典的名作「盗まれた手紙」のプロットを拝借することにしました。ポーの作品では、盗まれた手紙の隠し場所が問題になりますが、私のパロディでは、機密保護されているはずの手紙を盗み出す方法

（中間者攻撃）が中心になることは言うまでもありません。

「盗まれた手紙」と「死とコンパス」の二篇は、ボルヘスが盟友アドルフォ・ビオイ＝カサーレスと共編したアンソロジー『探偵小説傑作集』の第二集にそろって選ばれている作品ですし、「死とコンパス」の作中には、「盗まれた手紙」の主人公オーギュスト・デュパンについての（楽屋落ち的な）言及が見られるので、両者を組み合わせることにも、それなりの必然性はあるはずです。

　複数の作品のプロットを重ねて二層構造にするのは、パロディの常套手段ですが、これには暗号理論との兼ね合いもあります。というのも、実用的な暗号の世界では、公開鍵暗号と対称暗号という二種類の暗号の長所を組み合わせた「ハイブリッド暗号システム」が用いられているからです――まあ、それは後付けの理由なのですが。

「死とコンパス」は、アレックス・コックス監督が『デス&コンパス』という邦題で映画化しているので、ご覧になった方がいるかもしれません。ボルヘスの原作は、文庫本で二十ページ足らずの掌篇ですが、メタミステリー（古典的な探偵小説のパロディ）の先駆的作品として、ミステリー・ファンの間ではよく知られています。創作のプロセスを語る文章なので、遠慮せずにタネを明かしますが――エリック・レンロットという探偵が、宿敵レッド・シャルラッハの仕組んだ巧妙な罠にかかり、一発の銃弾によって命を落とす、というのがその大ざっぱなあらすじです。

作品のラストで、レンロット探偵は非業の死を遂げるわけですから、そのパロディを書くためには、時間を遡らなければなりません。シャルラッハがレンロットに罠をかけるのは、復讐のためです。「三年前、トゥーロン街の賭場でおれの弟を捕まえ、監獄に送ったのは、ほかならぬあんただった。おれはさつの弾を腹にぶちこまれ、撃ち合いの最中に仲間に馬車《クーペ》で連れ出されたんだ」（牛島信明訳）。レンロットとシャルラッハの宿命的対決を物語の軸とするなら、前日談はこの場面で終わる必要があります。

古典的な探偵小説のパロディである「死とコンパス」は「名探偵の知的敗北と死」という結末を迎えますが、そのまたパロディが「名探偵の輝かしい勝利」、すなわち古典的な探偵小説の結末に再帰するのは、理にかなったことでしょう。ついでに言うなら、これは平文↓（暗号化）↓暗号文↓（復号化）↓平文、という流れにも一致します。探偵と犯人の間を行き来する銃弾は、メッセージの隠喩でもあるわけです。

さあ、これでやっと外堀が埋まりました。小説のタイトルも、そのものずばり「盗まれた手紙」とするのがベストでしょう。

この後は、ボルヘスとポーの作品からそれぞれ必要なファクター——時と場所、登場人物や語り口、等々——を抽出して、古典的な探偵小説の図式に収まるように並び替えていくだけです（登場人物と固有名詞の不足は、ボルヘスがビオイ＝カサーレスと共作した『ドン・イシドロ・パロディ　六つの難事件』や、フランスの精神分析学者ジャック・ラカンの論文「『盗まれた手紙』についてのセミネール」等を参照して補いました）。そうした作業にはまた別の苦労がありますが、「このように書かなければならない」と自ら判断した内容と形式がすでに固まっている以上、もう迷うことはありません。

（追記）「盗まれた手紙」は、『しらみつぶしの時計』（祥伝社文庫、二〇一三年）に収録。ボルヘスのパロディとしては、あまりにも大味ですし、また本格ミステリーとしても、謎とその解決の演出がぶっきらぼうにすぎると思います（もちろんそれは、そうするつもりでしたことなのですが）。元ネタを知らない読者にとっては、何がなんだかよくわからないでしょう。

書いた本人は愛着のある小説なのですが、客観的に見てどうかと聞かれたら、私自身、首をかしげるしかありません。冒頭で、適切な例ではないかもしれない、と断り書きを入れたのはそのせいです。

ミステリー作家への質問

Q.愛用している執筆道具は何ですか

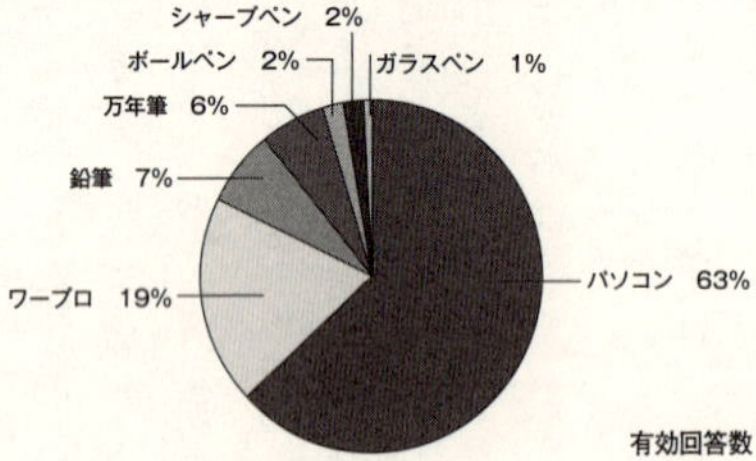

有効回答数（150）

コメント

●鉛筆：30 年来の筆記用具です。＜阿刀田高＞
●パソコン（ウィンドウズ＋ワード）：1. 直しが楽。2. メールで送稿が楽。＜石田衣良＞
●ワープロ：手直しが楽なのが主たる理由です。＜逢坂剛＞
●0.9 ミリシャープペンシル、２Ｂ芯：以前は３Ｂ～４Ｂの鉛筆を使っていたが、軸太のシャープが手にラクなのでかえた。もう 14、５年になる。＜大沢在昌＞
●万年筆：躰の一部になっている。＜北方謙三＞
●ワープロ：1. 悪筆であるため。2. 推敲が容易。いくら書きなおしても読みにくくならない。＜北村薫＞
●シャープペン：デビュー前、ワープロやパソコンは金銭的問題、その他諸々の理由で不可。原稿用紙を無駄にしないですむし、一番手軽だからそれを選んだ。＜新野剛志＞
●あ）マッキントッシュ：ワープロの代わり。Windows マシンはウィルスが鬱陶しい。い）５ミリ方眼紙・４Ｂの鉛筆・クリップボード：下書き用・スランプ用。手書きは更新履歴が残るのと、ハード的信頼性が高いので。＜鈴木輝一郎＞
●パイロットの水性ボールペン（太字）：書き易く、疲れない。＜西村京太郎＞
●パソコン：楽だし、便利。＜東野圭吾＞
●パソコン：ワープロから自然に移行。字が汚いから必需品となっています。挿入削除を幾度となくできるところも、僕に向いています。＜藤田宜永＞
●パソコン：印刷された物（完成した本）に近い状態で文章の流れを確かめられる。＜松岡圭祐＞
●昔はワープロ。現在はパソコンです。＜宮部みゆき＞

アイデア発見のための四つの入り口

阿刀田高 ATODA Takashi

①アイデアはどのように見つければいいですか
②③メモはどう書きますか
④メモはどう書きますか
⑤アイデアの整理の方法はありますか
⑥短編小説で特別心がけることは何ですか
⑦アイデアを小説にまでするにはどうすればいいですか
⑧結末と冒頭、どちらから考えますか
⑨短編小説と長編小説の違いは何ですか

短編小説の執筆はアイデアの発見から始まる。一編の作品を創るにふさわしいアイデアを見つけることだ。

①私の場合は、散歩をしたり、コーヒーを飲んだり、友人知人と話をしたり、周辺を観察したり、本を読んだり、意図的に思案をめぐらしたり、日常生活の、いろいろなときに……ほとんどすべてのときに、脳みその一部がアイデアを捜している。すると、あるときヒョイと、

——ここに小説のとっかかりがあるぞ——

と発見する。匂って来るようなもの、と言えば、いくらか説明になるだろうか。

心がけているのは、このとき、②このとっかかりとなるもの（アイデアの予備軍的なもの）をメモに取っておくことだ。かならずしもメモを取るにふさわしい情況ばかりとは限らない。筆記用具がなかったり、重要な話をしている最中だったり、眠りに入る直前だったり、ぐあいのわるいタイミングはけっしてまれではない。加えて、この予備軍は、本物のアイデアに育ってくれないケースも充分にある。未熟なまま捨てる確率は（結果から考えて）五〇パーセントくらいだろうか。つまり役に立つのは半分なのだ。

その半分を期待して、厄介なときにも欠かさずメモに取るのは、現実問題として実行しにくいケースも多いのだが、私はこの点では極力怠けないよう心がけている。

③一、二行のメモでよい。〝ドラキュラが血液銀行に転職したら、どうなる〟くらいで充分なのだ。自分の頭に浮かんだことだから、

たった一、二行で記憶を再現できる。発展させられる。だが、なにしろヒョイと浮かんだことだから、メモを怠ると、たいてい忘れる。そして、

——確かいいこと思いついたはずなのに——

と、ほぞをかむ。逃がした魚の大きさだけを恨んだりする。

④メモ用紙は選ばない。落ちている紙っ切れ、手持ちの本の白いところ、紙幣に書いたこともある。筆記用具も、マッチの燃えさしを使ったことがある。とにかく思いつきを書いて残し、それをあとでノートに（ほんの少し整理して）書き移しておく。このノートを私は備忘録と名づけ、すでに十五冊目が満載になりかけている。

短編小説執筆のときは、このノートをながめ、想像をさらに拡げる。使えるものを見つけ出す。使ったものは赤線で消す。私の備忘録は赤線だらけである。

こう綴ってみても初心のかたは、

「いいアイデアが見つからないんですよねえ」

と嘆くにちがいない。いま書いたことにそって言えば〝匂って来ない〟のである。

このあたりの事情はまことに微妙であり、ここにこそ創作の秘密が伏在しているのだ、と言ってもよいだろう。匂うかどうかは、多分、書き手の工房の情況と深く関わっている。工房、つまり小さな工場だ。書き手の頭の中は、一種の小工場であり、そこにはいろいろな機械が備わっている。機械が整っていれば、

よく匂って来る。ろくでもない機械しか持たない情況では、匂うものの前に立っても匂いを感ずることができない。

工房の整備はもちろん経験の問題である。その奥には才能のようなものが伏在していると思うのだが、それはここでは言うまい。すべてが才能のせいでは〝ミステリーの書き方〟もへちまもあるまい。

だから話を本筋に戻して……経験の問題という部分をわかりやすく言えば、私は三十数年間短編小説を書き続けて来たけれど、今日このごろ私が使っているアイデアでは、デビューのころの私は〝絶対に書けなかった〟と断言してはばからない。昔は（私なりに）すばらしいアイデアを発見して、それで書いていた。いまは昔のようなアイデアは（滅多に）浮かばない。だから今は昔なら絶対に使えなかったアイデアで書いているのである。つまり、匂って来るかどうかは、対象が匂いを発してくれるかどうかの問題ではなく、むしろこちらの嗅覚の問題、よい嗅覚を培うことの問題と言ってもよい。初心のかたがなんにも匂いを感じない同じ現場で不肖私ならプンプン感ずることもあるわけだ。

「いいアイデアが見つからない」と言うとき、背後にこういう事情のあることを知っておいていただきたい。小説家修業を長いスパンで考えるとき、この指摘はかならずや、役に立つときがある、と私は信じている。

しかし、こんなことばかり書いていても、初心のかたにはあまり役には立つまい。以上をふまえたうえで、もう少し具体的なことを(不充分ながら、あえて)記せば、⑤⑥短編小説のアイデアを発見する下準備として脳みその中にパターンべつの入り口を作っておくことは有効だ。

かりにトリック型、パーソナリティ型、アフォリズム型、不可思議型、と名づけておこう。ほかにもパターンはありそうだが、とりあえず代表的な四つを挙げよう。

トリック型は、文字通り一編の短編小説を創るにふさわしいトリックを発見することだ。そういう入り口を作っておいて、思案をめぐらし、ここに滑り込ませる方法だ。

密室のトリック、いいですねえ。ほかにも死体消滅のトリック、時刻表を駆使したアリバイ・トリック、いろいろあるけれど、たいていは先人が発見し、ペンペン草も生えないほど入念に使っている。トリック型はミステリーの本道だろうけれど、この発見はむつかしい。ポーの〈モルグ街の事件〉とドイルの〈まだらの紐〉は同系のトリックだが、この系列にもっとほかの工夫があるだろうか。あったとすれば、それもうきっとだれかが使っている。

むしろトリック型の発見は、ささいなトリック、ミステリーとは一見無縁のように見えるトリック、あるいは時代の推移とともにトリックの背景が変ったために使えるようになった古典的なトリック、などなどに目をつけよう。

もちろん正統派の、すごいトリックを発見できれば、それに超したことはない。その挑戦を私は〝あきらめなさい〟とは言わないけれど、これは真実むつかしいですよ。

古典的なトリックと言えば……私は、過日、飢えた鰐に人間を食べさせて死体をなくしてしまうトリックを使った。珍しくもない。動物に食べさせてしまう死体隠しなんか、いまどきとても使えるものではあるまい、と思う。だが、この小説はテレビのニュースを見ていて、東南アジアの某国で、ちょっとした水槽で鰐が飼われ、置き去りにされ、餌ももらえず飢えていることを知ったのがきっかけだった。鰐皮を取って海外に売ったら儲かるだろうと、貧しい庶民が簡素な施設を作って始めたのだが、ワシントン条約などがあって、そう簡単に海外にさばけるものではない。それで飼いきれず、飼い主が放置して逃亡した、というケースが少なからず起きているらしい。

――これは使えるぞ――

と考えて、使った。作品のよしあしはともかく古いアイデアが現代に生きた実例である（註1）。

しかし、トリック型はミステリーを志す人には一番わかりやすいものだし、この本でもだれかほかの人が詳説するだろう。次に移りたい。

パーソナリティ型は、特異な性格を見つけ出すことだ。事件というものは、たまたま起きたように見えるときでも、それにたずさわった人間の性格と深く関わっていることも多い。

――この人じゃなきゃ起きなかった――

というケースが意外に多いのである。ここ

に視点がある。発見がある。〈ハムレット〉というドラマはハムレットという性格なしにはありえない。私の大好きな短編ミステリー、ロアルド・ダールの〈天国への登り道〉（ぜひ読んでください）は、女主人公の性格を抜きにしてはありえない（註2）。

この場合、極端に特異な性格はかえって、短編小説にはそぐわないような気がする。私はそう思う。たとえばトマス・ハリスが描くハンニバル・レクター（〈羊たちの沈黙〉や〈ハンニバル〉の主人公）は、長編でじっくりと綴られるべき異常さだろう。

身のまわりにある、ちょっとした特異さ、わけもなくけちであったり、高所恐怖症であったり、判官びいきであったり……いくらでもあるだろう。それがどういう情況において極端に発揮されるか、その暴発がどんな事件に繋がっていくか、このイマジネーションは短編小説を創る基本に関わっている。これこそが醍醐味であり、宝庫でもある、と言ってもよい。考えてみれば私のデビューのころの作〈ナポレオン狂〉もこのタイプであった（註3）。

アフォリズム型は金言、箴言、名言、警句などから入るパターンである。アフォリズムは人生を切り取った切り口を示す短句であり、短編小説もまた人生を切り取って示す試みである。本質において、この二つは近い。〝犬も歩けば棒にあたる〟から一編の小説を創れと言われれば、出来不出来はともかく、できない相談ではない。アフォリズム型は、ミステリーだけではなく、短編小説すべての作法に利用できるものだが、ミステリーを感じさせるアフォリズム（一見してそう感ずるものより、むしろユニークな見方によりそれが生ずるほうがよいだろう）からミステリーに仕上げることもできる。

私は〝病上手に死に下手〟という諺から短編を創ったことがある。これは幼いときから病気がちで、病気になることは得意だが、いっこうに死なない人（世間にいますね）を皮肉ったものだが、諺そのものに少しミステリーの匂いがしないでもない。目を留めて、これを用いた（註4）。つまり、この要領である。

不可思議型は、まぎれもない不可思議を見たとき、聞いたとき、知ったとき、

――これはなんなんだ――

そこからアイデアが生ずる。

とはいえ、天が下にそうそう不可思議が実在しているわけではない。旅などをして、その発見に努めたり、あるいは空想の世界に踏み込んで、超現実の世界を描く方法もある。

以上、とりあえず四つのパターンを略述したが、要はこんなことを脳みその中において日常の観察を鋭くし、メモを取り、それを発展させることだ。

⑦アイデアが浮かんだら、このアイデアを生かすには、どういう情況が一番ふさわしいか、登場人物はどんな設定がいいか、初めから一本道というケースもあるが、二つ、三つ考えて一番よいものを選ぶ配慮も必要だ。

私の場合、⑧作品の最後の数行をとても大切にしている。これを考えてから初めの一行を

書くことがほとんどだ。作品全体がそこに収斂されていくことが短編小説のあらまほしい姿だと考えるからである。

⑨短編小説は技の冴えを鑑賞していただく世界である。作者はソフィスティケーションを忘れてはなるまい。

（註1）〈鰐皮とサングラス〉（新潮文庫〈花あらし〉所収）
（註2）〈天国への登り道〉（早川書房〈キス・キス〉所収）
（註3）〈ナポレオン狂〉（同名の講談社文庫所収）
（註4）〈凶事〉（新潮文庫〈夢判断〉所収）

実例・アイデアから作品へ

有栖川有栖 ARISUGAWA Arisu

（P.091-097）実体験を作品に生かすにはどのようにすればいいですか
①結末と冒頭、どちらから考えますか
②トリックを小説にまでするにはどうすればいいですか
③タイトルはいつつけますか

ミステリを書く上で有益なメソッドがたくさん紹介されてきた。今さら私が付け足すことなどないように思うのだが、何かご披露しなくてはならない。一計を案じ、自作が完成するまでのプロセスを公表することにした。「その程度の作業なのか」と思われるかもしれないが、それならそれで読者を勇気づけられるだろう。

「蝶々がはばたく」という五十枚ばかりの短編を採り上げる。これを選んだ理由は、第四十九回日本推理作家協会賞短編および連作短編集部門の候補作になった作品なので一定の水準には達しているらしいことが一つ。もう一つには、創作の過程をよく覚えていて説明しやすいことだ。当然、トリックから物語の結末までのすべてを明かすことになるが、実際の作品もお読みいただければありがたい（『ブラジル蝶の謎』講談社文庫所収）。

私の場合、広い意味でのトリックを出発点として物語を創っていく。このトリックを効果的に読者に届けるためには「どんな舞台や登場人物にするのがベストか？」を考え、それが決まった頃に物語の姿が見えてくるのが常だ。こんな人間たちがこんな舞台で出会ったらどんなことが起きるか、という創作法とは逆の「結末から考えていく」というやり方。私自身は「こうでもしなければ推理作家が読者を出し抜くことはできない」と思っている。

トリックは、机に向かって唸っていてもなかなか浮かんでくるものではなく、仕事から離れている時に、前触れなく飛来する。散歩中・乗り物で移動中・入浴中に名案が浮かびやすいという俗説があるが、「蝶々〜」のトリックはまさに風呂で思いついた。前掲書の後書きでも記したエピソードを、より詳しく書いてみよう。

作家になって数年後のある日。バスタブからあふれる湯がタイルの上に広がっていくのを見て、ふと思った。もし、この浴槽が海でタイルが砂浜だとしたら、そこに残っていた足跡は一瞬で消えてしまうな、と。巨大な物体が海にどぼんと落ちたことによって砂浜が洗われたら、引き潮なのに足跡が消えた、という謎が生まれる。アルキメデスのごとく「ユーレカ！」と叫びはしなかったが、「いけそう」という感触を得た。この段階ではまだトリックとも言えず、アイディアにすぎない。が、いつも私はこれを待ちながら暮らしているのだ。一でしかないものを百や千に持っていくのは大変だが、何よりも苦しいのは零を一にすることである。

ところで、巨大な物体とは何なのか？　崖の上から岩を落としたぐらいでは、大した波は作れない。隕石が落下したことにしてはどうだろうか？　不可。そんなことがあったらニュースになるから、砂浜の足跡が消えた理由について作中人物が思い至らないはずがない。でも、何かうまい手がありそうな気がする……。

風呂から上がって思案するうちに、地震による津波ならリアリティがあるぞ、と閃いた。だが、これまた隕石と同じで、現場付近で地震があったなら、津波が浜に押し寄せることは作中人物にとって自明だ。駄目か、と諦めかけたところで思い直した。現場から遠いところで起きた地震による津波にすればいいのではないか。どれほど離れた場所にすればよいか、図書館で（今ならインターネットを利用する）調べるうちに、チリ地震津波のことを知った。私が生まれた翌年である一九六〇年五月二十二日にチリで起きたマグニチュード8・5の大地震で津波が発生し、地球の裏側である日本でも甚大な被害を出したという。日本での死者だけで百二十二人。津波がわが国に到達したのは、地震発生の二十数時間後だった。

これなら消えた足跡の謎が生まれる。一歩前進したが、この謎はやはり当座のものだろう。百二十二人もの死者を出し、「チリの地震がわが国まで」と日本中を震撼させた大災害なのだから。架空の地震を南米で起こしたとしても同じこと。作中人物が「テレビや新聞のニュースに接するまでの謎」にしかならず、ミステリの謎としては強度不足だ。

しかし、このトリック（人為的な偽装工作ではないが）にはおそらく前例がないから、何とかものにしたい。頭の中でごろごろと転がすうちに、ずるい手を思いついた。「あれは一九六〇年の五月のことでした。不思議な体験をしまして」と誰かに謎を語らせ、それが中断してしまうことにすればいい。聞き手は「足跡はどうして消えたんだ？」と答えを知りたがるだろう。そこに名探偵を登場させて、「おそらくこうだ」と絵解きさせるのだ。これならミステリの形になる。

姑息な気もしたが、この着想をさらに転が

した。語り手が〈問題編〉だけ話して去り、二度と会えないというのはどういう状況なのか？　電車で乗り合わせた人間にして、途中の駅で降りてしまうことにしよう。電車内での会話で終始する物語には、江戸川乱歩の『押絵と旅する男』など印象深い作品が多い。書きようによっては面白くなりそうだ。

私には、犯罪学者の火村英生という名探偵キャラクターがいて、そのシリーズでは作者と同名の推理作家・有栖川有栖（アリス）が語り手となる。アリスが車中で〈問題編〉だけ聞かされ、火村に「この謎が解けるか？」と話すことにした。旅先で〈問題編〉を聞き、帰ってから火村に話すのでは間延びする。二人で旅に出ようとしたのに、アクシデントで火村が指定の列車に乗りそこねたことにしよう。そして、宿で合流するなりアリスに「さっきこんなことが」と語らせればいい。

トリックができた。それだけでは小説にならないから、「誰の足跡がどんな状況で消え、誰が不思議がるのか」を決めなくてはならない。どんな事件なのかを考えようとしたら、あちこちで地震が起きた。一九九三年一月に釧路沖地震。九三年七月に北海道南西沖地震。地震を素材にしたミステリが書きづらくなり、またその度に地震による津波についてニュースが報じるものだから、「これを見て思いついたと思われたくないな」という気持ちもあって、このトリックはしばらく棚上げすることにした。

しかし、日本では毎年どこかでそれなりの規模の地震がある。神経質にならずに書こうか、と思いかけた九四年の秋。「小説現代」誌から「ミステリ特集に密室ものを書いて欲しい」という依頼がくる。足跡消失トリックも広義の密室ものだ。その年の十二月にも三陸はるか沖地震があったが、心理的ブレーキはかからず、棚に上げていたものを下ろして、また転がしてみることにした。

リアリティを出すため、架空の地震ではなくチリ地震を担保として使いたかったので、一九六〇年五月二十二日の事件ということになる。ならば、〈出題者〉はもう若くない。初老以上の人物に設定し、若き日の回想として語らせるのがいいだろう。六〇年安保で学生運動が盛んなりし時代に、大学生だったことにしようか。とすると、事件も学生運動がらみ？

しかし、大災害を背景にしているとはいえ、地球の裏側からきた波が日本の砂浜で足跡を消すという情景は、どことなくファンタジックなので、あまり殺伐とした話にしたくない。またごろごろと転がす。やがて、学生運動が原因で交際を禁じられた男女の逃避行（駆け落ち）なら、時代とも合いそうに思えてきた。愛する二人は監視の目をかいくぐり、海辺の家から砂浜づたいに脱走する。その痕跡を、突然の〈満ち潮〉が運命のごとく消し去るわけだ。〈出題者〉は、それに立ち合った二人の友人ということになろうか。よし、九割方できた。これが〈愛の物語〉であり、〈友情の物語〉だとテーマが見えてくる。

当時の学生運動の状況も調べ、これで書けそうだと目処《めど》が立った頃に、まったく予期せぬことが起きた。明けて九五年の一月十七日の未明、兵庫県南部地震（阪神淡路大震災）が発生。大阪市内のマンションの十一階に住んでいた私は、かすり傷も負わなかった。食器が大量に割れ、本棚がいくつか倒れたぐらいだ。それでも、バルコニーから阪神間に立ち上る幾筋もの黒煙を目のあたり《ま》にし、テレビで被災地の様子を見るにつけ、「書けない」と思った。殺人どころか犯罪も出てこない作品ではあるけれど、こんな時に（まして大阪の作家が）地震をミステリのネタにするのはつらい。

雑誌の仕事なら、どうにでもなる。出来は落ちるが、密室トリックのストックもなくはなかったのだけれど――やがて考えが変わっていた。

チリで二千人近い人が命を落とす大惨事が起きた結果、日本でひと組の男女が期せずして幸せを摑む。まるで釣り合いが取れてはいないが、これは救いの物語ではないか。むしろ、今書くべき。悲劇の中にも、ささやかな希望が生まれて欲しい、という祈りを込めて。

当時、ちょっとした話題になっていたカオス理論の中にバタフライ効果という術語があった。北京で一羽の蝶（専門家は蝶を一頭二頭と数えるそうだが）がはばたくことで環境が変化し、ついにはニューヨークで嵐が起きることもある、という考え方だ。私はこれを転倒させて、チリの大地震が日本で蝶をはばたかせる（ひと組の男女が幸せになる）こともある、と解釈してみた。馬鹿げている、と嗤《わら》われるかもしれないが、それを希望と呼んでもいいではないか。

題名は「蝶々がはばたく」にしよう。テーマは〈愛〉や〈友情〉ではなく、〈希望〉。私の作品は、最後になってテーマが決定する。[3]それは「取ってつけている」のではなく、物語に呼ばれて貼りつくのだ、いつも。

以上、はたしてご参考になったかどうか。心許ないが、ありのままの楽屋裏である。作品をお読みいただくと、「事前にバタフライ効果の説明をするため、こういう始まり方をするのか」とか、「〈出題者〉を話の途中で下車させるために苦労しているな」とか、色々とお気づきになるだろう。「ここは工夫が足りないいな」と思われる点もあろうが、その場合は改良案を考えていただければいい。

最後に余談を。——後日、神戸の読者から「あの小説が好きです」というお手紙をいただいた。私が放った作品は神戸に届き、少なくとも一羽の蝶を微かにはばたかせたのだな、と思った。

付記
二〇一〇年二月二十七日、チリ中部沿岸でマグニチュード8・8の大地震が発生し、日本でも大津波警報などが発令されたが、人的被害は出なかった。その後、何人かの方に、「あなたの小説を思い出したよ」と言われた。

アイデアの源泉を大河にするまで

柄刀一　TSUKATO Hajime

①プロの作家に必要なことは何ですか
②⑤⑧ミステリー小説はどんな手順で書けばいいですか
③⑥⑨アイデアを小説にまでするにはどうすればいいですか
④⑦⑩トリックを小説にまでするにはどうすればいいですか
⑪ミステリー小説はどんな手順で書けばいいですか
⑫アイデアを小説にまでするにはどうすればいいですか
⑬トリックを小説にまでするにはどうすればいいですか
⑭小説にリアリティをもたせるにはどうすればいいですか

作家を目指している者ならば、アイデアは次々と湧いてきているはずであり、どうすれば閃くのでしょう？　と尋ねているようでは心許ない。それに、こうすれば閃きますよ、ということを他人に伝授するのは極めてむずかしい。方法論はある程度語れても、それを実践すれば常に結果が得られるなどと保証はできない。そんな保証、私だってほしい。

　得られる閃きとはつまり、創造的な素養の上にもたらされる、訓練とは自覚していない訓練の賜《たまもの》なのだろう。端的に言えば結局、その人が時間をかけて培ってきた、その人なりの感性ということになってしまう。だから、まったく同じ発想をする人などはなく、作家はそれぞれ個性的な活躍ができることになる。

　アイデアの源泉を湧き水に喩《たと》えるならば、まず山頂を潤す雨や雪が、読書やドラマ鑑賞、人間観察などから得られる経験なのだと思う。雨や雪の量が多く、山も山脈のように大きくなれば、湧き水の可能性は大きくなる。だから誰もが、地下水脈は持っているわけだ。その水が湧いて出るかどうかが、創造的な素養の有無になるだろう。ここを掘れば湧き水が出る、との判断は、地底探査などの技術ではなく、職人の勘に近いものが導けるだけである。

　湧き水は自然とそこに涌き出してきているが、それと同じように、誰彼なく、黙っていても閃きが訪れる時があるようだ。

　しかし閃き云々《うんぬん》よりも、①プロの作家に必要なのは、湧き水を大河にまで持っていく力量なのだと、私は思う。

私はまだ、大河と呼べるほどの作品を書いていないが、処女長編『３０００年の密室』を書こうとした動機は、凍結ミイラの分析を試みていた教育番組に刺激を受けたという単純なものだったし、当時、徘徊の傾向の出てきていた祖母について身内が何気なく漏らした一言が、『サタンの僧院』に登場する「巨人の住む城」を作りあげた。

島田荘司氏の『占星術殺人事件』は、ちょっとした紙幣詐欺のネタが源泉にあるのではないかと想像するが、そこから立ち現われた結果は、ミステリー史上に燦然と輝く金字塔である。しかし恐らく、紙幣詐欺を小器用にひねっただけでは、その場の満足が得られる程度の短編にしかならなかったろう。大河になれなかったわけだ。

きっかけにすぎないアイデアを形にしていく作業の具体例を、次に書いてみようと思う。

①②③④ちょっとしたアイデアを作品の主題に引きあげる

タイトルが最初にあり、そこから全体を構築するケースが、私の場合にはある。

その中の一つが、『ＯＺの迷宮』に収録されている「絵の中で溺れた男」だ。

モチーフとする『オズの魔法使い』のエピソードの中に、自分の描いた絵の中で溺れてしまった男の話があることを知り、これは！と思い立ったのが始まりだ。本当に絵の中で溺れたとしか思えない事件が（もちろんフィクションの世界で）起これば、とても魅力的な謎になる。現実では到底有り得ないこのシュールな謎を、現代本格のミステリーとして形にできないだろうか。こんな意欲が、つまりは源泉なのかもしれない。

②状況[5,6,7]を設定し、核となる謎やトリックを決める

　被害者は画家にするとして、どんな現場の状況ならば、「絵の中で溺れた男」になるだろう。破れたキャンバスに体を半分突っ込み、溺死しているとか……。しかし、風呂場や洗面所など、溺死に直結する場所が現場にあるのではつまらない。水など一切ない場所に、溺死体がポツンとあるほうが魅力的だろう。となると、死体が殺害現場から運ばれて来たことになる。しかしその殺害現場は、胃や肺の水を分析して同一の水分がある場所を探せばすぐ判明してしまい、これだけでも面白くはない。では、体内の水分が、普通一般のどこにもない水質だとしたらどうだろう。どこにもない、そう、絵の中にしかない……、これはいけそうだ。

　しかし、通常有り得ない水質を、どうやって存在させる？　ここが思案のしどころだ。まず、この謎が達成できないと、「絵の中で溺れた男」と謳えるほどの個性を持ったミステリーにはならない。こうした謎を作り出せるのか。難問である。しかも私が書いている本格ミステリーは、謎が合理的に説明されなければならない。

　さて、どうする。

③[8,9,10]トリック成立の可否を吟味し、合理的な説明を検討または調査する

盲点にある水。これを探すか。いや、原因ないし動機の面から絞るのも一案だ。通常であれば体内に入らない水が、入ってしまう理由。水に関係するシーンを考えに考え、そして閃く。湧き水をうまく掘り当てた。この湧き水ならば、盲点にある水と盲点にある理由、その両方の要件を満たすことになる。ただ、障害があった。被害者が飲み込む水が大量の場合、この案は成立しそうにない。溺死とは、大量の水を飲み込んだための窒息死だろう。違うのだろうか？ 調べてみる。あった！ 大量の水を飲まない溺死のケースがあるぞ。これはありがたい！ ちょっと無理かな、と思える着想を後押ししてくれる事実が見つかった時、「おおっ！」と感謝と歓喜の声があがってしまう。創作の神が手を貸してくれた瞬間だ。八十パーセントＯＫ、でもありがたい。残りの二十パーセントにもっともらしい説得力を与えてしまうのも、フィクションライターとしての作者の力だ。

④[11,12,13]イメージ全体を見つめ直し、内容の肉付けを行なう

ここまでくればＧＯサインをもらったも同然。突き進んでいくしかない。裏付けという創作上の好運に、湧き水を流れとする道を作ってもらったから、後は、読者にまで届く川とするだけだ。ただ、もっともっと、できるのであれば肉付けをしよう。せっかく、面白

くなりそうな舞台ができたのだから、そこに最高の演出を加えるのだ。私は、この「せっかく」という思いが創作の上で大事なのではないかと考えている。

特徴的な舞台が生まれたのなら、せっかくだから、そこでしかできないことをやり尽くすのだ。画期的なトリックが閃いたのならば、せっかくだから、それを効果的に活かしきるのだ。エンターテインメントの作り手には、そうした貪欲さが必要なのではないだろうか。

『3000年の密室』を振り返ると、やはり、この作品ならではの特徴をせっかくだから活かしきろう、と息巻いていた自分が見えてくる。この作品の特徴とはなにか？　それはやはり、三千年という時の長さだろう。では、このとてつもない時間の長さがなければ成立しない謎と、その解明を演出するのがベストのはずだ。長大な時がなければ作動しないもの、それに知恵を絞っていけば、あのような事件の様相は思いつくに違いない。

問題は動機だ。[14]縄文ミイラとして発見された男が当時殺害された動機。ここでももちろん、せっかくだから、三千年前にふさわしい動機が求められるだろう。この点は、徒手空拳で想像していても得られるものは少ない。当時の人間たちの状況を知らなければ。彼らはなにを重要に思い、なにに追い詰められていたのか……。縄文時代に関する資料をあさって調べている過程で、彼らなりの意味深い動機が見えてきた。

謎、解明、動機、これら複数の効果を貪欲に高め合わせようとした場合、比例して、調和させる困難さはその度合いを増す。しかし、それに成功した時の見返りは大きい。作品を練りあげるというのは、作り手がどこまで自分に困難さを課せられるか、と同義語である。ぜひともハードルを高く設定して、挑戦していただきたいものだ。

　さて、「絵の中で溺れた男」だが、そのタイトルからして、絵のほうにも謎がなければ締まらないだろう。全体のイメージが固まってきたので、キャンバスに体を突っ込んでいるよりも、一枚の絵画と死体、という静かな構図のほうが効果的と判断する。ならば、絵画に描かれている川か海に、人が飛び込んだような痕跡があるのがいいかもしれない。描きかけの油絵に、水紋の形をした物体が触れたか、絵筆によって異質の細工がされているか。いずれにしろ、それがじわじわと幻想美を持つぐらいになってほしいものだ……。

　これが、せっかく出合った魅力的なシチュエーションを本格ミステリーにする作業の一つである。せっかくといえば、その意識はどのような創作の面にも反映できると思う。ある一つの名セリフを作品の中に書きたいと目《もく》論《ろ》んでいるなら、せっかくだから、そのセリフを言う登場人物の魅力を十全に描き込もう、というように……。

　ただ私の場合、「せっかく」にこだわるあまり、無謀と紙一重の挑戦もしてしまうようなのだ。ごちゃごちゃと詰め込みすぎるという欠点にも見えるかもしれない。

　しかし、これから作家の世界に切り込もう

と決意している人間なら、最初から変に老成してサラリとまとまるよりも、危うく破綻するぐらいのエネルギーの塊《かたまり》を操ってもいいのではないだろうか。

アイデアの源泉を思いつきにとどめず、最高の到達点を目指して貪欲に、演出を高めていってほしい。

他の誰にも生み出せない唯一無二のストーリーが、せっかくそこにあるのだろうから。

ミステリー作家への質問

Q.小説を書き始めた時点で、タイトルが決まっていないことはありますか

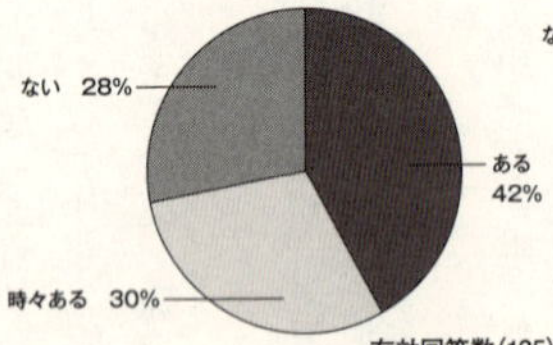

有効回答数(135)

Q.小説のタイトルを、書籍化するときなどに変えることはありますか

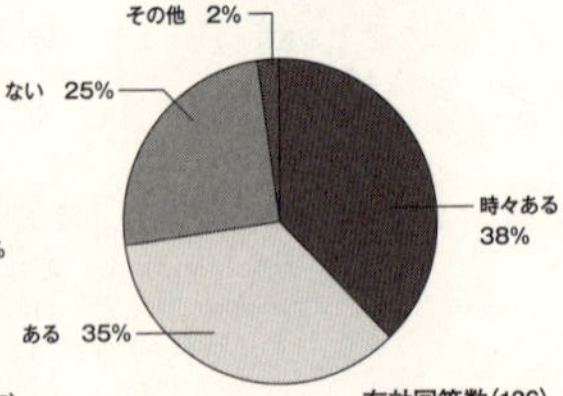

有効回答数(136)

書籍化の際にタイトルを変えることが「ある」、「時々ある」の理由

●編集者のアドバイスの方が、自分のアイデアよりも、常に、正しいように思えてしまうから。＜東直己＞
●内容と照らしあわせてしっくりこないときがあるから。＜稲葉稔＞
●仮題として見切りスタートしたタイトルは、全編を書き終えてみると〝違うなァ〟と感じることはよくあります。＜井上夢人＞
●もっとふさわしいタイトルを思いついたから。＜佐々木譲＞
●外国に同じタイトルの本があったと知り、変更した。＜西村京太郎＞
●これじゃあ売れないな、と思った。＜東野圭吾＞
●たいていは担当編集者の意向。逆に編集者につけられたヒドイ題名を、次に出し直すときは変えたいと思うことがあります。＜樋口明雄＞
●書いている間に、もっといいと思えるタイトルが見つかった時。編集者が前のタイトルが気に入らず、僕がつけたタイトルよりも素晴らしいと思えるものを提出してきた時。＜藤田宜永＞
●短編集を出すとき、他作品とのバランスを考えてタイトルを変更するときがある。＜船戸与一＞
●ハードカバーと文庫とでは、商品の意味合いが変わってくる。必要に応じて内容も改変する。＜松岡圭祐＞
●連作集の通しタイトルの場合です。＜宮部みゆき＞
●出版社から圧力を受けて、心ならずも意中のタイトルとは別のタイトルで出版し、別の出版社から復刊するとき改題したり、あるいは当初は気に入っていたタイトルの評価が変わったりした場合。＜森村誠一＞

ジャンルの選び方

山田正紀
YAMADA Masaki

①③ジャンルを意識して書く方法はありますか
②④どうすれば頭に浮かんだシーンを書くことができますか
⑤映画から何かを学ぶことはできますか
⑥映画から何かを学ぶことはできますか
⑦ジャンルを意識して書くことは必要ですか
⑧ジャンルを意識して書くことのメリットとデメリットは何ですか
⑨ジャンルを意識して書くことのメリットとデメリットは何ですか
⑩一つのジャンルを研究すると、どのようなメリットがありますか
⑪独自のアイデアでないといけませんか

⑫独自のアイデアでないといけませんか
⑬⑮⑰複数のジャンルを融合させた作品を作るにはどうすればいいですか
⑭⑯⑱一つの小説は一つのジャンルに入るべきですか
⑲新人賞に応募するときに気をつけるべきことは何ですか
⑳読者が感動する作品はどう書けばいいですか

■「書きたいシーン」からの発想

本格ミステリはまたちょっと違いますが、冒険小説やハードボイルドの場合は、シーンと音楽とがまず頭に浮かぶことが多いですね。

たとえば、『氷雨』（引用例Ⓐ参照）という作品は、日活アクション映画のイメージが出発点です。港のようなところで主人公が追いつめられているシーンがあって、そこに真っ赤な日活のタイトルがどーんと出て、同時に音楽が流れはじめる。そういう①②画面のイメージが頭の中にあって、それを小説で書くにはどうすればいいか、どんな文体を採用すればいいかというところから考えていって、一番ふさわしいジャンルを選ぶ。

その結果、『氷雨』はハードボイルドになりました。孤立無援で何も持たない男がそこから立ち直っていくというのがぼくのハードボイルドです。ＳＦや時代小説や本格ミステリだと、どんどん過剰なものをつけ加えていく傾向が強いんだけど、ハードボイルドに関しては過剰な要素をどんどん削ぎ落としていけるんですね。

山田正紀はいろんなジャンルを器用に書き分けている作家だというふうに誤解されているかもしれないけれど、全然そうじゃなくて、発想が逆なんです。③④まず書きたいシーンがあって、それを書くための道具としてジャンルを使っている。自分に自信があればジャンルなんか気にしないで好きなように書くんでし

引用例Ⓐ『氷雨』／ハルキ文庫 p.5〜9

義妹《いもうと》が電話をかけてきて、妻と娘が交通事故にあった、と告げた。ふたりとも重体なのだという。義妹の声はとり乱していた。「すぐに病院に来てください」「わかった」じつのところ、何もわかっていない。混乱していた。が、とりあえず、そう応じるほかはない。（……）

アパートを出た。

アパートのまえに運河がある。何隻か艀《はしけ》がもやわれている。対岸にはガス・タンクがあり、町工場があり、倉庫がある。どぶのような運河だ。

運河は湾にそそいでいて、その湾を挟んで、反対側に県庁所在地のY市がある。そのY市・蚕時《こどき》町の病院に妻と娘が入院しているのだという。この町からはバスと電車を経由して一時間あまりだろう。

油を一面に流したように運河がギラギラと夕日に映《は》えている。見ていると、どこか頭の芯《しん》が微妙にずれてくるような眩《まぶ》しさだ。埠頭《ふとう》クレーンが枯れ木のように痩《や》せたシルエットを刻んでいた。

「……」

急がなければ、と気はせいているのだが、ふと、その眩しさに引き込まれるように足をとめてしまう。

運河の金網《フェンス》が破れて子供たちが何人かコンクリートの側堤に入り込んでいる。男の子が三人に女の子が一人。子供たちは運河に石を投げている。いや、そうではない。――運河を一匹の野良犬が泳いでいる。泳いでいるのか、それとも溺《おぼ》れているのか。懸命に水を掻《か》いている。子供たちはその犬に向かって石を投げているのだ。

　子供たちは非力で、なかなか石が野良犬に届かない。石が運河に落ちるたび、水しぶきが三角にあがって、赤い光にきらめく。そのたびに子供たちは歓声をあげる。残酷で心から楽しげな歓声だった。（……）

「おっちゃん、自棄《やけ》おこしとるんとちゃうか」やがて女の子が落ちついた声でいう。「自棄おこすのはアホのすることやで。お父ちゃんがそういうてた。おっちゃん、アホなんか」

　弥島は言葉を失って立ちつくした。言葉を失ったが、実際には、こういうべきだったのかもしれない。

　――そうさ、おれはアホなのさ、どうしようもないアホなのさ。

「……」

　女の子の唇に笑いが波うった。波うった笑いは、しかし声にはならず、ふいに興ざめた表情になった。ゆっくり立ち去っていった。肩をそびやかしたその後ろ姿はあながち虚勢を張っているとばかりもいえないようだ。

　どぶのような運河が夕日を撥《は》ねるその赤い光のなかに消えていった。

　女の子が消えたあとも、しばらく、その赤い光を見つめつづけ、やがて視線を湾のほうに転じた。

　はるか湾を挟んで、一点、夕日が凝集したように暗くなっていて、そこに街の灯がともっている。Y市の灯だった。これから二年ぶりに戻ることになるY市の灯なのだ。


冒頭、白黒の映像に、ボソボソとした声、情感が排除され、即物的で、乾いた文体が望ましい。野良犬のエピソードのあと、真っ赤に「氷雨」のタイトル文字が浮かびあがる。懐かしき日活映画（山田）。

ようけれど、ぼくは自信がないし、ジャンル小説が好きだから、ジャンルを頼りにしています。書きたいシーンをジャンルにあてはめるような感じですね。

するとはみだす部分が必ず出てくるから、それをどう処理するか。自分の中の混沌としたものをジャンルにぶつけて、なんとかその中に収めようとする——いつも、そのせめぎ合いですね。できるだけジャンルに忠実でありたいんだけど、ジャンルに回収しきれない部分が残って、内心、忸怩たるものがあります。その意味ではジャンル作家じゃないのかもしれませんが、ジャンルに対するリスペクトは強いんです。

■映画からの発想

小説の出発点になるのは、やっぱり若い頃に見た映画のシーンですね。[5]たとえば、「真夜中のカーボーイ」（ジョン・シュレシンジャー監督、ダスティン・ホフマン主演、1969年）。十代の頃、初めてこの映画を見て、ニューヨークの街角を寄る辺ない人たちがさまようイメージに感動したんです。それを小説で再現しようと、いろんな街角を舞台にして書く。

意外に思えるかもしれませんが、『ツングース特命隊』（引用例Ⓑ参照）がその実例ですね。あの小説の中に出てくるペテログラードは、「真夜中のカーボーイ」のニューヨークなんです。革命前のロシアで、みんな、どうしていいかわからないまま、街角をうろうろしている。女たちは恋人を求め、娼婦は客を求めている。そこに、全然関係のない男たちがやってくる……。『ツングース特命隊』はそのシーンから発想した小説です。

そういうふうにしてずっと書いてきたんですが、四回も五回も書くと、最初の感動がだんだんすり切れてしまう。もう十年ぐらい前に、書きたいシーンのストックが尽きたんですよ。[6]今も映画はたくさん見ているけれど、小説を書く原動力にはならない。だから最近はいろいろ分析して、論理的に組み立ててるしかないんだけれど、書いていて苦しいですね。しょせん、理詰めの人間じゃないから、雑誌に連載すると、単行本にするときに膨大に直さなきゃいけない。その意味では本格ミステリ向きじゃないのかもしれません（笑）。

■ジャンルの二面性

[7,8]ジャンルというのは、そのジャンルに忠実に書けば、ジャンル読者に受け入れてもらえるという意味で、ぼくみたいな凡庸な作家にとっては非常にありがたいシステムです。ただ、その反面、ジャンルからはみだした部分は、ジャンル読者から見えなくなるおそれがある。視野の外に出てしまって、まったく評価されない。その意味では両刃の剣ですね。

たとえば、今ぼくがいちばん注目している作家は西澤保彦さんなんです。昨年出た『収穫祭』（幻冬舎）は、ものすごく野心的な傑

引用例Ⓑ『ツングース特命隊』／ハルキ文庫

――五人の男たちはリティヌイ橋をわたって、労働者街《サン・タントワーヌ》であるヴィボルク地区に向かった。

ネヴァ川の川面は闇《やみ》の底に沈み、夏だというのに、凍付《いてつ》いたような光を放っていた。

夜が更けていくにつれ、昼間のあの熱狂的な行進が嘘のように思えてくるほど、ペテログラードは寂しい街になっていった。

点《とも》されている街灯の数が少ないのは、ツェッペリンのドイツ飛行船の襲撃を用心しているからということだったが、たとえ街灯がすべて点されていたとしても、この寂しさは消すことができないように思われた。

街を歩く人々の姿が影のように頼りなくみえ、酒場から洩《も》れてくる笑い声さえも、奇妙に虚《うつ》ろなものにきこえるのだった。

ヴィボルク地区のなかでも、とりわけ貧しそうで、ゴミゴミとした一画に建っているアパートに、五人の男たちは入っていった。


街をさまよう男と女。そのよるべない孤独感。できれば文体もわずかに流れるように漂泊するように書かれるのが望ましい（山田）。

作だったと思いますが、その野心的な試みがじゅうぶんに理解されていないんじゃないか。

あの小説は、ホワイダニットが一番書きたかったんだと思います。あの動機はすごいですよね。でも、本格ミステリの中で一番わかりやすいのは、やっぱりハウダニットかフーダニット。ホワイダニットで実験的なことをやっても理解されにくい。

もうひとつ、あの殺し屋軍団のパートには、本格ミステリの枠からはみだすタランティーノ的な面白さがあるんだけど、そこも評価の対象になりにくい。ジャンルを逸脱しているからといってそういうオフビートな部分を無視するとしたら、それはジャンルの狭量さだと思います。

ジャンルは道具だから、フィクションの幅を狭めてしまうのではなくて、フィクションの幅を広げる役に立たなければいけない。[9]ジャンルはどこまで行っても道具なので、道具として有効な部分もあれば、道具だから使い勝手が悪い部分もあるということですね。

■ジャンルは勉強できる

先人の書いた小説を読んで勉強できるのがジャンルの利点です。[10]先行作品を読んで、それをお手本にできる。でも、ぼくもそうですが、勉強して書くのは凡庸な作家なんですよね。凡才はジャンルに忠実に書くほうがいいけれど、天才だったら勉強する必要はない。

だから、天才型か努力型か、自分自身の資質を見極めなければならない。ジャンルを勉強して、それによって技術が向上していくのなら努力型。どうしてもジャンルの枠に合わせられない人は、もしかしたら天才型で、突然すごいものを書いてしまうかもしれない。

もちろん、特定ジャンルに対する向き不向きもありますね。たとえばぼくの場合、ラブストーリーは書けない。感動する小説も書けない。感動させるということに対して懐疑的なせいか、感動に収斂するような書き方がどうしてもできないんです。

昔[11]はそれぞれのジャンルのエッセンスみたいなものを自分なりに消化して再現しようとして書くことが多かったんですが、やっぱり、自分が好きな特定の先行作の呪縛からどうしても逃れられない。最近は開き直って、それをそのまま書いてみようとしています。

たとえば、「SFマガジン」に連載している『イリュミナシオン』はダン・シモンズの『ハイペリオン』が下敷きですし、「問題小説」ではじめた『神君幻法帖』は、山田風太郎の『甲賀忍法帖』です。昔から『甲賀忍法帖』が大好きで、どうしても離れられない。あの面白さを再現したくて、今までいろんなかたちで書いてきました。

たとえば、冲方丁の『マルドゥック・ヴェロシティ』のように、あれを近未来に持っていって超能力者同士の戦いとして書くこともできるわけですよ。でも、やっぱり違うんですよね。冲方さんは天才だから、『忍法帖』にオマージュを捧げたわけじゃなくて、天然であいう小説になったんだろうけれど、『忍法帖』をやりたい人間の目から見ると、ああいうふうに置き換えたものは『忍法帖』じゃない。時代劇の枠組で、忍者が使い捨てにされるから忍法帖なんですよ。つまり、『忍法帖』を書きたければ『忍法帖』を書くしかない。

もし山田風太郎が生きていて、いま忍法帖の新作を書いたらこうなるというようなものを自分で正面から書いてみようと、ようやく決心したんです。⑫要するに、自分のオリジナリティなど大した問題ではないと。今までだって、先行する作家に憑依されて作家になってるわけだから、たとえオリジナリティに欠けると非難されようとも、その運命を甘んじて受け入れるしかないと思ったんです。

■複数のジャンルをまたぐ

ジャンル横断的な小説を書いたのは、もしかしたらぼくはかなり早いほうだったかもしれませんね。『崑崙遊撃隊』（引用例©参照）は、ドイルの『ロスト・ワールド』と生島治郎『黄土の奔流』を一緒にして、さらに岡本喜八の「独立愚連隊」シリーズをミックスするというむちゃくちゃな試みだったし、『流氷民族』（引用例Ⓓ参照）ではハードボイルドとSFを融合させました。もっとも二十五歳でハードボイルドなんか書けっこないんだけど。『長いお別れ』にイカれていたから。

時代劇とSFをからませるとか、冒険小説とSFをからませるとか、いろんなジャンル

引用例©『崑崙遊撃隊』／ハルキ文庫 p.319〜320

——戦闘がつづいている。

特殊任務をつかさどり、謀略を得意とする特務機関員たちからなる六十人ほどの日本軍が、しゃにむに崑崙への突入をはかろうとしたのである。が、——彼らにしても、これほど奇妙な戦闘は予想もしていなかったに違いない。

竹の大群生が唸《うな》り、剣歯虎《サーベル・タイガー》が跳躍する。その度ごとに、彼らの人員は著しく減少するのである。——しかし、彼らはひとりひとりが優秀な特務機関員であり、特務機関員にふさわしく現実主義者《リアリスト》ぞろいだった。一度はあまりに奇怪な敵の陣営に呆然《ぼうぜん》とした彼らも、次には猛然たる反撃にうってでたのだった。

竹の群生に火がかけられた。

炎がたかく燃えあがり、崑崙の空に黒煙がひろがった。

——つるべ撃ちの銃声が炎のなかに響きわたった。矢を射かけることで、侵略部隊の前進をくいとめようとした相柳一族の若者たちが、次々に殺されていく。

剣歯虎の咆哮《ほうこう》がきこえてくる。剣歯虎の数はおよそ二十四、その凄《すさま》じいほどの破壊力と、神出鬼没な行動とに、侵略部隊はさんざんに翻弄《ほんろう》されているようだ。

「機関銃だ」侵略部隊のひとりが叫んだ。

「機関銃を使え」

遠雷の響きに似ていた。地表を削《そ》ぎ、竹を折る機関銃弾に、さしもの剣歯虎も数頭がしとめられたようだ。


これも25歳のころに書いた。自分では小説の暴走族のつもりでいた。なにしろ書きたいものが先にあって、なりふりかまわず書かずにいられなかった。誰からも期待されていなかったけど、幸せだった。迫力のある小説をめざした（山田）。

引用例Ⓓ『流氷民族』／ハルキ文庫 p.298〜299

ただ、私は推理できた範囲に関しては、ほぼ間違いはあるまい、という自信があった。ああして、須藤が生きていて、多分、亜人類を存続させるためのなんらかの仕事をしている、という事実がある以上、少しは私の推理能力をいばらせてもらってもばちは当たるまい――。

無論、とてもいばりたいような気分にはなれなかった。

須藤の半生が喜びに満ちたものだったとは思えない。名前を変え、整形手術を受けてまで、亜人類になにかを賭《か》けたくなった気持ちも分らないではない。だが、そのために聡子を見殺しにしたのは、どうしても許せない。

(許せない……?)

私は苦笑いした。

かつて友人を裏切った私が、同じ友人から裏切られて、許せないと言うのか。贖罪《しょくざい》きどりで頼まれもしなかったことに首を突っこんで、その結果が裏目にでたからといって、友人をなじるのか……。

「お客さん、泣いているんですか?」

ホステスが驚いたような声で言った。

とんでもない話だった。

いい年をした男が、酒を飲みながら泣いたりするはずがない。

私はカウンターを離れた。今夜は長い夜になるだろう、という気がした。

25歳の若造にハードボイルドが書けるはずがない。『長いお別れ』にイカれていたので、とにかく書いてみたかったのだろう。中野ブロードウェイで日払い、サンドイッチマンのアルバイトをしながら、夜、小説を書いていた。日常のほうがよほどハードボイルドだった(山田)。

横断をやったけれど、当時はだれもそれを指摘してくれなかった。口幅ったい言い方になるけれど、早すぎたのかもしれません。

[13,14]ジャンルのことをよく知らないとジャンル横断はできないわけで、当時はそういう小説を書くのが面白くてしかたなかった。今は年をとったせいか、ジャンルからはみだす部分をコントロールしきれない。『甲賀忍法帖』を書こうと思ったのは、もう一回、自分を型にはめようというつもりもあったのかもしれませんね。

[15,16]複数ジャンルをまたぐ小説を書く場合、リアリティのレベルを統一することが大事です。どんなに荒唐無稽な話でも、作品内のリアリティが一定に保たれていれば大丈夫ですが、たとえば近未来アクションみたいなもので、ハードボイルドの部分はすごく生々しくてリアルなのに、SFの部分がでたらめだったりすると、ハードボイルド読者には受け入れられても、SF読者からはそっぽを向かれる。

[17,18]複数のジャンルを横断するときは、両方のジャンルに同等のリスペクトを持つことが最低限のマナーですね。このジャンルで新しいことをやりたいから、あっちのジャンルのテクニカル・タームをちょこっと持ってくるとかいうのは失礼な話だと思います。

■狙うならこのジャンル

あと二、三年は、感動ものの人気が続くんじゃないですか。ラストでどれだけ泣けるかに収斂するような話。いいとか悪いとかの問題ではなくて、新人がデビューすることを考えると、出版社がいちばん求めているジャンルを狙うのは当然でしょう。[19]

天才ならいざ知らず、自分が凡才だと思うなら、そのぐらいの戦略は必要ですよ。泣けるミステリーは、技術で書けますから。[20]ミステリーだったら難病ものをからませるとか、SFだったら時空をかける恋とかね。これだけたくさん作家がいるんだから、デビューするためにはそういう努力が必要でしょう。

本格ミステリを書く人は、トリックを考えるだけでいっぱいいっぱいになる傾向が強いけれど、そこでもう一歩がんばって、泣ける要素を入れてみる。努力する甲斐はあると思いますよ、ベストセラーになるチャンスが確実に増えるわけだから。まあ、自分ではそれが書けないので、ぼくが言っても説得力がないかもしれませんけど（笑）。

（聞き手／構成・大森望＋編集部）

ミステリー作家への質問

Q.執筆は規則正しいですか、集中的ですか

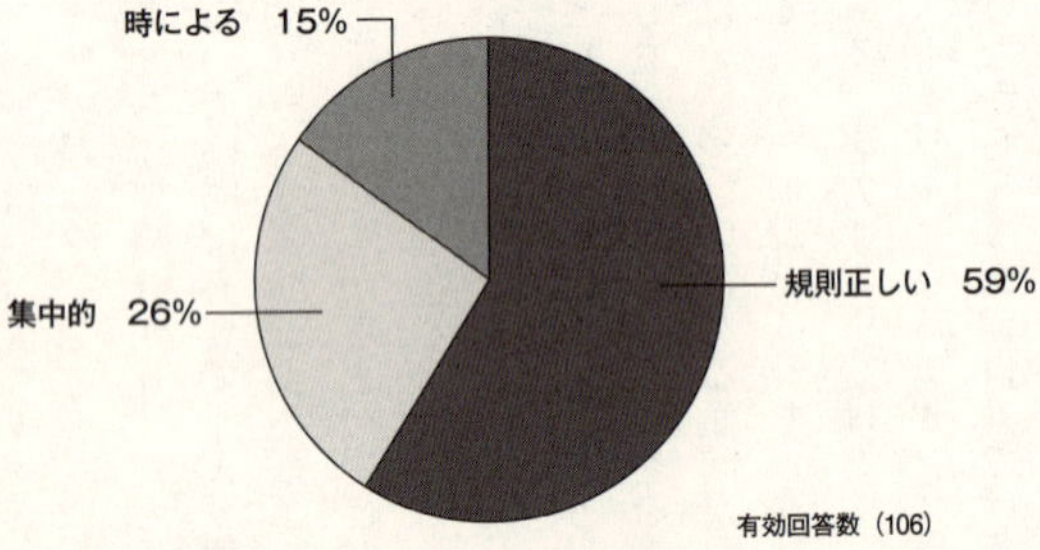

Q.いつ執筆しますか

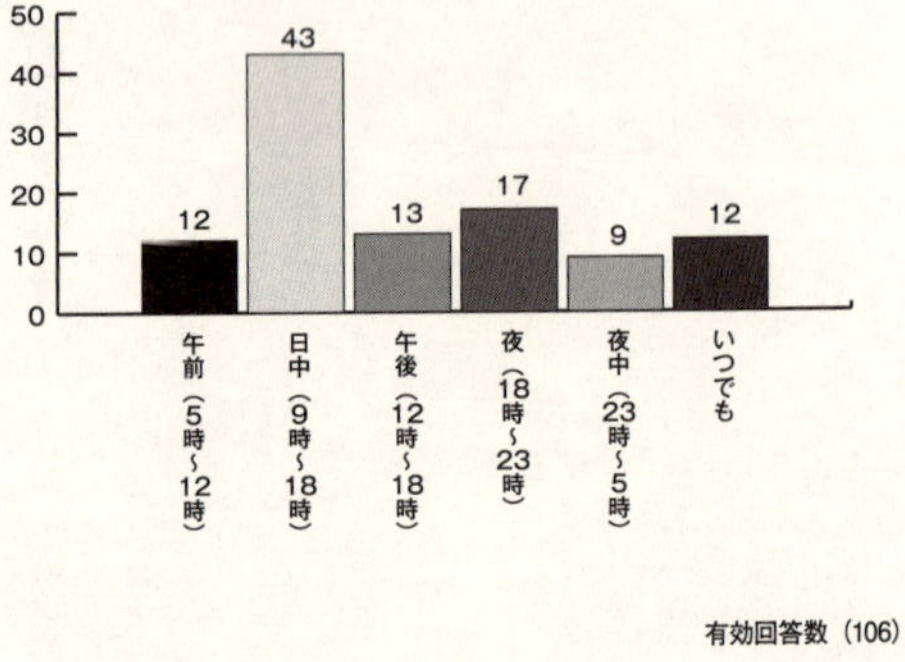

クラシックに学ぶ

五十嵐貴久
IGARASHI Takahisa

①クリエーターに必要な資質は何ですか
②過去の作品を参考にしてもいいですか
③どのような作品でも参考になりますか
④過去の作品をヒントにしてアイデアを生み出す方法を教えてください
⑤過去の作品をヒントにしてアイデアを生み出す方法を教えてください
⑥小説を面白くする方法を教えてください
⑦前例のある設定で書いてはいけませんか

1、何だかNHK教育テレビのタイトルのようになってしまいましたが、別にモーツァルトが出てくるわけではございません。あくまでも五十嵐貴久流の「面白いミステリーの書き方」について書くのが本稿の目的であります。

ただし、そうなってきますと、今度は「面白いミステリーとは何か?」という大命題にぶつかってしまうわけで、だいたい私は面白いどころか正式な形でミステリーを書いたことがほとんどない作家ですので、そんな人間がこのような高邁なテーマについて書いてよいのか、本質的に何かが間違っていないか、そのようなことも考えつつ、まあとりあえず書き進めていきたいと、かように考える次第でございます。

私はこの連載シリーズ「ミステリーの書き方」について、プロを目指す方々が読むものです、と編集の方に説明を受けたような気がしておりますが(記憶違いだったらどうしましょう)、その通りになるかどうかは私にもわかりません。信じるか信じないかは、あなた次第なのです。

2、タイトルに掲げました「クラシック」というのは、要するに過去に存在した小説はもちろんですが、映画、コミック、アニメその他ありとあらゆる表現物を指す、とお考えください。

小説はこの中では、最も古い表現形態だと思います。何をもって小説とするのか、という問題になりますと、私は学者ではありませんからめったなことは言えませんが、早い話が腐るほど山のように過去の作品があると言っていいと思われます。

それと比較すると、映画、コミック、アニメなどはまだ歴史的には新しいものだと思いますが、これはこれでとんでもなく数多い作品があるのは、言うまでもないことでしょう。ちなみに、２００６年の邦画公開本数は、４１７本ということでしたが、ワールドワイドな視点で見れば、数千本を超えていてもおかしくはないと思います。これはコミック、アニメについても同様です。

五十嵐は何を言いたいのかというと、つまり、私たちには驚くべき数の過去のテキストがある、ということを明快にしておきたいわけです。

①作家に限った話ではなく、どのような分野のクリエーターでも、彼らが目指している地平線には、今までなかった新しい何かを作りたいというような、一種の野望があると思います。もっと言いますと、そういう強い意志がない者は、あんまりクリエーターを目指すべきではないのではないか、とも思います。

②ですが、せっかく山のようにあるテキストを使わないというのも、これは資源の無駄といいますか、非常にモッタイナイ気がします。優れた映画、コミックなどを何度でも見返し読み返し、そこから何かを学び取る、というのはどれほど独創力に富んだクリエーターでも（無意識であっても）やっていることであり、それは決して「パクリ」というような次元の低いものではないと思います。

ジョージ・ルーカスが「スター・ウォーズ」を作るにあたり、例のC－3POとR2－D2の関係式は、黒澤明の「隠し砦の三悪人」に登場した戦国時代の二人の百姓、太平（千秋実）と又七（藤原釜足）の関係を参考にした、というのは有名な話ですが、[3]うまく処理することによって過去のテキストを更にグレードアップさせれば、それはある意味で理想的な関係だとさえ私は思っています。

3、また、過去のテキストを利用するのは、上記の例のように傑作から傑作へというような移行だけではなく、愚作からアイデアだけをうまく抜き取るというやり方もあるかと思われます。

　これは決して「愚作」とまでは言えないのですが、イタリア映画で「黄金の七人」という作品がありました。そこそこに人気のあったシリーズだったようで（例えば新宿ＴＳＵＴＡＹＡへ行くと、「黄金の七人」コーナーもあるぐらいですし、またそこで使われた音楽は後にいわゆる〝渋谷系〟のルーツとなった、という話もあります。私のイメージだけで言いますと、少なくともピチカート・ファイヴにその影響は濃厚だったのではないでしょうか）、何本かの続編が作られています。

　その中の1本、「新・黄金の七人・7×7」において、主人公の泥棒たちが自分たちのアリバイを作るために、わざわざ刑務所に（微罪で）入り、そこから脱獄して、造幣局に侵入し、偽札ではなく本物のお札を刷る（いかにシナリオを書いた人がひね曲った根性をしていたか、私にはよくわかるような気がします）というプロットがありました。

ただ、単に脱獄したのでは、刑務所内にある監視カメラの画像を見ている警備員に犯人たちがいないということがわかってしまうので、彼らは監視カメラに対して、ある細工をします。非常に簡単なもので、８ミリフィルムに刑務所内での自分たちの行動を写しておき、それを何度も繰り返し流すことによって、自分たちが刑務所内にいるのだ、というように思わせる、というものでした。

ここまで書けばおわかりのように、このトリックはその後30年近く経ってから、ある有名な映画に流用されています。キアヌ・リーブス主演の「スピード」です。まあ、だいたい「スピード」自体が東映映画「新幹線大爆破」のプロットをそのまま使っているような映画なわけですが。

４、ここで突然自作の話になりますが、二つの小説を例にあげてみます。まず「安政五年の大脱走」（幻冬舎文庫）ですが、既にタイトルに「大脱走」と入ってるぐらいで、これは傑作映画「大脱走」へのオマージュ作品です。

私はおそらく30回ぐらいこの映画を見ているのですが（しかも、毎回感動する）、たったひとつ、ここだけ何とかしていただきたい、という場面がある、とずっと考えていました。

この映画は、第二次世界大戦中に捕虜になった連合軍の兵士たちが、それぞれの能力を生かしてドイツ軍の捕虜収容所からいかにして脱走するかという、プロットを聞いただけで血沸き肉躍る話なのですが、結局彼ら捕虜たちは、収容棟の地下に穴を掘り、そこから外へ逃げようという計画を立てるわけです。総合的な指揮官であるビッグX（暗号名ですね）は、念のために3本のトンネルを掘ることにするわけですが、わずかなミスからそのトンネルのひとつがドイツ軍に発見されてしまいます。

私が問題にしているのはこの場面で、ドイツ軍将校はこのトンネルを埋めることで、捕虜たちの計画は失敗に終わった、と結論を出すのですが、このドイツ軍将校は非常に有能な人物として描かれており、もしそうであるのならば、他にもトンネルがないかどうか、それこそ死に物狂いで捜したはずでしょう。

もちろん、映画には尺といいますか、要するに時間制限があるために、そこまではできなかったという物理的な問題もあったでしょうし、そういう重箱の隅をつつくような見方をする客（私のような）が悪い、とも言えるのですが、オマージュ④を書くにあたって、そういう不自然な場面をないようにして、ちょっと簡単には考えつかないような脱出法を考えるというのが私の狙いでした。

なお、これは一種のトリビアですが、作中（詳しくは書けませんが）ある人物が脱走することに成功しますが、この脱走手段は司馬遼太郎氏の「花神」という小説のある記述（おそらくほんの2行程度です）から、着想を得たものです。

更に、この小説内で、捕虜側の主要人物が

殺される場面がありますが、この時に味方の捕虜に対し、概略次のようなセリフを残してから死んでいきます。

「おれはお前が嫌いだ……大嫌いだ。だが（捕虜になっている姫のことは）お前に任せるしかない。姫を頼んだぞ」

このセリフの前半部分は、三谷幸喜氏の傑作ドラマ「王様のレストラン」最終回で松本幸四郎氏が「ここのギャルソンは料理をいちいち説明してくれました。丁寧に。しかし、どれも話が長すぎる。あれではお客様のお腹が鳴ってしまいます。それにワインの温度が低すぎる。ワインの温度は室温と同じというのは常識です。そしてオードブル。味が濃すぎます。ディナーというのは後にゆくほど料理の味が濃くなっていく。最初からああ濃い味を出されては後の料理が台無しです。要するにここは、一流とは程遠い、私に言わせれば、一流を気取っているだけの最低の店です。最低の。だがしかし最低ではあるが……素晴らしい！」というセリフを念頭に置きながら書きました。

そして後半のセリフの引用元は「スター・ウォーズ」です。

「スター・ウォーズ」エピソード5のラストシーン近く、ハリソン・フォード演じるハン・ソロが敵に捕まってしまう場面で、ソロは彼の忠実な部下であり、友人でもあるチューバッカが、ソロを助けようと暴れるのを止めてこう言います。「よせ。（お前が暴れだしたら、お前もおれと同じように捕まってしまうぞ、というような警告）よく聞け。いいか、おれが処刑されたら、お前が姫（レイア姫）を守るんだ。わかったな」

⑤このように、素晴らしい場面をテキストにすれば、誰がどう書いても、それはある一定のレベルを保つことができるでしょう。

また、これとはまったく逆の方法論で書いた小説もあります。2007年夏、TBS日曜劇場で連続ドラマ化された「パパとムスメの7日間」です。この小説の元ネタは大林宣彦監督の傑作映画「転校生」ですよね、と多くの方に指摘されますが、潜在的にはそれもあったのかもしれませんが、直接的に影響を受けたのは「フォーチュン・クッキー」というアメリカ映画です。

ポップコーン・ムービーの典型とも言うべきこの映画において、入れ替わるのは母親と娘という設定です。やや記憶が曖昧ですが母親は非常に真面目で、PTA会長を務めるようなキャリアウーマン、娘は自宅のガレージに友達を集めてバンド練習に勤《いそ》しむプチ不良というまったく対照的な二人が入れ替わって、さあどうなるのか、という映画なわけですが、つまりその、なんです、要するにまったく面白くない。

設定は決して悪くない。にもかかわらず何が面白くないのか。娘役のリンジー・ローハンが太りすぎているからなのか？（ちなみに、リンジーはこの映画の撮影前後、アメリカで最も人気のあるアイドルだったはずです。その後わずか数年で、落ちるところまで落ちた感もありますが、その頃は日本で言えば長澤まさみクラスだったと言っても過言ではない

と思います）

　設定が悪くないのに、面白くないのはなぜか。そんなことを考えても、基本的に時間の無駄になる場合が多いのですが、２週間ほど考え続けて、どうもこれは入れ替わる相手が同性だから面白くないのではないだろうかと思いました。

　娘の立場になってみよう（念のために言っておきますが、五十嵐貴久は45歳〔当時〕の男です）。もし自分が娘だったとして、何に入れ替わったら本当に困るだろうか。困るどころか、もう死ぬしかない、とまで思い詰める相手は誰なのか。

　ここまでくれば、後はもう一歩ですし、実際思いつくまで２分とかかりませんでした。

つまり、父親です。


　17歳のあたしがもし自分の父親と入れ替わってしまったら、すべてがトラブルになるでしょう。トイレひとつ、風呂ひとつ取っても、娘であるあたしにとって、これは大問題です。もちろん、父の代わりに会社へも行かなければならない。まったく何もわからない仕事について、決断を迫られる場合もある。

　父親にとってもそれは同じです。47歳の意識のまま、17歳の女子高生の群れに飛び込んでいくのは、いいと言えばいいのかもしれませんが、洒落で済まない事態であることも確かです。そして勉強の問題もあるし、娘が恋をしている男の子の問題もある。
　⑥問題が多ければ多いほど、トラブルが大きければ大きいほど、小説は面白くなるはずで、私はその一点だけを考えながらプロットを考

えていきました。結果的に成功したかどうかは別として、そのような方法論によっても、小説は書ける、ということです。

5、長々と駄文を綴って参りましたが、そろそろ枚数も尽きてきたようです。クラシックに学ぼう、というのは、決して単なるお題目ではありません。新奇なアイデア、オリジナリティにあふれるストーリー、誰も描いたことのない世界、独自の哲学、実験的なまでに新しい文体、過去になかった角度による物の見方、誰も扱ったことのない題材、それはとても重要なことだと思います。これはミステリーに限ったことではなく、小説全般について言えることでしょう。

ですが、毎回それがうまくいくかどうか、少なくとも絶対ではありません。[⑦]冒険に打って出ることも必要でしょうし、それもまた作家のあるべき姿かと思います。ただ、困った時にはクラシックに戻る、というのもひとつのやり方ではないかと私は考えています。大仰な言い方をしましたが、やはり基礎は重要だ、というのが本稿の結論です。くどいようですが、信じるか信じないかは、あなた次第です。

ミステリー作家への質問

Q.ペンネームを使っていますか

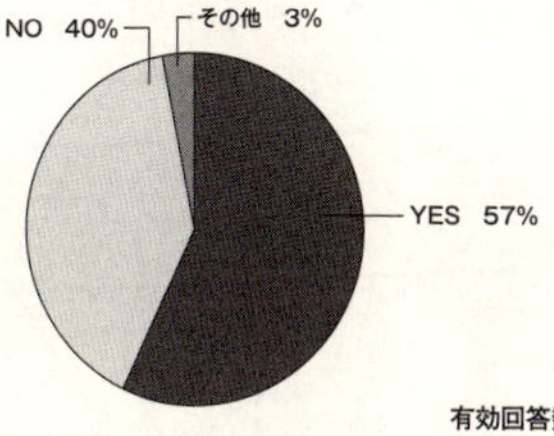

有効回答数（136）

YESの理由とペンネームの由来

●執筆を始めたとき、会社勤めのサラリーマンだったため。＜直井明＞
●尊敬するイギリスのホラー作家アーサー・マッケンより筆名をとっている。＜朝松健＞
●本名がながかったので半分に切って、あて字をしました（イシダイラショウイチ→石田衣良）。＜石田衣良＞
●友人（島田荘司氏）に本名では良くないと言われ、そういうものと信じてもいませんが、面白いからと考えました。The Beatlesに「夢の人」という邦題を持った曲があり、それにかけています。＜井上夢人＞
●他人になってみたかったし、できれば性別も不明にしたかった。＜恩田陸＞
●外部執筆禁止の会社にいたため、たまたま叔母の名前を使いましたが注文が増えて改名の機会を失いました。＜加納一朗＞
●友人3人の姓名から一字ずつ取りました。＜北森鴻＞
●本業ではないことを明確にするため、また横浜ベイスターズ（大洋ホエールズ）ファンであったため！＜鯨洋一郎＞
●耳で聞くとさほど違和感がないが、字面を見るとインパクトのある名前。J・D・カーのカーが入っている。ペンネームをつけた理由は、プライベートとの分離。＜柄刀一＞
●・私生活が守られる。・マスコミの方にデタラメを書かれたとき、傷が軽くすむ。＜鳥井架南子＞
●西村→友人の姓。京太郎→東京生れの長男だから。＜西村京太郎＞
●漢字で「勇嶺薫」と書く。「ゆうれいがおる」と読める。平仮名にしたのは、漢字では子どもに読めないという理由から。＜はやみねかおる＞

冒険小説の取材について

船戸与一
FUNADO Yoichi

①取材に行くときにプロットを決めたほうがいいですか
②プロットは必要ですか
③取材時のメモの取り方を教えてください
④効果的な取材の方法を教えてください

ミステリとは何かについて作家の見かたは千差万別だし、ましてやハードボイルドや冒険小説はまったく無定形な概念であり、アクションを基軸とした小説という程度にしか名づけようもない。したがって、そのための取材もかくすべきだという原則も方法論もないのである。つまり、既存作家のやりかたは何の参考にもならないし、みずからが独自に獲得するしかないのだと言ってもよかろう。そこで、ここでは参考にもならないだろうが、わたし自身の取材方法を記すに留める。それを眼にして、あいつはああいうやりかたをしているのかと読み流す程度にして欲しい。

1．わたしは取材現場に行くまえに小説のストーリィやプロットを決めることがない。むかしから旅好きだったので、異域をぶらつけばかならず新しい物がたりが想い浮かぶと勝手に決め込んでいる。最初に旅ありきなのだ。そういうやりかたですでに二十三年間小説家として暮しの糧を得ている。たとえば、フィリピンを舞台にした『虹の谷の五月』はこんな具合だった。マニラで日本人相手の無数の娼婦が日比混血を産み落とす。俗にいう第二次ジャピーノだ。それを眼にしたあとセブ島に渡った。山間の集落をぶらついたとき、二十四歳の若者と十三、四の少年が近づいて来て、じぶんたちが発見した新しい泉を見せてやるという。ふたりとも眼が澄んでいて態度が凜々しかった。その時期、その集落ではバランガイ・キャプテン選挙が近づいていた。バランガイとはもともと小舟を意味するタガログ語だが、それが転じてフィリピンの最小単位の政治機構となったのだ。この地区長はそのまま集落の経済再生の問題と衰弱期にはいった新人民軍との対処の問題を迫られる。

かくして、あの小説の主人公と背景はおのずと決定した。『緋色の時代』はアフガンツィと呼ばれる旧ソ連のアフガン帰還兵がマフィア化して地下経済の主役になっている現実に直面し、それを小説化したものだ。ストーリィやプロットは帰国後に決定するのだが、書きはじめてもすぐにそれが想い浮かぶことはない。②わたしがじかに逢った人物をデフォルメして小説の舞台に載せているうちに、やがてそのキャラクターがじぶんをこうしてくれという声が聞こえて来るのだ。それをそうしてやるだけに過ぎない。ただ一度だけぴしりとプロットを決めて書きはじめたことがある。『緑の底の底』だ。読者の評判は香《かんば》しくなかった。以後、そういう方法は採らずデビュウ時のやりかたに戻っている。

2.③現地に出掛けたとき、わたしは原則としてメモは取らない。写真やVTRも撮らない。そういう行為が必要なのは対象そのもののインパクトが弱いせいだと思うからだ。そして、カメラのファインダーを覗くことは視野狭窄に陥る最大の理由だと経験則として知っているからである。若いころは経済的理由でかならずカメラを携帯した。ふつうの人間が出向かないところでシャッターを押せばプロでなくても帰国後写真が売れたのだ。そのために被写体だけに視線が集中し、全体的な雰囲気をしばしば見失った。初期作品『群狼の島』はその代表例と言ってもいいだろう。

3. わたしは取材先としてなるべく辺境の紛争地を選ぶようにしている。そこは現代史の矛盾が隠しようもなく白日のもとに曝されているからである。欺瞞はすぐに露見してしまい、現実には何が起こっているのかを見透しやすいからだ。わたしは小説とはどのような手法を採ろうと、物がたりから発展したものであり、物がたりとはありえたかも知れない歴史もしくは地下水脈のなかで生きつづけている歴史だと考えている。辺境はまさにそういう物がたりの宝庫だ。その気になれば、どういう小説でも書けるだろう。『夢は荒れ地を』や現在連載中の『降臨の群れ』は現地を一ヵ月以上ぶらついた結果なのだ。書斎のなかでどれだけ資料と格闘しようと想い浮かぶわけもないと思っている。

4. デビュウ直後、わたしの作品が版元にとってそれほど商品価値があると思われなかったころ、取材費の捻出は重要問題だった。乏しい資金で旅を賄わなければならないのである。それは神経をぴりぴりと過敏にさせる。第三世界ではハイパーインフレとでも呼ぶべき物価の暴騰につき合わされることなのだ。当然、そこにはブラック・マーケットが存在する。銀行で正規の通貨レートで現地通貨に替えようとするのは愚かとしか言いようがない。しかし、当然ながらブラック・マーケットには陥穽が待ち受けている。そこは旅行者から金銭《かね》を巻きあげようとする詐欺師たちの巣窟なのだ。びっくりするほどの手品が行われる。これに対処するには騙されても笑って済まされるほどの小額紙幣を持ち歩くことだ。

しかし、十ドルでは財布がかさばり過ぎる。わたしの場合は二十ドル札を用意した。二十ドルをブラック・マーケットで両替えすれば二日ぶんの宿泊費と食費が確保されるのだ。ハード・カレンシー・オンリーという鉄則は第三世界では忘れてはならないように思う。同時に、小説家として作品に商業価値が認められていない時期こそ重要である。金銭はないが、時間はたっぷりある。壁蝨《だに》に悩まされる安宿。どれほど尿意を催そうと我慢するしかない乗合の長距離バス。いつ盗まれるかも知れないじぶんの荷物。しかし、こういう旅には無数の小さな物がたりが詰まっているのだ。作品に商品性が認められるようになると、こういうことから遠ざかってしまう。連載を抱えてしまうと、旅そのものに効率を求めてしまうからである。それは取材の大まかな目的を果したとしても、それ以外の細部が視界にはいって来ないのだ。いまのわたしは現地取材には一ヵ月ちょっとの余裕しか与えられていないが、それでも現地の人の群れを見て、あいつはこうなのだろうなと何となく想像できるのは版元がわたしの作品にたいしてほとんど期待していなかった時代の記憶によるものである。

5. 何度も旅をするということが予期しなかった効果を産むのは確実である。A地域では背景に過ぎなかったものが、B地域では前面に躍り出るのだ。たとえば、ヨーロッパでは傍役に見えたクルド人が中東では主役を張るのである。あのときあいつがああ言ったのはこのことかと納得させられるのだ。わたしのささやかな史観のなかで点が線に変わっていく。『砂のクロニクル』はそういう経験のうえに成り立った。この点から線への変換こそが旅の醍醐味だと断じてもいいように思う。

　いずれにせよ、わたしは書斎ではいかなる物がたりも想い浮かばない性質《たち》である。異域をうろつきまわってのみ、意欲が湧いて来るのだ。その体力がなくなったとき、推進力を失って墜死するだろう。小説家としては情けないが、それが宿命だと思っている。繰りかえして言うが、ここに記したことは取材の原則でもなければ、一般的な方法論でもない。ただ、わたしのやりかたであるに過ぎない。④小説家志望の人たちはみずからの取材法を勝手に発見すればいいのである。

長期取材における、私の方法

垣根涼介
KAKINE Ryosuke

①②③④効果的な取材の方法を教えてください
⑤現地取材で注意すべきことはありますか
⑥取材先で写真を撮るときの注意点は何ですか
⑦現地取材で得られるものは何ですか

私の取材旅行で最も期間が長かったのは、二〇〇二年にブラジル・コロンビアを訪れたときだ。二ヶ国併せて二十都市ほどを廻り、二ヶ月間現地を周遊した。

①作家により現地取材の方法は様々だろう。どれが正しいということはない。人の生き方が人それぞれであり、結局はその人に合った生き方をしなければ、いい人生を送れないのと同じことだ。

だからここでは、私に合った取材方法を説明するだけだ。それが万人に通用するものなのかどうかは分からない。おそらくは通用しないだろう。それでも他人の違った考えを聞くことは、時と場合によっては聞く側の参考になることもあるので、そういうつもりで以下の文章を読んでいただければと思う。

②私は長期の取材に出かける際、必ずその現地の資料や本を可能な限り読み漁る。もともと興味があってその地を選んだわけだから、それに関する資料を読むのはあまり苦にならない。むしろ、自分の知識や新しいモノの見方が増えることに快楽のようなものを覚える。ただし、これはやや危ない傾向だ（笑）。それはさておき、③さらに言えば、漫然とその土地に行って風景や人を見るより、ある程度自分の中に意識のバイアスをかけて行ったほうが、小説のための観察の焦点をより絞ることが出来る。

取材に出かける前に、もう一つやることがある。

④現地を舞台とした登場人物の属性に、出来るだけ近い人物にインタビューのアポを取っ

ておくことだ。具体的に言えば、どういう生い立ちか、どういう仕事をしているのか、家族構成は、年齢はいくつかなど、そういう属性が、予想される登場人物と重なれば重なるほどいい。このアポを取るために、インターネットや、編集者・知人友人の伝《つて》や、現地の観光局、日系人協会など、とにかく使えるものは何でも活用する。

⑤現地でのアポはそんなにギチギチには入れない。長い取材期間だと、せいぜい数日に一人ぐらいだ。その取材対象からさらによいモデル人物を紹介されることもしばしばあるから、そのための予備日は常に確保しておく。

連日取材のアポを詰め込みすぎると、精神が疲れてくることにも要注意だ。会う人ごとに、いわばその人の半生の物語を聴くことになるのだから、どうしても心の中に淀みのようなものが溜り、疲労感が出てくる。その疲れが癒え、訪れた場所にもある程度慣れ、リラックスしてブラブラほっつき歩けるようになってから、次の取材アポをこなすというのがベストだ。

私は知らない町をぶらつくとき、常にデジカメは携帯している。ただしそんなに写真は撮らない。取材対象や、街角で印象に残った人物や、路上の奇妙な風景をたまに撮るぐらいだ。それら写真も、家に帰ってからはまず見返すことがない。⑥写真を撮るときは、まず被写体を心の中にしっかりと焼き付けてから、忘れたときの保険として撮ることを心がけている。写真の映像は正確だが、心に残った映像のほうがより正しい。そして文字に起こし直すときは、こちらの心象風景のほうが確実に役に立つ。

取材で町をぶらつくときに、大事なことがもう一つある。実はこれが、この文章の中で最も書きたかったことだ。

私は町をぶらつくとき、出来るだけ時間の余裕を持って、しかもなるべく予定をたてずに動き廻るようにしている。そういうふうにある程度の余裕を持って行動していると、その心持ちは言葉の通じぬ外国人にも微妙に伝わるらしい。

物見高い田舎だと特にそうだ。屋外のカフェやバーでヒマそうにしている私を見て、同じような現地のヒマ人間たちがしばしば話しかけてくる。

どうしたんだ？　こんな僻地で何をやっているんだ？　あんたドコ人だ？

大体はそんな質問を投げかけてくる。こちらも特に予定があるわけではないから、その質問に少ない現地語の語彙を駆使し、時間をかけて答える。お互いに暇を持て余している者同士、気が合えば話は長引くし、ときには連れ立って飲みに行くこともある。

そんなときに、彼らの『こぼれ話』を耳にするのだ。笑い話や、生い立ちの話、その町の事情……明らかに取材の方向性とは違った内容の、まったく想定外の話。

そしてこれらのエピソードは、かなりの確率で小説の内容を引き締めるフックとして役に立つ。

⑦彼らが何気なく口にした自分たちの暮らしぶりへの感想や、何かを見たときにつぶやく

言葉。

それは、その世界の生活にちゃんと根を下ろした彼らの息吹から出てきた言葉だ。取材者用にと構えた答えでもないから、非常にリアルだ。そして人に対して泥臭い温かみのあるものが多い。

だから、それらセリフの象徴するところを仮にその小説に使えなかったとしても、別に残念がったりはしない。彼らが口にしたことは、何年経っても心の中に静かに残っている。間違いなくその後の私のモノの見方に影響を与えている。

小説世界はストーリーもさることながら、究極は、その書き手の世界観やモノの見方、感じ方でその物語の質が決まる。それが映像媒体との決定的な違いだ。長い目で見れば、間違いなく今の仕事に役立ってくる。

たぶん私は、仕事上の必要性もあるにはあるが、こういう瞬間に出会いたいがために、長期の取材旅行に出かけている部分もあると思う。

ちなみに、思わぬこぼれ話を聞いたときの周囲の風景も、私は忘れない。いつまでも記憶の中ではっきりとしている。

その情景が、別の小説を書くときに役立つ場合もある。これはかなり得なことだ。

ミステリー作家への質問

Q.執筆の前に取材をしますか

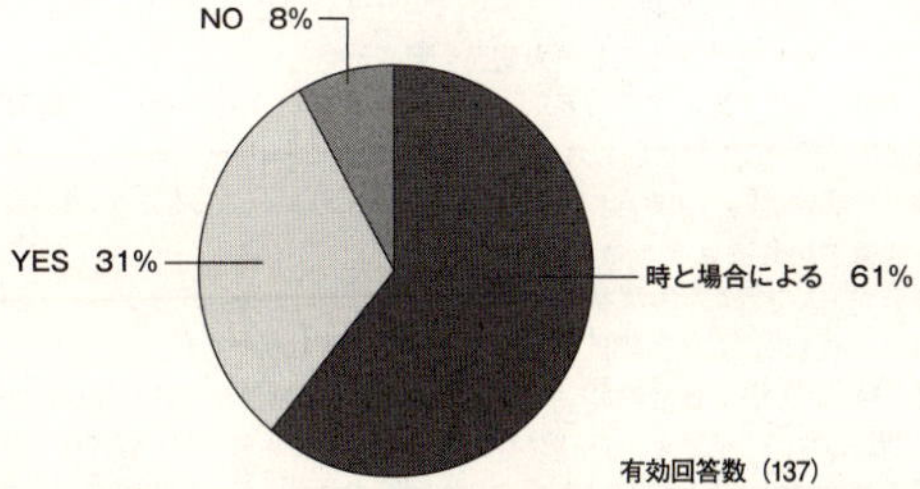

Q.取材をするときに気をつけていることは何ですか

●人に話をきく時は、ていねいに接するなど、ごく常識的な事を守ればよいと思います。しかしながら、多くの場合、資料を集める方が有効です。<青山智樹>

●取材をすると、つい取材によって知ったことをぜんぶ書きたくなる。その取捨選択には、かなり気を遣う。<浅黄斑>

●僕はコピーライター出身ですので、取材原稿（メーカーの開発者や広告部への聞き取り、オリエンテーションといいます）を経験してきました。その際に身につけたのは、インタビュウする前に、まず自分が書きたい粗筋を作っておいて、それにそって質問していくことでした。仕上がる原稿を頭に描き、それにそって質問を進めないと話があっちこっちへ逃げてしまった覚えがあります（小説の場合は聞きたいポイントが物語の流れにそって、どうなるのかでしょうか）。また聞き取りをする相手は、誰もが表現者ではないようです。従って、相手はこちらに伝えたいことがあるのに、それがうまく言葉として表現できていない場合があります。ですから相手の言葉だけを追わずに、答えた言葉をいくつか寄せ集め、言葉として伝えたい真意を汲むようにしていました。<浅暮三文>

●その場所の地理・情景のみならず「空気」を理解するようにすること。<朝松健>

●一般的には「取材して得たものに引きずられるのではなく、いかに捨てるか」ということになるのでしょうが、私はむしろ「取材結果を、いかに役に立たなさそうなものも無理やり加工して作品に取り込むか」を試みています。別にケチだからではなく、一見不要なデータをパズルのようにはめこむ興味と、それによるストーリーの化学変化を期待してのことです。＜芦辺拓＞

●下手をすると、際限なくディテールに囚われそうになるので、「頭がおかしくなる」前に、取材を止めることが大切。＜東直己＞

●事前になにを取材するのか、よく考えて（調べて）から行く。＜阿刀田高＞

●あまり細いことには囚われすぎないように。＜綾辻行人＞

●私の場合は調べすぎないこと。仕事をした気になって、なかなか執筆にかかれない。＜有栖川有栖＞

●必ず1人で行く。写真を撮らない。必要以上のメモを取らない。＜飯野文彦＞

●先入観をもたない。細部に注意する。＜石田衣良＞

●・自分にとって都合のいい結論を導くような取材はしない・こちらからはあまり質問等しない（インタビュー取材の場合）こと、を心掛けています。＜五十嵐貴久＞

●取材には机上と足を使うものの2種類がありますが、私の場合机上取材が主です。机上で得られないものを探す必要がある場合は足を運びます。取材は私にとっては創作過程の重要なステップです。＜井上夢人＞

●・郷土史家の方などと事前に連絡を取って取材目的の打ち合わせ等をすませておく。・実際に歩いてみて距離感をつかむ。＜上田秀人＞

●取材したために目が曇ることがあるような気がします。資料倒れに似た現象が頭のなかで起きるのです。しっかりとした目的がある場合は取材に出掛けます。ほとんど構想ができているか、あるいは草稿を書き上げたあとで、確認の意味で現場を見るとか人に会うという方法が有効だと思っています。十年も前に何気なく旅先で見た人や光景が、ふと作品に登場したりすることもあります。＜薄井ゆうじ＞

●時間をとりすぎないよう、質問を簡潔にする。礼儀に気をつける。＜大倉崇裕＞

●取材で得た知識を使いすぎないこと。取材はあくまでも「理論武装」だと心得ておく。＜大沢在昌＞

●自分で見聞きしたことや取材者の話にひきずられない。先入観を持たない。＜恩田陸＞

●作品の方向、舞台にしたい設定などに応じ、必要にしたがって取材をします。この時、必ず気を付けているのは、作品の核となる部分がはっきりしないうちは、資料を読んだり大まかに話を聞くことはあっても、決して具体的な取材という形には着手しないことです。以前に何作か、取材をしながら作品を探るという形を取ったことがありますが、私の性質には合わなかったという反省があります。ひと言でいうと、核の部分を自分ではっきりと意識化し、それに肉付けを加える、という形で取材をしないと、取材自体に作品が引きずられるように思います。＜香納諒一＞

●視野を広く取る。答がひとつだけとは思わないようにする。＜北方謙三＞

●本当に実になる話は、多くの場合、取材後の雑談から得られる気がします。ことに、お酒が入ると、思いがけない裏話など、聞けるようです。<北森鴻>
●ボイスレコーダーとメモ帳を持参。その時感じたことを即、記録すること。<鯨洋一郎>
●相手の都合に合わせ、できるだけ出向いて面談取材するよう、心がける。電話では行き違いが生じるため。<久保田滋>
●事件の関係者、あるいは取材対象の組織の人から話を聞くことは、デメリットもあります。オフレコとして話された内容が使えなくなるからです。こちらの想像していたとおりのことでも、取材相手から釘を刺されて使えなくなることがありました。<小杉健治>
●先入観を持たずに行くこと、取材先への敬意を忘れないこと。<近藤史恵>
●取材の90%は文献によるもの。基礎知識のない分野は、資料を曲解するおそれがあるので、教科書的なものを必ず読む。<篠田節子>
●取材は気軽な一人旅であり、執筆とは別の本を作るための愉しみの時間でもある。しかも頭の中で構築したものと全く別の発見があり、それがまた別の作品のモチーフになったりする。注意することは、小さなエピソードを逃さず確実にものにしておくこと。小説とはこのエピソードの積み重ねと考えている。<嶋崎信房>
●あまり調べすぎないようにする。<島村匠>
●取材の時に感じる第一印象と感覚。書く時の核になる場合がある。<子母澤類>
●取材の手配は自分でやり、費用を自分で持つこと。対面取材の場合は、情報ではなく『職業の顔』を観察すること。現地踏査の場合は、現地の空気を知ること。取材を終えたら、書く前にすべてを忘れること。<鈴木輝一郎>
●・現場の取材は重視しない。状況が変化すれば現地取材が無意味になることもある。・資料による取材の場合は、複数（多方面）のソースをあたること。・関係者に対する取材では、取材対象以外の予備知識を仕入れておいて、話を引き出しやすくする。<谷甲州>
●先入観ナシで現場にのぞみ、ごく小さな一平凡な細部を心に留めておく。<辻真先>
●やりすぎると、書いてる時間がなくなるので、切り上げどころの見きわめが大切。<辻村真琴>
●自分自身が、目一杯に楽しむこと。驚くこと。楽しんだ取材でなければ身に付かないし、読者を驚かせることもできない。<友成純一>
●現代の風景に惑わされないようにあること。<豊田有恒>
●人に聞いた話は、案外勘違いがあるので、他の資料もチェックしたほうがよさそう。<鳥井架南子>
●先入観をもたずに、それまでとは見方を変える。<中里融司>
●1回の取材は、だいたい、2泊3日。地元の人に話を聞く。しかし、役所は敬遠

する。＜西村京太郎＞

●取材で得たことを全て使おう、とは思わないこと。＜野沢尚＞

●なるべく人に頼らない。＜東野圭吾＞

●相手がある場合は、相手との人間関係を深めることが大切だと思います。相手の職業や技術を、ただ機械的に教えてもらうだけでは、相手にも失礼だし、深いところに触れることができないでしょう。＜藤田宜永＞

●図書館に行き、一日調べてから、現地取材し、また図書館へ行く。国内だろうと国外だろうと、どこにでも行けるように車を足代わりにする。写真だけでなくビデオで撮るなどして動的に記録する。＜松岡圭祐＞

●情報を疑ったり、裏読みしたりします。＜松島令＞

●取材する相手の気持ちになって親身に聞く。謙虚に教えを受けるつもりで接する。取材の目的を明示し、アフターフォローも忘れない。＜松田十刻＞

●情報の信憑性。＜森博嗣＞

●相手が人の場合。話がはずむような話題を仕入れておく。＜森福都＞

●ディテール。取材には大きく分けて三つある。1．文献調査。 2．インタビュー。3．現地検証。 2と3の場合、写真やカタログでは得にくいにおい、微妙な音と色合い、風合い（触感や見た感じ)。＜森村誠一＞

●取材相手の話の嘘を見抜くこと。＜横山秀夫＞

Q.取材をしない理由は何ですか

●いえ、時々してはいるのですが、それを小説に使えたことが一回もないのです。何故か、取材した内容に関係がない方、関係がない方へとお話が流れていってしまうので、作品の内容からすると、取材はまったくしていないのと同じです（それに、そもそも取材が必要な類のお話は、まず書かないですし)。＜新井素子＞

●人物などは、取材をしないほうがいきいきとすることがぼくの場合は多いのです。早合点なのですぐわかった気になる点も、取材嫌いの理由かも。＜石田衣良＞

●自身に感覚を持てていない素材を扱ってしまうと、実感に狂いのある物語を、作者の都合で作ってしまうように思え、そのような作品を読むととても恥ずかしい。当然、そう書きたくない。もちろん、実感を広げたい、とは日々思っている。
＜斎藤肇＞

第3章

ミステリーを書く

プロットの作り方

宮部みゆき

MIYABE Miyuki

①結末と冒頭、どちらから考えますか
②プロットは必要ですか
③プロットは文字にしたほうがいいですか
④最初のプロットを変更してもいいですか
⑤プロットは必要ですか
⑥プロットは文字にしたほうがいいですか
⑦出だしは重要ですか
⑧視点を定めるのはなぜ重要なのですか
⑨短編小説と長編小説の違いは何ですか

⑩小説を書く上でどうしても必要なことは何ですか
⑪ミステリー小説を書くときに何に一番気をつけるべきですか
⑫小説にリアリティをもたせるにはどうすればいいですか
⑬プロットは必要ですか
⑭プロットは文字にしたほうがいいですか

＊インタビュー中で『魔術はささやく』『火車』『理由』『ぼんくら』のトリックや結末に言及している箇所があります。未読の方はご注意ください。

——今日はプロットの作り方というテーマで宮部みゆきさんにお話を伺います。最初は、『魔術はささやく』を具体例にして、プロットをどういうふうに組み立てていったのかを教えていただきたいんですが。

宮部　うまくお答えできるかどうか自信がないんですけど、よろしくおねがいします。

——『魔術はささやく』は第二回の日本推理サスペンス大賞を受賞した作品で、一九八九年の暮れに刊行されています。この年の二月に『パーフェクト・ブルー』（東京創元社《鮎川哲也と十三の謎》第五回配本。現在は創元推理文庫）が出ていますから、宮部さんのはじめての単行本というわけじゃないんですが、ごく初期の長編ですね。

宮部　そうですね。

——いや、ちょっと心配だったのは、この作品のプロットをどうやって作ったのか、もし全部お忘れになっていたら、この企画はご破算になっちゃうんで（笑）。

宮部　今日に備えて、読み直してきました。『魔術はささやく』を読み直すのって、実は文庫のゲラを見たとき以来はじめてなんですよ。書いたのはもう……十五年以上も昔ですね。自分が書いたものじゃないような気がして、新鮮でした。

——ストーリーの流れを二十三枚のカードに

してみたんです（と、自作のカードをとりだす。ワープロ打ちしたプロット要素を勝馬投票券の裏面に貼りつけたもの。中身は次ページ参照）。

宮部　（カードを手にとって）ちょうど手ごろですね、この大きさが。なんかトランプみたい。記念にほしいな（笑）。

■『魔術はささやく』のプロットを解析する

――読者にまずお断わりしておきたいのは、こうやってストーリーの流れを要素に分解すると、秀逸な人物造形だとか印象に残る挿話とか鮮やかな描写力とか、そういう小説のコクとなるものが全部抜け落ちるんで、無機的というか、不思議なものに見えてしまうんですが、今回のテーマに即してお話を伺うためにはやむをえないということで。実は、このカードには抜けてるところもありまして、守が学校でいじめにあってそれにどう対処するかという挿話とか、伯父さんの家族の交友関係とか、いい描写がほかにいくつもあります。私が特に好きなのが、守が近所の川を見に行くシーン。この小説の中では非常に印象深いんですが、それらは小説の肉付けにあたる部分で、プロットの作り方の根幹ではないと判断して、あえて省いてあります。それで言うと、**2**や**4**も省いていいかもしれない。必ずしも二十三じゃなくて二十枚くらいにしてもいいかなって気はするんですが。

宮部　**2**や**4**は映画で言うと、インサート・カットみたいなものですからね。

『魔術はささやく』を23のシーンに分解すると

1	三人の女性の死
2	白い手の男(スクラップブック)
3	日下守(十六歳)タクシー運転手の伯父が女性をはねる
4	男の独白(事故を知る)白い手の男(独白男とは別人)
5	学校のいじめ
6	高木和子のおびえ(客というキーワード)
7	伯父の窮地(目撃者の不在)と家族の災難
8	男の独白(少年を見守ってきた過去)
9	守のアルバイト職場(ビデオ・ディスプレイ)
10	守の捜査(じいちゃんの解錠術)
11	悪徳商法の実態が語られる(三人の女性の仕事)
12	高木和子の現在
13	独白男(吉武浩一)の出頭
14	屋上に登った少女
15	伯父の釈放
16	橋本の死
17	謎の男からの電話
18	和子の客を暗示
19	広告の実態
20	吉武の接近
21	真犯人の登場(真相が明らかになる)
22	吉武の真実
23	ラスト

北上次郎氏が『魔術はささやく』のプロットを23のシーンに分解。
インタビューはこのシーン名が記された23枚のカードを間にして行なわれた。

——そうですね。でも、とりあえずこのカードに沿って、『魔術…』のメインのストーリーを説明しますと、(カードを順番に並べながら)まず三人の女性が次々に死んでいて(1)、その死に関連性があるらしいという謎が提示される。自分たちが死ぬように誰かが仕向けてるんじゃないかと女性が怯えている6があり、四人の女性の共通項は悪徳商法に関係していたことだったというタネ明かし(11)があり、さらに事件は悪徳商法被害者の近くにいた人物の追跡劇だったと明かされる(16)。

以上がメインプロットですが、宮部さんの小説ですから、これだけではあまりにも単調すぎる。そこでこのプロットをもっと錯綜させるために、少年(守)を主人公にする。その少年を復讐する真犯人と同じ立場に立たせることで人間ドラマを重層的にして、「人が人を裁くとはどういうことなのか」をテーマに持ってくる、それが23ですね。

つまり私の解釈では、最初に言ったメインのストーリーに、もうひとつのドラマを重ね合わせている。その両者をつなぐために、この3で、タクシー運転手である伯父さんが三人目の女性をはねたことにして、目撃者が不在だからと主人公の少年が自分で捜査をはじめる(10)。さらに、少年の実の父親が失踪した謎もからんでこないといけないから、吉武浩一という人物が父親を殺した犯人として名乗り出てくる(22)。この三枚のカードが、二つの話をつないでいる。

宮部　はい、そういう感じですね。

——あとは肉付けの部分なんですが、21で明かされる復讐方法がちょっと特殊なものなんで、それにリアリティを与えるために、途中に9、14、19とビデオ・ディスプレイがらみのエピソードを入れて補強してある。あとはもちろん守の学校でのいじめの話もあるんですが、とりあえずプロットの要素を大きく見ていくと、こういうふうな分類ができると思うんですよね。これらの物語要素をどういう順番で組み立てていかれたのでしょう。

宮部　ははは。はい、いえ。

——今、「ははは」と笑いましたが、どういうことで、具体的に。

宮部　いや……そうですねえ、分解するところなるんですねえ。全然そんなふうに考えてなかったけど（困惑した様子）。わたし、『怪盗ニックの事件簿』（エドワード・D・ホック／木村二郎訳／ハヤカワ・ミステリ文庫）が好きで、特技をいいことに使う泥棒の話は、ぜひ書きたいと思ってたんです。だから、主人公の守が錠前破りの技術を持ってるってことになったんですよ。今だったら、コンピュータ・ハッカーかもしれないですけど。だから、主人公の設定は最初に決まってたんですね。

——まず、この少年ありきだったと。

宮部　そうです、主人公が最初でした。なぜそんな特技を持っているのか、小説ですから何らかの理由がいるだろうと。そこから主人公の家庭環境なんかがかたまってきたんだと思うんですけれども。どうやって組み立てていったのか……自分ではもうわからなくて

（苦笑）。日記はつけてないですし、当時の覚え書きみたいなものも、どっかに行っちゃってると思うんですよ。錠前の業者さんのところで話を聞いたメモだとか、恋人商法とかに関する新聞記事を切り抜いたりしてたノートはあったんですけど、それもたいした量じゃなくて。あの主人公の設定は最初に決まってて……あと、ラストも決まってました。

――守が裁く側に立つってことですよね？

宮部　ええ。真相が全部わかった段階で、迷ったあげく裁くのをやめて、見ず知らずの女の子かなんかに「どこへ行くの？」って聞かれて、「うちに帰るんだよ」って答える。その最後の一行だけは、最初から決まってたんです。

――ああ、なるほど。じゃあ、メインの事件とかはあとからなんですね。

宮部　ええ。書き上げたのは『パーフェクト・ブルー』の方がもちろん先なんですが、「こういう主人公が書きたい」っていうアイデアは、『魔術…』の方が先だったと思います。なかなかまとまらなくて、そのままにしてたんじゃないかなあ。もしうまく運んでいれば、こっちがデビュー作になっていたかもしれない。

――同じころに作っていらっしゃった。

宮部　ええ、頭の中で話をあたためていたのは同じ時期です。実際に書き出したのは、『パーフェクト…』が手を離れたあとだと思うんですけれども。そもそも『パーフェクト…』で「犬の語り手」という奇抜な趣向を入れたのも、両方とも主人公が同年代の男の子なんで、それぞれをはっきり区別するため……だったんじゃないかと思うんです。

ビデオ・ディスプレイのことは、当時、サブリミナル広告がずいぶん話題になってて、ウィルソン・ブライアン・キイの『メディア・セックス』（植島啓司訳／一九八九年リブロポート、現在は集英社文庫）だったかな、サブリミナル戦略広告がアメリカでいかに野放しになっているかってことを書いた本が向こうで評判になって、翻訳が出たんですよ。それにすごく刺激を受けて、なんとかしてこれを使いたいって思って。当時でも、こんなのトンデモ説だという反論もありましたが。

悪徳商法についても、「親密になることで相手を騙してお金をとる」というインチキ商法が広がっているって話があって。このときそういう手口に興味を持ったことが『火車』にもつながってるんですが。ですから、そういう要素を織り込みたいなと。でも、具体的にどうやって組み立てていったかっていうと——やっぱりぶっつけ本番で書いていったとしか言えないんですよね。イメージ的には出来上がっていた話を、手探りで書いていったって感じですね。小説作法の参考にはならないかもしれない（再び苦笑）。漠然としたイメージはあったんですよ、夜の堤防とか、人通りの少ない深夜の道の赤信号とか。これに限らず、だいたいいつもそうなんですよ、わたし。最近のものでも、どうやって組み立てたかと聞かれると、答えられないものの方が圧倒的に多くて。「たぶんこうじゃないですかね」って話しかできない。原則的にプロッ[2]

トを作らないですから。書きながらメモしていくってことはありますが。

——それは最初からですか?

宮部　はい(笑)。書きながら登場人物の一覧表とかは作るようになりましたけど……それも割と最近ですね。長編が長大化するケースが増えて、人物がだぶる危険とか出てきたんで、メモをとるようになりました。

■ハコ書きは必要か?

——『魔術…』に関しては、主人公を最初に決めたとおっしゃいましたよね。錠前師のおじいさんから技術を教わったという少年のキャラクターを作って、さらにラストシーンも最初に決めたと。つまり、少年が裁く側に立って悩む。ということは当然その次に、この少年が人を裁く理由が必要になるわけですよね。そこで父親の話が出てくる。

宮部　はい。ただ、それが大好きな尊敬するお父さんだってことになると、裁くことに迷いがなくなるでしょうし、話としてつらいものになるから、そうじゃないことにしよう……と、当時のわたしは考えたんだと思うんですが(またもや苦笑)。

——でも、章の順番を変えてないんだとすると、『魔術…』は、三人の女性が次々に自殺するシーンからはじまるわけですから、このメインのストーリーが決まらないと書けませんよね。

宮部　そうですね。頭の中で作ってたんだと思います、だいたいのものは。たぶん映画と同じで、しばらく同じシーンが続いていると、今度は違う人の視点が入ってくる。同じ時間帯に、同時期にこっちで仕事をしている人のカットが入ってくる……書きながらそういうふうに決めていったんだと思います。それは今でもそうですし。

――ストーリーを見ると、すごく早い段階で真犯人の独白が入っているんですよ。

宮部　早いですね。この**4**ですから。

――非常に早い段階で、二人の人物の独白が入っているわけですから、この段階ではすべてのプロットが出来ているとしか思えないんですよね。④

宮部　出来てたんでしょうね（笑）。ただ、微動はしますよね。たとえば、被害者の女性はひとりでいいと最初は思っていたかもしれない。でも、ある程度謎めいて見えるためには、それに次は自分かもしれないと怯えてもらうためには、何人かいた方がいい。ただ、べつに二人でも四人でもよかったわけですよね。それはやっぱり書きながら考えていったんだと思うんです。このやり方って――自分でも進歩ないなって思うんですけど、全然変わってないんですよ。

――ああ、そうなんですか。

宮部　書きはじめる段階でプロットを全部組むことができなくて、おおまかに頭の中だけにしかない。その段階で言語化しちゃうのが怖いっていう気持ちがあるんです。だから頭の中でずっと転がしているみたいな。

――でも、たとえば、**2**の白い手の男と**4**で独白する男が別人だってことは最初から明らかですよね。この段階でこういう独白が入っているということは、すでに頭の中ではすべて出来ている。

宮部　出来てたんでしょうね。ただそれを箇条書きにしたり、人に説明したりできる状態じゃなかったんだと思うんですよ。だいじにだいじに近寄って捕まえないと逃げる逃げるって……。それは今でも同じで、だから、どうやって書いているかって聞かれても、いつもろくに説明できないんですよ。アンタ本当に自分で書いているのかと言われないのが不思議なくらいで（笑）。

――プロットを立てずに書く作家の方もたくさんいらっしゃいますが、そうやって書くと、書いているうちに――あとで直せばいいんですが、直さないでそのままにしちゃうと――前半と後半で整合性がとれなくなったり、微妙におかしくなったりしますよね。

宮部　あれ、ここ変わったなあ、とか。

――そうそう。でも『魔術…』の場合、非常にかっちり作られているんですよ。最後の方まで計算されている。たとえばプロットが完全に出来上がっていないと❷と❹の挿入はありえないですよね。だから、頭の中でかなり明確なものが完成しているか、もしくは曖昧なんだけど、勘が鋭くて、もやもやしたものをうまくまとめられるのか。

宮部　[⑤⑥]わたし、プロットを作らないタイプではないと思うんです。かなり作っているはずなんですよね。でもそれを言語化しない、書かない。書くと逃げていくような気がするんです。いよいよ大丈夫だってときまで、目に見える形でプロットを言語化できない。たぶん頭の中では作ってるんですよね。書きながら、ポイントだけは、箇条書きのメモなんかにしとくんですよ。でも、スタート時点ではそれさえできない。ただ、「書きはじめたら登場人物が勝手に動き出す」っていうタイプの人とは、たぶん違うんです。出来てはいるんだけど、それが言葉にならない。

――少年のキャラクターとラストシーンが最初に浮かんできて、しばらく頭の中でぐるぐる回しているうちにメインの事件が浮かんできて……ってことですかね。では、それをどうやってつないでいくか。書く前からそれが頭の中にだんだん出来てきて、実際に書くのは肉付けの部分っていう。

宮部　そうですね。たとえば主人公に家族がいるとしたら、事件にどう反応するかって。少年が調べはじめたことに対して何か言うんじゃないかなって、そういうふうに肉付けしていくわけです。主人公が事件の関係者と親しくなると、たとえば誰かと恋仲になることもあるかもしれない、とか。そういうふうな感じですね。

――じゃあ、言語化はしないけれど、プロットの順番でいくと、少年の次にメインの事件があったんでしょうね。このつなぎの部分も、かなり早い段階に出来てるんですよね。じゃないと**3**で伯父さんがタクシー運転手として登場することはないでしょう。

宮部　野崎六助さんにご指摘を受けたことがあるんですが、わたしは巻き込まれ型サスペンスが非常に少ないと。どっちかというと自分から進んで入っていくと。でも『魔術はささやく』は、珍しく巻き込まれ型なんですよね。事件に少年を関係させるためには、身近なところで誰かが加害者になって、でもそれが、どうもおかしな事件だ……っていう方が話として面白いと思ったんだと思うんですよ。ただ、事件を起こすにしても、酔っぱらって女の人を殴っちゃったとかだと言い訳の余地がありませんから、交通事故が妥当かな、それなら職業はタクシー運転手だな……って、レンガを積むようにして考えていったと思うんです。ただ、その過程を自分でひとつひとつ意識はしていない。

――かなり緻密に考えていらっしゃるんじゃないですか。そうじゃなければ、こんなにうまく整合性がとれないでしょう。

宮部　そうなんでしょうか。うーん……どうなんだろう。

――こういうテーマのインタビューなんで、そこをなんとか言語化していただけないでしょうか？

宮部　そうですよね。それはすごく難しい……いつもうまく言えないんですよ。どうやっているのか自分でもわからない。それが自分でわかっていれば……今なんかも、並行してやっている仕事のうちの半分がすごくしんどくて、行き詰まっちゃっているんですけど……ああ、これはグチですね（笑）。

■出発点はさまざま

――じゃあ、いったん『魔術はささやく』から離れましょう。『魔術…』は最初に主人公を決めたってことですけれども、すべての作品がそうだってことはないですよね。

宮部　はい、事件から先に決める場合もありますし、技法から先に決まる場合もあります。『理由』なんか完全に技法からですね。疑似ドキュメントでいこうって最初に決めてましたから。そのときによってばらばらです。人物を書きたいからっていう動機が一番少ないと思います。こういう主人公を書こうっていうのは、すごく少ない。

――物語をどこから語りはじめるかっていうのも、技法のひとつだと思うんです。宮部さんの小説ではそれがいつも非常に新鮮なんですけれども、それは肉付けの部分とお考えですか？

宮部　[7]どこからどう書くかってことがやっぱり最初ですね。だからそれを決める時点でおおまかに話は見えている……と思うんですよね。誰の視点でどう書くか、終わった事件のどこから書くか。終わっているわけですよね、作者は結末を知ってるわけですから。[8]終わった事件のどこから、誰の目で書くかってことがいつもスタートですね。

――たとえば『火車』の最大のポイントは、犯人が最後まで出てこないことだと思うんですが……最後には出てくるんですが……あそこから決めたんじゃないですか？

宮部　ええ。犯人が最後に出てくるっていうのを最初に決めました。

――そうでしょう、あれは非常に決まってますよね。

北上次郎氏の推理

①メインとなる物語を作る

悪徳商法に関係していた
４人の女性が、その被害者の
近くにいた人物に次々と
狙われるという話。

1　6　11　16

②もう1つの物語を作る

人が人を裁くとは何か？
というテーマを軸にした話。

23

③つなぎの物語を作る

①と②を上手くつなげるために──
少年が伯父の起こした交通事故の真相を探る話。
また行方不明となっている父を巡る話。

3　10　13　20　22

④トリックのための物語を作る

奇抜なトリックに
リアリティを
持たせるための話。

9　14　19　21

⑤肉付けのための要素を盛り込む

2　4　5　7　8
12　15　17　18

宮部みゆき氏の実際の方法

①少年のキャラクターを設定する

錠前破りという特技を事件解決のために
役立てる少年を書きたいと考える。

3

↓

②ラストシーンを決める

主人公の少年が見ず知らずの女の子に「どこへ行くの?」と聞かれて、
「うちに帰るんだよ」と答えるシーンを書きたいと考える。

23

↓

③少年の父と父を殺した人の物語を作る

20　22

↓

以降は書きながら"手探り"で様々な要素を組み立て、肉付けしていった。

2　14　21　4　11　16

15　7　1　17　12　10　18

13　9　6　8　5　19

宮部　ありがとうございます。そういう小説を一本書いてみたかったんで。じゃあどうするのかなっていうのは……どうやって決めていったんでしょうね（笑）。

——それはやっぱり事件でしょうね、普通に考えれば。

宮部　さっきも言ったんですけど、悪徳商法とか、個人の金融クライシスみたいなものにずっと興味があって、多重債務と自己破産という題材は使いたいと思っていたんです。『火車』の場合は、個人の入れ替わり……本格推理でよくあるトリックですが、戸籍謄本とか住民票がある現実社会で、そういうものを利用して入れ替わるとしたらどうしたらいいのかなっていうところが次に決まったと思いますね。

——なるほど。事件がその次ってわけじゃないんですね、もっとあとだったんですね。

宮部　そうですね。捜しに捜していた女が最後に出てくると、まったく違う人間の名前を持っていた、それだろうな、と。じゃあ、どうして彼女が入れ替わっていたのか……っていうのを積み重ねていったんだと思います。でも『火車』のときでもハコ書きみたいなものは作ってないですね。捜して捜して捜しつづける話ですから、迷いようはない。だから、気をつけて書いたのは、見落としがないかどうか。ヒロインの住所を追いかけていくんですが、この住所がなんでわかったか、住民票を追いかけるとどこまでわかるか、その当時働いていたところに行くとどこまで教えてもらえるか、その順番に飛躍はないか、落ちはないかというのは気をつけていました。わたしが今まで書いてきた小説は、だいたい一本道……そう見えないように悪賢く書いてみたりしていますけれども……構造として一本道のものが多いので、ハコ書きを作れない。なんとか作ろうとしたこともあるんですがダメなんですよね。

――どうしてダメなんですか。想像力が刺激されなくなる？

宮部　そこで終わっちゃうんですよね。しゅーってしぼんじゃうんです。それでも新連載のときは怖いのでメモみたいなものは書きますけど、出来上がるとそこからそれてますね。最後だけがそれていることもありますし、大きくそれていることもありますし。人間関係は変わらないけど、犯人的な役割をする人が変わっていることもあります。こういうふうに展開するんだったら、犯人はこいつじゃなくてこっちだろう、みたいな。この状況を途中から見ていて、この人は手を出したくなるんじゃないかとかってなると、最初に考えたあれは甘いかな、っていうふうに変えていく。

例外的に、『ブレイブ・ストーリー』というファンタジー作品では、全体の三分の一まで書き上げたときに、「今後のストーリーはこうなります」という粗筋を、かなり詳しく書いて、担当者に渡したことがあります。あの作品は新聞連載で、お約束した連載期間よりも大幅に長くなりそうだったので、連載延長ができるかどうか検討していただくために、その叩き台としてお渡ししたんです。でも、実際に作品が出来上がってみたら、やっぱりその粗筋から変わってしまっていました。

■前から書くか、うしろから書くか

――『魔術はささやく』のように主人公から決める、『火車』のようにラストから決める、『理由』のように技法から決める、ほかにどういうパターンがありますか。

宮部　『ドリームバスター』は悪夢を退治するプロ、っていうアイデアだけではじめました。それを思いついた段階では、異世界とか、脱走した囚人とかの設定はまったく決まっていなくて、「他人の頭の中に入って悪夢を退治する専門家の話」というだけでしたね。

『ぼんくら』は、あるところにまずいものが埋まっていて、それを知られたくないがゆえに隠し通しているっていうアイデアが出発点。プロット立てはまったくしていませんでした。

――そうですか。至ってうまくされていらっしゃるじゃないですか（笑）。

宮部　それは結果オーライというか、アハハ（笑）。

――『ぼんくら』は、短編連作だと思わせておいて、実は長編のプロットだったという構成ですが、あれは明らかに最初から計算していたのですか？

宮部　構成は、最初からそうしようと思ってました。今ちょうど、シリーズ二作目の「日暮らし」っていうのを書いていて（《小説現代》連載中）、頭の中には短編と長編があるんですけど、短編に出てくる個々の事件自体は長編のプロットと無関係なんですよね。

『ぼんくら』もそうですけど、ひとつひとつはそれとは関係ないんです。ただ、心情的につながっているというんでしょうか。本来なら、一本の長編小説の中に、それぞれ視点を変えて章立てしながら織り交ぜていくものなのだと思うんですけどね。自分の長編がものすごく長くなっているし、本来長編に入るようなエピソードでも、切り離して短編に仕立てて並べてみたら面白いかなと思ってそういう形にしました。完全に独立しているようで、だけど全部読んだら長編だっていうのは実現できなかったんですが、そういう手法にチャレンジしてみたかった。一冊の長い長い小説になるより、その方が読みやすいかなとか。

――なるほど。「日暮らし」は連載ですよね。

宮部　ええ、隔月でやらせてもらっています。

――雑誌連載で、なおかつハコ書きを作らないとしたら、頭の中でどこまで整理された段階で書きはじめるのかが問題だと思うんですよ。プロットが出来てるんなら、その時点で書きはじめればいいわけだけど、そうじゃなくても書かなくてはいけないわけですよね。

宮部　そうですね。だからわたし、連載でよく失敗するんですよ。それで反省してハコ書きを作ろう作ろうとするんですけれども、やっぱりダメになっちゃう。結局そのとおりにはいかないし、これじゃ書けないなってなってしまう。だから長編が全部終わってから、全面改稿だってこともあるんですよ。駄目だこりゃって。

――そんなことがあるんですか。

宮部　あります、あります！　全面改稿して出したこともありますし。これから改稿しなきゃいけないのもある。明らかに手法が違っていた、三人称多視点で書く小説じゃなかったんだって、あとから気がついたということもあるんです。申し訳ないですけど、全部書き直しますから待ってくださいって、担当者さんにお願いしました。ただまあ、書き直した場合は、「これじゃ書き直したって一緒じゃないですか」ってことは今のところなくて、一応直せばよくなっているので、担当者さんも怒らないで我慢してくださっているんですけど（笑）。だから、きっちりハコを作れる方がうらやましい。あるいは大沢（在昌）さんみたいに、連載がはじまる三日前になっても「まだオレ何も考えてないいんだ」っておそろしいことをおっしゃりながら、でも書き始めるとずんずん書いていって、終わった瞬間に本になるとか。それがプロだと思うので、そうなりたいと思ってけっこう努力はしているんです。でもダメ。どっちもできません。こういうインタビューには不適格なんですよ。

――プロットをしっかり作られる方っていうのは、頭の中に結末があって、はっきりとした地図を作るんだと思うんですね。実際は最初から書いていくにしても、プロットを作るうえでは、うしろから逆算して書いていくタイプ。それとは反対に、さっきおっしゃった大沢さんみたいに、前から書いていく……主人公と状況設定を決めたら、あとは勝手に物語が動き出して、最後はうまく着地するっていうタイプの人もいる。乱暴に分けちゃうと、この二つのパターンだと思うんです。さっきから話を伺っていると、宮部さんの場合、頭の中でだいたい話は出来ているんだけど、実はうしろから書いているわけじゃなくて、前から書いているような気がするんですよね。

宮部　おっしゃるとおりです。頭の中である程度は作ってるんだけど、前から書いてます。たぶん、通過点を考えながら。極端な話、ラストが決まっているといっても、真相が決まっているとは限らないんです。決まっているのは結末の場面だけっていうこともありますから。そうすると、どういうことが起こったら最終的にこの場面で終われるだろうって考えながら作っていくんです。

——なるほど。

宮部　あまり賢いやり方ではないと思います。生産的でないとも思います。かなり反省しているんですけど……でもできないんですよね。最近は、粗書きみたいなものは書くようにしてるんです。だいたいこんな話だよって、自分だけで見るために。でも、詳しく書くといやになっちゃう。なんか見たことのある話だなって気がして。だから、もやもやしているままの方がいい話は、わざとさわらないでおいて、もうしばらく考えようとするんです。本を読んでいて閃くかもしれないし、ニュースを見ていて何かに気づくかもしれないし。それが見つかるまでそうっとしておこう、というように。

むしろ短編の方がしっかりプロットを書きますね[⑨]。短編は着地が見えてないと怖いですから。なんていうのかな、長編は空中で余計な動作をしても、たとえばそれが人物の膨らみになるし――まあ結果オーライですけど――書きすぎたなと思えばあとで削ればいいわけです。でも短編だとそういうわけにいかないですから。

――素人考えでは、長編はラストがわかっていても途中の通過点がはっきりしないと困るんじゃないかなと思うんですが。

宮部　そのへんは、自分でもうまく説明しにくいんですけど……たとえば、まず今回のお話はこういうタイプの事件だっていうのを作りますよね。『魔術はささやく』なら女性の連続変死事件、自殺に見えるけれど実は殺人だった。『模倣犯』だったら連続誘拐殺人事件だけれども、愉快犯だと。『理由』だと一カ所で死んでいた家族だと思っていた人たちが実は違っていたというふうに。そういう事件が起こったとき、まわりがどう反応するんだろうか。それは、実際に事件を動かしてみないと見えてこない部分が多いように思うんですよ。

――ということは、プロット的にはあまり決めなくてもいいということですよね。

宮部　それを妙に決めると、なんかつまんなくなるんです。頭で考えちゃうから。実際に自分がその渦中にいたら、自分が住んでいるマンションでそんな事件が起こったら、どう反応するだろうって。実際に書いてみて、いわば頭のなかでリアルタイムに事件を起こしてみて、ここで近所の人の視点があった方が面白いやとか、そんなふうに作っていくんだと思います。

――ということは、妙な言い方だけど、肉付けの部分はある種、どうにでもなると。
宮部　どうにでもなる。
――でも、どうにもならない部分、プロット上、最初に決めておかなくてはいけないものもあると思うんですが、それは宮部さんにとっては何ですか？　それが決まらないと書きはじめられないものは。
宮部　それは……やっぱり誰から見るかですね。
――視点ですか？
宮部　その事件を誰の目で体験させるか。否定的な側から見るか、面白がっている側から見るか、事件によって傷ついた側なのか、犯人なのか。あるいは世間から見るのか。もうひとつは時系列ですね。どの時点から書くか。
――ふんふん、なるほど。
宮部　視点人物がどの時点でこの事件と関わったかが決まらないと書けないですね。決まった時点で、「ああ、書ける」ってことになる。去年、『誰か』という作品で、やや私立探偵的な動きをする主人公を出したんです。その人なんかだと、誰にどんな理由でこの事件に関わってくれと頼まれるのか決まらないと書けなくて、それでしばらく悩んでました。

■事件に関わる動機の重要性

――『魔術はささやく』に話を戻します。この場合は、主人公のキャラクターから決まったわけですよね。

宮部　決まっていたんだと思うんです。

――そうですよね。そういうことにしましょう！

宮部　ははは（冷汗）。

――頭の中のプロット作りで、どこまで決まれば書けるという問題なんですが。少年はどこから出てくるんでしたっけ？

宮部　最初に出てくるのは3ですね。伯父さんが人をはねてしまったって電話がかかってくるシーンから。

――さっきの話でいくと、この少年をどこから事件に関わらせるか、それが決まれば書けると。

宮部　そうですね。プロットの立て方とは違う話になりますけど、ミステリーを書くときに一番気をつけているのは、謎解き[11]に関わる人間の動機なんです。犯人の動機よりも、むしろそっちの方が大事です。好奇心にかられてとか、放っておけないからとか、そういうのとは違う、もっと切実な、しかも日常に近いところにある動機。それがないと、そんなの警察に任せればいいじゃないかって話になりますから。

――そうすると『魔術…』の場合、守という少年が事件に関わるために切実な動機が必要なわけですから、この段階では、父親のことなんかも含めてすべて決まっている……。

宮部　そういうことになりますね。伯父さん夫婦によくしてもらっているけれども、お父さんに関しては暗い思い出があって、それがちょっと影を落としてて……と。

――ということは、かなり出来上がっているとしか思えないんですよ。この22ぐらいまで出来上がっているからこそ、3が書ける。

宮部　そうですね。出来上がってたんですね（驚いた様子）。こうやって分解していただいてみると、そうなんだなあって思います（笑）。

――宮部さんの筆力がすばらしいんで、考えていないのに考えているようにしか見えないのかもしれないんですが……。

宮部　あははは。でもすごく恥ずかしくて、だから書き直しはすごくします。これは違うわとか、このチャプターは要らないとか。

――『魔術…』は新人賞の応募作ですから、書き下ろしですよね。これはけっこう書き直されました？

宮部　書いている最中にはけっこう書き直しました。

――エピソードの入れ替えとか……。

宮部　それもしました。これは同じ人物の視点が続くな、とか。ここまでひっぱってから明かすのはまずいから、もうちょっと前に持ってこようとか。

――完成原稿では、非常に早い段階で、主人公の少年がタクシー運転手をしている伯父さんの家にひきとられているって話が出てくるんですが、もしかするとこれは、もっとうしろに出てきたものを前に持ってきたってことなんですか？

宮部　そこははじめからです。最初の方はするするって進みました。悩みはじめたのは、だんだん話が錯綜して人物が増えてきてからですね。なにしろ一・五作目くらいの長編なんで、まだまだ素人の手探りで、だから書きながら作っていったという感じ。ちょっと書いては、最初から読み直して大丈夫かどうかたしかめる。映画の編集みたいなことをしているのかもしれませんね。たくさん撮っておいて、あとからつないだりカットしたり。

——ああ、頭の中でね。

宮部　実際に書いたあとでまるごとカットすることもありますよ。雑誌の連載が終わってゲラになってから入れ替えたりとか。ここは唐突だから、ちょっと書き足そうとか。あく取りみたいな作業もつねにしますし。だから連載下手なんですよね、ほんとに。一回で完成原稿を出せない体質は十五年経っても変わらない。

——担当編集者にプロットを出したり、相談したりってこともないんですか？

宮部　こんな話だっていう最初の構想くらいですね。それも最近、長編が並行するようになってからのことで。

——編集者と話をしているうちにだんだん構想がまとまってくるという話もよく聞くんですが。

宮部　変な話なんですけど……これから書こうとしている話を他社の人と話すことはあります。直接の担当者さんって、「それはあんまり……」って思っていても言いにくいだろうなって思うから。

——そりゃ他社の人もそうでしょう（笑）。

宮部　担当者さんに話さないのは、びっくりしてもらえるかどうか知りたいっていうのもあります。こういう展開になるのよ、びっくりした？　って。びっくりしてもらえれば、よしよしと。ゲラになった段階では、かなり突っ込んだやりとりをしますけど。

――また『魔術はささやく』の話に戻りますが、そうすると、私がつなぎだと思っていた部分が、実はつなぎではなくて、先にお考えになったもののような……。

宮部　主人公のお父さんと、お父さんを殺した人の話っていうのが、わたしから見るとメインなんです。

――そうですよね。

宮部　主人公が巻き込まれる事件はあとから考えたもの……みたいですね。だと思います。

――面白いですね、自分自身なのに。

宮部　あはは、恥ずかしいです。プロットを作るってことがいまだにうまく把握できていないみたいで、どうすれば把握できるのか、いい方法があるなら、そりゃわたしが教えてほしい（笑）。

■その場に身を置かないと書けない

――デビュー当時はハコ書きを作っていても、コツがわかってきてだんだん作らなくなるという人はいますけど、宮部さんが最初から作らないっていうのはびっくりしました。

宮部　今の方が、仕事が何本か並行するようになったので、メモをとるようになりました。忘れるんですよね、年齢的なこともあって。だから、プロット作りに関しては全然いい手本にならなくてすみません（苦笑）。

　自分がその場にいるような気にならないとわからないってことかもしれませんね。書いてみないと想像力が働かない。自分がこの逃げてる女だとしたら、次にどうするだろうって、実際に書きながらそこに身を置いてみないと、切実に考えられないんです。作家的想像力の限界が、そのへんにあるのかもしれない。最初からエンジン全開にできないんですね。事件が起こって、この人はこういう状況にいました。複雑な気持ちでごはんを食べるわけだけど、家族とはどういう会話をするだろう。その場になってみないと書けない。それが書けなければ、わたしの場合は全体のプロットも有機的なものにならない。事件がこういう事件だと決まっていても、その事件に色がついていかないと。

――宮部さんにとっては細部を書くのが一番楽しい部分なんで、先に決めたくないってことじゃないですか?

宮部　それもあると思いますね。ただ必ずしも楽しいばかりじゃないです。わたしはどうして段取りみたいなことをいちいち書かなければいけないんだろうって、自分でいらいらすることもあるんです。どうしてうまく飛ばせないのかなって。たとえば、怪我をした子供のところへ警察の人が事情を聞きにいくとしますよね。肝心な話をすぐにさせたいのに……実は今日その部分を書いてたんですけど……どうして集中治療室に行くまでの道のりを書くんだわたしは、って思うんです。書かずにいられないから、それならふさわしい描写をしよう。それはそれで楽しい部分もあるけど、また長くなるし、どうも整理されていないような感じがするし。不要な部分をぱぱっとカットしていく技術をどう身につけていけばいいだろうって思います。会話もそうですね。話を進めるための会話でも、間に何かしら書かずにいられないというのがあって。

――いいんじゃないですか。そういうのがあってこそ宮部みゆきの小説になるんですから。

宮部　ええ、でもやっぱり余分なものは入ってると思うんですよ。そこが課題だなと。何年も未整理のまま書いてきたツケが溜まってきてるんでしょうね。

――ご自身の小説作法について、愛読してきた作家とかの影響はなにかありますか？

宮部　描写に淫するっていうのは（笑）、スティーヴン・キングの影響がすごくあると思います。でも視点にこだわるとか、段取り臭くみえても書いてしまうのは……。わたし、速記を起こす仕事をしてたことがあるんです。速記録っていうのは、聞いたとおりをそのまま書いてはいけないんです。修文っていうんですが、修文の腕前が問われる。工業雑誌とか業界新聞の座談会とか講演会とかいろいろやって、そのとき、話されている意図を正しく伝えることについてすごく学んだので、その影響があると思います。つまり、頭の中で考えていることを文章にする際に、意外と理詰めに考えちゃう（笑）。それとミステリー[12]のフェア、アンフェアの問題……これは佐野洋さんの『推理日記』なんかですごく勉強しました。今でも佐野さんの視点の法則に忠実でありたいと思うので、それは気をつけてます。たとえばわたしはデザイナーズブランドとかにまったく詳しくないので、わたしみたいな女性の視点なのに、おしゃれな格好をしてきた相手について、「アニエスb.の服を着て」なんて言っちゃ不自然ですよね。そうすると「洒落た感じのブラウスに、斬新なデザインのコートを着て」とか描写しなきゃならない。初対面の人が部屋に入ってきたときも、名乗られるまでは名前が使えない。それが刑事の部下だったとしても、「部下の大森が入ってきた」とは書けない。そうなると描写しなきゃいけない。そういうことは今でもこだわります。というか今の方がこだわっています。瑣末なことにはうじうじこだわりますね。

——瑣末ではないんですよね。

宮部　そうでしょうかね（笑）。ミステリーって必ず事件があるので、その事件がいつどこでどのようにして発生したのかってことを伝えるために、文章は平明で正確でなくてはいけないと思うんですよ。美文でなくても巧みな描写でなくてもいいから、わかりやすく書く必要があると思うんです。そこに関しては簡潔でジャーナリスティックな文章の方がいい。ただ、わたしはどうしても情緒的な文章が好きなものですから、そういう文章で書きながら事実関係だけはきちっきちっと伝えられるようにするのは難しいなって思います。

プロットとはあまり関係ないんですが、たとえば事件直後に、刑事が関係者に話を聞きにいく。すると相手はすごく取り乱している。そこをなんとか聞き出して、これこれこうだったって、事実関係だけをうまく書ければいいんですけど、わたしが書くと、相手が取り乱しててその場ではうまく聞き出せなかったので、落ち着かせるためにいったんうちに帰したとかいうことにしてしまう。それであらためて夜、訪問したとか。そうなると、間に捜査会議のシーンが入ったりして、プロットも変わってくるんです。最初に作っていたハコ書きがそうやってだんだん無意味になっていってしまう。たぶんそういうことだと思うんです。

――でも大きな流れは当然ありますよね。

宮部　それはあると思います。面白そうな人物や設定を作って、さあ、あとは物語の炎を燃やして、そのエネルギーで先に進ませてもらおうってことは、わたしは絶対できません。一回もやったことないですし、その手法は怖いです。だからお約束している仕事があって、何も見つからない時は、えいって書き出したりしないで、その話は先に延ばしてもらいます。

■プロットは作った方がいい⁉

――プロットの作り方っていうテーマなので、プロットをどう作ればいいのかわからないという作家予備軍にアドバイスをしていただきたいのですが……難しいですよね（笑）。作らなくってもいいっていう結論に……。

宮部　ハコ[13][14]書きしなくても書けますよ。でもこのやり方はものすごく非生産的で、実際にわたしは連載が終わって本にならずにお蔵にしている前科がいっぱいありますから、反面教師にしてくださいってことですね。

――じゃあ、作った方がいいですと。

宮部　このやり方はダメです（笑）。よくない見本です。読者の皆さんには本になったものしかお目にかけてませんし、こういうふうにじたばたして担当さんにご迷惑をかけているってことは表に出ていませんので、わたしもシラッとした顔をしていますけど……実は本当に失敗が多くて、非効率的なんです。直したい直したいと思っていても、直せずにいる癖なので、ミステリー作家を目指す皆さんは、プロットだけは作る習慣をおつけになった方がいいです（笑）。わたしのやり方は誉められたやり方じゃないってことだと思います。

――最初に考えていたのと全然違っちゃった作品ってありますか？

宮部　『レベル7』です。

――ラストが決まっていて、いくつかの山も決まっていたのに？

宮部　ええ。通過するポイントが五つくらいあって、二つくらい通過したところで、予定を立てていたことが、その時点のわたしには書けないとわかってしまった。それで、もうちょっと安全な方に方向転換して、通過地点が全然違っちゃったんです。男坂を登って山頂を目指すはずが女坂登っちゃったような。十四年ぐらい前ですが、当時はちょっと斬新なアイデアだったと思うんですよね。でもやっぱり……書けなかった。それで方向転換するのに、きゅーっとは曲がれないんで、時間をかけたうえで迂回して枚数を重ねたんだと思うんですね。

――プロットの作り方が間違っていたという話じゃないですよね。

宮部　そうですね、通過点を作ったのは別に間違ってなかった。ただ自分の力量では書けないような大胆な設定だったってことですね。そのときにやり損なったことの一部は『ドリームバスター』で実現できたかなと思ってるんですが、あのときは悔しかった。

きっちりハコを作って、人物も作って、いざ書き出してみたら、その時点の自分の力では書けないとか、自分の個性に合わないとかいうことも起こりうると思うんですよ。そこで頑張って新境地が開けることもあれば、無理して書いて傷だらけになって、やっぱり届かなかったってことも、特に長編小説の場合はあると思います。

――なるほど。プロットだけに頼ってもいけないということですね。わかりました。どうもありがとうございます。

宮部　北上さん、今回は大変でしたよね。申し訳ないです。

――でも、読者には宮部さんの小説作法がよく伝わったんじゃないでしょうか。

宮部　悪い見本ですよ、いけませんよ、と（笑）。

――宮部さんご自身は、今後もこういうやり方でいかれるのですか？

宮部　書いていくんだと思います。「大まかに生まれた女」ということで（笑）、じたばたしていくしかありませんね。

――今日はありがとうございました。

（聞き手・北上次郎、構成・大森望）

ミステリー作家への質問

Q.ミステリーを書くとき、最初に考える部分はどんな要素ですか

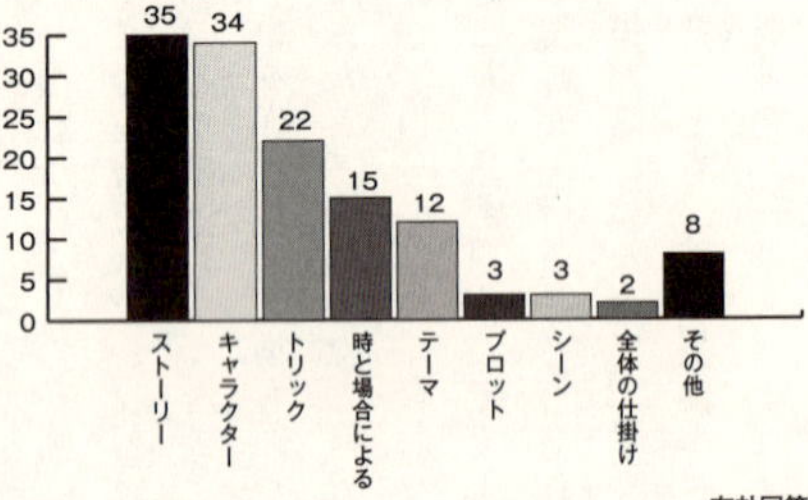

有効回答数（134）

コメント

●いろんなパターンがありますが、やはりトリックを思いついてから……というのが多いようです。＜浅黄斑＞
●謎ありき。あまりトリッキーなものを得意としませんから、出来るだけ美しい謎をと、それぱかり考えています。＜伊井圭＞
●小説によってすべて違いますが、私の場合、だいたい小説全体の仕掛け（いわゆるトリックではありません）から入ることが多いだろうと思います。＜井上夢人＞
●主人公を含む登場人物のキャラ。敵役は特に真剣に考える。＜大沢在昌＞
●どれが最初ということはなく、同時にすべての要素を考えます。＜大谷羊太郎＞
●タイトル。ふんいき。読んだあとでどんな気分になるか。どんな先行作品をお手本にするか。＜恩田陸＞
●ストーリー先行。キャラクターはあとからくっついてきます。＜黒田研二＞
●最後のどんでん返し。トリックというより登場人物の感情にサプライズをしかけることが多いので、そこを考えます。＜近藤史恵＞
●最後の1行。たとえば宮沢賢治の「雨ニモ負ケズ」的にさんざゴタクを並べ、読者をうならせといて、「そういう人に私はなりたい」で大ドンデン返しをやるウソつきで、読者を爽やかに感動させたい。＜嶋崎信房＞
●この世の全ては「人」により成り立つと基本的に思う。従ってストーリーは、キャラクターが決まっていてこそ自然に成り立ってくるものであり、まずストーリーありきという考え方は（自分には）ありえない。＜松岡圭祐＞
●空間と人々の雰囲気。＜森博嗣＞

プロットの作り方

乙一 OTSUICHI

(P.187-197) プロットはどうやって作ればいいですか
(P.187-197) アイデアを小説にまでするにはどうすればいいですか
(P.187-197) 起承転結の理想的なバランスは存在しますか

①映画と小説の違いは何ですか
②起承転結に必要なものは何ですか

1、はじめに

小説を才能で書くのか、理論や技術で書くのか、という問題をよく考える。するといつのまにか、宗教と科学のことについて思いを馳せる。

才能という言葉は、宗教みたいなものだ。

シナリオ理論は、科学であり技術だ。

人類の歴史をふりかえると、様々な文化や芸術が、宗教と科学の狭間から誕生してきた（ような気がする）。それなら小説もまた、自分の才能を信じるという宗教性、大勢のシナリオライターが経験から導き出した理論という科学性、そのふたつが両立していることこそのぞましいのではないか。

しかしこれまで、私自身の体験において、執筆における科学性の部分をないがしろにされることがおおかった。十年ほど前になる。作家になりたいという友人にシナリオ理論の勉強をすすめたところ、「物語が画一的になる」「それで小説が書けるようになるとはおもえない」ということを言われた。理論や技術によってオリジナリティがなくなるのではないか、という危惧は自分も抱いたことがある。しかし学んでみると、シナリオ理論は道具でしかないということがわかったのだ。鉛筆やボールペン、パソコンのワープロソフトとおなじように、物語を紡ぐためのツールの一種なのだ。全員がおなじワープロソフトを使用したところで、完成する小説が似てくるなんてことはありえない。画一的になることを心配するよりも、ひとまず頭の片隅にこの理論をインストールしておくことを私は友人にすすめた。

　この先にある文章は、シナリオ理論を簡略化して、私が執筆時に使用している考えかたである。

2、方法

　小説は文字が連なってできている一本の線だ。一本の線には両端がある。つまりはじまりと終わりのことだ。その二つをここでは発端と結果と呼ぶ。すべての物語は発端と結果を結ぶ線なのだ。ミステリを書くならば、発端と結果はすなわち、事件の発生と解決のことである。

　しかしその二つを結ぶ線が平坦で何の盛り上がりもなければ読者は飽きる。一本の線をどこかで折り曲げてジェットコースターのレールのように波打たせなければならない。そうして読者の心を揺さぶる必要がある。その折り曲げるポイントを把握するため、私はいつもプロットを書く。

　プロットというのは、おおまかなすじのようなものである。

　ひとまず今回は、プロットは四つのパートから成立していることにする。それぞれをここではＡＢＣＤと呼ぶことにする。なぜそうなるのかはここで説明しないが、起承転結と同じものだと考えてもらってかまわない。

Ａ「一つめのパート」
Ｂ「二つめのパート」
Ｃ「三つめのパート」

ABCDという四つのパートには、三つの境界が存在する。境界というのはつまり、AからBに移り変わる部分、BからCに移り変わる部分、CからDに移り変わる部分、といった意味である。それらの境界をabcと呼ぶことにする。

abcはそれぞれ、ABCのパートの最後に位置する一つのシーンとしてとらえて欲しい。物語を左右するイベントがそこで発生する。abcにおいて、物語は重要な展開を見せる。数学の曲線における変曲点とも言える。つまり、物語という一本の線を折り曲げるポイントこそ変曲点abcである。

私の場合、abcを含んだABCDのパートを章として考えている。
プロットの流れは次のようになる。

一章
A「一つめのパート」
a「一つめの変曲点」
二章
B「二つめのパート」
b「二つめの変曲点」
三章
C「三つめのパート」
c「三つめの変曲点」
四章
D「四つめのパート」

イベントについて考える。入れるべきイベントは決まっている。

一章

Ａ「登場人物、舞台、世界観の説明」

ａ「問題の発生」

二章

Ｂ「発生した問題への対処」

ｂ「問題が広がりを見せ、深刻化する。それによって主人公が窮地に陥る」

三章

Ｃ「広がった問題に翻弄される登場人物。登場人物の葛藤、苦しみ」

ｃ「問題解決に向かって最後の決意をする主人公」

四章

Ｄ「問題解決への行動」

それぞれの章の完成原稿は、均等な長さになるよう心がける。全体の尺に対し、一つの章は１／４の割合にする。完成原稿を４００枚にしたいなら、一つの章は１００枚とする。あくまでも完成原稿の話であり、プロットの段階で１００枚を書く必要はない。このルールを心がけて、各項目に含まれるイベントの量を調整する。最初はうまくいかないが、やっているうちにわかってくる。

3、説明

最も重要なことは、全体の尺の１／４を一つの区切りとして把握することである。

[1]このプロットのスタイルは、ハリウッド映

画が作られる際のシナリオ執筆方法を参考にしている。ＡＢＣＤという項目の具体的な意味合いをつかむには、時計を片手にハリウッド映画を見ると良い。１２０分の映画があるとしたら、30分ごとに変曲点ａｂｃが訪れることに気づく。

　重要なのはｂとそれに続くCである。物語の折り返し地点であるｂにおいて、②主人公には不幸が訪れなければならない。その不幸は事故などといった突発的なものではなく、小説のアイデアが内包している諸々の問題でなければならない。その結果、主人公は苦しみ、場合によっては過去のトラウマに向き合わされる。テーマを掘り下げるチャンスでもある。ここで読者に対してストレスを与えておくことで、四章において問題が解決されたときカタルシスが発生する。

　映画『エイリアン』を例にとって考えてみる。この映画は、宇宙船の内部でエイリアンが人を襲うというあらすじである。全体の尺はほぼ１２０分である。ａのポイントで登場人物はエイリアンの卵を発見する。ｂのポイントでエイリアンが人間の体内から生まれる。ｃのポイントで、宇宙船を爆破して逃げるという最後の決断をする。エイリアンが人間の体内から生まれて殺戮をはじめるという、登場人物たちの最も苦しむ場面は、三章（つまり60分から90分までの間）に描かれている。

4、実践

　私は少し前に『ＧＯＴＨ』という短編集を出版した。その一話目である「暗黒系」という短編を例にして考える。全体の尺はおよそ31ページである。これを四等分した8ページで一つの章は成立している。本のページをめくると、ほぼ8ページごとに章の区切りがもうけられている。

「暗黒系」という短編小説は、ミステリの体裁をとっている。最初にあった発想は「拾った手帳がたまたま異常殺人者のもので、そこに未発見の遺体について書かれてあったらどうする?」というものだった。これをミステリとして成立させるなら、最後は犯人の指摘で終わらなければならない。読者がそれを望んでいるからだ。つまり物語は、異常殺人者の手帳を主人公が拾い（発端）、その犯人と邂逅する（結果）という一本の線から成っている。このはじまりと終わりをしっかりと頭に描いて、次に変曲点abcを決定する。発端からa、aからb、bからc、cから結果、と物語が流れるようABCDに入るイベントを決定していく。

最初にあった発想をaに入れるのが妥当であると私は判断した。最初の発想から展開したプロットはおおまかに次のようなものとなった。

一章（1〜8ページめ）

A

・ヒロインが学校で主人公に手帳を見せる。学校のシーンからはじめることで、主人公たちの年齢を印象づける。

・手帳の内容の説明。世間で発生している連続猟奇殺人事件の説明。事件と手帳の内容の符合。ヒロインがどのようにして手帳を拾ったかの説明。

・猟奇的な事件に興味があるという主人公たちの性格についての描写。

a

・まだ世間が発見していない遺体についても手帳に書かれているという情報の公開。「未発見の遺体」という問題がここで提示される。

二章（9〜16ページめ）

B

・主人公とヒロインの説明（本来なら一章に入れたかったが、一章が長くなりバランスが崩れるのでこの位置に持ってきた。バランス配分は執筆時に書き終えた枚数を確認しながら行なっていた）。

・未発見の遺体を探しに行く主人公たち（aで提示された問題に対する主人公たちの解答である）。

・手帳に書かれてある「死体遺棄に都合の良い山」という情報の提示（これはbのイベントを決定した後に付け加えた。三章の展開につながっていく）。

・手帳に書かれていた遺体を発見する主人公たち。

・遺体の持ち物を漁り、それを身につけて楽しむヒロインの描写（この行動が次にbのポイントを成立させる。bという「問題の深刻化」を成立させるために書かなければならなかった）。

b

・被害者と同じ格好で生活していたヒロインが行方不明になる。被害者と同じ格好＝犯人の趣味に合致、という可能性について事前に描写しておくことで犯人に殺された可能性を読者に示唆する。この短編小説のうまくいっていないところは、このイベント以降も主人公が動じていないことにあるのでは……などと反省している。

三章（17〜23ページめ）

c

・行方不明となったヒロインを捜す主人公。主人公はヒロインの家を訪ねる。そこで犯人の手帳を手に入れる（手帳を主人公に与えたかったため、ヒロインの家をわざわざ訪ねさせたとも言える）。

・ヒロインが犯人に殺された可能性を主人公は考える。手帳には、死体遺棄に都合の良い山がリストになっているので、その山の一つへ捜しに行く（事前に山のリストという情報を提示しておくことで唐突な印象を避ける）。

・山でヒロインの遺体を捜す主人公のシーン（物語にとってさほど意味のあるシーンではないが、このパートで少しでも主人公に苦しんで欲しいため肉体的疲労を与えた。枚数のバランス調整の意味合いで挿入したシーンでもある。また、このとき流した汗が事件の解決をもたらす。警察組織が関わってくると面倒なので、捜査依頼をしない主人公の行動目的を設定しておいた)。

c

・犯人へ会いに行くという主人公の決意を読者に提示する。これからクライマックスに移行することを読者に自覚させる。

四章(24~31ページめ)

D

・犯人の指摘。その理由。

・エンディング。

5、まとめ

私の場合、プロット作成は、基本的に次のような穴埋めの作業である。しかしその作業は、創造性をためされるし、駆け引きも生じる。

1、発端と結果を設定する。

2、発端から結果までを四分割し、境界であるabcをどのようなイベントにするか考える。

3、abcの前後となるABCDに、どんなイベントが入れば自然な印象になるかを考える。

bにどのようなイベントを入れたら良いのか、いつもまようところである。おそらく、主人公がもっとも大事にしているものが、bでピンチに陥る、という展開がのぞましい。しかしいつもなかなかそれがおもいうかばない。cパートで舞台に変化をつけるために、主人公を旅に出したり、雨をふらせたりというのもよくやる。

最後に念を押しておくが、これは私個人が実行している執筆方法であり、他の作家は別の理念によって優れた作品を創造している。いつもこれでうまくいっているわけではないし、いつもこれがうまくやれるというわけでもない。しかし、これから小説を書こうとする読者の方々の、微々たる助けになってくれたら幸いである。

シナリオ理論に興味を持たれた方は、その手の本にもっとくわしく、わかりやすく説明してあるので、いくつか目を通してみると良いかもしれない。

このエッセイで紹介しているプロットの作成方法は、ハリウッド映画のシナリオ理論の本を参考にしたものである。文字数の関係上、大幅に割愛して紹介しているが、シド・フィールドが理論化した「三幕構成」というやり方をモデルにしている。変曲点ａｂｃはそれぞれ「第一ターニングポイント」「ミッドポイント」「第二ターニングポイント」のことである。耳慣れない言葉をエッセイに使用するのをひかえた結果、このような紹介の仕方になった。さらに勉強したい方は、ウィキペディアなどで「三幕構成」を検索してみるといい。

また、かならずこれを実践するひつようはない。私はこのやり方がないと書けないからそうしているだけで、それぞれのやり方を見つけていくのがたぶん正解なのだろう。

ミステリー作家への質問

Q.書きはじめるときからラストシーンは決まっていますか

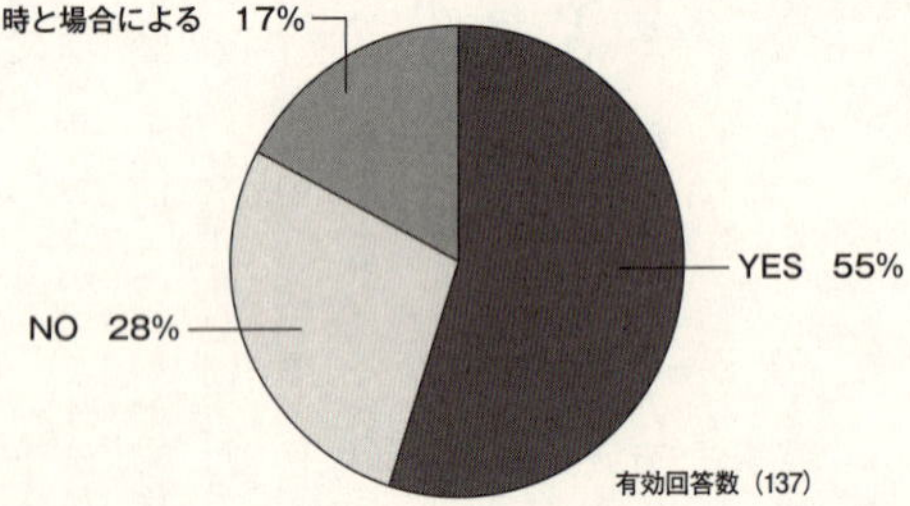

Q.ラストシーンや犯人を途中で変えたりすることがありますか

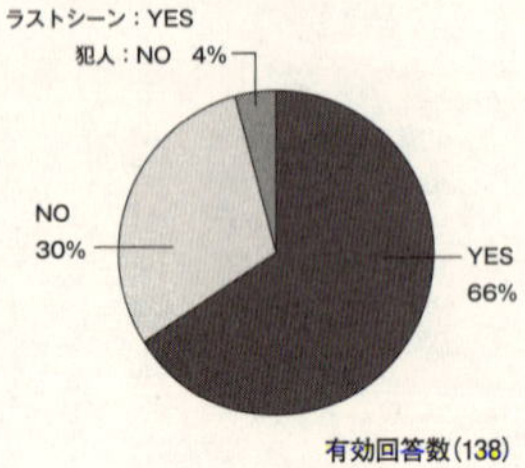

YESのコメント

●ラストシーンは基本的に決定しています。ただ、設計図というのはケースバイケースで変更されるのが世の常で、執筆に入ってラストまできたときに、どうもこの物語は当初のラストシーンではないものの方が良さそうだということがありました。その場合は進めてきた物語のどこかが、間違っていたことになるので、書きたいラストシーンにそって問題点がリライトされます。＜浅暮三文＞

●変えます。その作品で伝えたいこと（ある部分までテーマと言い換えられるもの）が同じであれば、小説はより面白いほうがいいので、書いている途中でもっとワクワクできる展開になってくれば躊躇《ためら》わずに変えていきます。＜香納諒一＞

本格推理小説におけるプロットの構築

二階堂黎人
NIKAIDO Reito

①本格推理小説とは何ですか
②読者を驚かせるにはどうしたらいいですか
③結末と冒頭、どちらから考えますか
④プロットは必要ですか
⑤結末と冒頭、どちらから考えますか
⑥結末と冒頭、どちらから考えますか
⑦トリックを引き立たせる方法はありますか
⑧読者を驚かせるにはどうしたらいいですか

①「本格推理小説とは、手がかりと伏線、証拠を基に、論理的に解決される謎解き及び犯人当て小説である」

これが、私が考えた本格推理小説（本格ミステリー）の定義です。

では、その本格推理小説というものをどう書けばいいのか。その方法を探るには、まず、本格推理小説の構造に関する一番特徴的な事柄に目を向ける必要があります。すなわち、これが、結論ありきの小説であるということを理解しなければなりません。

定義したように、「謎解き」及び「犯人当て」という要素によって、作者は読者を結末部分で——多くは名探偵の鮮やかな推理によって——驚かせようとします。よって、そこに、作家としての企みが生じます。作者は一編の本格推理小説を構想する時、「今回は意外な犯人を出して、読者をびっくりさせよう」とか、「今度の作品では、難攻不落の密室トリックで読者をきりきりまいさせよう」とか、「新しい小説では、読者が思いもしなかったどんでん返しを用意しよう」とか——意地の悪い——謀《はかりごと》を持つわけです。

そして、この構想（プロット）を支えるために、作者は何らかの欺瞞（トリック）を案出します。トリックは、作中の人物（多くは犯人）が罪を逃れるために警察や探偵相手に施しますが、作者自らが読者に向けて直接仕掛けることもあります。後者は、主に叙述トリックと呼ばれており、たとえば、ある人物が本当は女性であるのに、その事実を巧妙に伏せておいて男に見せかけるなどの方法が使われます。この方法が用いられる時、その人物が高名な医者や弁護士であると効果的です。すなわち、そうした職業人がたいていの場合は男であるという[2]先入観や既成概念をひっくり返すことで、読者の意表を突くわけです。

　こうして作者は、一つのトリックや、一つの騙しとしての狙いを存分に成功させようとして物語を組み立てます。ですから、[3]本格推理小説は、結論から生じた小説と言うことができるのです。

　実際のところ、私はほとんどの作品で、たった一つのトリック（主に密室トリック）から物語全体を創り上げてきました。『悪霊の館』『聖アウスラ修道院の惨劇』『人狼城の恐怖』といった長大な作品でさえそうです。

　これらの作品では、まず密室トリックを一つ考え、それが実施されるのに有効な場所（部屋や家）を想定し、その場所でトリックを行なう人物を配置し、何故、そこでそのトリックが行なわれるのかという動機を編み出し、これらの要素をすべて取り込んだ物語を流れとして考えます。土台となる小さなものから大きなものへと拡大しながら、小説はだんだん完成に近づいていくわけです。

　具体的な例で示しましょう（自分の作品だから、ネタバラシしてもかまわないでしょう）。

「ロシア館の謎」（講談社文庫『ユリ迷宮』収録）という作品があります。石造の館が一夜にして消えてしまうという、家屋の消失ものです。このテーマの有名作品として、モーリス・ルブランの『謎の家』やクイーンの

『神の灯火』などが挙げられます。

イギリスの作家クロフツの長編に『スターヴェルの悲劇』というものがあります。荒野に建つスターヴェル荘が焼失したところから、事件の幕があきます。ある人物が丘に登り、その向こうにあるはずのスターヴェル荘を望むのですが、屋敷を囲む松の木を残して跡形もなく消えています。びっくりして近寄ると、火事で屋敷が焼け落ちていたのでした。

私は、これを家屋消失トリックに使えるのではないかと考えました。またある時、テレビで、高いビルディングに爆弾を仕掛け、一瞬にして倒壊させるという場面をやっているのに出会いました。その二つの状況をくっつけると、短い時間に館一つを消し去ることも可能だと考えたのです。

しかし、誰かが現場に立てば、館が焼失したことは一目瞭然です。そこで、その状態を糊塗する方法はないかと検討しました。

一番簡単なのは、猛吹雪によって、焼け跡が雪の下に埋まってしまうことです。そこまで考えた時、もう一つ良い考えが浮かびました。館そのものが、湖の恐ろしく分厚い氷の上に建っているとしたらどうかというものです。倒壊した衝撃で土台の氷が割れて、館の瓦礫は湖の底に沈んでしまうのです。そして、その悲劇の痕跡を、ちょうど吹き荒れている激しい雪が埋め尽くしてしまうわけです。

ならば、この状況を成立させるにはどんな場所が良いでしょうか。

上に館が建つほどの分厚い氷が張る場所ですから、とても寒い所であるのは当然です。

さらに、途轍もない吹雪が襲来する必要があります。そう考えると、北海道――いいや、もっと北のシベリアが最適だと私には思われたのです。

トリックを成立させるためには、館が消失する前と後の場面を目にする人物が必要です。彼は、最初はこの館の中にいて、何らかの理由で館を離れ、しばらくしてまたここへ戻ってきます。そして、彼がいなかった数時間の間に、今述べたような事件が起きるわけです。肝心な出来事を見ていないため、彼には石造の巨大な館が一瞬にして消え去ったかのように思えるのです。それから、猛吹雪には、彼が館の建っていた地点へ完全には戻れなくなるという効用もあります。

彼が一時的に館を出て行った理由として、別の人間を追跡していたからだ、というものを考えました。では、何故、二人の間に追跡劇が生じたのか。彼らが軍人であり、実は敵対するスパイであったとしたらどうでしょうか。問題はなさそうです。私は、彼ら二人にそうした身分を与えました。スパイがスパイを追いかける――これなら自然な理由で、一人が他方を追いかけることができます。

そうしたもろもろの点を熟慮した結果として、舞台をシベリアのバイカル湖付近に、時代を第一次世界大戦直後と決めました。また、これを名探偵・二階堂蘭子の推理譚に加えるために、ある老人の回顧談となるよう、話の展開を工夫したのです。

――と、こういう具合に、話は、たった一つのトリックを核にしてどんどん膨れあがっていくのです。

しかし、話の展開や状況の大枠が完成しただけでは充分ではありません。推理小説の面白みは、話の進行の中に細かく鏤《ちりば》められた——巧妙かつ大胆に隠された——証拠や手がかりを、名探偵（読者の代行者）が拾い集めていくことにあります。名探偵は、その収集した証拠や手がかりを基に、論理的な推理を展開し、作者が物語を創り上げたのとは逆の方向へ、事件を——犯罪の遂行過程を——丁寧に解体していくのです。その段階的な論理と、一部には奇抜な着想によって、意外な真相がより際立ち、読者に強大な精神的衝撃を与えることができるのです。

④必然的に、執筆のためには、当初から、構想に基づくしっかりした設計図が必要となります。その設計図が緻密であればあるほど、《本格》の度合いが増すでしょう。また、設計図どおりに執筆するわけですから、本格推理小説の場合には、作者の予想に反した物語の暴走はほとんど起こり得ません。

⑤逆に言えば、そのミステリー小説が本格推理小説であるか否かは、結末（もしくは、トリック）からその小説を構築したかどうかで判断できます。そうであれば《本格》であろうし、そうでなければ、他のミステリー（犯罪小説）であると言えます。冒頭から順次物語を書き進め、話の展開はその都度考えていったとか、登場人物が勝手に活躍するのに任せたとかいった時、それは後者に当たります。

⑥一般的に言って、犯罪小説が含まれる大衆小説とかエンターテイメント小説などと呼ば

れるジャンルの場合には、結末を定めずに書き始めることも可能です。ある程度の構想を基に執筆を進めている場合にも、読者の反応を見ながら物語を膨らませたり、登場人物を増やしたり、挿話を加えることが自由にできるでしょう。その点が、本格推理小説とそうでない小説との違いです。

もちろん、この指摘に関しても、希《まれ》にではありますが例外もあります。また、《本格》であるか否かは、作品の優劣とはまったく関係はありません。私はここで、単に小説としての性格や性質を分類しているだけです。広義のミステリーの中で（あるいは、小説全体の中で）、特定のジャンルが他のジャンルより勝《まさ》っているとか劣っているとか、そんな差別的な価値観が生ずるはずさえないのです。

なお、私の場合は――かなり極端ですが――本格推理小説としての驚きの達成のために、それ以外の文学的な野心をすっかり捨てています。いいえ、まったく興味がないのです。たとえ、登場人物がでく人形であろうと、単なる将棋の駒であろうと、ゲームのコード（あるいは記号）であろうと、ぜんぜんかまいません。本格推理小説の作家がまず第一に考えるべきは、その作品が《本格》としてどれほどの破壊力を持っているかどうか、驚きを読者に与えられるかどうかであって、それ以外の事柄の達成は念頭に置く必要すらないのです。

別の言い方をするならば、せっかく案出したトリックをどうやって最大限に生かそうかと――私は、そのことに全精力を注いでいます。

トリックというものは、裸の美女のようなものです。それ自体はとても貧弱な存在であり、時には馬鹿げてさえ見えるものです。彼女の美しさをもっと際立たせるためにも、トリックの周囲には、各種の素晴らしい装飾が必要となります。それ故の雰囲気作りであり、論理的な推理と見事な飛躍を持つ着想の付加であり、物語の求心力となるであろうサスペンスの配分なのです。⑦

江戸川乱歩は、本格推理小説の三原則を「発端の怪奇性、中段のサスペンス、解決の意外な合理性」と分析しました。

発端の怪奇性というのは、たとえば、呪いのかかった部屋で密室殺人が行なわれるというようなもので、事件の外見上は、その家や部屋に取り憑いている幽霊が、超自然的な力で被害者を殺したかのように見えるわけです。

冒頭、あるいは、事件の発生に連動して、この家や部屋に関する因縁話が披露され、怪奇が助長されます。そして、殺人の困難さが強調されるわけです。

こうしたオカルティズムを、単なるこけおどしと非難する向きもありますが、それはたいへんな間違いです。何故なら、読者の心理や先入観を誤った方向へ誘導する効果が絶大だからです。「呪いでひとが死ぬ」なんてことを信じる読者は実際にはいないかもしれませんが、「呪いで人が死んだかのように見える」ふうには装うことができるのです。トリックとそれを取り巻く絶妙な雰囲気によって、読者をそう錯覚させることこそ、作家の腕前というものです。

繰り返しになりますが、トリックも論理も、それ単体では脆弱であり、無味乾燥なものです。トリックや論理の周囲には、それらが世界で一番の美人——とんでもなく神秘的——に見えるよう、過剰なほどの装飾を施す義務が作家にはあるのです。

よって、本格推理小説の場合、自然と、舞台設定や人物設定が平凡ではなくて特異な方向へと傾くし、恐怖感の描写も事件の内容も、中途半端ではなくて、絶対にあり得ないような物凄いものへと徹底されます。

私は、本格推理小説はそれで良いと考えています。本格推理小説は、ミステリーの中でも、非常に特殊な分野だからです。一つの犯罪事件や不可解な謎を通して、世界の有り様や宇宙の秘密に迫れるこのような文学的手段は、そうそう他にはないでしょう。

なお、最後に、以前、私が不可能犯罪の巨匠であるジョン・ディクスン・カー（カーター・ディクスン）について書いた文章の中から、『プレーグ・コートの殺人』という作品に言及したものの一部をお見せします。ここで私は、トリックとこれを装飾する雰囲気の関係について論じています。ぜひ参考にしてください。

＊＊＊

『プレーグ・コートの殺人』（一九三四）

カーが好んで使うオカルティズムを、単なる小説上の装飾要素だと思っている人はわりに多いと思う。しかし実際には、それだけではない創作上の深い意味合いと存在意義があるのだ。エドガー・アラン・ポーや江戸川乱歩、横溝正史の作品を見るまでもなく、もともと推理小説には、伝奇的、怪奇的な話が多い。それはどうしてだろうか。

読者に恐怖感を与えるための、単なるこけおどしなのであろうか。

結論から言うと、それは推理小説作法上のもっとも根本的な技法なのである。たとえばカーの場合、その歴史趣味やオカルトは、トリックを違和感なく成立させるための重要な方策であり、また、作品構想から読者の目を欺くための巧妙な誤誘導《ミスディレクション》になっている。

その点について、この作品を例にとって具体的に説明しよう。

（以下、『プレーグ・コートの殺人』等のトリックに触れるので注意されたい）

『プレーグ・コートの殺人』の密室トリックを簡単に言えば、被害者の自作自演の犯罪と、外部からの遠隔殺人を組み合わせたものだ。

殺人が起きるのは、不気味な降霊会の最中。被害者は幽霊に自分が襲われたかのように装うため、厳重な密室内に入り、自分の体を自分で傷つける。凶器はルイス・プレージという人物が所有していた曰く付きのナイフだ。犯人は、自作自演の事件をでっち上げている最中の被害者の背中に向かって、窓の鉄格子の隙間から岩塩の弾を拳銃で撃ち込み、命を奪う――それがあたかも、ナイフで殺されたかのように見えるという点が、トリックのミソである。

その降霊会に先立つ冒頭の部分では、ペストの流行で死んだルイス・プレージのナイフに関する呪われた因縁話が、情感たっぷりに語られる。また、続く降霊会の場面も、ひどく薄暗くて恐怖に満ちた雰囲気に包まれている。

ところで、このルイス・プレージのナイフというのが、非常に変わった品なのだ。一般的にナイフは平べったい刃を持っているが、これは千枚通しのような丸くて先端がとがった形をしているのだ（よく考えると、普通はこういう物をナイフとは呼ばないであろう）。で、もしも、このルイス・プレージのナイフに関する因縁話が枕として振られておらず、登場人物にも、このナイフに対する知識や先入観がないとするとどうなるだろう。あの密室内の死体を見た時、彼らは、被害者がナイフで殺されたと認知するであろうか。

答えは否だ。

何故なら、死体の背中には丸い穴があいている。それをパッと見たら、誰だってナイフで刺されたとは思わず、被害者は銃弾でやられたと判断するからだ。

にもかかわらず、カーの優れた技巧と文章は、被害者が銃弾ではなく、ナイフで殺害されたと読者に信じ込ませる。何故そうなるかと言えば、事前にルイス・プレージのナイフに関する因縁が語られ、しかも、死体の横にはそのナイフが落ちているからである。そのため、登場人物にも読者にもこのナイフが強く印象付けられ、被害者の死はそれが原因だと思い込まされるわけだ。

[8]ミステリーにおけるミスディレクションとは、読者の目を真実から逸らさせる技巧に他

ならない。それは、手品師が片手を観客の前に突き出し、観客の目をそこに集中させている間に、もう片方の手で、次のマジックの準備をしているのと同じだ。つまり『プレーグ・コートの殺人』の場合、冒頭で幽霊出現の話や過去の因縁話を紹介することによって、本当の事件を起こす前に、カーは読者を心理的な袋小路へ先に誘導しているわけなのである。

この点にこそ、カーがオカルトや歴史趣味などを作品に多用する理由がある。トリックというものは、カーに限らず、物語の中から単独で取り出してしまえば、幼稚で馬鹿馬鹿しく感じられるものだ。それを不自然に感じさせないよう成立させるためには、怪奇や伝奇、恐怖といった要素で包み隠すことが不可欠なのである。その上に、何らかの美しい洋服を着せてこそ美人に見える。トリックは裸で見せてはだめなのだ。

さて、この『プレーグ・コートの殺人』に出てくる岩塩トリックを、《足跡のない殺人》に応用したある日本人作家の長編がある。話の展開はこうだ。

まっさらな新雪の上に、一人の男が前のめりに倒れている。背中から血を流して死んでいるのだが、犯人の足跡はその周囲に一つもない。それを見つけた探偵側の人間が、被害者はナイフで直に刺されたと言って大騒ぎする——このことによって、不可能状況が提示されるわけだ。

しかし、被害者の背中にある傷は丸い形をしていて、どう見ても、（読者である私には）薄い刃状のナイフで刺されたものには思えない。むしろ、その丸い形状からすれば、銃弾による傷であることは明白である。被害者は、遠距離から拳銃で撃たれて絶命したのだ。当然、被害者の近くに犯人の足跡がなくてもおかしくはない。

したがって、これを、足跡のない殺人という不可能状況と言うこと自体に無理がある。

では、この長編の設定のどこに欠陥があったのだろうか。言うまでもなく、ここには、ルイス・プレージの短刀という赤ニシン《レッド・ヘリング》――誤誘導のための道具立て――がなかったのだ。だから、トリックが簡単に見破られるし、というより、そもそも前提として成り立っていないのである。

――という訳で、カーが作品内にオカルトや幽霊話などをちりばめるのは、作品の層を厚くするだけではなく、読者を煙に巻き、偉大なるトリックを成功させるための、重要な方法もしくは技法であるのだ。

ミステリー作家への質問

Q.プロットはどの程度作りますか

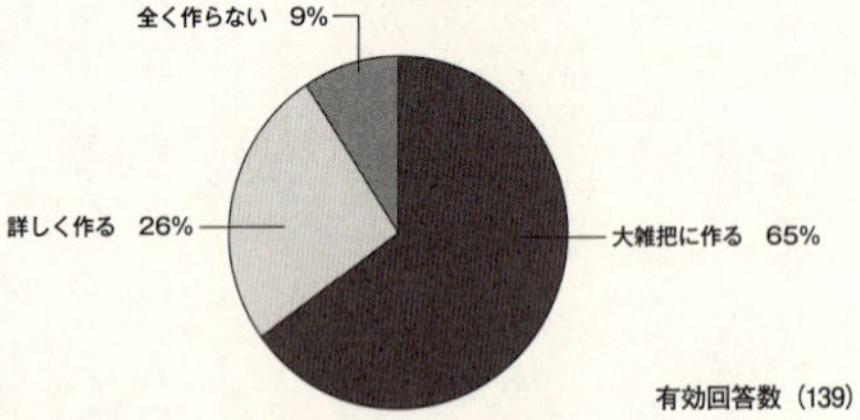

プロットを（①詳しく作る ②大雑把に作る ③全く作らない）理由

●②プロットもなしで書けるほど神経は太くないし、緻密につくりすぎると、縛られて書く楽しみがへってしまうからです。＜石田衣良＞

●②例えばミステリを書くときに、全部頭の中ででき上がったものを書けば、読者に必ずネタがばれますね。作者が、犯人がだれかも分らずに書くものを、読者に当てられるはずがない！　普通の小説にしても、先に考えてでき上がったものをワープロで打ち出すだけでは、おもしろくない。これからどうなる！？　と作者が楽しんで書かねば、読者だって楽しめませんよね。＜逢坂剛＞

●③設計図をていねいに引くと、それでもう書き終えてしまったような気になり、楽しみが失せる。また刻明な設計図があればあるほど、なぞることに意識が向いて、物語をふくらます努力とかけ離れていく。＜大沢在昌＞

●②書いてみないと分からないし、あまり細部を決めてると書いていて面白くない。＜恩田陸＞

●②③大雑把にプロットが頭にあった方が書きやすいが、連載などで日限があると、とりあえずキャラクター描写からはじめる。＜北方謙三＞

●①作家を目指しているころ、大まかなプロットだけで書いたことがあるが、ひどい結果に終わった。それ以来、きっちりプロットを作ってから書き始めるようにしている。手書きのため、大きく直しにくいことも関係している。＜新野剛志＞

●①②無駄のない作品に仕上げたいから。しかし、その無駄に見えるような部分が作者の「味」にもなる時があるから難しい。＜真保裕一＞

●①臆病だからSTORYが細部まで決まっていないと、書けない。＜野沢尚＞

●②細かくプロットを練っていると、書く意欲がそがれる。まったくプロットのない状態で小説を書けるほどの才能がない。＜馳星周＞

●②全くなにもないと不安だが、書いていくうちに変わるものだから。<東野圭吾>
●③言葉を探りながら書いていくので、プロットは、あとからついてきます。<本多孝好>
●①読者の脳のスクリーンに、映像をつくりだし、それを観ているような喜びを提供したいと思っている。そのために、執筆前に脚本、場合によっては画コンテまでも完成させる。自分で映像が浮かばないシチュエーションは、書くべきではないと思っている。<松岡圭祐>
●②クライマックスをどうするかを考えておかないと、書きすすめる原動力が得られない。<山田宗樹>

Q.プロットを立てる 具体的な方法があれば教えてください

●まずカレンダーなどの大きな紙に、登場人物やら人間関係やらを大雑把に書きこんで、物語をシミュレーションさせながら詳細なメモを作っていきます。そんなことを繰り返すうちに、プロットができあがります（実際に書きはじめると、人物が勝手に動きだして、まったくちがった展開になってしまうことも、よくありますが……)。<浅黄斑>
●プロローグ⇒事件（ツカミ）⇒クライシス⇒ミディアムクライマックス⇒クライシス⇒クライマックス⇒エピローグ。この構成をかたくなに守ってプロットを作っている。<朝松健>
●あるトリックなりシチュエーションから考えられる限りの展開を書き出し、その中から最適と思われるものを選び出します（人物の生死、場所の選択、事件発生の順番など)。<芦辺拓>
●ハコ書き。とにかく、パソコンに断片を打ちこむ。<石田善彦>
●キャラクター表を先に作り、それに沿ってあらすじを考えます。<伊多波碧>
●題材に合わせて、登場人物を考えて行き、彼らの行動パターンを考えるうちにストーリーが動き出します。<伊野上裕伸>
●・枚数を決める。・章立てをする。・1章は（1）～（5）ぐらいで各15枚。・各項（15枚）毎にテーマを持たせる。<狩野洋一>
●パソコン上で、思いつくことを付け加えてふくらましていき、ある程度のサイズになったら、章立てをする。<貴志祐介>
●独自で開発した床運動方式というものを採用しています。ストーリーを助走、演技、着地の三つのパートに分けて考えます。助走でどれだけ勢いがつけられるかが勝負です。あとは中盤でいかに華麗な演技を披露できるか、着地を見事に決められ

るか。もっともこの方式をまったく無視した作品も存在します。<鯨統一郎>

●シナリオ製作でのハコ書きを応用するとよいのではないでしょうか。僕はその方法で構成表（設計図のようなもの）を毎回作っています。<篠田秀幸>

●冒頭のシーンから順々に埋めていかないで、思いつくシーンをまず書き出す。あとから抜けている部分を無理矢理埋めていくと、捻ったストーリーになる。<新野剛志>

●概略、以下の手順で行います。1. テーマと印象的なシーンを決めます。2. 大まかな全体ストーリーをイメージします。3. 主要な登場人物のプロフィールを作ります(取材および資料調べ)。4. 全体ストーリーを起承転結の形式で詳細にイメージしてゆきます。5. このあと、必要に応じて追加取材および資料調べを行いながら、執筆に入ります。<辻村真琴>

●最初にコアとなるテーマや着想があり、それがなるべく効果的に生かせるようなプロット作りに努める。大雑把にできたら、ディテールを固める。<夏樹静子>

●トリックに、トリックを際立たせるための諸要素を附加していくと、自然とプロットができあがる。<二階堂黎人>

●どこに進むつもりなのか、大ざっぱに通過点だけは頭に入れておきます。小説はどこから始めてもいいものです。ここだと思って書きだした地点をAとします。AからBに向かうとするとしても、無限に線は引けます。以下、C点D点と移ってゆくわけですが、煮詰まってゆくと、D点からE点の線は決まってくるものです。うまく運んだ時はいい作品、無理やり、次の地点に向かわせた場合は、あまり出来はよくないようです。<藤田宜永>

●日常、小説に使えそうな言葉、イメージ、本、映画の名等、山ほどメモします。メモを、プロット・ノートに書き写します。<増山法恵>

●先ず、登場人物の履歴を詳しく作る。1人につき10枚前後の「経歴」「趣味」「特技」「生い立ち」「外見」などを書き込む。30人位たまったら、それらをざっと見ながら「気に入る奴」を選ぶ（これを僕はオーディションと呼んでいる)。あとは、彼らが自然に物語を作ってくれる。<松岡圭祐>

●イメージを練りながら、ブロック毎の「小見出し」と、その要約を連ねてゆきます。それらを調整しながら、全体構想を作り上げてゆきます。<松島令>

真ん中でブン投げろっ！

朱川湊人

SHUKAWA Minato

①起承転結は必要ですか

今回、編集部の方から、次のようなお題をいただいて、私は困り果ててしまいました――「物語の作り方について、自分の思うことを述べよ。できれば、それなりに役に立つ方向で」。

うーむ。

今さら申すまでもありませんが、物語の作り方は千差万別、人によっていろいろです。小説に限らず、ストーリーを作る人の数だけ方法論が存在して、「ズバリ正解！」というものは、たぶん存在しません。ですから私がこれから書くことも、みなさんの役に立つかどうか、はっきり言って保証しかねるのでした。その点を頭に入れた上で、ちょっとした世間話でも聞くようなつもりで読んでいただけると幸いです（と、予防線を張るズルイヤツ）。

さて、古くから物語の作り方の基本とされている『起承転結』。

もとは漢詩の絶句の構成のことだそうですが、私は小学生のころ、あさのりじ氏の『まんが教室』という本ではじめて知りました。お約束として説明すると、

起……物語の導入部（京の五条の糸屋の娘）

承……「起」を発展させる部分（姉は十六妹十四）

転……転換点（諸国大名は弓矢で殺す）

結……結論。オチ（糸屋の娘は目で殺す）

と、いうことになっております。カッコで示したのは、起承転結の説明をする際に、よ

く例として示される頼山陽の俗謡です。とってもわかりやすいお手本ですね。

　このあたりのことは、この項を読んでおられる方には常識でしょう。もちろん、[1]すべての物語が起承転結に則っているわけではありませんが、ストーリー作りの基本中の基本とされていますので、知っておく必要があります。

　ところが、この言葉を知っているだけで小説が書けるかというと——そう簡単なものでもないんですよね。

　私も数多くの習作を書きましたが、起承転結というカタチにこだわりすぎて、わけがわからなくなってしまったことが何度もありました。他人《ひと》サマが書いたものを「ここは承、ここは転」と分析するのは簡単なのですが、いざ自分で書くとなると難しいのです。何ごとも実践は楽じゃないってことですね。

　特に骨が折れるのが、『承』から『転』への持っていき方です。

　一つのアイディアで完結できる長さの小説なら、力技もアリでしょう。けれど、ある程度の長さのものになると、そうもいきません。設定や伏線ばかりに『承』を費やすと退屈になり、最悪、そこで本を閉じられてしまう可能性が出てきます。かと言って強引に進めると支離滅裂になり、作品は失敗してしまうでしょう。

　もちろんバランスも大切です。たとえば百枚の短編小説だとしたら、九十枚目に『転』が来るのはちょっとキツイですし、逆に三十枚目でもツライです。もちろん、物語を書く時には「ちょっと強引でも、ここだけは書きたい」という部分が必ず存在するものですから、多少のバランスの狂いもアリでしょう。けれど極端に頭でっかちだったり、下半身デブなのはいかがなものでしょうか。たとえ作家本人がメタボリックであろうと、作品くらいはスタイルよくいきたいではありませんか。

言ってみればストーリー作りでもっとも難しいのは、いかに『承』の部分を充実させ、上手に『転』に持っていくか……ということではないでしょうか。その部分さえクリアしてしまえば、後は意外と楽にできるものです。

ここで一つ、私が困った時にすがっている言葉をお教えしましょう。それは——「真ん中でブン投げろっ！」というものです。

はなはだ乱暴な言い方ですが、真ん中で書くのをやめてしまえ、ということでは断じてありません。

簡単に言ってしまうと「とにかく真ん中部分で何らかの事件を起こすと、全体のバランスが取りやすくなる」ということです。たとえば五十枚の作品なら二十五枚目あたり、百枚なら五十枚目あたりに、物語の流れに大きな変化を与える事件を起こすのです。

そんな機械的で単純なものなのか……と思われる方もおられるかと思いますが、実はこれは私の編み出した秘技でもなんでもなく、映画脚本を書く際のオーソドックスな技法で、〝ミッドポイントの設定〟といいます。ですから映画を例にすると、わかりやすいでしょう。

たとえばフェリーニの『道』という映画は、全編百四分の作品です。

ジェルソミーナ役のジュリエッタ・マシーナの名演技と美しい音楽に惚れ惚れしつつエンドマークまで見た後、中間の五十二分ごろに何か起こっているかと見返してみると、のちの物語に大きく関わる、リチャード・ベースハート演じる綱渡り芸人が初登場していますす。彼の出現によって、ジェルソミーナの物語は大きくうねりはじめるわけですね。

さらにデビッド・リンチの『エレファント・マン』は二時間強の長尺ですが、物語の前半と後半がきれいに分かれています。

前半で不遇の生涯を送っていた主人公が安住の地を見つけるまでが描かれ、後半は人間の尊厳を取り戻していく過程（もっとも、いくらでも深読みできる作品なので、そうとばかりは言えないのですが）が描かれます。その中間点、上映時間のちょうど半分の部分に、重要キャラクターのケンドール夫人が彼の病室を訪れるシーンがあります。この出来事をきっかけに主人公は、それまでとは違う別の世界に放り込まれるわけですね（ちなみに『道』と『エレファント・マン』を引き合いに出したのは、たまたま手元にDVDがあったお気に入り映画だったからで、特に他意はありません）。

この二本に限らず、よくできた映画というのは、だいたい中間点で大きな飛躍があるものです。よろしかったら何本かの映画を確かめてみてください。もっとも『死霊の盆踊り』のようなカルトムービーは、この限りではないでしょうが。

脚本と小説は基本的に違うものですが、この手法を参考にしない手はありません。物語が支離滅裂にならないようにするには、とても有効だと思います。

たとえば私の『花まんま』（文藝春秋刊・『花まんま』収録）という作品は、恥ずかしくなるほど、この方法論に則っています。

この作品は原稿用紙八十枚弱で、単行本にすれば、だいたい四十六ページの作品です。その真ん中はどんな風か……と見てみると、ちゃんと二十三ページ目に新しい章立てがしてあり、物語の流れが変わっているのでした。

あぁ、恥ずかしい。

ここで、作者なりに『花まんま』の流れを大まかにまとめると、次のようになります。

起……物語の発端。主人公と妹の設定。

承……妹が誰かの生まれ変わりらしい、とわかる。

転……前世に住んでいた土地を訪ね、その父が食事をとっていないと知る。

結……前世の家族との再会。兄妹の絆の深まり。

この作品を書く時、私は全体の設計図のようなものを作ってみました。そもそも商業誌に掲載する予定の作品ですから、依頼された枚数は厳守しなくてはなりません。あんまり派手にオーバーしたり不足させるわけにはいかないのです。

まだ具体的な考えがなかったころ、兄妹がいきなり妹の前世に関わる土地（彦根）に行くところから話を始めることも考えました。けれど、この物語では時間の前後逆転を少なくしたい……という気持ちもありましたので、オーソドックスに時系列を並べることにしました。結果を先に述べ、後戻りで事情を説明する方法は便利ですが、やりすぎると読むのがタイヘンです。

では、いかに読みやすく（私がとても大切にしている要素です）、面白くするか――設計図を前にしてアレコレ考えていた時、役に立ったのが「真ん中でブン投げろっ！」の法則です。あまり深く悩まず、単純に八十枚を二つに分けて、その中間点で大きな動きをもたらすように心がけたのです。

その結果、前半は人物設定と妹が少し変わり者である話、後半はまるまる彦根を訪ねる話になりました。私なりにはブン投げたつもりなのですが、飛距離は大したことがなかったかもしれません（ここで大切なのは、兄妹が彦根に行く部分が『転』ではないということです。わかってくれますよね？）。

この形さえ決まれば、あとは大きな苦労もなく書き進めることができました。最終的にどんなものになったのかは本を読んでいただくとして、比較的まとまった作品になったのではないかと自分では思っています。

もちろん小説の書き方に決まりはありませんので、このやり方も、きっと絶対的なものではないでしょう。けれど、どうしても『承』で失敗してしまうとか、『転』にうまく持っていけないという悩みには、多少なりとも効果があると思いますので、騙されたと思ってやってみてください。物語に背骨が入りますよ。

ミステリー作家への質問

Q.登場人物の名前をどのようにして決めますか

●母校の卒業生名簿は、とても役に立っています。＜浅黄斑＞
●①出身地に合わせて（c f. 東北に柳生姓はいない）②象徴性（c f. さもしい人物はさもしさを連想させるコトバから姓を作る）③ダジャレ（②と同じ）＜朝松健＞
●なんとなく。ただし姓も名も、とくに頻度ランキングで、30～100位くらいに含まれるものを（厳密に調べるわけではありませんが）つけます。あまりにも月並みであること、逆に特殊であることを避けたいからです。＜阿刀田高＞
●名が体をあらわすように。＜我孫子武丸＞
●キャラクターのイメージから離れすぎず、イメージに近づきすぎず。＜有栖川有栖＞
●キャラクターの性格などから、必然的に出てくると思ってます。＜五十嵐貴久＞
●あらゆる雑誌の編集後記やスタッフリストをつかっています。＜石田衣良＞
●友人知人の名を少し変えたり、好きなアーティストの名を1字変えたりする。＜海月ルイ＞
●なんとなく。新聞、雑誌、街を歩いていてこの名前いいなとおもったものをおぼえておく。＜恩田陸＞
●語感、字面などがその人物に合うものを考えます。＜加納朋子＞
●姓名判断。統計（世代別の名前等）。＜貴志祐介＞
●キャラクターにふさわしい名前を「遊名字典」でさがす。＜北上秋彦＞
●音感、文字面、先入観、偏見、その他もろもろひっくるめて、そのキャラクターに自然なものを考えます。＜佐々木譲＞
●字面、字数、語感で決めます。字数に関しては、中学生の時に眉村卓さんのレクチャーを受け、それを守っています。「主人公が漢字4文字なら、サブキャラは字数を変え、読者がすんなり区別できるように」ということです。＜菅浩江＞
●日本人：キャラクターを決めてから、語感をそれにあわせる。外国人：国籍や民族を決めてから人名辞典等を調べる。あとは日本人の場合と同じ。＜谷甲州＞
●人物のキャラクターイメージ、物語のテーマに沿い、なるべく現実の人物名と重ならないように。＜鳥井架南子＞
●日本姓名辞典や伝説、神話などからそのキャラクターにふさわしい名を選びます。字のイメージから決定することもあります。＜中里融司＞
●鈴木とか松本、中村といったあまりにも一般的な名まえは使わない。視覚的、音声的になるべく印象に残りそうな名まえを使う（日本人の場合）。外国名は取材地から電話帳を数ページ引きちぎって持ちかえり、名まえを合成する。＜船戸与一＞
●昔の小説の脇役、新聞記事（小さな）などから拾ってくみあわせる。＜松尾由美＞
●その人物のイメージに合う響きと字面を手探りします。突然、「向こう」から、やって来ることもあります。＜松島令＞

語り手の設定

北村薫
KITAMURA Kaoru

①語り手の性別はどう決めればいいですか
②書きたいテーマを読者に効果的に伝えるためにはどうすればいいですか
③④書きたいテーマを読者に効果的に伝えるためにはどうすればいいですか
⑤一人称で書くべきですか、三人称で書くべきですか
⑥一人称で書く場合の注意点はありますか
⑦一人称で書くべきですか、三人称で書くべきですか
⑧三人称で書く場合の注意点はありますか
⑨表現者に必要なことは何ですか
⑩描写にリアリティを出すにはどうすればいいですか

⑪新人とベテランの描写の違いは何ですか
⑫⑬描写するときに有効な方法はありますか
⑭より効果的な一人称の書き方はありますか
⑮三人称多視点で書かれた小説で参考になるものを具体的に教えてください
⑯客観的に自分の作品をみるためにはどうすればいいですか
⑰三人称、一人称のどちらが優れていますか
⑱初心者におすすめの視点はありますか
⑲語り手の性別はどう決めればいいですか
⑳表現者に必要なことは何ですか

――今回のテーマは「語り手の設定」ということなんですが、北村薫さんはデビュー作の『空飛ぶ馬』をはじめ異性の語り手をよく〝採用〟しておられます。これには明らかなメリットがあるからなんでしょうか？

北村　それは地上から、こう、空間十センチとか浮けるってことですね。実際の自分ではないから自由に歩ける感じがします。〝語りは騙《かた》り〟だと言いますけど、フィクションの羽を広げるために、やっぱり現実と違ったところにワンクッション置くと、語りやすくなる。

　ワンクッション置くという意味で言うと、太宰治の「駈込み訴え」という作品が思い浮かびます（引用例Ⓐ参照）。

　太宰はもともと女性の一人称が上手な作家です。ところがここでは同性でも独特の輝きを見せています。彼は、この全編をとうとうと語り出して、一語の直しも淀みもなかったそうです。奥さんは、それを筆記しながら、この人はすごいと思ったという逸話があるくらいです。ここでも、やはり、遠くのイスカリオテのユダという人物を置くことによってこそ捉えることができた内面がある。また芥川龍之介は、なぜ君は時代小説を書くのかと聞かれたときに、〝現代の日本では非常に書きにくいようなテーマなどを《昔》というところに置くことによって、私の書こうとしているテーマを非常に力強い形で表現することができる〟と答えました。

　同じような理屈で、[①②]自分が小説を書きはじめたときは、女性という、ふだんの自分とは

引用例Ⓐ　太宰治『駈込み訴え』（『走れメロス』所収）／新潮文庫　p.161〜162

（前略）おや、そのお金は？　私に下さるのですか、あの、私に、三十銀。なる程、はははは。いや、お断り申しましょう。殴られぬうちに、その金ひっこめたらいいでしょう。金が欲しくて訴え出たのでは無いんだ。ひっこめろ！　いいえ、ごめんなさい、いただきましょう。そうだ、私は商人だったのだ。金銭ゆえに、私は優美なあの人から、いつも軽蔑《けいべつ》されて来たのだっけ。いただきましょう。私は所詮、商人だ。いやしめられている金銭で、あの人に見事、復《ふく》讐《しゅう》してやるのだ。これが私に、一ばんふさわしい復讐の手段だ。ざまあみろ！　銀三十で、あいつは売られる。私は、ちっとも泣いてやしない。私は、あの人を愛していない。はじめから、みじんも愛していなかった。はい、旦那さま。私は嘘《うそ》ばかり申し上げました。私は、金が欲しさにあの人について歩いていたのです。おお、それにちがい無い。あの人が、ちっとも私に儲《もう》けさせてくれないと今夜見極めがついたから、そこは商人、素速く寝返りを打ったのだ。金。世の中は金だけだ。銀三十、なんと素晴らしい。いただきましょう。私は、けちな商人です。欲しくてならぬ。はい、有難う存じます。はい、はい。申しおくれました。私の名は、商人のユダ。へっへ。イスカリオテのユダ。

作家は、物語らずにはいられぬことを語る。太宰は、《はははは》、そして、《私は、ちっとも泣いてやしない》と慟哭する。（北村）

違う足場を設けることが、創作の翼を広げるという意味では書きやすかったですね。

――自分の身近なことを書くほうが逆に難しい、と？

北村　いや、書いていることは、すべて身近なことなんです。ただ身近なことを、身近な形のまま書くかどうかという問題ですね。③身近なことをフィクションで書くのは、それをより普遍的なものにしたいからです。例えば、『スキップ』で書いたようなテーマを我がことのまま書けばそれは中年オヤジのくだらない愚痴になってしまいます。しかし、時のなかで変質・変容していくというようなこと、あるいは思いが叶わなかったりというさまざまな〝時のなかの悲しみ〟は、誰の胸の底にもある普遍の悲しみです。どんなに成功してその道を極めた人でも「普通の女の子に戻りたい」と、お古いですがキャンディーズみたいなことを言ってみたりするように（笑）、そういう思いというのは誰の内にもあるでしょう。となればそれは、④そのまま書けばだらしない愚痴のようであっても、普遍のテーマであるならば形を変えることによって昇華させて、人々の胸の奥底に届くような物語になるのではないでしょうか。
⑤要するに、物語の内容が語り手を規定するわけで、場合によっては、三人称でかなり書いたけれど、後から一人称で書き直す、またはその逆もありますよね。物語の内容によって、それは当然、変えていくわけです。ただこの連載を読んで小説を書いてみようと思った読者は、まずは一人称の視点で書いてみる

のがいいと思いますね。ただし、一人称が書きやすいといっても〈自分自身＝語り手〉だと見誤ってはいけない。語り手によって、言葉のニュアンスは変わります。同じ単語であっても、語り手が違う別の本であったら、もしそれらが同じ作者の本であっても意味が変わるはずだということです。例えば「若い男」あるいは「美しい女」という言い方は、三人称だと下の下です。なにがどう美しいかを感じさせるかが小説の表現であるわけですから。しかし、語り手が一人称で、婚期を逃しそうな女だと意味は変わってきます。「喫茶店で若い男が水を持ってきた」という文章があったら、どう感じますかね。

——なるほど。そこで読者は、彼女が〝若さ〟に反応していることを読み取れるんですね。

北村　そうですね。「若い男」と書くことで、彼女がウエイターをそういうふうに感じ、そういうふうに見ているということがわかり、「婚期を逃しそうな女」である語り手自身を語っていることになります。一人称は語りやすいですが、その分、魔物が棲んでいます。例えば、語り手の性格を書いているつもりが、いつしか、著者自身の性格を書いてしまっている場合などです。「私」を語り手とする場合の、表現の魔というやつですね。

でもそれは作者が語り手のキャラクターになりきっていれば解決できる。一人称には視点がぶれない利点もあり書きやすいと思いますが、そういうことに気をつけないといけない。

最初の本（『空飛ぶ馬』）には「私」の性格描写として、本をやたらに読むということを入れました。それは彼女がそういう人物であることを示しています。一人称だとそういう自分の好きなことや趣味などをガンガン入れて、それを性格描写にすることができます。それが受け入れられるかどうかはまたべつの話ですけど。

十九世紀の小説では、視点があちこち揺れ放題でも、読者に受け入れられていました。しかし現代になって視点の揺れが問題視されるのは、いろんな人物に視点を移しながら書くのが非常に難しいからなんです。⑥一人称で書くということは、その人がいる場面しか書けないという問題も出てきますが、⑦あまり書き慣れていない人は、まず自分の書きたい人物を一人称で書いていく、あるいは書きたい人物のいちばん近いところにいる人物に視点を据えて脇から見て語るのがいい。後者だと語りの最後に、その人の見ていたとおりの人物ではなかったんだと、内容を逆転させることもできますしね。

――特にミステリーでは、創始者エドガー・アラン・ポオのデュパン物も、それを大衆化したコナン・ドイルのホームズ物も、名探偵を一人称の「私」が脇で見るスタイルですね。これは語り手が、物語の進行する時間のなかで自分が見聞きし、理解もしくは誤解したことしか読者には伝えられず、その「私」にとって不明の〈謎〉をフェアに提示できる。

北村　そうでしょうね。⑧三人称多視点で書いた場合、なぜ、登場人物Aの心理はないんだとか、人物Bの心理は素直に書いているのに、人物Aの心理の書き方はちょっと変じゃないかというような指摘をされる場合がある。

クリスチアナ・ブランドの『緑は危険』では、「山田はそう思った。鈴木はそう思った。犯人はこう思った」という描写があります。「犯人はこう思った」と書いてあるんだけど、その犯人が誰だかはわからない（引用例Ⓑ参照）。

この作品は三人称多視点で、普通犯人の心理は描写できないというところを逆手にとっていて面白い。多視点をとったことが非常に有効に機能したミステリーですが、これは手《て》練《だれ》の技ですね。

――女性を語り手にした場合、これは女性にしかわからないのではないかということも描写しなくてはいけない……。

北村　そうかな（笑）。

――例えば、『空飛ぶ馬』の表題作での「私」の入浴シーンなど、北村さんがプロフィールを公開されていなかった当時、ああ、この作者はやっぱりうら若き乙女にちがいない、と読者に信じさせた場面かと思います。

《風呂に入るのは簡単なのに、それを文章にするのは何と難しいのだろう》といったのは、確か芥川龍之介であった。書く方はともかく、家で一番《簡単》にお風呂に入る女は私だ。

逆に時間をかけるのは誰かというと、四月生まれの姉である。

姉は暖かい時に生まれた春の子だからゆっ

引用例Ⓑ　クリスチアナ・ブランド著、中村保男訳
『緑は危険』／ハヤカワ文庫　p.260〜261

警部は一同をけしかけて、不注意な言葉を吐かせようとしているということにイーデンは気づいていたが、彼の神経は理知とは無関係に反応した結果、思わず彼は探るように言った——「それじゃ、どうして犯人を選びだして逮捕しないのですか」

「心配御無用」コックリルは平然と言った。「そのうちにやるつもりだ」

「なにを待っているんだか、さっぱりわからない」とバーンズ。

「犯人が名乗りをあげるのを待っているのさ」

たとえ無実の身であろうとも、このような監視をうけるというのは、恐ろしいことだ。自制を失った行動をするように仕向けられ、奇病の菌を注射されて否応なしに観察者の思いどおりの反応を示さねばならないモルモットのように、挙動を観察されるということは、たとえ無実の人にとっても我慢のならぬことなのだ。犯人は白い指で本の表紙を握りしめていたが、絶望的な声で口ばしった——「それにしても、犯人が自白しなかったらどうするんです。際限なくこれが続くとしたら……いったいいつまでこれを我慢しなくちゃならないんですか」

結局、作品は作者を語るものである。ブランドはクレバーな書き手である。それが如実に分かる場面だ。（北村）

くりと洗うので、冬の子の私は寒くて急ぐのだ、と、母上にいったことがある。寒かったら余計、暖まっていなさいといわれてしまった。

　現実的なことをいえば、当然のことながらお風呂の長さは髪の長さにも比例しているのである。ただでさえショートカットのところを、また短くしたのだから洗うのにも時間がかからない。

　さっとリンスまで終えて、頭にタオルを巻き、外に手を伸ばして湯沸かしのスイッチを入れる。地鳴りのような音がして火がつく。

綺麗になった十九の体を湯舟の中に沈める。

　そっと目を閉じる。

　前から熱いお湯が出て来るので、絶えず踊るように両手を動かし、かき混ぜる。その機械的な動作を続けながら、《来年の今頃、何をしているのかな》と考えた。

　受験を前にした高校三年の年末年始にも、よくこうして唇のすぐ下までお湯に浸かり目をつぶっては、分かりようのない翌年のことを考えたものだ。

　あの時の方が、形はどうなるにしろ《変化》が自分の前に待ち構えていた。十九が二十になったところで、私の前にあるのは平々凡々たる日々の繰り返しに過ぎないだろう。

　手を動かしながら、いつの間にか上半身を自然に揺らしていた。走る時ほどはっきりとではないが、揺れと共に子供でない体を感じる。お風呂に入って、自分の体がいとしくならない女はいないのではないか。そう思いながら、そっと目を開ける。

湯沸かしの音が停まった。

手を上から下に動かすと、桜色に染まった爪の先から小さな泡が立った。

私はその手を交差させ、胸のふくらみを抱いた。

《「空飛ぶ馬」（『空飛ぶ馬』所収）／創元推理文庫 p.298〜299》

北村　それはイマジネーションの問題ですね。だって、殺してないのに殺人のことなんか書けるか、って言われても（笑）。
――すると北村さんの場合、異性を語り手とするときの困難さなどはないですか。
北村　なにか〝作ろう〟ということは全然ないですね。ごくナチュラルに、ただ書いていく。
――「砂糖合戦」の、トイレでシャツとジーンズからワンピースに着替えて出てくる女の子、通称「ピノキオさん」が、ポニーテールをほどいた髪の具合を確かめるために、右手を首の後ろに回して二度三度と髪を押さえるところなど印象的で、リアリティを感じる場面です。

私は、表情にも体にも変化を見せまいと努めながら横目でその子を窺った。

ピノキオさんである。

――でも、一体何のために？

私がそう自問した時、ピノキオさんはぐるっと首を回した。肩で髪がふうわりと揺れた。

ポニーテールはほどいてあったのだ。そして具合を確かめるように、右手を首の後ろに回すと二、三度髪を押さえた。
　それから彼女は、にやりと笑ったのである。
《「砂糖合戦」（『空飛ぶ馬』所収）／創元推理文庫 p.118〜119》

北村　そういうところは、そんなに意識して書くことじゃないんですよね。髙村薫さんの小説だったかな、ある評論家の方が〝洗濯物を干すところで、こう、皺にならないようパンパンと広げているという描写が女性作家ならでは〟と言っていました。でも、そんなことはないですよね。私だって書きますよ（笑）。この人は洗濯物を干したことがあるんだろうかと疑ってしまいますね。日常的に干していれば、そんなものはわかる。ポニーテールをほどいたっていうのは、男性には日常的じゃないけど、想像すれば、髪の具合を確かめたりするだろうなと。
　俳句をやる人は、花を見たり、木を見たり、虫を見たりする目が養われてきますよね。[9]表現する者の目になってみると、いろんな細かいものが自然に見えてくるはずなんです。そういう目を持った人が、表現者なんです。〈書く〉ということが表現ではなく、〈見る〉ということが表現なんです。

——[10]観察者としての目が養われていないと、語り手の設定や表現がどうこうというレベルに到達していないということですね。

北村　それを浮き立たせる一点、というのが重要ですね。チェーホフの『かもめ』のなかに出てくるベテラン作家は月夜を書くのに、〝水車小屋の脇の小川に、割れた瓶の欠けた切り口が月光を受けて輝いてる〟と一刷毛《ひとはけ》で書いてしまう。ところが新人作家のほうは、ベタに描写していく。そんな必要はないんです。それを摑む一点というのがあるはずなんです。

トレープレフ　（前略）月夜の描写が長たらしく、凝りすぎている。トリゴーリンは、ちゃんと手がきまっているから、楽なもんだ。……あいつなら、土手の上に割れた瓶《びん》のくびがきらきらして、水車の影が黒く落ちている——それでもう月夜ができあがってしまう。ところがおれは、ふるえがちの光だとか、静かな星のまたたきだとか、しんとした匂《にお》やかな空気のなかに消えてゆくピアノの遠音だとか……いや、こいつは堪《たま》らん。（後略）

《チェーホフ著、神西清訳『かもめ』／新潮文庫 p.93》

べつにベテラン作家のトリゴーリンは、そんなに苦労してないと思いますよ。自分で月夜を思い浮かべたときに、瓶のかけらの月の光が見えるからそれを書くということなんだと思います。なにかを表現しようとするなら、[11]まず日常のなかで、「あっ、あれは、これを描くのに使えるのかな」ということを頭の中に〝貯金〟しておくといいんじゃないでしょうか。そういう習性がついてくると、自然に今度は想像力のほうで、この場合はあれはどうだろうと類推して表現することもできるでしょう。殺人場面なんかも、実際はやらなくても、イマジネーションがあれば出てくることですよ。

――なるほど。北村さんご自身も、ふだんから〝観察〟を欠かさないわけですね。

北村　うーん、深く観察してるわけでもないんです。できる人にはできる（笑）と言ってしまったら「ミステリーの書き方」にはならないですね。やっぱりその、月を描写するのに、舞台の端から端まで全部書く必要はなく[12]て、情景を立ち上がらせる一点がなにかあるわけです。「山田さんってどういう人？」と訊かれたとき、「彼はね、何年に生まれて」って生い立ちから語る必要はない。このとき[13]にこんな何げない動作をする、こういう場面でこういうことをした人だよ、というエピソードなど、なにか一点があればいいんです。

あだ名なんてそうじゃないですか。「あ、バルタン星人が来た」とか言われて、見てみると、ほんとにバルタン星人としか思えないとか（笑）。よくこのバルタン星人ってのを摑まえたな、というね。皆さん、そういうこと学生時代にはやったじゃないですか。それはバルタン星人としか表現しえないナニモノかを摑んできたわけです。バルタン星人のような人が実際にいるわけはないんだけど、でも当人を見たら、ああ、確かにバルタン星人なんだと、いうふうなことってあるわけです。

――そういえば、僕の行ってた高校には、ダダ（※これもバルタン星人と同じくウルトラ怪獣）ってあだ名の同級生がいましたね……見事なな抽象化というか、特徴の拡大で。それはともかく、見事な抽象化というか、特徴の拡大で。

北村　あだ名なんか典型ですよ。見ればほんとに、それとしか思えないあだ名ってありますよ。よく付けたな、っていうね。

――では、話を戻して、一人称だと視点がどうしても限定されるという問題についてですが。

北村　一人称で語っていても、いくつかの視点を書かないとカバーできないとなれば、あっちの視点とこっちの視点を章ごとに分けるという方法なんかもあります。二人くらいで割り振って、甲乙甲乙甲乙と、やっていけばいいんだけど、三人も四人もとなってくると非常に難しい。

『ひとがた流し』という作品の場合は、語ることの内容が複数の家庭に関わってきて、いろんな人物の内面にも入っていきたかった。しかし三人称多視点であんまり内面に入っていくと、ちょっと混乱する。そこで、三人称なんだけど、十九世紀的小説のように長篇のなかで視点を混雑させていくのではなくて、章ごとに一人の人物を書くことにしました。しかも、この小説は人と人とのつ、な、がりを書いているので、視点の人物が変わる度に、章から章ごとに何物かを持ち出しています。例えば、第一章から第二章に移るときにはお土産の讃岐うどんが登場します（笑）。第一章の視点人物から第二章の視点人物に讃岐うどんが渡される。第二章は、讃岐うどんを受け取った誰々は、となっている形なんですよ。そこで、視点の受け渡しという意図が作者にあるということが、わりと明白な形になったのではないでしょうか。自分としては、『ひとがた流し』の納豆パックのとこなんか一点を摑まえた箇所だと思っています。

納豆は、おなじみの発泡スチロールめいた手触りの白い容器に入っている。蓋を取り、たれと辛子を絞り、自棄《やけ》になったようにかき回した。十分に糸を引いたところでテーブルに置く。

インスタント味噌汁を取ろうと、椅子を立つと、パジャマの上着の端が、納豆の、白い容器に触れた。何しろ、軽いものだ。すっと動いて、テーブルから下に落ちて行く。

あっと思った。

頭の中に、床のちょっとした惨状が浮かんだ。粘り気のある納豆を始末するだけでも、嬉しくない。しかも、今朝のメインのおかずが消えてしまう。

ところが、視線を下にやると、白い容器はきちんと上を向いて着地していた。朝から、床に這って掃除する必要はなくなった。

――ラッキー！

と、良秋は小さくつぶやき、容器をテーブルに戻した。そこで、そのまま動きを止めた。

――幸運か。――これが幸せか。

仕事は面白い。ずっと興味を持ち続けて来た。《好きなことが仕事になるのなら、これほど羨ましいことはない》と、人にもいわれた。確かに、そうだろう。着任した土地というこ ともあって、特に北海道の歴史上の歩みには関心を持ち続けて来た。戦後史の大きな特集を組む動きがあって、こちらに呼ばれた。やりがいがある。

だが、家に帰った時の、自分の幸せとは所詮、この上を向いた納豆か。この程度のことなのか。

《『ひとがた流し』／新潮文庫 p.278～279》

一人暮らしの男のさみしさを、「一人暮らしの男はさみしい」ってそのまま書いてもしょうがないんですよね。では、どう書くか。独身男性は、朝食には何を食べるだろうか。メインのおかずは何だろうか。和食だろうか、洋食だろうか。和食だったら、納豆のパックをモチーフにして書けるんじゃないだろうか。こうして想像力を広げていけば、単純に書くのとは違った、味わいのある描写が作られるわけです。

――今回のテーマからは脱線気味になりますが、三人称多視点の小説で北村さんが巧いと唸った作品を参考までに教えていただけますか。

北村　巧いというか、作者の意図が明白で興味深かったのは、オルダス・ハックスリー[15]の『恋愛対位法』。大学時代に読んで、とっても面白いと思ったんですよ。ハックスリーは作中人物の一人に、部屋の中でくつろいでると、その同じ時刻に向こうの路地では殺人が行われているというふうな小説を書きたい、と言わせている（引用例Ⓒ参照）。

これは当然、多視点にならざるをえないです。冒頭から、いろんな人に視点が移っていく。ほかには、〝小説の中の小説〟でしょうけど『アンナ・カレーニナ』なんかでも、いろんな人の心理に入っていくなかで、例えばキチイは舞踏会でヴロンスキー（※青年将校。ヒロインのアンナの不倫相手となる）が自分に声をかけてくれると思ってたんですね。ところが、そう望んでいたとおりには事は運ばなくて、自分は壁の花になってしまった気まずさ、というところに入っていくわけです（引用例Ⓓ参照）。

作中では、他の登場人物の心理にも当然入っていく。十九世紀的小説においては、大勢の登場人物の中に入って社会を描くことがごく普通に行われていましたが、そうすると、読者は違和感を抱きがちになります。それが書き手には、おうおうにしてわからないんです。

⑯では、どうすれば、自分の作品を客観的に見ることができるかというと、自分一人では難しいんです。自分の作品について、本当のことを言ってくれる気心の知れた友達がいるのがいちばんなんですが。あるていど本を読んでて、センスがあるなと自分が思っている人の言ってくれたことだったら、作者よりもだいたいにおいて正しいはずです。ただ、友達に読ませると、「うん、良いんじゃないの」となるのがオチでなければ、本当のことを言ったために人間関係が壊れて、それまでの友達が友達ではなくなる危険性がありま す

引用例© ハックスリー著、朱牟田夏雄訳『恋愛対位法』／岩波文庫・下巻 p.91〜p.92

（前略）たとえばあの信じられないようなディアベリ（※訳者注 一七八一—一八五八、ドイツの音楽家）式ヴァリエーション。思想感情のあらゆる領域にわたりながら、しかも全部が一つのこっけいな小さなワルツ曲と有機的につながっている。これを小説に持ちこみたい。どういうぐあいに？ 唐突な転移のほうは簡単だ。性格と、平行した対位法的な筋とさえ、充分そろっていればよい。ジョウンズが人妻を殺している時、スミスは公園で乳母車を押しているというふうにする。その二つのテーマを交錯させるのだ。いっそうおもしろいだけにいちだんと困難なのは転調《モデユレイション》とヴァリエーションだ。小説家の転調は、境遇《シチユエーション》と性格を反復させることでできる。何人かの人物が、それぞれの流儀で恋に落ちるところなり死ぬところなり祈るところなりを描く——それぞれちがう人物に同一の問題を解かせるのだ。あるいは逆にして、類似した人たちをそれぞれちがう問題に直面させてもよい。この方法で、扱いたいテーマのあらゆる相にわたって転調することができるし、いくつでもちがった気分のヴァリエーションを書くこともできる。（後略）

『源氏物語』の中で、紫式部は、登場人物に「物語論」を語らせている。時を越えて、そんなことを思わせる一節である。（北村）

引用例Ⓓ　トルストイ著、木村浩訳『アンナ・カレーニナ』／新潮文庫・上巻 p.172

彼女は小さな客間の奥まったところへはいって、ソファに身を投げだした。空気のようにふわりとしたスカートが、雲のようにもちあがって、そのほっそりしたからだをとりまいた。あらわな、やせた、乙女らしいきゃしゃな片手は、力なくたれて、ばら色のチュニックのひだの中に沈み、扇を持った片方の手は、小刻みに、せかせかと上気した顔をあおいでいた。しかし、その姿は、いましがた草の葉にとまったものの、いまにも虹《にじ》のような羽根をひろげて飛び立とうとしている蝶《ちょう》のような風情をたたえていたにもかかわらず、彼女の胸は恐ろしい絶望にしめつけられていた。

《でも、ひょっとしたら、あたしの思いちがいかもしれない。ひょっとしたら、そんなことはなかったのかもしれない？》

よい小説には、一読しただけで生涯忘れられない場面がある。『アンナ』の場合、ラストシーンなど典型的だが、このように、あちらにも、こちらにもそれがある。（北村）

（笑）。作家になったら、編集者の方が適切なアドバイスをしてくださることもありますけど、新人さんの場合だとそういうことはないので、もし身近に、的確なアドバイスをくれる友達がいるなら、大切にしたほうがいいですね。それくらい、自分の作品を客観的に読むということは難しいです。[17][18]とりわけ三人称多視点というのは、果たしてそれが上手く無理なく書けているのかどうかを自分で読み取るのは非常に難しい。ですから、最初の作品は一人称か、あるいは三人称一視点の形がいいだろうと思います。

——特に犯人捜しを中心的な興味に据えたミステリーに限れば、やはり三人称の〈神〉の視点で語ることは困難にぶつかりやすいですね。内面を描くことのさじ加減が難しい。

北村　難しいですね。三人称の場合、「山田は怒った」って書いてあったら、ほんとに怒ったんです。怒ってるふりをしていたらアンフェアです。一人称なら、山田は怒ったって「私」はそう思ったんだから、それでいいわけです。

——女子大生の「私」が語り手を務めるシリーズの二冊目、『夜の蟬』で日本推理作家協会賞を受賞されたとき、一般の読者は初めて「北村薫」がうら若き文学少女でなかったことを知らされたのでした。

北村　失望した人もいたんでしょうねえ。ただ、女性からは〝男だと思ってた〟って言われることもままありましたよ。「私」が理想的すぎると（笑）。

——女性の嫌な面を、男性の視点よりも女性の視点で書いたほうがいいだろうという計算が働いたわけではないのですか?

北村　うん、ただ書きやすいから（笑）。それにやっぱり、女の子と付き合ってたほうが楽しいってことがありますから。書くってことは付き合うってことだから。

――親本の単行本には裏表紙のところに著者の言葉が載っていて、そこには「小説が書かれ読まれるのは、人生がただ一度であることへの抗議からだと思います」とあります。やっぱり人生生き直すなら若い女の子のほうが……。

北村　前世が男であるという記憶があるなら、女のほうが変化があって面白いのかもしれない。しかし、記憶がないなら神様にお任せですね。それは本来、人間の関知するところではない。

――『空飛ぶ馬』で異性の「私」を書くのに難渋したようなところはありませんか?

北村　一カ所もないですね。「私」とか千秋さん（※〈覆面作家〉シリーズの探偵役）とか、書いていてひたすら楽しいですね。苦しい場面も楽しい場面も、その子たちのそばにいると。愛する子たちだから。

――『空飛ぶ馬』をご自身が読み返してみて、ああ、ここは我ながら巧いな、なんて思う箇所はありませんか。

北村　そんなとこあります?

――「私」と正ちゃんと江美ちゃんとの、三人旅の宿の場面なんか好きですね。《男》とか《女》とか、ジェンダーについていろいろ議論したあとの一幕が。

「ふん、フランスがどうこういうんなら日文来るなよ。仏文に行っちまえ」

「やだよ」

「こいつめ」

　正ちゃんが、いきなり私に襲いかかって来た。ふいをつかれて私は側の布団の上に転がった。

「やめてよ、かんべん」

　正ちゃんの方が強いし、動くと余計ふらっとする。でも布団の上を転げていると中学生か高校生に戻ったようで悪い気持ちではない。ますます陽気になる。

「子供じゃあるまいし、こんなところまで来てパジャマなんか着るんじゃないよ」

　正ちゃんに押さえつけられて、そういわれても、くつくつと忍び笑いが漏れてしまう。正ちゃんはそんな私を見て、ふっと力を抜いて、

「キミもね、一回本当に押さえつけられてごらん。人生変わるよ」

　どさくさ紛れに凄いことをいう。私は顔に血が上るのを感じ、その上気した顔を見られているという思いで更に耳までも熱くなってしまった。正ちゃんは私から離れると面白いものを見たようにいった。

「おや、この子でも赤くなるんだ」

《「胡桃の中の鳥」（『空飛ぶ馬』所収）／創元推理文庫 p.180〜182》

北村　うん、いい場面ですね（笑）。ほのかに浮かんでくるエロ、というのはやっぱりいい感じです。〈覆面作家〉のいちばん最後の話でも、女流作家さんが、キンレンカの花は食べられるんだ、と言う。それで、謎が解けて、あの男の人と結婚するんだろうって場面ではキンレンカの花がなくなっている。あれでは伝わらない人もいるだろうけど、書き手としてはとてもエロチックな場面なんだと思っています。

由井先生は、さっそく《恋の矢に射貫かれた人》を自宅に招待したそうだ。そこで、真相を示したという。

謎《なぞ》が解けたら、世界社に書き下ろしをしてくれるという約束も、めでたく実行されることになり、今度は、その打ち合わせに出掛けた。

「いかがでした」

「藤山先生、恐れ入ってたわよ。まさか、解かれるとは思わなかったって。気持ちよかったわ」

ふと見ると、キンレンカの鉢があった。しかし、あの色鮮やかな花が見えない。緑の丸い葉だけになっている。

「あれ、どうしたんですか」

「ああ。藤山先生が来た時、サラダを作ったの」

「そうか。あれは、花も食べられるんでしたね」

「ええ。全部、食べさせちゃった」

そういって、由井先生は艶麗《えんれい》に笑った。

《『覆面作家の夢の家』／角川文庫 p.207〜208》

そういうところを何があったのか、全部書く人もいるでしょうね。ハウツーみたいに（笑）。

――北村さんは女性の一人称で語ることが多いですが、覆面作家の新妻千秋が探偵役を務めるシリーズでは、若手男性編集者を一人称の語り手にしていました。今までのお話だと、北村さんにとっては男性の一人称で書くほうが苦手のようにも思えますが。

北村　男の視点で書くのが難しいのは事実です。でも、〈覆面作家〉シリーズの場合、話の運びからいけば、誰かが千秋さんを訪ねることが当然要求されるわけです。千秋さんという人物を書く場合、彼女はひとつの動いてる謎なわけです。ミステリーは謎に対して向かっていくので、実際、当の謎の人物の視点で書いたら、謎は解けちゃうわけです（笑）。するとそれを脇から見ていくしかない。そこで、男性視点を置いたのですが、あのシリーズ三冊の中で、「俺」とか「僕」とかいう一人称は使っていません。理想的には、そう言ったときに、「ええっ、そうなんですか」って驚いてくれる人がいると嬉しい。映画音楽なんかで、いちばん良いのは音楽が入ってたのがわからないことだと言いますよね。一人称がないということも、ひとつのテクニックで、気づかれないほうがいいわけです。佳多山さんは自分のことを「僕」って言うんですか？

――「僕」って言いますね。同い年の友人相手だと、やっぱり「俺」になりますが。

北村　男の学生なんか普通、「俺」でしょう。「僕さぁ」なんて言うと、「この野郎、お坊ちゃんかよ」って(笑)。だから、男性はけっこう「俺」って言いますよね。ただ、「俺」っていうのは、文字になると非常に強い。例えばテレビで吹き替えの声優が、白人の台詞のときは「私はいつもそう思っているんですけどね」と話すのですが、これが黒人の台詞となると途端に、「俺はよぉ、あそこの角でよ」になってしまっていて抗議があった。ところが実際は、その黒人も普通の英語を喋っているんです。そういう短絡的な思い込みによる人称の選別もありますけど、それは裏を返せば、「俺」という言葉にそういう色合いが付けられてしまう場合があるということです。男性の語り手の場合、「私」とか「俺」とか「僕」の使い方は、文章語として非常に難しいです。会話文ならいいですよ。会話文で「俺」は、くだけた場面で使えます。山本周五郎賞を獲った森見登見彦さんの小説(『夜は短し歩けよ乙女』)を読むと、自在に男性の一人称を使い分けて会話させているところなんか非常に面白く書けていますよね。

――語り手を男性にするか女性にするかで悩む人もいるんじゃないかと思いますが。[19]

北村　そこで迷うようじゃもう書けない(笑)。自分がこのテーマで書きたいと思ったら、それにいちばん適合した視点を見つけるということなんだから。

――最後に、小説を書こうという読者に、アドバイスをお願いします。

北村　繰り返しになりますが、「書く」[20]ということは、じつは「見る」ということなんです。書くというのは、ただその見たことを写していく作業です。だから、見るということがすなわち文章力なんですね。見るっていうのは、いろんな意味での「見る」です。人間を見るっていうのもそうだし、人間関係を見るってのもそうだし。そういう目がなかったら、まずだいたいテーマ自体が浮かんでこないはずです。人生、そういうものや、いろんな人を見ているから、ああ、あれを書きたいと思うわけです。そういう目がなければ書きたいことがないことになります。

何よりもまず、そういう目を養うことが大事ですね。

（聞き手／構成・佳多山大地）

視点の選び方

真保裕一　SHINPO Yuichi

①視点の選び方を教えてください
②視点の選び方を教えてください
③読者を感情移入させるために気をつけるべきことは何ですか
④読者への効果的な語り方を教えてください
⑤書き出しの一行にはどんな注意を払いますか
⑥小説と映画では視点の考え方は違いますか
⑦小説と映画では視点の考え方は違いますか
⑧一視点で書く場合の注意点は何ですか
⑨説明をうるさく思われない方法とは何ですか

⑩一人称で書くメリットとは何ですか
⑪視点の選択に迷ったときには、どう考えればいいですか

まず最初におことわりしておきたい。狭義のミステリには、叙述トリックや犯人捜しを念頭に置いたフェア・プレー論にかかわる「視点の問題」が存在する。この点については、ここで私があらためて論じるより、佐野洋氏の名著『推理日記』（講談社文庫）を熟読していただきたい。視点とは何かという基本から始まり、作中でいかに手がかりを提出していくべきか、そこに視点がどう関係してくるか、ストーリーの練り上げ方にもつながってくる問題点が具体例を挙げて精細に論じられている。その論評中で佐野氏が何にこだわられているのかよく理解できない、という方がもしかしたらいるかもしれない。そういう方にはミステリからの潔い撤退をお勧めしたい。小説はミステリ以外にも多くのジャンルがある。狭義のミステリにこだわらず、自分の力を発揮できる舞台を見つけるべきだと思う。ミステリは一種専門分野であり、マニアックとも言える知識とテクニックと執着が必要とされる。

さて、叙述トリックや犯人捜しを主眼に置かなくとも、視点の選び方はいつも作者を悩ませる。

いつだったか、ある作家のエッセイを読んでいて、短編は一人称で書くことが多い、という記述を見つけ、自分と比較しつつ面白いなあと思ったことがある。①その作家は、一人称にすると、その視点人物の見たり聞いたりしたことしか作中に書けないので、話が短くすっきりとまとめやすい、というような意見を披露していた。

私の場合、短編を書く際には、一視点でも三人称を選択する場合が多い。そしてその理由は、三人称一視点のほうが、一人称で書くよりも話が短くすっきりとまとめられるケースが多いから、なのだ。

つまり、どちらも短編の形式を優先させた考え方をしていながら、まるで正反対とも言える選択をしているのである。

こういう考え方の違いは、実は少しも不思議ではない。なぜなら、書き手によって、小説の書き方は違ってくるはずのものだから、である。

②つまり、視点の選び方に決まったルールはなく、その書き手が小説で何を表現していきたいかを見極めつつ、自分で学んでいく以外にはない、とも言えそうだ。よって、この先は真保裕一という書き手から見たケースの話になってくる。その点を、あらかじめご了承いただきたい。

ミステリ上の必然がある場合（叙述トリックやフェア・プレー精神を守ろうとする時のこと）をのぞき、私は物語を効果的に語っていけそうな視点を、常に選択しているつもりである。

この〝効果的〟という表現は曲者だ。なぜなら、ここにも視点の問題が関係してくる。誰にとって効果的なのか、という視点である。

当然ながら、作者にとって、ではない。作者側の利便性を優先させたのでは、まずいい仕上がりにはならない、と断言できる。

作者にとっての利便性とは、都合のいい視

点の選択、という意味である。

③ミステリに限らず、物語には読者に与えておきたい情報が存在する。また、作者が劇的で効果的になると思い、どうしても書いておきたいと考えるシーンもある。それらを、物語によく溶け込ませ、無理なく自然にストーリーを組み上げていくのは、なかなかに骨が折れる。が、そこで作者が安易に妥協すると、小説のバランスは脆くも崩れてくる。

バランスとは、物語の構成に通じる。作中で急に新たな登場人物が出てきたかと思うと、その人物が読者に事件や情報を延々と語り始めるシーン。死体発見のたびに、のちのストーリーには一切関係ない人物がやたらと叫んで慌てるシーン。以上は極端な例だが、書く側にとっては何の工夫もいらず、楽なことこのうえないシーンだ。また、一部の読者にとって、情報を理解しやすくなる面はあるかもしれない。しかし、小説の流れはそこで断たれる。読者の感情移入の度合いも薄れてくる（もちろん、流れが断たれても仕方がない、という選択肢は存在する）。

読者にとって、どう語っていけば効果的になるのか。この辺りのバランス感覚は、多くの優れた小説を読み慣れた者には、自然と身についてくるものではないか、と思う。

私は好きなミステリを何度も読み返した。④特に、名作と言われるミステリの再読三読四読をお勧めしたい。初読の時はおそらく、ストーリーの起伏や人物の魅力に目を奪われ、作者のテクニックを見抜く暇もないだろう。しかし、あらかじめストーリーを知ったうえで再読していくと、作者の苦心が少しずつ読めてくる。視点の選択理由のみならず、謎や情報の提示のさせ方、人物の出し入れ等、学ぶ点は多いと信じる。時には、初読で気づけなかった弱点も目についてくる。名作ほど、考えつくされた語り方を採用しているはずだ。

⑤私が三人称多視点の長編を書くうえで、大いに刺激を受けた作品が、逢坂剛氏の名作『百舌の叫ぶ夜』である。この作品は、本当の主人公とも言える倉木尚武警部の視点から書かれた章がない。すべて第三者の視点から主人公が多角的に描写されていく。しかも、中盤まで物語は時間軸を飛び越えて前後に入り乱れつつ複層的に語られていくため、作者は考えつくしたうえで視点人物を設定し、複雑なプロットを鮮やかに展開していく。また各視点人物を印象づけるために、それぞれ書き出しの一行に並々ならぬ注意を払っている点も見逃せない。

私は一人称で『連鎖』『取引』と長編二作を書いたあと、三人称多視点での技術を学ぶという課題を自分に与えるため、『震源』を書いた。特にその第一章は、『百舌の叫ぶ夜』から学んだテクニックを実践した面もある。第一章で七つの視点を登場させ、〝何らかの計画〟が密かに進行している様子を意味ありげに描いていった。この〝意味ありげ〟な点を強調させるため、その計画の中心にいる人物の視点をあえてさけて書く、という選択をしたのである。

視点の選択には、多くの場合、作者の狙いが隠されている。読者に衝撃を与えたいのか、それともある種の味わいを強調させたいのか、読後感に比重をおきたいのか。それぞれの狙いによって、物語の構成も変わるはずで、その見通しを立てつつ、効果的と思える視点を選んでいきたい。

[6]映像作品の多くが、見た目には三人称多視点で成立している。その手法を使えば、効果的と思われるシーンの連続でストーリーを作り上げていくことができそうに、一見、思える。読者へ提示する情報ごとに、最も効果的と思える視点を選択していけば、情報の提示に困って物語が停滞することはない。そういう考え方を優先させた視点の選択である。

ところが、優れた映像作品になると、三人称多視点でありながら、重要なシーンにおいて視点は限られているものが、実は多い。カメラと視点を混同してはいけない。映像作品において、カメラが主人公を外側からとらえて写すのは、単なる客観描写のテクニックにすぎない。そのテクニックを基本に、どう映像を積み重ねていくかによって、映像作品の視点は築かれていく。

では、映像作品でも、なぜ視点の限定が必要になってくるのか。それは、見ている人をもてなすためだ。映像作品は、カットの積み重ねで人物たちの心情を表していく。映像のワンカットは、まさにどこから誰が対象物を見るかであり、視点の問題に直結している。効果的な視点を選ぶことが演出力であり、映像作家の腕の見せ所でもある（映像作品もふくめた視点については、『夢の工房』というエッセイ集に、「視点の問題」という拙文を収めているので、興味のある方は立ち読みでもいいので参照していただきたい）。

視点の曖昧な映像は、語り手がころころと変わってしまう小説と同じく、散漫な印象を受け手に与えるだろう。選んだ視点の裏に明確な理由があれば、作者の狙いは少なからず受け手に伝わるものだ、と私は考えている。その明確な理由を意識しないで物語を描いていったのでは――つまり視点を場当たり式に選んでいったのでは――作者の狙いまでもが作品中で曖昧にしか表現できなくなるだろう。

⑦映像も小説も、三人称多視点は、物語を効果的に語っていく計算ができていないと――何を語っていくかの明確な意識が作り手の側にないと――人物ばかりが忙《せわ》しなく入れ替わったあげく、受け手の感情移入をそぐだけになりかねない。

小説の場合、特に「神の視点」は難しくなる。一例だが、司馬遼太郎作品を読んでいると、作者が急に顔を出して蘊蓄《うんちく》を述べ始めたり、歴史的考察を開陳するシーンに出くわしたりする。そこがまた面白くもあるのだが、よほど流麗かつ洒脱な文章がないと、違和感なくまとめられないものだろう。読者は司馬遼太郎という作者を強く意識しているから、作者の登場を違和感なく受け止められるのである。

神の視点を採用すると、説明が手っ取り早くでき、読者の混乱を招かない、という利点はある。だから、時代小説や一部の情報小説などでは、時々神の視点が顔をのぞかせる。

しかし、たとえ作者が顔を出さずとも、神の視点は慎重に扱いたい。深海に沈みゆく船を描写する必要があり、読者にとっても効果的だと考えた場合、そのシーンのみに神の視点を採用すべきで、全編を神の視点で押し通そうというのでは、作者という神によほどの存在感がないと、読者は神に感情移入をしてくれない。下手に使いすぎると、反発を招く場合もある。また神の視点とは少し違ってくるのだが、説明だらけの小説も興醒めになる（要するに、説明部分だけ神の視点のように書いていく場合のこと）。説明は物事をわかりやすくはするが、そこで人物やストーリーの動きは停滞する。

[8]視点を固定した場合、今度は先に述べた、読者への情報の提示が難しくなってくる。読者に必要な情報を与えようという目的のみで、探偵が延々と調査に歩き回るシーンが続いたのでは、話が進まずにイライラし、小説を投げ出したくなる読者が出てくるだろう。そこに工夫を凝らし、読者を飽きさせず、もてなしていくのが筆力というものだ。一視点の場合は特に、迫力や起伏に富んだストーリーを展開させるよりも、人物の魅力が小説の出来を大きく左右してくる面がある。先の見通しが立っていないと、視点の選択をしにくい理由がここにもある。すなわち、作者自らが、これから書こうとする物語の核を見据えていないと、視点の選択も本来は不可能なのだ。

一視点のほうが物語に効果的だと思えた場

合でも、一人称にするか、三人称にするか、の問題はまた実に悩ましい。私の場合は、読者に冷静さを保ちつつ物語を楽しんでもらいたい時に、三人称一視点を選択している。一人称は、より主人公に寄り添ってもらったほうが、効果的な読後感を与えられそうだと考えられる時に選択しているつもりだ。

参考までに、『防壁』という連作集を例にとって、その選択の理由を述べてみたい。

この連作集には四本の中短編を収めてある。そのうち二本を一人称、残る二本を三人称一視点で書いている。これは、一人称と三人称を半分ずつにしよう、と意識して書き分けたわけではない。それぞれに作者なりの理由が存在する。

この連作集は、〝危険な小役人〟シリーズと銘打っているように、特殊な公務員の世界を描いており、ある種の情報を読者に伝える必要が出てくる、と予想ができた。[9]一人称で情報を伝えていく場合、語り手自らが情報を読者に打ち明けていくと、説明口調がうるさく感じられてしまう。それをさけるには、シーンを積み重ねていく（ある程度の段取りを踏んで、そのたびごとに情報を提示させてやる）必要がある。そのために、三人称を基本とした。冒頭の「防壁」は最初に書いた中編でもあり、基本どおりに書かれている。

次の「相棒」は、一人称である。これは、ラストで主人公が危険を顧みずに海底から浮上するシーンをクライマックスにしたい、と思いつき、そこが発想の原点になっている。そのシーンで、捨てたはずの女性について主人公が思いを巡らせる時、一人称のほうがより読者に彼の心情を強調できて味わい深くなりそうだ、と作者なりの計算を抱いた。また、ハードボイルドの雰囲気を少しでも出せれば、多くを語らない主人公像は物語の中身にも合致してきそうだった。

三本目の「昔日」は、ラストに手紙を置き、そこで真相を明かしていこうと考えた。手紙の文面は普通、一人称である。最後の手紙を際だたせたい、となれば、あとは自然と三人称になる。

⑩最後の「余炎」は、主人公の幼いころの思い出と今が、ラストで重なる物語にしたかった。読後感を考えると、読者に主人公をより身近に感じさせておいたほうが効果的になるはずと想像し、一人称を選択した次第である。

もちろん、それぞれ別の視点に変えても、小説は成立する。ただ漫然と視点を選んでいるわけではない、という一例にすぎない。作者としてはベストの選択だったと思っているが、最初にことわっておいたように、書き手の目指す方向性によっても変わってくるであろうから、誰にでも当てはまる考え方だとの断言はできない。

いずれにせよ、ただ悩んでいても始まらない。だから、⑪私は視点の選択に迷った時、試しに何でもいいから書き出してみる。そして、別の視点で書き直し、先の見通しを予想しつつ、比較のうえに決断する。『発火点』という長編では、最後まで一人称にするか、三人称一視点でいくかを迷い、最初の部分を書き比べてみた。

破棄することになった三人称一視点の書き出しは、残念ながら残っていない。ちなみに、単行本第一章の出だしを、以下に引き写してみる。

　十九歳になろうとする春から、俺は一人暮らしを始めた。

　これは、一人称ならでは、の書き出しである。もちろん、「俺」を主人公の名前に置き換えても意味は通る。

　十九歳になろうとする春から、敦也は一人暮らしを始めた。

　読んでもどこにもおかしな点はない。しかし、三人称で書くと、単なる説明にしかなっていないように思えてしまう。章の書き出しとしては、あまりにお粗末すぎる印象が残る。

　だから、一人称にして、告白調の雰囲気を出そうとした、わけではない。

　この長編は、読んでいただければわかるのだが、つたない告白調の一人称に意味が存在する。

　それというのも、視点の選択に迷って書き出しを比べているうち、あるアイディアがふくらんできた。それは、プロローグにも出てくる、以下のような一人称を書いている時のことだったと記憶している。

　たぶん俺は勇気がなかったのだと思う。

あえて三人称で書くなら、「たぶん自分は勇気がなかったのだ、と敦也は思う」となるだろうか。しかし、三人称で書くと、どういうふうに勇気がなかったのか、具体的エピソードとともに書かないと、単なる説明の一文にしかならない、と考える癖が私にはある。小説の文章である以上、説明の羅列にはしたくない。だから、三人称の試し書きに、この文章は入っていなかったはずだ。

一人称でこの一文を書いてみると、想定していた物語にふさわしい、と思えてきた。さらには、真の勇気を持てなかった主人公が、物語のラストで勇気をふるってある告白をしたためる、という全体の構成にもかかわってくるアイディアが浮かんできた。視点を決めることで、ラストの確信が持てたのである。

このように、視点の選択は小説の構成をも左右する。試しに書くことで、先の見通しもついてくる。実に貴重な試し書きだった。

登場人物の名前とともに、視点が決定しなければ、物語は書き出せない。視点の選び方ひとつで、小説の語り口から構成までが変わってくる。安易な設定だけは禁物と言えよう。最初の一文を書き出す前に、考えておかなければならないことは多い。

ブスの気持ちと視点から

岩井志麻子　IWAI Shimako

（P.264-270）プロの作家に必要なことは何ですか
（P.264-270）読者の心を摑む人物設定の仕方とはどのようなものですか

いろいろな友人知人に仕事仲間に、無数の敵がいるイワイであるが。ここに、二人の女を紹介したい。あんたの嫁にどうかね、というつもりも、こんなにこんなに変なんですよ、そう私よりも、というつもりもない。

なかなかにこの二人、ミステリーを書くに当たっての参考資料として使えるのではないかな、と思っただけだからね。

ただし、この二人は実在の人物であるのに加えて、イワイのようにヨゴレであること、イロモノであることを生業としてもいない、ごく真っ当な社会人である。

だから、本人を特定できそうなイニシャル表記もしないし、職業や勤め先、年齢、出生地に居住地、性癖、賞罰、将来の夢、好みの男性のタイプ、カラオケの十八番、すべては伏せさせていただく。

仮に松子と梅子と名づけるが、この二人に関して明らかにすることは、松子がナイスバディの美人で、梅子がデブのブスだということだけである。

＊

ある日ある時、二人は仕事のため一人の男性の所に出かけていった。松子も梅子も、彼とは初対面に近かった。名刺交換だけした、くらいの仲だ。

予めお断りしておくが、彼はその他のことはどうだか知らないが、仕事に関してはきちっとした人である。また、もててもてて困るというほどではないが、まぁそれなりで、ついでに職業柄けっこう美人は見慣れている。

　そんな彼に松子と梅子が揃って会いに行き、揃って帰ってきた。そうして松子はにこにこしながら、彼を褒めた。

「彼って素敵な方ですね。最近は有名になってきてあちこち出てるのに、とても謙虚だし気さくだし」

　ところが梅子は、いきなり彼をというより松子を罵ったのだ。

「ほんっとに松子は男を見る目がないっていうか、バカ。あの男もショボい仕事で成功した気になって勘違いして。松子もあんなつまんない男にポーッとなっておだてるから、ますます付け上がるんじゃない」

　松子もぽかんとしていたな。いや、私も彼をものすごく素敵で、ご誠実でご清潔で偉大なる我らが首領様マンセー！　とまでは褒め称えないけど、デートの相手や交際相手を選ぶのではなく、仕事で会うのなら女を容貌で差別区別したりはしないはず、とは庇ってさしあげますよ。

が。私は松子と梅子を見比べているうちに、ああ彼は確かに、二人を差別区別したんだろうなあ、と思った。それは、彼自身も無意識にというのか、自覚をせずにだ。

　きっと彼は、松子と梅子を並べて座らせたら、自分はちょうどその真ん中に来るように座っただろう。

　つまり、膝がどちらにも向かないようにだ。松子の方にだけ気持ちを向けてるんじゃないですよ、二人に平等に接してますよ、となるようにね。

　松子は、そう感じ取っただろう。なぜなら

彼の膝は、松子の方に向いていたからだ。

大体において、膝を向けられている方は気づかないのだ。膝がこっちを向いているということに。だが向けられていない方は、おおむね気づく。

なんでそう言い切れるかって？　私もずっと、向けられない側にいたから。

今でこそこんなふうに偉そうに文章書かせてもらったり、たまにはオモロイ話や芸もできるし、ちょびっと小銭も貯まったりしたもんだから、膝を向けてもらえる時もあるようにはなったが。

気分はいつまでも、向けられていない側、それを自覚している側であり続けている。

これこれ、これですよ。他のミステリー作家の先生方、ミステリーファンの方々には、思いっ切り齟齬ものの決め付けをしてしまいますが、ミステリー小説を書ける人というのは、梅子の視点を持った人なのだ。

思い切って、男に無視されるブスの視点、と言い換えてもいい。

これは、現実の容貌や状況には関係ない。美男美女で金持ちで何かの才能があって活躍していて、なおかつ相手の膝が自分に向けられていても、「向けられているということに気づく」人はいる。

ここに例としてあげた松子は、「向けられているということに気づかない」人な訳ね。こういう人は大体が善良で愛されるが、少なくとも小説は書けないし書かない、と言いたかったのだ。

松子はそもそも、男というものはみーんな

親切で優しくて愛想がいい、そう思い込んで生きてきただろう。対する梅子は、男というものは揃いも揃って不親切で意地悪で無愛想、と思い知らされて今日に至るのだろう。

本当は男とはどういうものか、という問題はさておき。松子よりは梅子の方が、より真実に近いものを見つめてきたと思うぞ。それこそが、ミステリーを書く視点じゃろが。

この世の人を実に大雑把に無責任にイワイが分類すれば、相手に膝を——①「向けられていることに気づく人」②「向けられていることに気づかない人」③「向けられていないことに気づく人」④「向けられていないことに気づかない人」となる。

①の人は、ミステリーでなくとも小説というものを書こうという気にはなる、実際に書くこともできる人だ。ただ、浅いものになるだろうけどね。

②の人は松子に代表してもらうが、書けない書かないよりもまず、小説なんかわざわざ書かなくてもいい人、といえる。でもって、いわゆる被害者の立場に回されることが多いな。ミステリー、およびミステリーな現実の中ではね。

最もミステリーが書きやすい人は、③だろう。つまり、梅子に代表される人々。加害者の方に回る場合が多いな。現実でもミステリー小説の中でも。

まあ、言うまでもないが③に分類される人がみな作家にはならないし、なろうともしない。当然、いつでも加害者になりもしないだろうけど、世知辛いこの世や他人や自身の闇までを見つめられるのは、彼らでしょう。

しかし梅子ってば、せっかく松子よりシビアな現実や人のダークサイド、ことに残酷な男心なんてものを垣間見る機会に恵まれているのに、「膝を向けてこない男」と「膝を向けられている女」を攻撃し恨み妬むのみ、というのが勿体ない。

その資質を生かさないいんだったら、せめてブスのデブに甘んじて機嫌よくしてろよ。と、話が逸れたが。いや、最初から何かが大きく逸れているという気もしないでもないが。

せっかくの「ブスの視点」。「無視される側の怨念」。それを昇華させていけば、重厚な社会派ミステリー、なんぞ書けそうなものだが。少なくとも、創作物は何も生み出さない④の人よりは、一歩前進しているんだがな

（どこへ？）。

ここにイワイの『自由戀愛』から一節を引用したい。

「私」と明子は女学校時代の同級生。貧乏で大した容姿でもない「私」が、社長夫人で美人の明子から、会社の面接用の着物を貸してやると言われる場面だ。明子は「私」を自分の夫の会社で働かせてあげようとしている。「私」の視点は、まさに「ブスの視点」といえるだろう。

「これを着て、うちの会社の面接に来て下さるといいわ」

その口振りと笑顔からは、どうしても明快

な悪意は読み取れなかった。明子さんはあくまでも、「惨めな私に親切にする優しいお友達」のつもりでいるらしかったのだ。

馬鹿にしないでよ！　そう怒鳴り付けて、風呂敷包みをその端整な顔に投げ付けてやれたら、どんなにすっきりしたことだろう。

けれど私は、悔しさと惨めさを押し殺して框に掛け、その包みを開いた。父の口癖が蘇《よみがえ》る。母のようにはなるな。きっとこの包みの中には、母が好みそうで似合いそうな美麗な着物が入っているに違いない。

「……きれいね」

開いた風呂敷の中には、思った通りの着物が畳まれていた。夏の花と涼を感じさせる、鮮やかな青と白の縞模様だ。かなり太い縞で、これは若い盛りの女でなければ着こなせないだろう。

悔しさよりも、その着物が勝った。私は低く、礼を述べた。これを着て会社に面接に行かせてもらう、と。

明子さんは、さすがに私の強ばった表情に気付いていたのだろう。私が頭を下げたことにほっとしたらしい。「私はいつもいいことしかしないのよ」。そんな自信に満ち満ちた顔で、帰っていった。

一人になった私は、そっと姿見の前でその着物に着替えてみた。まずは古びた絣を脱がなければならない。私は、すでに潤いを無くしかけている裸体をも映してみた。

乳房もお腹も、その下の方も。何もかもが薄い。幸も薄そうな体だ。夫だった男が吐き捨てた台詞《せりふ》が耳元に聞こえる。

「お前はちっとも良くない。かさかさ乾いていて、反応も鈍い。つまらん体だ。顔が美しくない分せめて体でも良ければ救われたものを」

《『自由戀愛』P.50〜P.51》（中央公論新社・中公文庫）

＊

つまり、同じ風景であっても見る人によって違うものに映っている、ということです。

さて。不幸にして、あなたが美男美女のすべてに恵まれた、膝を向けられまくりのミステリー作家志望者である場合。そんな人がどうしてミステリー作家など目指すのか、という素朴な謎はすっ飛ばして。

梅子になれ、梅子に会いに来い、というのは無理だから、とりあえずは数々の名作ではなくイワイの本を読んで（ミステリー作品ではないのが申し訳ない）、ブスの視点というものがこんなもんである、というのを摑んで下さい。

文体について

北方謙三　KITAKATA Kenzo

①状況を読者にわからせる場合、何を心がければよいですか
②③効果的に状況を描写する方法を教えてください
④一人称で書くべきですか、三人称で書くべきですか
⑤作家としての心得を教えてください
⑥文学に必要なものは何ですか
⑦⑧⑨文体を確立する上で何に気をつけますか
⑩効果的な句読点の打ち方を教えてください
⑪小説のジャンルによって文体は変えますか
⑫文章にメリハリをつけるためにはどうすればいいですか

⑬形容詞を使うときの注意点は何ですか
⑭形容詞、副詞、接続詞を使うときの注意点を教えてください
⑮自分の文体をどのように確立すべきですか
⑯新人賞を受賞できたら作家と名乗れますか
⑰形容詞、副詞、接続詞を使うときの注意点を教えてください
⑱体言止めは使ってもいいですか
⑲文章のリズムは重要ですか
⑳語尾は現在形と過去形を使い分けるべきですか
㉑漢字とひらがな、どちらを使うべきですか
㉒漢字は統一したほうがいいですか
㉓漢字は統一したほうがいいですか
㉔疑問符や感嘆符は使ってもいいですか
㉕擬音語は使ってもいいですか
㉖小説で最も大事なことは何ですか
㉗改行は必要ですか
㉘一行空ける手法は使ってもいいですか

㉙翻訳文で参考となる作品を教えてください
㉚小説を書くときの最低限の条件は何ですか
㉛自分の文体をどのように確立すべきですか
㉜うまく描写する力をつけるための心構えを教えてください
㉝短編小説と長編小説の違いは何ですか
㉞プロの作家とアマチュアの違いは何ですか
㉟文章にメリハリをつけるためにはどうすればいいですか

■ヘミングウェイの文体をめぐって

――最初はやはり純文学の話からお聞きします。『弔鐘はるかなり』でデビューする以前は純文学のジャンルで短編を書かれていた。その成果が『明るい街へ』としてまとめられたわけですが、一読するとかなりヘミングウェイの影響が強いですね。ヘミングウェイのどこに惹かれたのでしょう。

北方　基本的には文体だね。ヘミングウェイの文体というのは説明がなくて行動で成り立っている。「白い象のような山並み」や「清潔で、とても明るいところ」という短編なんか、会話のなかにも説明がない。それなのにひとつの世界を構築している。ヘミングウェイの短編集でいちばんいいのは『われらの時代』。ニック・アダムズの少年時代を描いた作品がすごくいい。①余計な説明がなくて、本当に描写だけ。

――ヘミングウェイの魅力は、読者をその場所にいきなり連れていくことですね。何の説明も加えないで、その状況に直面させる。ここに名作「殺し屋」の冒頭のコピーを持ってきました。

> ヘンリ食堂のドアがあいて、二人の男がはいってきた。二人はカウンターの前に腰をおろした。
> 「何にしますか？」ジョージが注文をきいた。

「そうだな」一人が言った。「アル、何がいい?」

「そうだな」アルが言った。「何がいいかな」

外は暗くなりかけていた。窓の外に街燈がともった。カウンターにいる二人の男はメニューを見た。カウンターの向うの端《はし》から、ニック・アダムズは二人をながめていた。ジョージと話をしているところへ、この二人がはいってきたのだ。

「おれは、ひれ肉のロースト・ポークだ。アップル・ソースをかけて、マッシュ・ポテトをつけてくれ」

「それはまだできないんです」

「そんなら、なぜメニューに書いとくんだ?」

「それはディナーなんです」ジョージは説明した。「六時になればできます」

ジョージは、カウンターのうしろの壁にかかっている時計を見た。

「まだ五時です」

《「殺し屋」大久保康雄訳/P.172》(新潮文庫)

これもニック・アダムズもののひとつで、アダムズの視点で統一されているんですが、興味深いのは一歩引いて見ていることです。殺し屋たちが食堂のなかに入ってきて注文する場面ですが、読者にはそこにニックがいるとは、最初はわからない。
北方　俺はね、そういう一歩引いて見るような書き方はしない。それに、一行目に「ヘンリ食堂のドアがあいて、二人の男がはいってきた」とあるけど、果たして「ヘンリ食堂」

と名前をいれるべきなのか。ヘミングウェイの客観描写ならそれでいいのだけど、俺ならもっと主人公の視点を打ち出す。ただ単に「ドアがあいて、二人の男がはいってきた」。そのあとに②「何にしますか?」と訊かれて、「ジントニック」と答えさせる。すると読者は、そこがバーだと思う。食べ物を注文したら、食堂かもしれないと思う。そういうことは台詞であらわしたほうがいい。

――主人公がそこにいることを明確にするわけですね。

北方　③視点だけの存在っていうのを書かない。ニックがちょっと動こうとしたら、それに反応する殺し屋を描く。「手をつかみ、行くなと言った」と書いて、殺し屋の一瞬の心理状態をいれる。視点についてはヘミングウェイのほかに、ダシール・ハメットを読んで認識を深めたね。

――三人称にするか、一人称にするかという問題もありますね。ニック・アダムズものは三人称ですが。

北方　④人称の問題に関しては、『棒の哀しみ』（集英社文庫）で実験的な試みをしたことがある。一切の心理描写を排した三人称の視点と、男の心理を捉えた一人称の視点で、やくざの田中を描こうとした。三人称といっても主人公の視点ではなく、読者には、まるでのぞき穴から見ているような構造になっている。つまり視点を、店のなかならそこだけ、アパートの部屋ならそこだけというふうに限定してしまう。そうすると読者には、ある男が店に入ってくる、ボソボソと何か言っている、誰かが「田中」と呼んでいるのを聞いて、初めてこの男が田中っていう名前なんだとわかる。で、男が出ていったら、当然そこに男がいない。そういうやり方で、その男の真実が見えるのかどうか。また、それが一人称の視点に移ったとき、どうイメージが変わるのかということを、自分のなかで追究したかった。

――やくざの田中は、外面描写だけだと一見粗暴な男のように映るのですが、だんだんと潜在的な力を発揮して組織のなかでのしあがっていく。やくざの冷酷さ、凶悪性、そしてある種の潔さなどが、人称を変えた結果、見事に浮き彫りにされてますね。

■純文学からエンターテインメントへ／文体は変化したのか、心がけたことは何なのか？

――『明るい街へ』（集英社文庫）所収の「捕獲」とか「熱い痣」とか、当時は純文学だったわけですが、現在のエンターテインメントの文体と似てますよね。

北方　ぜんぜん変わってないと思う。「捕獲」とかは、死という観念的なものを具象化して書きたかったけど、だったらもっと強烈にやるべきだった。わりと評価されたけど、俺は今でもよくないと思っているの。⑤文学は観念でやっていけないという気持ちがずっとある。

同じころに中上健次が『岬』を発表するんだけど、観念がないんだよ。本当にない。でも文学に成りえてる。ごちゃごちゃと御託を書いて、でも観念的なものが何もないから、なぜか知らないけど生命のきらめきみたいな「真珠のひと粒」をつまみ出すわけ。これは素晴らしい、これこそ文学だって思った。俺は頭でごちゃごちゃ考えてるんだけれども、どうしても真珠のひと粒が出てこない。小説というより文学をやるために生まれてきた人間っていうのがいて、それが中上なのかもしれないとそのときに思った。『岬』を読んでみたら、下手なのよ。改行も何もなくてズラズラ書いてて。俺は、あれよりはるかに洗練された文章を書けるよ。でも中上のように真珠をつまみ出すことはできないと思った。

――純文学からエンターテインメントに転向されるときに、読者を想定して文体を作っていこうとかは考えたんですか?

北方　ぜんぜん考えなかった。文体を変える気がなかった。俺の文体は、変えるほど曖昧なものがない。[6]かなり厳密に言葉を選んで、三行書くところでも一行で済ますという作業をやってきたから。ただ発想が変わった。具体的には、観念性を排除する。人が生きてる痛みがある、苦しみがある、悲しみがある、それはきちんと文章で書いていく。この男はどういう男か、どういう過去があるのかっていうことを書いていくうちに、物語ができていく。

――エンターテインメントをどのくらい意識しましたか。スピードが必要だとか、アクションを的確に伝えるためにどうするかとか考えましたか?

北方　本に関しちゃ擦れっ枯らしみたいな人にも「けっこう面白いじゃない」と言われたいし、本なんかあんまり読んだことない人からも「これ、面白いや」と言われたい。そのためにわかりやすさは意識した。純文学時代は難解な表現を使ったりしたけど、それを平明な言葉で描写していこうと。だけど文体は変わってない。これは、呼吸の仕方が変わらないのと同じじゃないか。一分間に五回深呼吸すればいいっていう人もいりゃ、普通に十五回くらいする人もいる。で、集中してくるとハァハァハァと何回も呼吸するように変わったりする。意識しなくても、その場その場で変わるよな。[7]文体も同じだよ。生理的なものがもろに出てきてしまう。だから文体を大きく変えるなんて、作家にはできないよ。

■生理と密着する文体／息づかい・リズム

――ミステリーにおける文体はどうなんですか？

北方　[8]小説における文体は存在するけど、ミステリーにおける文体というのは存在しない。

――〝読み進むうえで障害のない軽快で無駄のない文体〟とか、〝単純で動きが速くて能率的な文体を心がけろ〟とか、いろいろ言われるんですけど、どうですか？

北方　それをやったら失敗する。[9]意図的な文体っていうのは、うまくいくはずがない。それは自分の文体をどうやって獲得するかの問題なんだと思う。それは生理と密着しているわけだから、生理に反するような書き方をしていたらダメだよ。実は俺が高校生のとき、マル（句点）が原稿用紙にひとつしかないような長い文章を書いていた。「今日、部屋で一郎さんと会って、彼がコーヒーを飲んでいる姿を見たら、ふと彼が××だったことを思い出し、そういえば△△はどうしているかと……」というふうに、えんえんと続く。

――どうしてそういう文体で書こうと思ったのですか。

北方　堀辰雄に「菜穂子」（引用例Ⓐ参照）っていう作品があって、マル（句点）が極端に少ない。自分が結核になる前に読んですごくいいなと感心したわけ。でも後で読み返したらなんじゃこりゃと思った（苦笑）。[10]句点や読点というのは息づかいなんだよ。だから意図的にスピード感を出そうとか、わかりやすくしようというのは無理がある。その人がいちばん快い、生理に合った文体というのが、結局は読者に受け入れられるんじゃないか。それでダメだったら才能がないということだね。

――北方さんは、石原慎太郎さんの『風についての記憶』（幻冬舎文庫）の解説をお書きになっていますが、そこで石原さんの文体の特徴というのは、読点の使い方にあるとお書きになっています。北方さんご自身は読点の使い方について持論とかありますか。

北方　いや、特にないけど、俺は読点の使い方がヘンだって言われる（失笑）。例えば「彼が、歩いていた」とか書いたりするんだけど、読む人によっては違和感があるって。でも俺は、違和感があるようにテンを打って

引用例Ⓐ　堀辰雄「菜穂子」(『菜穂子・楡の家』所収)／新潮文庫　p.102〜103

　圭介にとっては、しかしその嵐以上に、山の療養所で経験したすべての事が異常で、いまだに気がかりでならなかった。それは彼にとっては、云わば或《ある》未知の世界との最初の接触だった。往《ゆ》きのときよりももっとひどい嵐のため、窓とすれすれのところで苦しげに葉を揺すりながら身悶《みもだ》えしているような樹々の外には殆《ほとん》ど何も見えない客車の中で、圭介は生れてはじめての不眠のためにとりとめもなくなった思考力で、いよいよ孤独の相を帯び出した妻の事だの、その傍《そば》でまるで自分以外のものになったような気持で一夜を明かしたゆうべの自分自身の事だの、大森の家で一人でまんじりともしないで自分を待ち続けていたであろう母の事だのを考え通していた。この世に自分と息子とだけいればいいと思っているような排他的な母の許《もと》で、妻まで他処《よそ》へ逐《お》いやって、二人して大切そうに守って来た一家の平和なんぞというものは、いまだに彼の目先にちらついている、菜穂子がその絵姿の中心となった、不思議に重厚な感じのする生と死との絨毯《じゅうたん》の前にあっては、いかに薄手《うすで》なものであるかを考えたりしていた。彼のいま陥《お》ち込んでいる異様な心的興奮が何かそんな考えを今までの彼の安逸さを根こそぎにする程にまで強力なものにさせたのだった。

はじめて読んだ結核文学。消耗性疾患をかかえると、文体が句点まで延々と続くことに気づいた。それで自分が結核になったときに真似てみた。(北方)

るつもりなのよ。だからそう言われるのはいいんだけど、石原さんの場合はさ、読点がトンッと打ってあるかと思うと、その後トントントンッと打ってメリハリがついてるのね。そのへんが『太陽の季節』のころから変わっていないんだけど（引用例Ⓑ参照）、とにかく石原さんの文体というのは、イメージの喚起力がすごいんだ。石原さんの文体については、誰かが本格的に解析して論じてみるべきだと思う。

――現代もののハードボイルドと『三国志』『水滸伝』では文体のリズムが違いますね。後者の場合は、スピーディでダイナミックのような気がします。⑪⑫

北方　それは距離の違いだよ。百メートル走るときの呼吸と、四二・一九五キロのマラソンのときの呼吸って違うじゃない。マラソンのときはうねりだよね。短距離は、ジャブ、ジャブ、ストレート。最後にアッパーっていう感じでさ（笑）。そういうメリハリみたいなものは、文体と違うところにあると思う。メリハリのつけ方をうねりにするのか、それともジャブ、ジャブでいくのか。『三国志』『水滸伝』でも短距離の呼吸を使ったりするんだよ。人殺しちゃうところなんかは、ジャブ、ジャブ、ストレート。けれども全体的にはうねり重視。逆に日本を舞台にした歴史小説なんかでは、もう少し静めようと思ったりする。そういうことはいろいろやる。でもそれは、文体を変えるというよりも、持っている文体をどういうふうに出していくかっていう次元の問題になってくるな。

引用例Ⓑ　石原慎太郎『太陽の季節』／幻冬舎　p.48

　そうした男の経歴はやがて、体を抱かずして相手を愛する女の性《さが》を英子から奪った。彼女は求めるものを、求める術《すべ》の為にますます見失っていったのだ。唯《ただ》その一瞬、低く呻《うめ》き、或いは声高く叫びながら彼女は、愛し得たと信じたが、やがて緊張が柔らぎ、まつわりつく男の顔が、目を開いた自分を覗《のぞ》き込むのを見る度、「ああやはりまた駄目だった」と歯ぎしりし、ふと、あの時、死んでしまった男を追って、顔色を変え車を飛ばした自分が、あの男同様失われてしまった人のように懐《なつ》かしくなるのだった。

戦後民主主義を、反抗というかたちで否定して文学史上に残る作品だった。
今読むと、決して新しくはないが時代に与えた衝撃力は想像できる。（北方）

■形容詞の使い方／新人たちの個性のない文体／形容詞を使わない稽古

――純文学の修業時代に、「形容詞の使い方で作者の視点がきまる」ことを学んだとエッセイに書かれていますね。例えば「美」を形容するとき、「美しい」や「きれい」よりも「いい」を選択したと。

北方　表現はすべて主観的でありながら、客観的に理解されなければいけないと思っている。例えば赤いバラがあって「美しい色」と書く。それもひとつの方法だけど、俺は嫌だ。〝美しい〟という意味は伝わるが、伝わりすぎて誰が書いても同じ。「きれいな色」という言い方もあるけど、俺は「いい色」という主観的な表現を使って客観性を持ちうるようにしたいわけ。そのためには、その前後の描写の積み重ねが大切なんだ。

〝いい〟という形容詞を小説のなかで初めて見たのって、志賀直哉だったんだよね。「城の崎にて」という短編のなかで、イモリがいてね、石投げたら当てるつもりがなかったのに当たったっちゃったという場面がある。その前に、イモリが小川の脇にある石の上にいるの。それを見て「未だ濡れていて、それはいい色をしていた」と書いている（引用例Ⓒ参照）。俺は〝いい〟っていう言葉を小説のなかで見たのはそれが初めて。で、〝いい〟という言葉を、この場面でなんで使っているんだろうと思った。〝美しい〟とも、〝きれい〟とも書かず、〝いい〟と書く。「城の崎にて」は小説というよりも表現方法として非常に完成されていると思う。「いい色」というのが、きちんと説得力を持っているんだよ。普通さ、会話のなかだって「いい色してる」なんて書かないし、純文学だってせいぜい「きれいな色をしている」って書くよ。

志賀直哉は中学生のときに「小僧の神様」を読んで「すごいなぁ」と感心しつつ、「なんかよくわからんな」と思ったのを覚えている。むしろ森鷗外を読んで「ああ、すごいなあ」と思ったりしてた。だから志賀直哉の文体を真剣に分析するのって大学に入ってからだよ。あのころは時間があったから、一字一字「なぜこの形容詞なんだ」って考えたね。吉行淳之介とも比べたりした。

吉行淳之介って志賀直哉に似てるんだよね。言葉の選択ひとつひとつが主観的なの。それと対照的なのが三島由紀夫。例えば三島に「荒野より」という作品があって、吉行の短編と読み比べてみると理性で書かれてるのがわかる。物語は、なんか一人キレたのが出てきて「三島さん、本当のこと言ってください」って言い続けるの。三島由紀夫は木刀持ってってさ、家の中ウロウロして、警察呼ぶんだ。それで警察が来て、「三島さん、本当のこと言ってください。本当のこと言ってください」って言いながら連れていかれる。それで、あいつはどこから来たのかって言ったら、自分の心のなかだと。つまり心のなかにはきちんと街があって、ただそこには荒野もある。あいつはその荒野から来たと。で、最後に「あいつが本当のことを言えと言ったから、私は本当のことを言う」って書いてあるんだ

引用例Ⓒ　志賀直哉「城の崎にて」／新潮文庫　p.29〜30

そんな事があって、又暫《しばら》くして、或夕方、町から小川に沿うて一人段々上《かみ》へ歩いていった。山陰線の隧道《トンネル》の前で線路を越すと道幅が狭くなって路も急になる、流れも同様に急になって、人家も全く見えなくなった。もう帰ろうと思いながら、あの見える所までという風に角《かど》を一つ一つ先へ先へと歩いて行った。物が総て青白く、空気の肌ざわりも冷々として、物静かさが却《かえ》って何となく自分をそわそわとさせた。大きな桑の木が路傍《みちばた》にある。彼方《むこう》の、路へ差し出した桑の枝で、或一つの葉だけがヒラヒラヒラヒラ、同じリズムで動いている。風もなく流れの他は総《すべ》て静寂の中にその葉だけがいつまでもヒラヒラヒラヒラと忙《せわ》しく動くのが見えた。自分は不思議に思った。多少怖い気もした。然し好奇心もあった。自分は下へいってそれを暫く見上げていた。すると風が吹いて来た。そうしたらその動く葉は動かなくなった。原因は知れた。何かでこういう場合を自分はもっと知っていたと思った。

段々と薄暗くなって来た。いつまで往《い》っても、先の角はあった。もうここらで引きかえそうと思った。自分は何気なく傍《わき》の流れを見た。向う側の斜めに水から出ている半畳敷程の石に黒い小さいものがいた。蠑螈《いもり》だ。未だ濡れていて、それはいい色をしていた。頭を下に傾斜から流れへ臨んで、凝然《じっ》としていた。体から滴《したた》れた水が黒く乾いた石へ一寸《すん》程流れている。自分はそれを何気なく、踞《しゃが》んで見ていた。自分は先程《せんほど》蠑螈は嫌いでなくなった。蜥蜴《とかげ》は多少好きだ。屋守は虫の中でも最も嫌いだ。蠑螈は好きでも嫌いでもない。十年程前によく蘆《あし》の湖《こ》で蠑螈が宿屋の流し水の出る所に集っているのを見て、自分が蠑螈だったら堪《たま》らないという気をよく起した。蠑螈に若し生れ変ったら自分はどうするだろう、そんな事を考えた。その頃蠑螈を見るとそれが想い浮ぶので、蠑螈を見る事を嫌った。然しもうそんな事を考えなくなっていた。自分は蠑螈を驚かして水へ入れようと思った。

原稿用紙に作品を書きうつす練習をした最初の作品だった。簡潔さが心に泌み込んだ。
的確な言葉を私に教えてくれた鮮烈な短編小説だった。（北方）

よ。

三島由紀夫の才能は大変なものだけど、非常に分析して再構築して客観的に書くタイプだと思った。自分の心のなかを分析して、街があって、その周りに荒野がある。その荒野から一人青年がやってくるっていう小説だった。これは頭でしか考えられないよな。ところが吉行淳之介の場合には何もない。雪がかかってる家があって、女がいて、なんかそこで快楽が……。吉行淳之介の小説読んでると、一見すると分析的なんだけど、実は主観的なんだよな。逆に、三島由紀夫は非常に主観的な小説を書いているように見えるんだけれど、実は分析的なんだ。俺が純文学やってたころはすごく真面目でさ、小説の表現方法っていうものに関してはものすごく深く考えてたな。

——あるハウツー本に、〝文章の流れをよくし、より焦点の定まった文章にするためには、形容詞と副詞をとりのぞくべき〟とあるのですが、どうでしょう。明確な意味を持つ名詞、より強力な動詞を用いたほうが文章には効果があるというのですが。

北方　ある意味では真実だし、ある意味では真実じゃないと思う。言葉っていうのは、誰がどう使おうといいんだよ。〝そして〟という接続詞が使い方によっては生きる場合がある。「そして誰もいなくなった」って文章で、〝そして〟は生きてるでしょ。やりようによっては形容詞とか副詞だけでなく、〝しかし〟とか〝だが〟とかも生きることがある。でも「しかし／しかし／しかし／しかし……」じゃどうしようもない。この〝しかし〟っていう言葉を効果的に使うのがテクニックなんだ。そのテクニックを身につければ、〝しかし〟を使ってもいい。そうするとほかの〝しかし〟を使ってない部分が生きてくる。だから新人に「〝しかし〟は使っちゃいかん」と禁止するのではなく、⑭言葉を使うなら、その使い方や効果をきちんと考えるべきだと言いたいね。

でも、その言葉の効果を知るまでには、かなりの量を書かないといけない。〝しかし〟と書いてしまって、その〝しかし〟がすごく生きてるってことを自覚できるのは、ある程度の量を書いてこそだ。今の新人賞レベルの文体はひどいよ。⑮文体がない。文体として形成されるまで文章を書き込んでない。そこだね問題は。どんな変な文体でも、実は説得力を持ってるんだ。いわゆる読者に対する伝達力が出てくる。ところが今新人賞に応募してくる人たちっていうのは、二本目、三本目の作品なんだ。それって何なんだ？　そんなのは書いたうちに入らん（笑）。二十本、三十本書いて、ああ、やっと書きはじめたとなる。二百本、三百本書いて、ああ、やっとそここそこ書けるようになったんだと。そんな世界だと思うよ。新人賞っていうのは二本目、三本目で最終候補になれる。で、新人賞っていうのはその年の応募者の一位を決めることだけど、一等賞決めたやつには⑯「あんたは作家なんじゃない、誤解するな、作家になるスタートラインに立っただけなんだ。で、作家になる可能性はある。でも、新人賞もらって消えたやつのほうがはるかに多いんだから」って必ず言うの。

――形容詞の問題で、〝形容詞などは使わなくていい〟とエッセイで述べられていますね。〝女の仕種や会話からいい女のイメージを読者に与えるのが可能である〟と。

北方　そう、論を進めるとそうなる。形容詞[17]は読者の頭のなかにあり、それを引っ張り出すような文章を書けばいい、ということだ。その努力を惜しまぬことが大事。つまり言葉をできるだけ使わずに描写をする稽古だ。そうしてきちんと書けるようになれば、逆に形容詞の効果というものがわかってくる。

■**体言止め・語尾・漢字・字面・記号・擬音**

――体言止めはどうですか？　体言止めはやるべきじゃないとおっしゃってますが。

北方　体言止めはやるべきじゃない。安直すぎる。[18]昔はやったけどね。「棒がとんできた」「棒が見えてきた」「棒が襲ってきた」いろいろ書くわけ。どれもダメなの。どれもダメだと思うときに、「棒。」っていう。それだけのことをやったことはある。

――でも、体言止めはけっこうリズムを作りますよね。

北方　体言止めっていうのは、いちばん省略した形なの。だから文体のリズムは非常に速くなるんだけど、やはり安直だな。いちばんリズム、スピード感を出す方法は書かないこと。

――書かない？

北方　五味康祐の『柳生武芸帳』にあるんだけど、柳生十兵衛が剣を抜いて、その次はどうなるんだろうと思ったら、次の行ではもう決着はついているわけ。つまり、ダーって斬り合った場面を書かないで、行間に埋め込んでいるんだよ（引用例Ⓓ参照）。

――それはちょっと高度すぎますね。

北方　誰にでもできることじゃないけど、いい文章なんだ。だから書かないことがいちばんなんだよね。で、書いてもできるだけ短いほうがいい。

――ご自身のなかではリズムを重視されますか。

北方　[19]リズム感は大きい。音痴がいるように文痴ってのもいる（笑）。すごいこと書いてんだけど読みにくい。素質の問題だと思うな。俺はテンポ、リズムを重視してるけど、どこだってポンポンポンといくわけじゃない。ゆっくり書くところはゆっくり書く。テンポよくいくとこはポンポンといく。そういうのは体が覚えている。それは俺の数少ない素質のひとつだろうと思ってる。とにかく本当に大事なのは、いろいろ文体のスピードを変えていって、テンポをつけようと思えばつけられるようにすることだな。

――語尾の問題になりますが、意識的に現在形と過去形との使い分けをしてますか。

北方　[20]自分のなかではね、〝た〟は三回は続けない。「……だった。／……した。」と来たら、次は「……する。」と変える。まあ、三つも四つも続くときがあるけれど、心がけとしてはふたつだけ。

――初期のころは、ヘミングウェイほかの翻訳の文体の影響なのか、過去形が目立ちます。

引用例Ⓓ　五味康祐『柳生武芸帳』／新潮文庫下巻 p.231〜232

十兵衛と多三郎の太刀が交叉《こうさ》したのはほんの一時《いっとき》である。多三郎の方から不意に駆け出して行って、鋭い気合が双方の口からほとばしり、ついで、両者はとび離れた。

「十兵衛どの」家六が叫びかけた。

庭の暗闇《くらやみ》にぼんやり二つの影が対峙《たいじ》している。

燈籠《とうろう》か何ぞのように、じっと動かない。そばへは如何《いか》な家六にも近寄れなかった。勝負は既に決している！　いずれはどちらかが、倒れる。

長編の複雑な構成に驚かされた。私にとっては『戦争と平和』なみに精読しなければ理解できない作品であった。完読するとさすがに面白かった。（北方）

北方　「明るい街へ」とかは、ずっと〝た・た・た・た〟。〝だ〟や〝た〟とか、同じ語尾を続けることに抵抗を覚えなかったのだけど、でもだんだんやっぱりね、少し変えたほうがいいんじゃないかという気になった。で、実際問題、自分のゲラを客観的に読むと、〝た・た・た・た〟とあるとさ、ちょっとこれはリズムが畳み込みすぎだなって思って、〝た・た・る・た・た・る〟っていうふうに直す。

――言葉を漢字にするか平仮名にするかという問題がありますね。

北方　㉑まず難しい漢字は使わない。読めない漢字もルビふって使うことはめったにやらない。漢字が続くと字面が悪いので、開く（かなにする）場合もある。それで漢字の不統一の問題が出てくるけど、統一する場合としない場合とがある。例えば〝ふね〟だったら船と舟がある。小さいものは舟で、大きいものは船にして統一はしない。〝ほのお〟もそう。焰と炎は使い分けている。㉒そのときの状況によって、パッと生理的に判断してる。書くという行為を通して、作家は生理的に自分を分析していくんだよな。一字書くことによって、前と違う字だな、違う言葉を使ったなとか。㉓言葉ひとつ、漢字ひとつで意味も違ってくるし、見えてくる世界も違ってくる。書くというのは、自分が何と向かい合っているのかをたえず確認していく行為なんだ。

一方で、それしか使わない漢字もあって、俺は「からだ」というのは「躰」というのしか使わない（引用例Ⓔ参照）。「体」「身体」

「軀」「躰」といろいろな漢字があるけど、これがいちばん「からだ」という気がしてくる（笑）。吉行淳之介さんは、身という字の右側に區を使う「軀」を使っていたね（引用例Ⓕ参照）。

——記号についてはどうでしょう。全般的に、疑問符や感嘆符が増えてきました。

北方　使うのは[24]疑問符だけ。それ以外は使わない。ただ毎回使うのではなく、疑問形なのかそうじゃないかを見極めていく。要は読者にわかりやすいようにすること。

——かつての純文学では疑問符すらも使わなかった気がしますね。

北方　純文学では使わなかった。要するに、言葉以外のものはカギカッコ、会話体のカギカッコしか使わなかったと思う。本来的な意味においては、俺は疑問符だって必要ないと思う。ただ読者が、本当にこれが疑問形なのかどうかと不安になると悪いから使う。

——擬音はどうでしょう。

北方　擬音[25]は基本的には使わない。擬音を使うときは、カタカナでなく平仮名を使う。例えば焚き火があってそこで魚を焼いてる。魚を焼いてて汁とかがぽたっと落ちる。〝じゅうじゅうっていう音がした〟。これは、平仮名の「じゅうじゅう」っていう音がね、いちばんリアリティがある（引用例Ⓖ参照）。これも擬音の一種なんだろうけど、それくらいしか書かない。だから擬音は少ないと思う。

——それは純文学出身のこだわりかもしれませんね。擬音は恥ずかしい。素人みたいと、昔はいわれた。

引用例Ⓔ　北方謙三『いつか時が汝を』／幻冬舎文庫　p.26

袖の上から、男の腕に嚙みついた。男が叫び声をあげた。渾身の力で、腕にしがみつき、顎を嚙みしめた。躰が、宙を舞うような感じがある。どこかに叩きつけられる。それでも、顎の力は緩めなかった。叫び声が、悲鳴に変っていった。

吉行氏の「軀」を見てこれは吉行氏独自のものだと思った。
ならば自ら独自の「躰」を作ろうと思った。
長く使うとリアリティが出てくるものである。（北方）

引用例Ⓕ　吉行淳之介「原色の街」／新潮文庫　p.10

この街の男女関係は、きわめて明晰《めいせき》である。女にとって、この街にいることは、どんなに美しく稀《まれ》にはういういしく見える女でも、定まった金額で軀《からだ》を売るという徽《き》章《しょう》を身につけていることである。

引用例Ⓖ　北方謙三『不良の木』／光文社文庫　p.244

「これが、昼めし？」

「不服か？」

「いや。こんなふうに昼めしを食うの、はじめてだから。自分で釣った魚なんだから」

「まあ、新鮮なバター蒸しってとこだ。釣ったやつは、最初に食う権利がある」

焚火のそばで、しばらく待った。俺は煙草を喫い、しばらく空手の型をやり、安彦はトーテムポールを削っていた。

いい匂いが漂いはじめてくる。ここで食うと、せっかくの魚が台無しなのだ。少し火から遠ざけ、熱がじっくり回るように、しばらく置いておく。

三十分経って、ようやく俺は頷いた。

紙の皿の上で、アルミホイールを開く。バターが、じゅうじゅうと音をたてていた。腹の中の玉ネギにも、充分に熱が通っていて、いくらか透明な感じになっている。少しだけ塩をふりかけた。


擬音というものを使うことはめったにない。

ただ、匂いが立ちのぼってくるような擬音があるのだと思った。

鼻が刺激されたときだけ使うことにしている。（北方）

北方　今は違うけどね。でも、小説でもっとも大事なのは描写なんだ。描写の背後に作家のきちんとした人間観や生命観がある。そういうものをしっかりと表現したいと思っている。記号や擬音は本質的なものではない。[26]

■改行について

――ライト・ノヴェルや電子メールの影響なのか、若者の小説ではやたら改行の多い文章が目立ちます。改行についてはどうでしょう。

北方　改行は苦労した。最初は改行できなかった。ずっと続いている描写なのになぜ改行しなくてはいけないんだと思ったことがある。でも、担当編集者が〝やはり改行は必要です〟と言うわけ。〝読みやすいという意味でも必要です〟と。それで、まあ少しくらい改行するかと渋々やっていた。初めのころは抵抗があったけれど、だんだん慣れてきた。今なら半ページ続いたら、改行する。改行のポイントは、読むときのリズムと場面転換。そういうものをすべて考えて改行する。[27]
改行のない文章っていうのは非常に読みにくい。改行をある種の漢字だと思えばいい。平仮名で全部書かれた文章は読みづらい。さきほどの「殺し屋」の舞台になるけど、〝へんりしょくどう〟って平仮名で全部書いてあったら読めない。ところが〝ヘンリ食堂〟と書いてあれば、パッと食堂のイメージがわく。漢字が存在してるのと同じように改行が存在してると、非常に読みやすくなると思う。

——一行空けの手法もあります。

北方　前はほとんどやらなかったのだけど、今は『水滸伝』と『三国志』でやっている。戦場の場面を書くときに、一人の人間の戦闘状態を書いて、次に[28]違う人間の視点でぽんと書くときには一行空ける。

——時間の経過をあらわす意味で、一行空ける人もいます。

北方　俺は、それはやらない。視点がまるで違う人間になる場合だけ。

■文体の条件

——ダッシュ（——）とかはどうでしょう。馳星周の小説でお馴染みですが。

北方　馳が何かを究めようと思ってダッシュを使っているのか、あるいは何かを壊そうと思って書いているのか。壊そうと思って書いているなら、まだ表現の段階に達してないと思う。壊そうと思ったら、壊したあとにどうやって組み直するかっていうところまでいかないとダメじゃないかな。〝あいうえお〟って書いてあれば、これは〝あいうえお〟って書いてあるとわかる。でも、違う記号で書いてあればわからん。普遍性がないということだ。普遍性がないものを文章に使っていいのか。今の基準からいけば反則になるが、でも馳が何かを変えたいというのはわかる。だからいろいろ文体の実験をしてみるべきだとは思う。

——ダッシュはジェイムズ・エルロイの『ホワイト・ジャズ』（文春文庫）の影響かと思

うのですが、影響といえば、過去形を多用した文体も多くなってきている。さきほどと少しダブりますが、翻訳調の文体はどうですか？

北方　[29]翻訳調の文体というのはね、基本的に馴染めるものと馴染めないものがある。翻訳者によって違ってくる。やっぱり優秀な翻訳者の翻訳はいいよ。文体を持っている。ジョゼ・ジョバンニの『穴』『墓場なき野郎ども』を翻訳した岡村孝一さんの文体はすごい。ジョバンニを訳した別の訳者の文体と比較するとかなり違うので、岡村さんの意訳・超訳の部分もあるかもしれないけど、あの張りつめたダイナミックな文体は、岡村さんの素晴らしい才能によってなされたと思う。訳者次第では駄作も傑作になりうることがある。

[30]日本語を正確に書くっていうことを、まず小説を書く人はクリアしてほしい。正確に文章を書く。テニヲハをきちんと書けるか。そこから始まると思う。それが書けないやつが多いんだから。そんなやつに文体もくそもねえだろ。これはハッキリ言って、デッサン、筆づかいがなっていないということだ。例えば抽象画を描くにしたって、きちんとデッサンできるやつが描いた抽象画と、デッサンしたことないやつが描いた抽象画とはまるで違う。[31]文章をきちんと書けるやつが文体でいろんな実験や冒険をしたときと、文章書けないやつがしたときとではぜんぜん違う。そのへんは明確に出てくる。だからまず文章をきちんと書く。それから実験や冒険をしろと言いたい。

■短編の方法論

――描写で一筆書きのうまい人も減りましたね。二、三行で人物像が目に見えるように書ける人が減りました。

北方　それには明確な原因があるんですよ。厳格な枚数制限で仕事をしないからです。かつて俺たちは五十枚と言われたら、五十枚できちんと書くぞって思って書いた。このテーマで五十枚書けるかなと思ったら書けない。これだったら書けるという確信のあるテーマでいく。五十枚より一枚でも増えたら絶対載っけてもらえないと思ってるから、[32]五十枚目の最後のマスに丸を打つくらいの気持ちで書く。枚数制限の中で書いたらさ、どうしても言葉を削らなきゃいけない。表現を削らなきゃいけない。的確にやらなきゃいけない。そうするとこれしかないっていう言葉を選んでやる。だけど今はさ、デレデレと終わるところまで書く。だから一筆書きができない。

――掌篇集『コースアゲイン』（集英社）が上梓されたときに、もう一度文体を鍛え直したかったとおっしゃっていました。PR誌に連載したもので、毎回十五枚の読み切りでした。

北方　そう十五枚の読み切り。十五枚できちっと書くっていうのはね、実はしんどかった。うまくいくやつもあれば、そうでないのもあって多少ばらついたけど、でも十五枚できちんと掌篇を書ける作家は、ジャンルを問わずそんなにいるはずがないと思いながら書いた。

——凝縮した短編が揃っていますね。かなり難しい仕事なのでは？

北方　『コースアゲイン』みたいなのをきちんと評価してほしいと思うね。というのは、小説の本質のひとつがあると思うんだよ。例えばこんな短編がある。昔、年上の女と付き合ってた。だけど同世代の若い恋人ができちゃった。だから〝さようなら〟って言ったら、〝私はおばさんだから〟ってポロッと泣いた。それが何十年も心に残ってて、あるとき〝あいつだ〟って思ったら、ボケちゃって、名札をぶら下げてるんだけど名前も違ってて、わからないけど〝あいつだ〟って思ってる。そういうもののなかに人生ってあるじゃない。そういうものを書くことこそが小説だったりする場合もある。『三国志』や『水滸伝』とかさ、長いものを書く。これはね、書けるんだ、力があれば。力があれば書けるんだけど、でも『コースアゲイン』となると、力なんか何も関係ない。力があろうがなかろうが、書けないときは書けない、書けるときは書けるっていう、そういう小説なんだ。それこそね、何か本当の作家の資質みたいなものが出る。北上（次郎）さんにずっとね、〝北方さんは短編作家だよね〟と言われてたことがある。それは彼が『帰路』や『錆びた浮標《ブイ》』（ともに講談社文庫）を評価してくれたからなんだと思う。ずっと〝短編作家でしょ？　あなたは短編書くのが好きでしょ〟と言われてたの。今だって俺、その要素はあると思う。[33]ただ、短編書くのは大変だからね。

■アマチュア作家の原稿に朱を入れる

——では、最後に実践篇としまして、ここに小説家志望の素人の原稿を持ってきました。朱を入れるとどうなるでしょうか。文体のブラッシュアップの実践としてお願いできませんか？

北方　どれどれ……。（一分の間にすらすらと朱を入れていく）こんなふうになっちゃったけどいいかな（図A参照）。「舳先がゆっくりとローリングし、そのむこうに太陽の頭が踊っていた」という文章で充分なんだよ。「海面を照らしつけるその」は要らない。「眩しさに」だけでいい。

——なるほど。キレがよくなりますね。

北方　新人賞に応募してくる作家志望のほとんどにいえることだが、文体にキレがないよね。説明が多い。[34]「舳先がゆっくりとローリングし、そのむこうに太陽の頭が踊っていた」のあとは「眩しさに、慎吾は目をしばたたかせた」の一文だけでいい。ほんと言うと、「眩しさに、慎吾は目をしばたたかせた」も要らないんだけど、まあ、あんまりやるとなくなっちゃうからさ（笑）。

——どうしても説明したくなってしまうんですね。

北方　描写ではなくて説明なんだよな。この人は下手じゃないですよ。ただ最初の四、五行にこれだけ余分なものがあるんだよな。[35]削りに削って文章を絞り込み、本当に濃密に書かなきゃいけないところを思い切り濃密に書けばメリハリが出てくる。とにかく、〝トル・トル・トル〟っていっぱい指定したけれど、このトル作業っていうのがいちばん大切なんだよ。

（聞き手／構成・池上冬樹）

図A

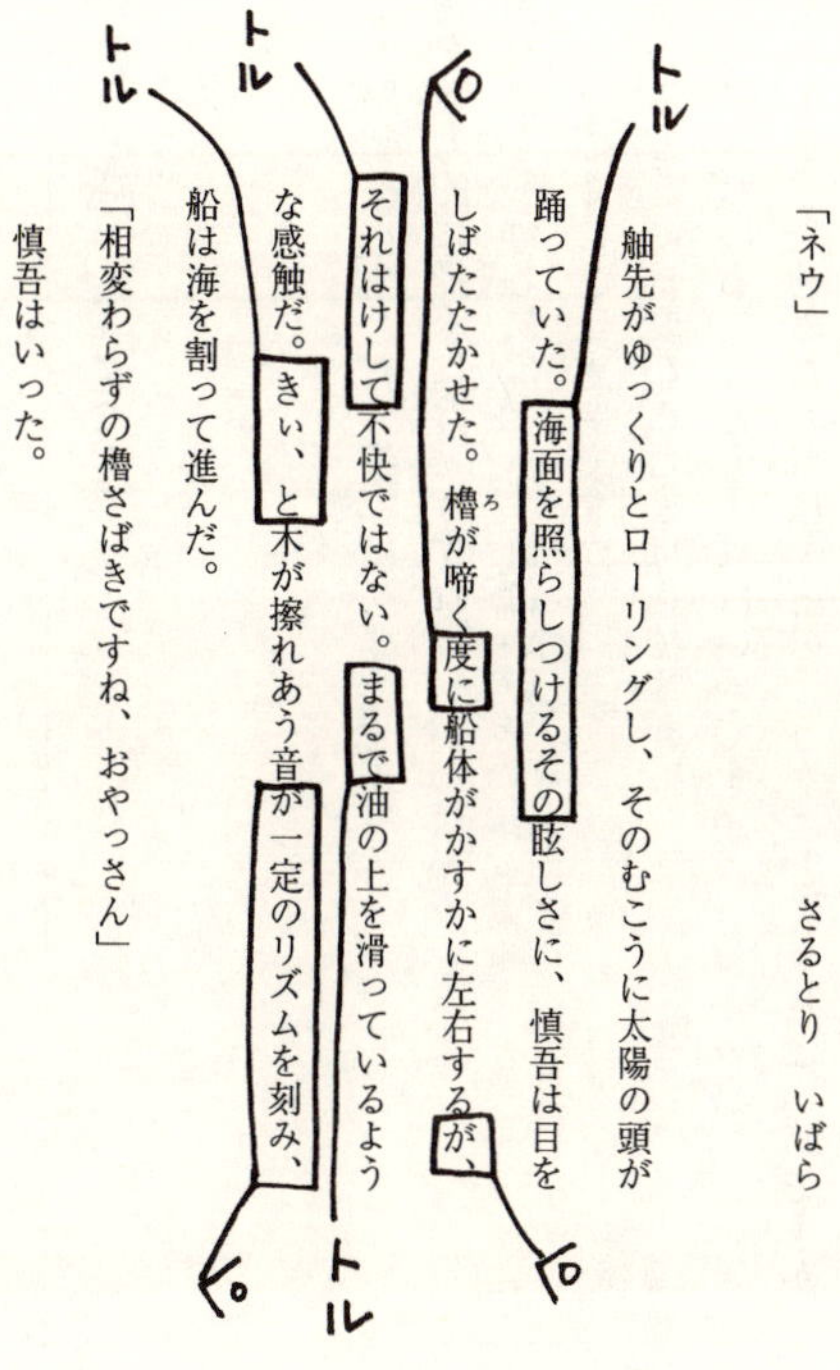

「ネウ」

さるとり　いばら

舳先がゆっくりとローリングし、そのむこうに太陽の頭が踊っていた。海面を照らしつけるその眩しさに、慎吾は目をしばたたかせた。櫓《ろ》が啼く度に船体がかすかに左右するが、それはけして不快ではない。まるで油の上を滑っているような感触だ。きぃ、と木が擦れあう音が一定のリズムを刻み、船は海を割って進んだ。

「相変わらずの櫓さばきですね、おやっさん」

慎吾はいった。

さるとりいばら氏は、僕が世話役をつとめる山形の「小説家（ライター）になろう講座」の生徒です。講座は年10回。
各社編集者や作家などが講師をつとめています。（池上冬樹）

登場人物に生きた個性を与えるには

柴田よしき SHIBATA Yoshiki

（P.305-318）服装や小物などの描写は必要ですか
①登場人物を魅力的に描くにはどうすればいいですか
②登場人物を描きわけるにはどうすればいいですか
③ディテールを描くことは重要ですか
④視点を定めるときに重要なこととは何ですか
⑤登場人物を描きわけるにはどうすればいいですか
⑥キャラクターを立たせるためには、どのようなことをすればいいですか
⑦会話は重要ですか
⑧作品のレベルを上げる特効薬はありますか

　キャラが立っている、という言い回しをどこかで目にしたことがある人は多いと思う。人物の性格や性質、存在感など様々なものをまとめて「キャラ」と考え、それらが生き生きとしていて、小説なりアニメなりの中で目立っていることを指す言い回しだが、これは、（昨今、キャラ立ちばかりを重視する弊害もあるとは言え）登場人物の個性が読者に印象づけられることで読者の興味を最後まで離さない、という面では大きな武器となる状態である。

　群像小説のように複数の登場人物をきめ細かく描き、複数の行動や考え方がまとまって全体としてひとつの物語を構成している、というような作品は、人物を描く力がよほど確かでしかも、作品のプロットががっちりと骨太で精密でなければ成功しない。これは、これから作家になろうとする人が選ぶ小説としてはかなりハードルが高い。これから新人賞に応募しようというのであれば、①②まずは無理をせず、限られた登場人物をプロットの中で最大限に活用する方法で物語を構築した方が、デビューへの早道となるように思う。

　では、限られた登場人物それぞれのキャラを立たせる、にはどうしたらいいのか。

　ひとりひとりの人物をしっかり描き分ければいい。と、答えるのは簡単であるが、人物の描き分け、という作業に対して、誤解をしたり錯覚に陥ったりしている書き手は、プロアマ問わずかなり多いように思う。

③非常によく見られる錯覚のひとつが、人物

の服装や髪形を描くことで人物を「描き分けた」と思い込むことだ。新人賞の応募作では普通に見られる失敗例が、とにかく出て来る人来る人、まずは髪形とか服装、靴やバッグ、女性であれば口紅の色だとかマニキュアの色など、律義に外見の描写が細かくなされている状態。書いている本人は、一所懸命調べた最近流行の髪形や服装、靴などを持ち出すことで、その人物を今風のおしゃれに関心の高い若者、と描き分けたつもりでいるのだろうが、実のところ、それらの髪形や服、小物などに対して予備知識のない読者が読んだら、そんなものの名前がずらずら並んでいても、何ひとつ印象には残らず、イメージも湧かない。あるいはその逆に、いかにもださくおしゃれでないふうな服装などを細かく描くことで、身なりに構わない人間であることを描写しようとする手段も、書き手が期待するほどの効果はあげてくれないだろう。なぜなら、「身なりに構わない人の身なりを事細かに描写される」こと自体に、自己矛盾があるからだ。身なりに構わない人であることを読者に印象づけたいのであれば、身なりについてあまりしつこく描くのは逆効果になりかねない。

④さらにもう少し小説の技術的な部分で、書き手が過ちをおかしていることもある。つまり、描写の「視点」が今、Aという人間にあり、そのAがBの身なりについて語っているという場合、身なりの描写の素材となる知識(服のブランドだとか靴のメーカーなどなど)は、Aの作中における知識を超えることはできないはずなのだ。特におしゃれでもな

い男性の視点で描かれているはずなのに、その視点の主が、やたらと服やバッグのブランド名を列挙するのはおかしいのである。

　気をつけて読んでいると、プロの作品でもこうした落とし穴に落ち込んでいることはあるし、ましてや新人賞の応募作ともなると、珍しいブランド名さえ出せば新しい小説だと思って貰えるという誤解によってか、登場人物の描写なのかブランド服の説明なのかわからなくなっているようなものまである。

　こうして、髪形だ服だ靴だと外側ばかり丁寧に描写された人物は、しかし、決してそれだけでキャラが立つことはないし、意外なくらい読み手の印象には残らない。印象に残るのは服の名前ばかりである。

⑤まず確認しておこう。人物を描き分ける、というのは、外見を事細かく報告することとは、まったく別のことなのである。もちろん、小説の都合上あるいは構成上、外見描写が細かく必要なケースはある。が、それは、小説的理由で必要なのであって、登場人物を「描く」上で行われているものではない。簡単に言うと、その人のしている時計がミステリーのトリック上重要であれば時計を描かなくてはならないが、時計を描いたからといって、その人の「何かについて語ったこと」にはならないのだ。

　いや、そんなことないよ、●●というブランドの時計をする人なら、ある程度お金があるとか、ヨーロッパの小物が好きそうとかって、それなりに個性は出るよ、という反論が当然、来るだろう。が、そうした、●●時計=金持ち、というような発想そのものが、いかに凡庸で個性のないものなのか、その点にもう一度思いをはせてみて欲しい。

昔、登場人物が金持ちであることを簡単にあらわす方法として、ベンツに乗せる、というのが常套手段だったことがある。もちろん今では、ベンツも価格帯が広くなり、ローンの金利が安かったり中古車のレベルが上がったりして、そんな図式は成り立たなくなったが、それでもまだ、何の疑問も感じないでそうした構図に登場人物をはめ込む書き手はいる。そして、それが一種のパロディとして機能するような場合には、今でも有効だ。しかし、金持ちであることが読み手にわかるだけでは、その人物のごく一部分を切り取って示しただけにすぎない。金持ちであるなら、いったいどんな金持ちなのか。成金なのか先祖代々の金持ちなのか。金持ちなのにケチなのか、太っ腹なのか。そうしたことをベンツ一台で表現するのはかなり難しい。が、それが例えば、誰かと食事をする、という場面でそれを描くのであれば、効果的に表現することが可能になる。どんな料理を好むかで幼い頃の成育環境がわかることもあるし、味の好みで出身地がほうふつとされることもある。料理の値段を気にするかどうかで、経済感覚まで見せることもできる。その人物を安易にベンツに乗せるよりずっと効果的に、その人物について語ることができるのだ。

これと同じことが、服装だの髪形、小物の

件で言えるのである。確かに、高級ブランド時計を腕にはめれば金があること、もしくは金をつかうことに抵抗の少ない人間であることは表現できるかも知れない。が、そこまでなのだ。表面的で浅く、かつ、すごくありきたりな表現にしかならない。これを、あえて服装や小物などの描写は最小限にとどめ、その代わり、幼い頃にどんな物で遊んだか、などという話題を語らせてみるとどうなるか。経済的に恵まれていなければ買って貰えなかった人形やオモチャで遊んだ、という話をさせれば、子供の頃からいい暮らしをしていたことが読み手にスムーズに伝わるし、逆に、昔はあれが欲しくて泣いたよ、というような言葉があれば、かつては苦しい生活をしていたのに今は豊かになったのか、とわからせることができる。また、オモチャの選び方やそれに対する語り口によって、物への執着度合いだとか、他人とのコミュニケーション能力だとかをうっすらと読み手に想像させることもできるのだ。

髪形や服装、持ちものなどが読者に与える情報は、読者がその物に対してどのくらいの知識を持っているのか、という部分によりかかった情報で、書き手が意図したほどの効果があがらないことはままある。その上、下手をすると、ベンツの例でわかるように、それが与える印象が画一的で、かえって登場人物を無個性に印象づけてしまうことすらある。何より、書き手としてのオリジナリティに致命的に欠けている。髪形や服装ばかり描写する文体では、そのうちに読者が飽きる。新人賞レースに参加した時には、凡庸、という手痛いレッテルを貼られることにもなる。

外見の描写をあまり用いないで、語る言葉や仕草でいかにその人物を印象づけるか。その人物についての情報を読者に与えられるか。課題としては難易度が高いが、それを意識して自分に課して書くようにしてみると、人物のキャラが自然と立って来るのを感じるはずだ。[6]

なぜなら、外見の情報がなくなると読者は無意識に、それ以外の細かな部分から情報をくみ取ろうとするからだ。つまり外見の描写が少ないことで、読者が、より積極的になってくれるのである。自分のことを挙げて恐縮だが、わたしはどの作品でも、登場人物の外見は必要最小限しか描写しない。その分、読み手は勝手に人物の顔形などを想像することができ、勝手に映像を脳裏に描くことができる。そうすると、読者がキャラに対していれ込む度合いは、事細かに映像的に描写してしまった時よりも、明らかに強いのだ。愛読者からのメールには、「●●（登場人物）を映像化するなら俳優の誰それがいいと思います」というようなものが非常にたくさんあるが、面白いことに、ほとんどばらばらで、ひとりの俳優に人気が集中することがない。それだけ、読者は勝手にイメージを膨らませ、自分だけの物語世界を築いていてくれるということだろうと思う。

読み手の方で積極的になってくれる、とい

うのは、書き手としては非常にありがたい状態ではないだろうか。まして新人賞の選考では、魅力のある、惹きの強い作品は断然有利である。選者はプロの書評家や作家がほとんどであるから、どのような作品ならばプロ作品と呼べるか、その水準を知っている。そしてその水準を満たしたものが多くあった場合、その中で優劣を決めるとすれば、「作品の魅力」が何より重要なのであり、その作品の魅力、の中で大きな位置を占めるのが、登場人物の魅力、なのである。

魅力的な登場人物とは、つまり、読み手がイメージを膨らませることができて、読み手が感情移入しやすく、読み手の頭の中で、独自の映像となって動くような者であろう。そうした魅力的なキャラクターは、外見よりも言葉や行動によって形づくられるのだということを、いつも頭にとどめておいて欲しい。

となると、会話、がいかに重要なものであるかがおのずとわかって来る。

これまで書いた小説において、登場人物たちが交わした会話に、あなたは細心の注意とありったけの熱意を注ぎ込み、徹底して言葉を吟味しただろうか。

会話、にこそ、登場人物の「すべてを決定する要素」を詰込むことができるということに、思い至ったことがあっただろうか。[7]

なんとなく受け答えさせたり、物語を先に進めるためだけに無意味な会話をさせたり、状況説明が面倒なので喋って説明させたり、というなおざりな書き方をして来なかっただろうか。

誰それが言った、という説明なしでは、誰が何を喋っているのかさっぱりわからない、というような、無味乾燥な会話場面を頻発したりしていなかったか。

それらの怠惰は、外見を描写して事足れりとする錯覚あるいは誤解とセットになりがちなものなのである。会話部分が面白くもなんともない小説に限って、登場人物の外見とか履歴が不必要にずらずらと並べられているというのは、本当によく見受けることなのだ。

いくつか例を挙げてみるが、まず、物語を先に進めるためにだけ会話させるというパターン。

「そう言えば、明日の予定は、三時に新宿の喫茶店でA社の担当と打ち合わせ、そのあと六時から渋谷のライヴハウスでトークショー、八時半に同じ渋谷のレストランでDさんの婚約パーティだったよね。僕は三時に新宿に行くには二時にはここを出ないとならないから、二時まではここにいるよ」

「ああ、そうなんですか。では二時にここに電話すればいいですね」

え、この会話のどこがだめなの、普通じゃないか、と思う人は、読者としてはさておき、新人賞を狙う人としては今一歩のレベルだと自覚して欲しい。自分の記憶力を常日ごろから自慢している、というシチュエーションでもない限り、明日の自分の予定について、他人相手にずらずらとそらんじる必要などはない。しっかり暗記できているのならば、声に出して確認する必要はないし、声に出して確認するのであれば、それに答えてくれる人物もその予定をしっかり把握していなければ意味がない。これは、二時に話し相手に電話させる、というストーリーの都合をこの二つの会話で無理にすべて決定しようとしたために、会話の中身が粗雑になった例である。「そう言えば～だったよね」と同意を求める以上、相手もその予定を知っていなくては不自然で、もし知っていないのであれば、ここではまず、カレンダーの書き込みなり手帳のメモなりを登場させ、それを見て確認しながら予定について語る、という手順が必要なのだ。しかも、二時に電話させることが目的なのだから、六時や八時半の予定など最初からどうでもいいのである。それらはまた、別の会話、別の場面で小出しにするか、カレンダーや手帳に書かれている事柄としてさりげなく列記するべきものなのだ。六時や八時半の予定が展開上重要になっていくのであれば、まず三時の約束、を出して読者にそれを印象づけ、さらに会話を発展させて、自然に、その後の予定について語らせる方がいい。

これと似た失敗として、状況説明を全部語らせてしまう、という横着な会話もある。

「わたしの家は下町にあるんですよ。だから近所の人がみんな親切で、住みやすいんですが、時々鬱陶しくなることもあります。まだ結婚しないのとか、会社でお給料をいくらぐらい貰っているのとか、ずけずけ訊ねて来るんです。それで生返事をしていると、あの人は愛想が悪いって噂されてしまうんです。近所との関係が密接過ぎるというのも困りものですよ。冠婚葬祭なんかも下町だと、近所の人がみんな手伝いに来てくれてありがたい面もありますが、その人たちにいちいち謝礼を包んだり、気をつかったりすることを考えると、葬儀社に任せてしまった方が楽だと思いますよ。わたしの父親の葬儀の時も、近所の人たちに気をつかい過ぎて気疲れしてしまいました。ですからわたしは結婚したら、近所の人との関係が希薄な地域で暮すつもりでいたんです。でもそうしたところはまたそうしたところで、思いもかけないことがあるものですね。特に子供が生まれて、子供たちとその親とのつき合いが生まれると、人間関係が希薄なことで心細い思いをすることがよくありました……」

一人称の語り小説でもないのに、ひとつの「」にずらずらと説明すべき状況を並べてしまうと、単に読みにくいというだけではなく、ひとつひとつの要素が本来持っている面白さを作品に活かす機会が奪われてしまう。上の「」の中には非常に面白いテーマが複数埋もれていて、それらひとつずつを料理すれば、たとえ物語の筋とははずれているとしても、作品に厚味が出ることは間違いない。同時に、上の「」の中にはこれを喋っている人の履歴や価値観などを想像させる要素もぎっしりと詰まっている。しかしそれらを丁寧に汲むことなく、本題へと先を急いでしまっていて、非常にもったいない。

まずこの語り手は、たぶん下町で育ち、学校を卒業して就職しても実家に住み続けていて、それから結婚して下町ではない地域に住み、子供を産んだ。これだけの歴史がさらっと流されてしまっている。よほど作品の枚数制限があって全体を短くする必要がない限りは、少なくとも上の「」に詰込まれた歴史を、成長期、就職しても独身だった時期、結婚後、くらいには分けて、会話相手に相づちや質問を挟ませて、エピソードを織り込んだり、地の文で語り手の心情を補足したり、といった「ゆとり」を与えることで、それぞれの「時代」が読み手の頭に印象を残すことができるようになる。また、「父親の葬儀」という語り手の人生にとっての一大事は、これを利用することで、物語全体のレベルを一段階上げることもできる重要な要素だ。後でしっかり使うつもりで、ここにちょっと前出ししてみた、というのであればこれでもいいのだが、このまま本題へと進んでしまってこのことについて二度と触れられずに終わる（この語り手には父親がいないという点の説明だけに用意されていた）とすれば、あまりにももったいない。

ずらずらと状況を説明させる会話、というのをもっと低いレベルでイメージしていた人、自分はそこまで下手ではないと思っていた人は、こうした、良い素材を数多く内包しているものであっても、それを活かす機会を奪ってしまうような列挙は失敗なのだ、という認識を持とう。

なんとなくおざなりな会話や、誰が喋っているのか「」の中だけでは見当がつかないような無個性な会話については例を挙げるまでもないと思う。ごく初歩的なことだが意外と応募作に散見されるのが、前の人の言葉を鸚鵡《おうむ》返しに受けてしまっている会話や、「……。」を多発している会話。鸚鵡返しは、現実の人と人との会話を録音して聞いてみればわかるが、実際にそんな受け答えをする人はほとんどいない。が、小説中の会話は現実の会話のままである必要はないので、鸚鵡返しが効果的と思われる場面で使う分には構わないとわたしは思う。しかし当然ながら、程度問題である。「……。」の使用については、プロの作家でも、絶対に認めないという人もいるし、必要悪だと考える人、多用しても構わないと考える人と様々だが、新人の応募作では極力使わないことをおすすめする。ここはもう「……。」以外にはあり得ないのだ、というぎりぎりの場合以外は、きちんと言葉にして描くのが小説の基本であり、自分の実力を評価して貰うための応募作でこれを多発するということは、言葉にして表現する力が不足しているか、非常に横着をしている、と判断される危険が高い。書き手ばかりが作品世界に没頭し埋没してしまって、自分ではわかっているつもりで多用される「……。」ほど、読み手にとって鬱陶しいものはない。

以上のような例以外にも、一見すると問題

なさそうだがよく読むとシェイプアップしたり逆にゆとりを持たせることで格段によくなる「　」というのは多々ある。

　勘違いしないで貰いたいのだが、すでにデビューしてプロとして活躍している人の小説は、別にそれでもいいのである。他の部分に大きな魅力があるからこそデビューできたのだろうし、読者もついているのだから。が、新人賞を狙い、これからデビューしようとしているあなた方の場合には、会話をなおざりにするなどというもったいないことは、ゆるされないと思った方がいい。作品のイメージを劇的に変化させ、登場人物に生きた個性を与えるのにもっとも効果的な方法が、会話を徹底的に吟味し、洗練させることなのだから。自分はけっこう、会話を巧く書けるのよ、という人ほど、この機会に自分の書いた「　」の中を徹底して精査してみて欲しい。もしかするとそれだけでも、それまで突破できなかった壁が突破できるきっかけとなると思う。「　」が生きて来ればキャラは自然と立って来る。登場人物が生き生きとして見えれば、多少物語の展開がむちゃでも、筋に矛盾があっても、読み手を最後まで引っ張っていく「勢い」が出て来る。

⑧断言してもいいが、最終選考の段階まで残った作品の勝利を決める上で、「作品の勢い」ほど強い武器はない。「勢い」のある作品は、他の多々ある欠点を選考委員に一時忘れさせてしまうことすらある。明らかに技術的、あるいは完成度で上回っている他の候補

作を、一撃で敗退させることもまま、ある。選考委員といえども、作品に向かう時はまず「読者」であり、作品の魅力とその勢いによって引きずられることこそが、読者にとっては至上の快楽なのだから。

まずは、「 」でくくって示すすべての言葉に、文字ひとつずつまで神経をゆき渡らせ、一言もおろそかにしない意気込みであたってみて欲しい。それをするだけで、驚くほど作品が変わるはずだ。つまらなくてありきたりなブランドバッグの描写などいらない、ということがわかるはずだ。

会話の部分をいい加減に流さないこと。それがきちんとできれば、確実に、あなたの作品はレベルアップする。

登場人物に厚みを持たせる方法

野沢尚 NOZAWA Hisashi

①視点の選び方を教えてください
②④日常をリアルに描くにはどうすべきですか
③⑤説明的すぎる描写をなくすためにはどうすればいいですか
⑥神の視点は使ってもいいのでしょうか

小説の作者が、自分が創造した登場人物といかに寄り添い、いかに距離感を保ち、いかにその心に厚みを持たせたらいいのか、『深紅』という拙著を実例に挙げて説明しようと思う。

小学生の頃に家族を殺された一人の女子大生が、犯人の娘と出逢い、共に破滅の道へ歩みだしていくというストーリーを、三人称一視点を用いて語っている小説だ。三人称一視点とは簡単にいえば、作者が主人公の体内に潜み、その目と耳を借りて見聞きし、主人公の心に巻き起こる変化を間近で観察する、という手法である。

①「私」や「僕」で語る一人称では、主人公の心にどっぷり浸かってしまうことで、語り口の冷静さを欠いてしまう。探偵が登場するハードボイルド小説だと、読者と主人公を一体化させることで劇的高揚を狙うこの手法はとても効果的だが、『深紅』にはふさわしくないと思った。

三人称多視点は、様々な人物の視点から事件を追うことで、物語を立体的に構築できる利点はある。しかし犯罪被害者遺族の心理描写にページを費やして、「一点突破」を目指す『深紅』のような物語では、むしろ煩雑になる。

こうして、主人公の内側に入り込むという三人称一視点を選んだわけだが、これには予想外の難しさがあった。

たとえば、彼女の住むアパートを描写する時。

主人公はいつものように、渋谷でのアルバ

イトを終えて、下北沢のコーポに帰宅する。

作者としては、彼女のアパートが小説で登場するのは初めてだから、部屋の間取りはどうか、どんな内装がされているのか、二十歳の女子大生はどんな日常生活を送っているのかを、丹念に描きたい。

ところが、登場人物の心に寄り添う三人称一視点という手法では、彼女はいつものように部屋に帰ってきたのだから、ドアを開けて電気をつけ、部屋の中を見回したとしても、どんな間取りでどんなインテリアなのか、特に気にすることはない。

彼女の心に忠実に描こうとすると、部屋は単なる「2K」に過ぎないのだ。そこで間取りや、部屋の散らかり方を詳しく書こうとすると、主人公の心模様ではなく、作者の解説になってしまう。小説のクオリティが下がる瞬間である。

「改めて見回すと、二人がけのテーブルが広すぎて手狭になった部屋だ」という書き方もあるが、心に寄り添う以上、なぜ彼女が「改めて見回」し、そう感じたのか、やはり書かなければならない。

②③では、疲れて帰宅した主人公の目を借りて、普段は気にすることのない部屋の雰囲気をどう描写すればよいのか。

「非日常」を持ち込めばいい。

主人公がアパートのドアを開けると熱気がムンと体を覆うという、「いつもとは違った空気感」をそこで描く。すると「二階一番奥、西向きの部屋なので、昼間の熱気がこもってしまうのだ」という位置関係の描写ができる。

すぐにシャワーを浴びようとしてユニットバスに入ろうとしたら、テーブルの角に体をぶつけてしまう。すると「たまに恋人が食事に来るから二人がけのテーブルを購入したのだが、部屋を狭くしただけだ」という描写ができる。

④⑤つまり「日常」に「非日常」を潜ませることで、やっと「日常」を描くことができるわけだ。

作者は常に、その小説世界の中で「居場所」を定めなければならないが、いい小説とは、作者の「居場所」を読者には感じさせない。見事に登場人物の陰に隠れている。

冒頭のシークエンスで、修学旅行先にいたため難を逃れた十二歳のヒロインが、教師に連れられ、深夜の高速道路をタクシーでひた走る場面がある。

作者である私はここで、「先生は交通事故だと言うが、どうやらとんでもない事件に家族は巻き込まれたに違いない」と確信しているヒロインの不安な心に、徹底的に寄り添った。

少女ならではの研ぎ澄まされた五感。タクシーの料金メーターが凄まじい勢いではね上がる。対向車線を通り過ぎる電飾のトラックは富士山の絵を車体に描いていて、ヒロインは家族と行った銭湯の壁の絵を思い出す。目にするもの、耳にするもの全てが不安感を募らせる。

私も五感をフル稼働させて、ヒロインの感覚に自分を同化させた。この小説において、私が最も力を注いだシークエンスかもしれない。

視線を前方に移すと、狂ったように変化している赤い光を見た。タクシーの料金メーターだった。今まで見たことない速さで、数字がはね上がっている。タクシーに乗って高速道路を走るのは初めての経験だった。

2860円。2920円。2980円。3040円……。

六十円の足し算が続く。この調子だと、東京の病院に着く頃にはいくらになっているのだろうと奏子は想像する。三万円とか、四万円とか、そんな金額ではないだろうか。

井原先生が立て替えてくれるのだろう。だ

けど自分の家の問題でタクシーに乗ったのだから、すぐに返さなくてはいけない、と奏子は律儀に考える。

父の財布にはいくら入っているだろう。そう考えた時、べっとり血に濡れた一万円札が財布から出てくる光景が頭をよぎり、神経が悲鳴をあげる。

奏子はぎゅっと目を閉じ、映像を追い払った。

3220円。3280円。3340円……。

赤い光の足し算からも目をそらす。車窓の外の闇を見つめているしかない。ガードレールを挟んだ対向車線を、大型トラックが唸《うな》りをあげて通り過ぎる。荷台に一面、赤や黄色の電飾がある。富士山に朝日が昇る絵。家の風呂が壊れた時、家族で行った近所の銭湯で、同じような絵を見た記憶がある。

《『深紅』P.14〜P.15》（講談社）

一人称によって、主人公の心になりきるの⑥か。三人称一視点によって、主人公の目と耳を借りながら、その心を観察するのか。三人称多視点によって、複数の登場人物の心を同時並行的に追いかけるのか。

今、自分が書きたい物語にふさわしい視点を、まず選ばなくてはならない。

もうひとつ、「神の視点」というのがある。

現在、テレビドラマの脚色の仕事で『坂の上の雲』を繰り返し読んでいるのだが、ここで作家・司馬遼太郎が選んだのは、俯瞰から多くの登場人物の変遷を見つめる、「神の視点」である。

神様は登場人物の人生の先まで知っているわけだから、自在に時空を超えて描写ができる。「……後の戦争で、この人物は日本を救うことになる」という文章だって書けるし、「余談だが……」と、作者の解説だって堂々とできる。

しかし、この手法を支えるのは、作者の圧倒的な知識量と、多くの読者を納得させうる見識だ。新人作家では扱いきれない手法だろう。

人称と作者の居場所の関係について述べてきた。ところが、全てひっくり返すような言い方で申し訳ないが、それらは小説の持つ可能性において、実は大した問題ではない。

いくら視点に乱れがあっても、いくら作者

の解説が顔を覗かせても、小説に「力」がありさえすればいい。

力――つまり、その物語が持つエモーショナルな核心部分である。

その物語によって読者に何を喚起させたいのか。作者の「強烈な祈り」と言ってもいい。

私は『深紅』という小説で、犯罪被害者の遺族と犯人の娘との邂逅に、私なりの「祈り」を見いだすことができた。

登場人物の心に厚みを与え、「人間心理のスペクタクル」を描くという小説の醍醐味を得る前に、私たち小説家は常に「膨大な熱量を秘めた核心部分」を探しているのだ。

ミステリー作家への質問

Q.登場人物に厚みをもたせるには何が大切ですか

●人物背景と描写の多い少ない。＜青山智樹＞
●リアリズム。つまりは存在感（強弱も含めて）。＜浅暮三文＞
●リアリティ。特に言動のリアリティ。人生がにじみ出てくるようならベスト。＜朝松健＞
●主要人物を記号化せず、性格づけをする。＜梓林太郎＞
●その人物らしい、話し方の設定。＜東直己＞
●人間を観察し、それを文章でとらえること。＜阿刀田高＞
●その登場人物なりの〝歴史〟が出ていることではないでしょうか。＜姉小路祐＞
●印象的なエピソードがいくつか。癖。＜我孫子武丸＞
●私は、あなた（登場人物）が好きだという感情。登場人物への思い入れ。＜新井素子＞
●作者自身が、その登場人物に興味が持てるか否か。＜有栖川有栖＞
●その人物になりきること。＜安東能明＞
●性格でしょうか。嫌味な奴でも心根は優しかったり、つまりは読者の方々をうまくミス・リードできれば、その人物には厚みが出てくる、また逆もあり、ですかね。＜伊井圭＞
●生きること。＜飯野文彦＞
●書く際に、その人物に成り切ることでしょうか。＜五十嵐貴久＞
●その人物が作品のなかで生きている感じ。いきいきとした感覚やひそかに恐れていること。なにが好きで、なにが嫌いか。外見、ファッション、小物。すべてを想像したうえで、最も印象的な2、3を簡潔にリズムよく書きます。＜石田衣良＞
●物語に書かないバックグラウンドをきちんと作り、登場人物がどう生きてきたのか、どう生きていくのかを考えること。＜伊多波碧＞
●人間社会の機微を承知していないとダメだから読書などにつとめる。＜伊藤秀雄＞
●その人物のバックボーンを考える。いかにして、どのように生きてきたのかを。＜稲葉稔＞
●リアリティに富む個性豊かな登場人物が一定のテーマに沿って深く複雑に絡み合い、葛藤を繰り広げれば自ずと小説には厚みが出てくると考えています。それには日頃からの、人間に対する興味、好奇心、観察が必要に思います。＜伊野上裕伸＞
●その登場人物をどれだけ作者が把握出来ているかでしょう。履歴書を作るといった把握の仕方ではなく、登場人物とどれだけ自分が同化できるかだと思います。＜井上夢人＞
●声、癖、服装、経歴、表情……以下、無数にある、あらゆる要素だと思います。

それをすべて書くのではなく、書き手はそれをすべて知っていて、その一部を書く。＜薄井ゆうじ＞
●当然ながら、人物描写。普段から人の表情、しぐさをよく観察し、描写に生かす。また、その人物がやりそうな行動等を描写が効果的になるよう考える。＜海月ルイ＞
●それぞれの一生は考えておく（作品に書かないとしても）。＜えとう乱星＞
●その人になり切ることですね。たとえ通行人Ａでも！＜逢坂剛＞
●キャラクターと行動の一致。こいつならこういう事をしそうだという説得力をもたせること。＜大倉崇裕＞
●どんな人間にでも行動には「理由」がある。その人間の「理由」を考えること。作者に都合のいい行動をとらせるためだけに登場する人物はただの〝役〟に過ぎない。＜大沢在昌＞
●ディテールの書き込みと印象的なシーンの演出。＜太田忠司＞
●人物の感情の動きを、細かく描写すること。＜大谷羊太郎＞
●キャラクターに対する共感。＜恩田陸＞
●雰囲気を描写する。＜金久保茂樹＞
●キャラクターを書きこむこと。その人物が深く書けていればいるほど厚みが出てくるのではないでしょうか。＜加納一朗＞
●書き出す前に、主要な登場人物については、たとえ作品中に書く予定があってもなくても、必ず年譜を作ります。どんな家で生まれて、どんな両親で、兄弟はあって、何歳ぐらいの時に何をしていて、といったことを書いていくわけです。その上で、書き出した以降に心がけるのは、ストーリーを決して優先させないことです。ストーリーは、伝えたいことを伝えるための材料であって、決して最優先のものではないはずです。ただし、同時に蔑ろにも出来ない大切なもので、すなわち、登場人物の存在そのものと、それが読者に提示されていくストーリーの流れの双方がぴたっと一致した時に、登場人物に深い奥行きが持たせられると思います。＜香納諒一＞
●人物を浮き上がらせるような事件を書く。個性的な脇役を作る。作者が入り込める（感情移入できる）人物を作る。＜狩野洋一＞
●映画、テレビドラマの俳優に見立てて描いて行くと人物がよりいっそう具体的になる。＜川野京輔＞
●その人物が、何に怒り、何を愛しているか、明確にイメージすること。＜貴志祐介＞
●人間描写。キャラクターの立て方とは微妙に違う、と考えている。＜北方謙三＞
●悩みや弱さ、トラウマなど。＜北上秋彦＞
●たとえ表に出ずとも、その人物の設定をきっちりと作り込むことでしょう。＜北森鴻＞

●その人間の人生や経験をいつもイメージしておき、それを頭の中に浮かべて描写する。デスクサイドにその人間の履歴書、身上書を置いておき、必要に応じて参照する。エピソードでその人間を浮き上がらせ、少しずつ形を成して行くように構成する。説明では駄目。＜久保田滋＞
●ひごろの観察と、人間への興味。雑誌の記事、テレビ番組、たまさかであった人のはなし……など、「おもしろい！」とおもったら「それで？ それで？」とききかえすなり、しらべなおすなりして、ナットクいくまでききほじりよみほじります。＜久美沙織＞
●セリフの一言一言。＜黒川博行＞
●登場人物の過去を考えます。どういう人生をたどって現在があるのか。それから、登場人物のくせや弱点、趣味などで人物造型をしています。＜小杉健治＞
●人物の性格、背景などを書き割りとならずきちんと書き分けること。私にはとても不可能なことだが。＜小林久三＞
●一面的なキャラクターにしないこと。たとえ否定的に描くキャラクターに関しても一度、その人間の視点で世界を見てみること。＜近藤史恵＞
●ちゃんと生きていること（作者が）。＜斎藤肇＞
●現実での生活感かな。喋り方ひとつでも、その人の生活がにじみ出るものですから。＜篠田秀幸＞
●行動が性格を裏切ることがないよう注意する。ことば遣い、服装、趣味なども。＜篠田真由美＞
●なにかしら秘密をもたせる。＜島村匠＞
●人物の生まれた環境による。トラウマとか、育ちのコンプレックスなどを考えておく。＜子母澤類＞
●つきつめると、普段からの人間観察。＜新野剛志＞
●ちょっとした仕草やセリフに性格的な深みがあること。＜菅浩江＞
●丹念に履歴書を作る。一面的にならないように気をつける。＜鈴木輝一郎＞
●とくにそういうことは考えていません。登場人物は駒ですから。＜田中啓文＞
●しゃべらせるせりふ。＜田中光二＞
●とりあえず敵・味方の色分けをはっきり。悪・善。＜草薙圭一郎＞
●その人物の心理を想像することを心がけています。＜田中雅美＞
●その人物の行動に必然性があるかどうか常に確認すること。キャラクターやストーリー展開ばかりではなく、その人物が生きている社会背景などを視野にいれておくこと。＜谷甲州＞
●キャラの生活史、性格、人間関係などをしっかり考えておくこと。＜辻村真琴＞
●プロフィールの作りこみだと思います。私の場合、主要な登場人物に関しては出生データ（誕生年月日、出生地、出生状況など）から始めて、大まかなヒストリーを作ります。ストーリー上、直接かかわってこない部分も作り込んでおくことが大切だと思います。もっとも、状況がそれを許してくれない場合（おおむねスケジュール的に）があります。私自身、納得行く形でそれができたのは、最近作だけでした。<釣巻礼公>

●心理描写、行動の癖、パターンなど。<豊田有恒>

●読者に強い印象を与えるような、意外な発言や行動。教養の深さ、あるいはその欠如。残虐さを強調するのは人物に厚みをもたせるには役立たないと思う。<直井明>

●個人の歴史をもっていること。個人の考えをもっていること。作品世界で生きていること。<中里融司>

●人物の個性について考える。職業や生活環境について自分が知識をもつ。<夏樹静子>

●登場人物の設定をていねいに（履歴書を作る）する。<夏野百合>

●会話のリアリティ。<難波弘之>

●厚みは持たせない。よく言う「人間を描く」というようなことはしない。<二階堂黎人>

●プロットの中で、人物が機能すれば、別に厚みがなくてもよい。ただ、できるだけ無意味な人物は登場させないようにする。<法月綸太郎>

●相関図をつくり、できるだけ克明に性格、特色（好み、食べものなど）を書き記しておく。<橋口正明>

●背景の作りこみ（過去）。<橋本純>

●物語に登場するまでの経緯（過去）。<はやみねかおる>

●原稿の外でも生きているようなキャラを作る（作れたらいいナー）。<春口裕子>

●その人物になりきって、心理や思考を想像すること。<東野圭吾>

●文章に実際に書かないまでも、しっかり過去を築いてやること。『ブレードランナー』のレプリカントのように、「過去を与えてやる」とキャラクターが安定します。ステレオタイプのキャラにならないよう、「クセ」や「性格」をしっかり与えてやることです。<樋口明雄>

●性格、過去、好み、思想など……。<深谷忠記>

●身近な人間の性格や言動をお借りしたり……つまり、リアリティ？<藤水名子>

●自分の中で人物イメージが固まっていること。<藤木稟>

●登場人物の内面の掘り下げ。<藤田宜永>

●生いたちや周囲の人間関係を含め、考え得ることについて、できるだけ多く考えておくこと。<藤宮弥生>

●セリフのニュアンス。<藤原伊織>

●登場人物の過去を匂わせるような癖や言葉づかいをさりげなく散らばせる。<船戸与一>

●現実的な生身の人間を描写すること。<麓晶平>

●物語、その場だけの存在ではなく、彼、あるいは彼女のその前後を思い描くこと。< 本多孝好 >
●小さなエピソードの積み重ね。< 牧野修 >
●キャラクター設定の際、どんな人間性、どんな人生、といった部分まで、想像できる限り作ります。< 増山法恵 >
●どこかに自分を入れること、でも入れすぎないこと。例えばいやなやつを書く時に、自分の中のいやな部分を誇張し、一方格好いい登場人物を書く時には、自分の願望の投影であることをなるべく知られないように抑える。< 松尾由美 >
●とにかく多種多様な人間に会うことである。私は自衛隊の女性パイロットとも知り合いになったし、カウンセラーにもマジシャンにも催眠術師にも友人がいる。彼、または彼女らは、実際には特殊な人間ではないが、それでも想像では絶対に浮かばないような一面を持っている。< 松岡圭祐 >
●その人物の心理をリアルに把握してかかることが、大切だと思います。外見や仕草についても、鮮明なイメージを抱いていることが、深いリアル感につながると思っています。< 松島令 >
●厚みというよりはリアリティを持たせるために、会話を自然にするように心がけています。< 宮部みゆき >
●リアリティと人格の揺らぎ。< 森博嗣 >
●コンプレックス。< 森福都 >
●私の場合は、心理描写を重視しています。< 森村誠一 >
●実際に書かなくても、その人物の生い立ちから性格、趣味、くせ、外見など、できるだけ具体的なイメージを作り上げておくことが大切。誰かをモデルにしてもいいわけで言動がいかにもその人らしく書けていれば、読者にも自然と違和感なく受け入れられると思う。< 八重野充弘 >
●その人物がしそうもないこと、言いそうもないことは、させない、言わせない。< 矢口敦子 >
●喜怒哀楽。< 山田宗樹 >
●深い部分の感情を書く。< 横山秀夫 >
●・人物の生いたちなどにまつわるエピソードを（完成作品に出さないエピソードでもOK）作ってノートに書きとめておく。生いたち年表を作る。・血液型、誕生日など細かく設定しておく。・必ず欠点や奇妙なクセを作っておく。< 吉田縁 >
●内的心理動向（精神医学的分析動向）。< 羅門祐人 >

背景描写と雰囲気作り

楡周平 NIRE Shuhei

①作品に説得力をもたせるにはどうすべきですか
②未経験なことを描く場合の注意点は何ですか
③場の雰囲気にリアリティをもたせるために心がけるべきことは何ですか
④どうすればキャラクターの二面性が出ますか
⑤作品にリアリティを出すための小道具はどのように選べばいいですか
⑥実際に取材に行けないものを書くときは、どのようにすればいいですか
⑦背景描写は何を参考にすればいいですか

たとえばここに素晴らしい原作があったとしよう。映画監督であるあなたは、それを基に精魂を傾けて脚本を書く。セリフはバッチリ決まった。配役も全て思い通りに行った。どう考えても大ヒットは間違いなし。あなたは、勇んでメガホンを握り、スタッフを指示しカメラを回し始める。役者の演技も文句のつけようがない。「これは必ず大ヒットする」。撮影を終えるや否やあなたは早々ラッシュを見る。そこで脳裏に描いていた映像と目にした映像とのギャップに奇妙な違和感に囚われる。

確かにストーリーは面白い。役者も充分な働きをしてくれている。しかし何かが違う……。

そんな思いを拭い切れずに、何度もラッシュを見返している間にあなたははたと気が付く。セットや小道具に配慮が欠けているせいで画面から意図した雰囲気が漂ってこないのだ。それが役者の演技、セリフの素晴らしさ、いや作品そのものを台無しにしている、と——。

私は映画をよく見る方だが、実際こうした作品をよく目にする。ちょっとしたところに配慮が足りないばかりに、リアリティを著しく損なわせ、作品全体の出来を台無しにしている残念なケースがまま見られる。激しい戦闘の末ジャングルの中を何日間も命からがら彷徨《さまよ》い、ようやく生き抜いたというのに、包帯は真っ白。軍服にはアイロンの折り目までついている。あるいは、長年シベリアに抑留され、その間に亡くなった戦友の最期の時の報告のため遺族の元へ赴いたという設定なのに、役者の顔はまるまると太り血色もいい。服に汚れの一つもない。といった具合にである。

もっとも映画の場合は、こうしたことが起きるのも監督やスタッフの力量不足にあるのではなく、製作費の制限という現実的問題があって止むなく……という部分はあるだろう。しかし私はこうしたシーンを見る度に、一つひとつの場面を作り上げる際の些細な配慮がいかに作品全体の出来不出来に影響するかということを痛感する。

■事前準備に労力をかける

小説もまた同じではあるまいか。題材が卓越している上に、ストーリーもまた秀逸であろうとも、場面場面に説得力を持たせ、より一層読者を作品世界にのめり込ませるためには、①そのシーンから漂ってくる匂いを感じさせるような背景描写や、小道具への配慮が必要不可欠であると考える。

その点からいえば、その場面の雰囲気をどう文章で表現するか、ここが作家の一つの腕の見せ所となる。なにしろ、小説には製作費の制限もなければ、スタッフもいらない。問われるのは書き手個人の能力であるからだ。

たとえばミステリーの多くには殺人を犯す、あるいは麻薬を使用するシーンが出てくる。言うまでもなく、こうした場面を書く作家は殺人を犯したこともなければ、麻薬を吸ったことさえない（たぶん……ね）。もしも表現の全てが実体験に基づいたものでなければならないとするなら、作家は殺人者とジャンキーの集まりということになってしまう。これらはあくまでも資料や文献を読み込み、取材を繰り返す中から生まれてくる想像の産物以外の何物でもないことは言うまでもない。

実体験を伴わない題材をテーマにする場合、実際の執筆よりも、実はこの事前準備の方が遥かに時間がかかり労力も要するものである。それを怠れば描写は曖昧なものとならざるを得ないであろうし、当然場面場面の雰囲気も伝わらない。生半可な知識や想像だけで作品を執筆すれば、描写はいい加減なものになるであろうし、嘘があれば早々に見抜かれ、読者はたちまちそっぽを向いてしまうであろう。[2]

『作家になるのも難しいが、作家であり続けるのはもっと難しい』とは幾人もの作家が述べていることだが、まさにその通りなのである。

■現場の声の重要性

自作を例に、というのが編集部の依頼なので、最初に拙著『クラッシュ』の執筆までのプロセスを例に挙げてみる。この作品は、最先端の航空機のフライト・コントロール・システムにウイルスが紛れ込み、飛行中の航空機が制御不能になったことに端を発し、世界的なサイバーテロが発生するというのがストーリーの骨子である。

まず私が最初に始めたのは、実際の航空機で私が意図するような事態が発生しうるかどうかを膨大な数の専門書を熟読し、コンセプトの現実性を確認することだった。この部分を検証した上で航空機とインターネットの世界について、専門家からの技術的裏付けと現場の雰囲気を得るために米国取材を行なった。

航空機に関しては、ボーイング社の工場で、テストパイロットを務める機長に何度か話を聞きながら、製造中の機体の床下に潜り込みメカニックについて入念なレクチャーを受けた。また当時ネット先進国であったアメリカのベンチャー企業のシステムエンジニアとブレーンストーミングを繰り返し、サイバーテロの可能性を探りながら、彼らの気質や、オフィスの雰囲気を把握することに努めた。

加えて初稿を書き上げた段階で、実際に操縦不能となった場合にパイロットはどういう行為を取るのか、コックピット内の緊迫する描写を確実なものとするために、現役の民間航空会社の機長からアドバイスを貰うと同時に、原稿の全文を読んでいただき、加筆、訂正が必要と思われる部分には容赦なく『赤』を入れていただいた。

これは特に緊急事態に際しての描写を確実なものとするためには大いに役に立った。何しろ手に入る専門書のどこを見ても、想定した事態に際してパイロットがどういう作業を行なわなければならないか、そんなことの記述はただの一行たりともなかったからである。こうした手順を踏まなければ、緊迫したコックピット内の様子を描写することは不可能であったろう。

次に掲げるのは、私が資料に基づいて書い

た文章と、現場の声を聞き、それを反映させた後のものである。雰囲気の違いが掴めるだろうか。

〈元原稿〉

機長席に座るフーバーは瞬間、操縦桿を握り締めた左手に機が新たな浮力を得たことを感じながら、スロットルに添えていた右手でパワーを更に絞った。 ⬅

〈機長からのアドバイス〉

大型機はスラット（一般的にAOA〈迎え角〉が変わる為に水平飛行においてもピッチアップ〈頭上げ〉姿勢となる）、フラップ〈翼弦長が変わり、空力中心が移動する為、初めピッチダウン傾向が現れる）を操作しても、すぐに姿勢変化は出て来ない。惰性の為、タイムラグを生じる（約5〜10秒）。又、こいつはFly-by-Wire機なので操縦桿に揚力変化や舵面圧力の変化等がフィードバックされてこないし、その様なアーティフィシャルフィール（人工感覚）を作っても意味がない。もしもHDL操作後の変化を表したいなら、降下率を表わす計器や、PFD中の水平線と自機シンボル（FDバーはパイロットの設定、又はFMSの計算したFlight-Pathを示しているので変化しない）の変化を書くしかない。

〈訂正後〉 ⬅

フラップに連動して主翼の前縁にあるスラットが出、翼面積が大きくなったせいで揚力が増すのを、機長席《キャプテン・シート》に座るフーバーがスロ

ットルに添えていた右手でパワーをさらに絞って調整する。（『クラッシュ』宝島社文庫p.30）

〈元原稿〉

左の腕で計器盤のほぼ中央（アドバイス①）に突き出たギアレバーを引き下げる。少しの間を置いて床下でゴトリと音がすると、モーターが稼動する唸り（アドバイス②）とともに主脚が降りるのが気配で分かった。その唸りが止むと、それに代わって機体の腹に突出したギア・カバーが時速四〇〇キロの速度で大気を切り裂いていく音がする（アドバイス③）。

〈機長からのアドバイス〉←

①たいがいの航空機は中央計器盤（センター・インストゥルメンツ・パネル）の右寄りから左はしにギアレバーがある。なぜなら並列操縦席（サイド・バイ・サイド・コクピット）が開発され、機長席が左側に設定された時（主に欧米、ちなみに旧日本軍では右席が機長席だった）から、脚の上げ下げは右席（副操縦士）の役割と決まってしまった様だ。

②ほとんどの航空機は油圧でギアーを操作する（電動式は30年以上前の話）。そして油圧システムはバルブ開閉による操作なのでモーター音はしない。

③ギア・カバー出しっ放しか？　脚柱についているカバーは別にして、その他のカバーは、ギアがロックされるまでに閉じる機構になっている。

←

〈訂正後〉

左の腕で中央計器盤の右寄りに突き出たギアレバーを引き下げる。少しの間を置いて床下でゴトリと音がすると、前脚《ノーズ・ギア》が下りるのが気配で分かった。その唸りが止むと、それに代わって機体の腹に突き出たギアが一八〇ノットの速度で大気を切り裂いていく音がする。

（『クラッシュ』宝島社文庫 p.31）

■僅か一行の描写が雰囲気を一変させる

　拙著のほとんどには殺人シーンが出てくるが、その現場となる場所にも必ず足を運ぶようにしている。それが街の中であったなら、周囲の喧騒、人々の会話に耳を傾ける。あるいは人寂しい海辺の場所であったなら、頬を撫でる風の音、潮の匂い、日の光といったものにじっと身を晒し、その場の雰囲気を皮膚感覚で捉えることに集中したりもする。そうした中から、殺人が行なわれた状況を想像し、体感した状況を生かしながら一つのシーンを捻りだすのである。

　麻薬にしたところで同じである。私はデビュー作の『Cの福音』の中でコカインを用いたが、実際のところコカインの吸引はおろか実物を見たことすらない。果たしてコカインを使用するとどのような状態になるのか。私はそれを調べるために、手に入る限りの文献を読み漁った。さらにコカインが出てくる映画を片っ端から見て、どう使用するのか、どんな隠語が使われるのか、それをくまなく研究した。それでも疑問は残った。たとえば映画を見ていると、吸引し終えたコカインを指で掬《すく》い歯茎に擦り込むシーンがあった。はて、これは何を意味するものだろう。経口摂取でも、コカインって味がするのだろうか。鼻から吸い込むのと同じ効果があるのだろうか。

そこで追取材。即座に電話を取り、アメリカ人の友人に訊ねた。すると彼のネットワークを通じて麻薬更生施設にいる彼の知人から返答がある。

曰く、

「コカインを歯茎に擦り込むと、ウイスキーをストレートで口に含んだような感覚になるんだ」

些細な情報かもしれないが、実際にコカインを使用した者でなければ到底知り得ぬ事実というものであろう。分量にして僅か一行の描写ということなかれ。この一文を活用するかしないかでは、この麻薬の持つ特性への説得力がぐっと違ってくる。ジャンキーが麻薬を使う場の雰囲気がリアルになる。

■雰囲気作りのための方程式

アメリカのマフィアの会合にしたところで同じことだ。イタリアンマフィアと言えば、多くの人はまず最初に『ゴッドファーザー』を思い出すであろう。灯が落とされた部屋に男たちが集い、そこで密談が交される。組織の頂点に君臨するドンを中心に、部下のボスたちが緊張した面持ちで言葉に聞き入っている。おそらくそのあたりが一般的イメージと思われる。しかしこれも裏の取りようがない。日本からはるばる来たからといってニューヨークのマフィアが取材に応じるとは思えないし、ましてや会合の場所に同席させて貰うのは不可能というものだ。

そこで、私は『Cの福音』の中では、敢《あえ》て家族を同席させたディナーの場を設定することにした。和やかな雰囲気の中、豪華な食事を取り、それが終了すると同時に妻たちが別室に引き上げ、本来のミーティングが始まるという筋立てである。ニューヨークに君臨するマフィア、ましてや麻薬ビジネスを牛耳っているともなれば、金に不自由していないことは明白であるから、裕福さを際立たせるために、ワインの銘柄、晩餐のメニューも詳細に挙げることで暗にそれを匂わせることにした。

ディナーに妻たちを同席させたのは、家族単位で付き合うのが、アメリカ社会ではむしろ自然と思えたからである。実際、欧米企業では、海外出張に夫人を同伴するのは珍しい話ではないし、ディナーとなれば夫人同伴は日常茶飯事。ましてや組織を『ファミリー』と呼ぶからには、メンバー同士の家族の交流も当然あってしかるべきである。家族同士の付き合いがある一方で、『ビジネス』となれば、女性は黙って席を外す。④つまり日常性と、非日常性が一体化する場面を描くことで、マフィアの持つ二面性と非情さを読者に印象づけることができるのではないか、と考えたのである。

つまりアメリカ人の行動様式を考え抜いた

上での表現と言うことができるかと思うが、これは何もマフィアに限ったことではない。もう一つ例を挙げれば、拙著の中に出てくるエグゼクティブのオフィスの描写もしかりである。

ＣＩＡの長官室や政府高官の執務室に入ることは、取材申し込みをしたところで到底受け入れられるわけがない。かといって物語の性質上、どうしても描写が必要な場合どうするか。実はこうした時に役立っているのが、作家になる前の経験である。

私は専業作家になる以前はとある米国企業に勤務するサラリーマンだったが、その間、彼の地の企業のエグゼクティブや役所の高官のオフィスに出入りする機会があった。そこで気が付いたのは、企業規模の如何にかかわらず、おおよそエグゼクティブのオフィスというものは、レイアウトも同じならば備品も同じ。功なり名遂げた人物の嗜好というものはそう変わらないということである。どこに行っても、重厚な執務机があり、自分の過去の経歴を示す学位証が掲げられ、決まって家族の写真が置かれている。デスクスタンドはアンティークか、緑色の笠に金の支柱。ある程度のポジションになると、執務室の片隅にはバーがしつらえてあることも珍しくはないといった具合である。

服装にしたところで同じことが言える。私はアメリカ以外の地域の事情について精通しているとは言えないが、少なくとも彼の地においては身に着けるアイテムもまた職業に応じての共通点を見いだすことは困難ではない。

東部エスターブリッシュメントと言われる人間たちの服装は、彼らが学生時代から慣れ親しんだアパレルメーカーのファッションをベースとしているし、大統領ですら、代が替わっても身に着けるネクタイやスーツといったもののデザイン、色とも大きな変化は見られない。

若い世代に目を転じれば、白人のティーンエイジャーが好んで身に着けるブランドはお決まりのものがあるし、黒人はまた別の嗜好を持っている。いいところのぼっちゃんと、スラムのギャングスターではご用達のアイテムが全く異なるが、これまた人種や地域によってある一定の法則が見られる。

⑤しかるべき年代、しかるべき地位、しかるべき職業、それぞれに身に着けるアイテムもまた、調度品と同じようにある種の方程式が存在するのは少し注意を払っていれば自然と分かってくる。

■日常生活で得られる、雰囲気作りのヒント

前職の関係上、こうした傾向を仕事をしながら肌で感じることができた私は幸運だったと言えるだろう。しかし、だからといって、私は闇雲にこの経験則だけを以て、雰囲気作りのための描写を行なったりはしない。私が接したアメリカ人も全体から言えば極く僅かである上に、こうした傾向が全ての業種に共通するとは到底言えないからだ。

その欠点を補うために、私はアメリカの映像メディアを活用している。極東の島国のど

この馬の骨とも知れぬ作家の端くれの取材を受ける企業や官庁はなくとも、ナショナルネットワークのテレビ局の取材となれば話は別である。

自らの経験を裏付けるために、私は日本はもちろん、アメリカの報道番組やドキュメンタリー、あるいは映画を常にワッチし、ライブラリーにしている。そしてそれを最低三回は繰り返し見ることを自らに義務づけている。一回目はメイン・ストーリーを追い、二回目はその登場人物の服装、喋り方。三回目は部屋の様子や調度品に注意を払って情景を脳裏にインプットすることに努めるのを常としている。

そうすることによって、彼の地のエグゼクティブ、あるいはその肩書きに応じた部屋の様子の共通点の最大公約数的様相が、自分の経験と相まって明らかになってくるのである。

⑥自分が実際に見たこと以外は書けない、だから書かない、というのでは、情報網が発達した今日では通用しないであろう。たとえ外国の文化に浸った経験がなくとも、国内外のメディアが制作する報道番組や、ドキュメンタリー、あるいは映画を子細に見ることによって、そうした場の雰囲気というものを把握し、自分の表現の糧とすることは充分に可能だと考える。⑦映像メディアは、使いかたによっては、実に有益な雰囲気作りの材料となるのである。

背景描写や雰囲気作りの題材は、日々の生活の中に溢れ返っている。それに気が付くかどうかはまさにあなたの才覚次第なのである。

ミステリー作家への質問

Q.スランプ脱出方法があったら教えてください

●過去の自作を本棚から引っ張り出し、読み返してみる。＜芦辺拓＞
●じっと考え続けます。＜阿刀田高＞
●書けないと思い詰めたら、まず休むこと。これは勇気がいりますけど。で、しばらく書かないでいると、そのうちにウズウズしてくるんですよ、書きたくて。＜伊井圭＞
●明日・来週・来月・来年には、この問題は解決しているはずだと思いこんで、サッサと寝てしまうこと。＜石田衣良＞
●ひたすら書きつづけることです。書く以外に、脱出方法はありません。＜薄井ゆうじ＞
●気分転換をすること（人のいない自然の中を歩き回る。見知らぬ街を散策する)。＜大石直紀＞
●スランプとは思わないこと。立ち止まるのは1日だけにして、翌日はどんなにつらくとも、1枚でも1行でも、前に進む。＜大沢在昌＞
●とことんどん底までおちこむ。面白い映画をみる。＜恩田陸＞
●しばらく執筆を休んで、ふたたび書く衝動が起きるまで、小説のことは忘れ、ほかのことをやること。＜加納一朗＞
●恋をすること。伴侶がいようがいまいが。年齢がいくつであろうと。胸にトキメキがあれば何かを書いて訴えたくなる。SEX はあった方がいいに決っているが、なくてもトキメキは大切。＜嶋崎信房＞
●思考段階では、お風呂です。ただし、1人で入ることが条件。普段は子供と一緒です。ぼーっとしていると、不意に良い案が浮かんだりします。＜菅浩江＞
●決まった時間にパソコンの前に座って仕事する格好をする。＜谷甲州＞
●書くのを休んで、関係ないことをやる。＜辻村真琴＞
●毎日必ず机に向かって、ノルマをこなすまで机の前から動かないこと。＜富樫倫太郎＞
●作家の場合スランプは、読者が決めるものだと思う。だから、自分でスランプに気付くことはない。だから怖い。＜西村京太郎＞
●スランプという言葉は口に出すのも恥ずかしい。スランプとは王や長嶋、張本クラスだけが言えること。書けないときはじぶんがさぼっているだけだと認識すべし。＜船戸与一＞
●時間が解決してくれます。＜宮部みゆき＞
●機械的に書く。＜森福都＞
●机から離れない。＜横山秀夫＞
●・小スランプは海外旅行できりぬける。・大スランプは周囲の状況を見るのをやめて達観するよう気持を切り替える。＜吉田縁＞

セリフの書き方

黒川博行 KUROKAWA Hiroyuki

①上手なセリフとはどのようなものですか
②セリフが長すぎる場合はどうすべきですか
③セリフを書くときに何を意識すべきですか
④セリフを書く際に適切な分量はありますか
⑤会話で登場人物を区別させるにはどうしたらいいですか
⑥小説に方言を使ってもいいですか
⑦小説に方言を使ってもいいですか
⑧小説にリアリティをもたせるにはどうすればいいですか
⑨日常生活の中でどんなことがヒントになりますか

⑩会話で注意すべきことはありますか
⑪登場人物の設定で注意すべき点は何ですか
⑫地の文の語り手の条件は何ですか
⑬効果的な推敲の方法はどのようなものですか
⑭地の文とセリフ、どちらが難しいですか
⑮地の文とセリフの割合は、どのように考えればいいですか
⑯小説の冒頭で注意すべきことは何ですか
⑰小説における会話の役割は何ですか

■会話の極意は「三歩進んで一歩下がる」

①説明的ではない、できるだけ自然な会話を短いセンテンスでしゃべらせるのはむずかしい。むずかしいけど、苦労してそれを書くのが小説家の仕事やから、一生懸命考えます。

②どうしても長いセリフになるときは、あいだに改行を入れて——「彼はソファにもたれて」「彼は煙草をくわえた」とか、なんでもいいんですけど——動作の描写を入れるようにしています。

あと、大事なのは、「間《ま》」。これはわりあい意識してます。

それと、「Aですか」と言われたとき、「はい、Aです」とか「いえ、Bです」と答えるんじゃなくて、どこかズレてる会話にしたい。「Aですか」と訊かれたら、「Cです」と。微妙なズレですね。

会話の中に、「間」と「ズレ」を入れていく。ただ、あんまりズレすぎると、「こいつら、わけのわからん冗談ばっかり言うてるな」ということになりますしね。ズレつつも、自分がしゃべらせたいことを登場人物にしゃべらせる。そういうセリフがうまいこと出てくると、その日は一日、気分がいい(笑)。

必要なことだけしゃべらせてると説明だけの小説になるし、あんまり横へ横へ話がズレて枝葉のほうばっかりになるのもまた困る。話の幹の中でときどきちょっと脇へズレて、そこに冗談を入れて笑わせるようにしてますね。大阪人のサービス精神というのか、たとえば〈厄病神〉の二人が会話してる場面だと、一ページに一カ所は笑ってもらおうと。

説明ばっかりでどんどん前へ進むのは抵抗があって、三歩前へ進んだら一歩下がるというような呼吸です。③作者が話の中で説明したいことは、会話の端々に隠すんですよ。
④僕の場合はセリフが六割、地の文が四割。主人公がひとりになってるときは八割、九割が地の文ですけどね。会話だけで話を進めるというのは、単行本にしたら三ページが限度でしょう。セリフが続きすぎるとまた気になるんで、そろそろアクションを入れなあかんとかね、うまく割り振るように考えてます。

■方言活用のすすめ

自分では、面白い会話を書こうとはあんまり意識してないんですけど、大阪弁やし、わりにコンビのやりとりが多いんで、どうしても漫才的な文章やと言われがちですね。ただ、漫才と言われるのは不本意なんですよ。本人は洒落たこと言わせようと思って書いてるのに、大阪弁やと漫才に見られてしまう（笑）。

会話で登場人物を区別したいとき、大阪弁は便利ですね。上下関係が違えば、尊敬語や丁寧語を入れることではっきり違いが出せるんですけど、タメ口を利くような間柄なら、片方を大阪弁、片方を東京弁にすると読者にわかりやすい。翻訳物なんかは「と〇〇は言った」といちいち入ってきますけどね、日本語は口調が自由に変えられるんで、そんなことはしなくていい。[5]登場人物の口調をうまく工夫すれば、会話だけで区別できます。

ただ、字にしたときに微妙なニュアンスが出しにくい。言葉遣いは悪いけども人間はええやつや、とかね。そこは地の文にちょっと言葉を入れたりすることもあります。

とにかく大阪弁ならええかというとそうやなくて、自然な大阪弁であると同時に、[6]文字で書いたときによく伝わる大阪弁を使うようにしてます。そこらのじいちゃんばあちゃんがしゃべってるようなほんまの大阪弁は、そのまま字にしてもほとんどわかりませんからね。かなり標準語に近い大阪弁をしゃべらせてます。字で書くといっしょになるんで、東京の人は標準語のイントネーションで読んでるかもしれませんが、それでも語尾を「だ」にするかわりに「や」と一文字入れるだけで大阪弁のニュアンスがなんとなく伝わる。

本が売れるのは圧倒的に関東で、関西での売れ行きなんか日本全体の一割ぐらいやという話やから、大阪を舞台に大阪弁の小説ばっかり書くのは、経済的には不利なんです。でも、僕の場合、微妙な言い回しは東京の言葉では書けませんね。デビューした当時は、標準語の小説も書いてみませんかと言われたんですけど、無理でした。自分ではしゃべりませんからね、身についてないんですよ。そらまあ、勤め人がしゃべるようなかっちりした言葉は書けますよ。悪徳代議士に東京弁をしゃべらせるとかね。でも、東京の下町に住んでるおばあちゃんとか高校生のセリフなんかはどうしても書けない。これは無理やと思って、ある時点であきらめました。居直ったのかもしれませんけど、洒落たことばっかり言うような小説もやめようと。

⑦やっぱり自分がふだんしゃべってる言葉で書くのがいちばんやないですか。僕、方言が好きなんですよ。東北弁や九州弁の小説がもっとたくさんあってもいい。『たそがれ清兵衛』なんか観てると、東北弁というのはなんてきれいな言葉なんやと思いますからね。『仁義なき戦い』の広島弁とか、『悪名』の河内弁なんか最高でしょう。標準語ばっかりやなくて、そういう言葉を使って書いてほしい。それで多少売れ行きが悪くてもかまへんやないかと（笑）。

■つねにアンテナを張れ

⑧リアリティを出すのにいちばん簡単なんは符牒《ふちょう》を入れることです。大阪の刑事なら自分のことを「探偵」と言うことがあるし、ヤクザは拳銃を「チャカ」という。東京のヤクザは「ヤッパ」と言うとか。そういう符牒はどの世界にもあります。自分の世界の言葉だけで書いていると小説が薄っぺらになるから、取材に行って話を聞く。ただ情報を仕入れるんじゃなくて、その人がどんな言葉をしゃべってるか聞くのが取材やと思うんですよ。そこで仕入れた言葉を要所要所にちょこっと入れることで、セリフに真実味が出てくる。

⑨あとはふだんからアンテナを張って、頭の中にセリフをストックしておく。なんか洒落たことを言わせたいときは、そういうストックがあると役に立ちます。いくら知恵を絞って洒落たことを考えても限りがあるでしょう。自分の身から出てない、頭の中だけでつくったセリフは、どうしてもリアリティに欠けますしね。

エルモア・レナードの会話なんか、セリフのセンスが近いなと思いますよ。向こうはもっともっと軽口が多いですけど、これなら大阪弁の小説でも使えるなあと思うのはたくさんある。

映画も勉強になります。たとえば、ロバート・デ・ニーロの『ミッドナイト・ラン』で、相手役の会計士が留置場に入る。そいつが「ぼくはこんなこと初めてだ」と言うと、デ・ニーロが、「初めてはどんなことにでもある」と。これなんか、だれかひどい目に遭う登場人物がいたらすぐ応用できるやないですか。実際、すぐ使いましたけどね（笑）。

⑩⑪⑫洒落た会話もいいんですけど、セリフが洒落すぎると登場人物がみんなかしこく見えてくる。出てくる人物のＩＱがみんなおんなじって、現実にはそんなことはありえない。かしこいやつがおれば、ちょっと足らんやつもおる。こいつ明らかに鈍いなというのがちょっとしたセリフや仕草で表現できたらいいなあと思いますね。日本のハードボイルドは登場人物がだいたいみんなかしこいし、女はみんな洒落たことをしゃべる。ひとりやったらいいんですけど、三人も四人もそういうのが

出てきたら、類型的に見えてくる。頭のいい悪いはほんとに出しにくいんですけど、それをなんとか会話で表現したい。

ただ、主人公があんまり鈍すぎると小説になりませんから、そのへんの案配がむずかしい。地の文は内省的なことも書きますからね。そうなると、語り手の条件は限られてくる。あんまりかしこくても抜けててもいけない。

僕の場合、主人公はわりあい透明ですね。〈厄病神〉のコンビでも、二宮は色がないんです。桑原はぼろくそに言うてちょっかいを出す、二宮は適当に相手をしていると。そういう役割分担になってます。

■とにかく推敲

現実の会話は、情報がすごく省略されてたり、明らかな間違いがあったり、「あの」とか「えー」とかの間投詞が入ってきたりする。そういうのはできるだけ排除するようにしてます。しかし、あんまり排除しすぎるとリアリティがなくなりますから、ある程度は残したほうがいい。

僕の場合は[13]、登場人物にしゃべらせたいと思うことをいったんぜんぶ書いてから、あとで刈り込むようにしてます。いちばん最初にパソコンに打ち込む文章は、もっとだらだらしたしゃべりなんですよ。それをもう一回見直して、ここは長いから削ろうとか、ここは

修正例①

1

「なんで、いつも派手な格好してるんですか」

「極道はな、こういう格好をしてるからこそ、商売になるんや。おまえみたいに年がら年中、よれよれのポロシャツ着てるような貧相な男に、誰が仕事をもってくるんや」

2

「いつも派手ですね」

「極道はな、格好でシノギをするんや。おまえみたいな貧乏くさい男に、誰が仕事を持ってくるんや」

3

「いつも洒落た服装《なり》ですね」

派手で、気障で、趣味がわるいとはいわない。

「極道はおまえ、スターやないけ」

桑原はルームミラーを見ながらネクタイを直す。「そこいらの不良少年の羨望の的にならんといかんのや」

4

「本日の装《な》りはいちだんと洒落てますね」

派手で、気障で、趣味がわるいとはいわない。

「極道はな、スターや」

桑原はルームミラーに向かってネクタイを直す。「不良少年の鑑にならんとな」

この男が鑑なら、日本の不良少年に未来はない。


いつもこういうふうに推敲しています。最初の二つはまだ鉛筆書きの段階で、三番目あたりからパソコンに打ち込む。それをまた直して、四番目の最終原稿になります。「極道はおまえ、スターやないけ」というのは桑原が言いそうな大阪弁なんですけど、だらだらと長いんで、もっと短くする。

修正例②

1

「分かった。いうとおりにしたろ。……けど、この男は堅気や。堪忍したれ」

「そういうわけにはいかん」

東は凄味をきかせる。「おまえらふたりはいつでもいっしょや。まとめて始末をつけんとな」

「ほう、怖いのう」

「舐めんなよ、こら」

わめいた池崎の股間に桑原の膝が入った。池崎は膝をつき、桑原は反転して東のこめかみに石を叩きつけた。

2

「分かった。いうとおりにしたろ」

桑原はいい、こちらを向いて、「この男は堅気や。堪忍したれ」

「そういうわけにはいかんな」

東はいった。「おどれら二匹はクソとションベンや。まとめて始末つけたる」

「うまいことというやないけ」

桑原は笑った。「わしがクソで、こいつがションベンか」

「こら、舐めたことばっかりほざいてたら、いてまうぞ」

凄味をきかせた池崎の股間に、瞬間、桑原の膝が入った。池崎は膝をつき、桑原は反転して東のこめかみに石を叩きつけた。


こちら逆にちょっと増えてますね。なんでも短くすればいいというわけでもないんです。ここはちょっとしたズレを入れて、ひとつ間をとった感じ。アクションのスピード感とヤクザ同士のケンカの凄味を表現しようとしてます。

間を入れようとか、どんどん直していく（修正例①②参照）。

最初に打ち込む会話と、出版社に渡す原稿の会話とは相当変わってます。さらっと書いてるようでも意外と苦労してるんですよ。だから原稿が遅い（笑）。いまだに原稿用紙一枚に一時間弱かかりますから。

⑭地の文より会話のほうが、書くのはずっとたいへんですね。手間は倍以上かな。エンターテインメントの場合、情景描写なんかそれほどむずかしいことはない。

⑮地の文とセリフの割合はけっこう考えてますよ。ページを開いてべったり黒いのもよくないし、下が真っ白けになるのも困る。できるだけ文字が詰まってて、しかし一個一個のセリフは短くしたい。そりゃまあ、単行本は一行四十二、三字ありますからね、下が白くなるのは避けられない。でも、（版面が）氷柱《つらら》になるのはみっともない。本になったときにどう見えるかはつねに意識してます。

あともうひとつ、小説の冒頭から説明するのはどうかと思いますね。主人公が最初のシーンに出てきてもいいんだけど、いきなり「『……』と、警視庁○○署捜査一係の山田一郎刑事は言った」みたいなのはね。そんなのおかしいでしょう。最初は名字だけでいいんですよ。セリフをしゃべってるうちに、「こいつはいいかげんなやつやな」とか、「ちゃらんぽらんやけど根はまじめそう」というのがだんだん読者に見えてくる。五、六ページかけて、ゆっくりわからせたらええやないかと。

[16]主人公が何者でどういう人物かというのを、横着して簡単に説明するんやなくて、会話や地の文でじっくりキャラクターを書いていけと。最初の五ページ、単純な説明はとにかく避けるようにするだけで、だいぶん印象が変わってきますよ。

[17]エンターテインメントはとくにそうですが、地の文だけでは息が詰まります。セリフがあることでふっと息が抜ける。セリフを通じて登場人物の性格も書けるし、話のテンポも変えられる。会話の役割は非常に大きいんで、なんべんも見直して、しっかりセリフを磨いて、いい会話を書いてください。

（聞き手／構成・大森望）

ノワールを書くということ

馳星周　HASE Seishu

①ノワールとは暴力とセックスの物語ですか
②ノワールとは暴力とセックスの物語ですか
③④⑤人物を書くときにどのような方法がありますか
⑥比喩はどのような場合に使いますか
⑦⑧キャラクターを作る上で効果的な方法はありますか
⑨⑩アクション場面で何を中心に考えていますか
⑪アクションシーンを書くときに気をつけることは何ですか
⑫⑬アクションシーンを書くときに気をつけることは何ですか
⑭ノワールで一番大事にすべきものは何ですか

⑮登場人物を追いこんでいくにはどんな方法がありますか
⑯ノワールにはセックスと暴力が必要ですか
⑰小説にリアリティをもたせるにはどうすればいいですか
⑱⑲登場人物にリアリティを持たせるにはどうすればいいですか
⑳登場人物の人間関係にリアリティを持たせるにはどうすればいいですか
㉑ノワールとハードボイルドで文体は変わりますか
㉒〝行間に思いをこめる〟とはどういう意味ですか
㉓短い文章のメリットを教えてください
㉔㉕文体を確立する上で何に気をつけますか
㉖作品全体におけるテンポやリズムの注意点を教えてください
㉗書きたいジャンル以外の読書も必要ですか
㉘㉙ハードボイルドの手本となる作家を教えてください
㉚映画的手法を小説に使うことも可能ですか
㉛作家を目指す人たちに必要なものは何ですか
㉜良くない小説というのはありますか
㉝エピゴーネンでもいいのですか

■はじめに／なぜ〝ノワール〟なのか？

一見すると、「ノワールを書くということ」というタイトルはひじょうに抽象的かもしれない。「ミステリーの書き方」というハウツーものに適していないと思われるかもしれない。

だが、ミステリというカテゴリーのなかで、ノワールは、世界的にもっとも注目度の高いジャンルだろう。それはヒーロー（ヒロイン）像の卑小化、通俗化にある。かつてレイモンド・チャンドラーが定義したように、ハードボイルドの探偵は、〝卑しき街をひとり行く高潔の騎士〟でなくてはいけなかった。それは七〇年代にどっと出てきた新ハードボイルド、いわゆるネオ・ハードボイルドの探偵たちにもいえた。伝統的な探偵像へのアンチテーゼであり、アンチヒーロー像をきそったのに、探偵は、破壊された秩序回復の役割をになった。そこにはアンチヒーローであっても、理想的な探偵像への願望充足がなされた。たとえそのヒーローが、マスターベーションにふける元過激派の探偵だろうと、肺ガンではないかと悩む探偵だろうと、同性愛に悩む探偵であろうと、暴力嫌いの市井《しせい》派の探偵であろうと変わりはなかった。変わったのは八〇年代後半、ポスト・ネオ・ハードボイルドからである。それまであった伝統的な探偵に対する神話が崩壊したのだ。その代表的なヒーローが、アンドリュー・ヴァクスの探偵バークだった。

つまり〝卑しき街をひとり行く高潔の騎士〟から〝卑しき街をひとり行く卑しき男〟への転換である。このヒーロー像の転換は、物語と文体の転換につながった。内面を抑制的に描き、より客観的な描写が中心だったのに、欲望を前面にうちだし、より主観的な描写へとシフトした。感情の抑制と克己《こっき》から、感情の爆発、欲望の解放へと変わった。人と人とのぶつかりあい、精神の暗黒の部分がより生々しく強調されることになった。そのことは何もノワールではなく、いま氾濫《はんらん》している小説の多くにみられることだろう。つまり〝ノワール〟とは、もっともリアルな人間の文学といえる。

「ノワールを書くということ」というインタヴューは、いま主流になりつつある小説表現の具体的な方法の手引きにほかならない。いかに人物の感情に即しつつ、ドライヴ感あふれる文体を作り、人物の極限状況を現前させるのか。いかに劇的なミステリを生み出すのか。それらに対する回答を、国産ノワールの牽引者であり、多くの読者をもつ馳星周氏に聞いた。馳星周は書評家「坂東齢人」時代、もっとも早くヒーロー像の推移を的確に指摘したひとりでもあった。

■ハードボイルドとノワールの違い／人物描写とアクション描写の差異

――①ノワールというと、一般的には、暗黒街を舞台にした暴力とセックスの物語と考えられていますね。

馳　それは間違いです。それはノワールのひとつのあり方でしかない。人間や社会の暗い側面を描くものだとは思います。例えば桐野夏生さんの『ＯＵＴ』などはノワールだと思う。②普通の人がふとしたきっかけで転落していく様であるとか、いい人だと思っていた人が人殺しをしたりするという社会の断面を描く、しかもこれまでのハードボイルドの手法ではなく、もっと普通の人たちの生の感情に即した形で描くということです。

――では、具体的に話を進めていきましょう。まず、そのハードボイルドですが、ハメットの『マルタの鷹』がいい例ですが、ハードボイルド小説の場合、外面描写から内面を描こうとした。特に比喩を使って。でも、ノワールはわりと直接的ですね。

馳　③俺はあまり比喩は使いたくない。外面描写は具体的にします。何を着ているのか、何をしているのかなど。比喩は使わないし、④俺の場合は人物の顔の描写というのはほとんどない。特定せずに思い思いに想像してほしいということです。外面は人物のキャラクターの一部になるわけだから、的確に短く書く。やくざであればそれなりの格好をしているわけだけど、〝左腕に一本太い金のチェーンが巻いてある〟というくらいで分かるだろうから、それくらいにしたい。⑤個々の人物の外面描写に筆を長くはさきたくない。

――いわば一筆書きですね。

馳　一番的確に、この人物はこうであるというのを、頭のてっぺんからつま先まで描写してもしかたないので、ぱさっと描けるのは何かなと考えます。

――比喩をあまり使いたくないというのは、どうしてですか？

馳　その比喩のためにリズムが狂うからです。あと使い古された比喩が多くなる、自分で新しい比喩を考えているとものすごく時間がかかる。そんなことは矢作（俊彦）さんにまかせておけばいいやと思う。比喩を使うのは、嫌味な性格の登場人物のキャラクターを表すときぐらい。それらしい比喩で感じをだす。だけど基本的には使わない。⑥

――顔の作りとかは、あまり書きませんね。

馳　あまり書かない。イメージが限定されてしまうのが嫌なんです。人物の顔を書く場合は、その顔が自分のなかにも浮かんでいるわけで、それをあえて嫌っているということです。女については、髪の毛が長いか短いかくらいは書くけど、それだけだな。行動と感情の描写でキャラクター付けしていくのが一番だと思う。だけどもし外見と正反対の性格だということを表したいときは外見もちゃんと描写する。⑦

――エンターテイメント系で、表情を書かないというのは珍しいんじゃないですか？

馳　表情は書かないけれども、それぞれのシーンで必要なこと、「険しい目で」とか、そういうことは書きます。でも文章のリズムというのを突き詰めていくと、形容詞も使いたくなくなる。俺が描く人物では、感情の動きが何よりも大切であって、外見や名前というのはそれに付随してくるだけのものにすぎないということです。⑧

――アクション場面で何を中心に書こうとか

考えていますか？

馳　アクション場面で考えていることも、一番は感情です。恐怖とか怒りとか、そういうのが基本にある。あとはいわゆる視覚効果です。小説で視覚効果というのもおかしいけれど、例えばどんなふうに硝煙《しょうえん》がとんでいるのかとか、あるいはどんなふうに薬莢《やっきょう》がとんだのかとか、誰がどんなふうに悲鳴を上げたのかといったことです。⑩それとあとはテンポです。十ページも二十ページも書いていてもしかたないと思う。

——ここにひとつのサンプルをもってきました。必ずしも典型的な場面とはいえないかもしれませんが……。

《北方謙三『眠りなき夜』P.50～51》（集英社文庫）

路地の奥の別の人影。二つ。気を取られた瞬間、腹を蹴りあげられ、眼の下に一発食らった。鼻がじんとして、視界がかすんだ。首筋に追い打ちがきた。頬に当たる雪の感触が、硬く冷たい。氷みたいな雪だ。這いつくばってるんだぞ、自分に言い聞かせる。憤怒がじわりとこみあげてきた。思い切り躰を回転させる。靴が追ってきて、風が顔を撫でた。肩がブロック塀に突き当たった。躰を起こす、一瞬の余裕があった。黒い革手袋が、顔の真中にむかって飛んできた。咄嗟《とっさ》に右に躱す。バリッと耳が鳴った。そのまま頭を沈めた。右足で塀を蹴って反動をつけ、低い姿勢で男の下腹に体当たりを食わせた。反対側の塀まで男が吹っ飛んだ。雪が落ちる。もう一度、塀を突き倒すような気でぶつかっていった。男が、吐瀉物《としゃぶつ》を撒《ま》き散らした。後ろから体当たりを食った。腹にも靴が食いこんできた。私も吐きそうになった。横に跳ぶ。左手に、カメラの吊り紐が絡《から》んでいる。振りむきざま、薙《な》ぐようにそいつで宙を払った。ごつい手応えがあった。手に紐だけが残っている。切れそうもないものが、切れた。いやちがう。カメラと紐を繋《つな》いでいる金属の輪が伸びて、カメラが吹っ飛んでしまったにちがいない。

毀《こわ》れただろうな、変なことが頭をよぎった。

はあっ、と私は大きく息を吐いた。二度、三度と吐いた。四度目は吐けなかった。棒。腕で受けた。棒の方が二つに折れた。棒に見えたが、ただの板きれだ。つんのめった男を蹴りあげる。鳩尾《みずおち》に衝撃が来た。顎、こめかみと続いた。右の拳を、腰を回転させながら振った。手応えがあった。一瞬、三人との間に空隙《くうげき》ができた。走るならいまだ。突っ走れさえしたら。足が動かなかった。呼吸で全身が脹《ふく》らみ、縮んだ。

膝をついていた男が、犬のように唸りながら立ちあがった。頬がパクリと割れている。両側ともブロックの塀だった。道幅は三メートル。狭過ぎる。サイドステップを踏みながら突っ走るのは無理だ。なんとか通りへ出たい。

左の男が一歩踏み出してきた。誘い。わかっていながら、躰がそちらへむいた。右から靴が飛んできた。それは躱したが、真中の男のパンチは躱せなかった。背中が塀にぶつかった。頭に雪が落ちてくる。もう一発きた。

躰を沈めた。ブロックをしたたか叩いた男が、あっと声をあげた。突きあげるように頭突きを食わせ、そのまま通りにむかって走った。ひとりが脚にとびついてくる。振り飛ばした。俺のものだ、そう思った。しかし私は倒れていた。倒れた自分が信じられなかった。あんなタックルに倒されるなんてことがあるのか。蹴りつけてきた足を摑んだ。躰が絡み合う。ひとりに馬乗りになり、顔に数発叩きこんだ。背後から、首に腕が巻きついてくる。蛇のように執拗な力だ。のどが潰れ、呼吸が止まりそうになった。私は首を絞められたまま、相手を背中に担ぎあげて立った。通りへ突っ走ろうとした。下腹に靴が食いこんできた。二発、三発、四発目に膝が折れた。ずしっ、と顎に拳がきた。効いた。もう首は絞められていないのか。まだ倒れていないのか。わからなかった。通りへ出ることだけを、考えていた。

ぐっ、と頭が後ろにのけ反った。髪を摑まれているようだ。四つ、五つ、六つと、顔と腹に食いこんでくる衝撃を数えた。数えることで、遠のきそうになる意識を呼び戻そうとした。

《馳星周『鎮魂歌』P.192〜194》（角川文庫）

滝沢は待った。すぐに、チンピラたちの姿が消えた。

深く息を吸い込んだ。音が消えた。聞こえるのは鼓動だけだった。チンピラたちは近くでポリバケツを見張っているはずだ。

——かまうもんか。

腰に差した警棒を抜きやすい位置にずらした。歩きはじめた。カウントを取った。

一、二、三、四——走った。ポリバケツを蹴飛《けと》ばす。ぶちまけられた生ゴミ。黒く光るポリ袋。引っ摑《つか》んだ。

「てめえ、なにしてやがる!!」

怒鳴り声。警棒——振り向きざまに一閃《いっせん》した。確かな手応えがあった。うめき声。倒れこむチンピラを蹴った。肋骨の感触。爪先《つまさき》に痛み。チンピラの額から流れる鮮血——

「このクソが！」

怒声がした。光が見えた。もう一人のチンピラが両手でドスを握っていた。顔の筋肉に力が入らなくなった。

「なに笑ってやがる！」

笑っているわけではなかった。心臓が暴れていた。息があがりそうだった。

チンピラが突っ込んできた。かわした。警棒を腕に叩《たた》きつけた。鈍い感触。痺《しび》れ。警棒が手から離れた。

丸腰の恐怖。なにかが弾けた。チンピラを壁に押しつけた。殴る。チンピラの頭が揺れた。殴る。唇から血が飛んだ。殴る。手に痛み——すぐに麻痺《まひ》する。殴る。殴る。殴る。

息があがった。腕が垂れ下がった。チンピラがくずおれた。肉の塊と化した顔。路上に血に染まった歯が転がっていた。右手の甲——ざっくり切れて骨が覗《のぞ》いていた。

警棒とポリ袋。拾い上げて立ち去った。

鉛のように重い足。ハンカチを巻いた右手

が発する断続的な痛み。ポリ袋の中身――シャブのパケが三十二。七十万円分のシャブ。

あらゆるものを抱えて滝沢はマンションに戻った。宗英が待っている家には帰りたくなかった。だが、他に行く場所もなかった。

部屋の明かりは消えていた。宗英が部屋の角でうずくまっていた。

「宗英」

「来ないで」

腫《は》れ上がった顔。血がこびりついたままの唇。絞めたあとの残る首。憎悪に血走った目。

「わたしに近寄ったら、これで殺す。本気だよ。嘘《うそ》じゃないよ」

宗英はステンレスの包丁を握っていた。本気だった。

「あんたも父さんと同じ。けだものだよ」

拳《こぶし》が痛み、心が軋《きし》んだ。怒り、そして哀《かな》しみ。眩暈《めまい》がした。滝沢はなにもいわずに部屋を出た。


――お二人を比較して思うのは、まず、「北方謙三」の場合は、アクション場面が綿密ということですね。戦う男（ヒーロー）の行動のみならず相手の反応／反撃もしっかりと正確に捉えている。相手との格闘において、肉体のダメージによって、ヒーローの精神が覚醒されていく。その点、「馳星周」はそんなに詳細ではない。

馳　北方さんなんかは、⑪肉体と肉体のぶつかりあい、そのときの痛みですよね。痛みを感じさせる描写だ。そして、その痛みというものが、北方さんの場合は、それに耐える男の矜持《きょうじ》につながる。それを書かなければならないわけです。ところが俺の場合はそうではない。痛かったら恐い、逃げたいという感情のほうを書く。

——相手の存在よりもヒーローの行動ですね。体言どめを駆使し、ときに同じフレーズを繰り返して、強烈に読者に伝えている。ドライヴ感がある。行動と同時に、ヒーローが抱く思い、感情や欲望もストレートに伝えている。

馳　北方さんのヒーローたちは、痛みに耐えて何かを守らなければならないから、アクションの一部始終と、その痛みが具体的には何を表現しているかを書かねばならない。⑫

——ハードボイルド・ヒーローは、アクションにおいて精神の覚醒を促され、ノワール・ヒーローは感情と欲望を増幅させるということでしょうか。

馳　そうともいえる。とにかく、その小説家がヒーローの何を書きたいかによって、同じ場面でも、アプローチの仕方は全然違ってくると思う。⑬

■アナーキーな力としての感情／極限状況を生み出す想像力とキャラクター把握

——ノワールの中で、自分が一番大事にしたいということは人物の感情ですか？⑭

馳　そうですね、感情ですね。

——価値観や倫理観を根底から覆すようなアナーキーな力としての感情ですね。エルロイがいうところの、読者に強迫観念をうえつけ、一歩間違えば、狂気と暴力に走ることを感得させる感情。馳星周の物語には焦燥感が満ち満ちているわけですが、それが生まれるのも状況ですよね。どう人物たちを追い込んでいくのでしょうか。

馳　いろんなストーリーがあるわけですが、[15]基本的には一つずつ退路を断っていくわけです。ある状況の主人公が、出口無し八方ふさがりの状況になるためには、そしてそこから突っ走らせるためには退路を断っていこうと考える。要は、もう後ろは何もない、後は前に向かって走って行くしかない状況を意図して考えて作っていく。

――そういうときにセックスや暴力というのは非常に有効ですね。人物の感情を増幅し、弾みをつけさせる意味で。

馳　有効ですし、俺もかなり書いてきました[16]が、もう書きたくない気持ちが強い。

――近年の作品では、たしかに暴力はともかくセックス描写は減ってきましたね。

馳　セックスと暴力は楽です。でもこれは必ずインフレーションを起こす。前回よりもっと過激なこと、もっと暴力的なことをしようと考える。それを続けていくとどこかで壁にぶつかるから、違う表現方法を考える。セックスや暴力じゃなくても人間を極限まで追い詰めていって感情を爆発させることができるんじゃないかと。ただ、暗黒街みたいなことを書いているとセックスと暴力がひとつの引き金みたいにはなってしまう。そうすると舞台を変えるしかないな、ということになる。

――『生誕祭』がまさにそれなわけですね。

馳　舞台を変えても人を追い込めると。極限状況に追い込むのに一番必要なものは想像力だと思う。自分も経験したことのない嘘を書いているわけです。でもそれにリアリティをもたせる。そのリアリティの確保が難しいのですが、[17]細部のリアリティの積み重ねによってしか、全体のリアリティは生まれないと思う。こういう状況のなかで、自分が作り上げたこういう性格の人物は、何を考え、どんなリアクションをするのかといったことを、いくつもシミュレーションしていく。[18]いろいろ考えて、これが一番正しいという地点を摑めるかどうかだと思う。それをしないで、いくらテクニックや筆力だけで書いてもちょっと薄っぺらになると思う。

——キャラクターをいかに把握するかということですね。

馳　[19]そうです。自分の作った人物を自分で把握して、その人物の反応や感情の変化を想像できるかということです。それを充分納得できれば、たぶん書くことができる。曖昧模糊《あいまいもこ》としたままだと、曖昧な描写になる。（自分の作品に対して）読者が臨場感があるといってくれるのは、俺がもてるだけの想像力を駆使して、こうであろうと自信をもったところで書いているからだと思う。

——馳星周の小説の特徴はキャラクター把握の確かさだと思う。それは人と人が結びつく関係にリアリティがあるともいえる。新人賞の下読みをしていて感じるのは、人はこんなに簡単には人間関係を結ばない、すぐに分かりあわないということです。

馳　自分の見方というのは一元的だから、大金持ちで傲慢なやつだったらどう見るのかとか、辛いことばかりで歪んだ目で世間を見る人だったらどうかと、いろいろ想像します。初対面の人って誰だって分からないし、十年、二十年つきあっていても分からないことはいっぱいあると思う。[20]基本的に人と人が百パーセント理解しあうなんて嘘だろと思って書いています。その嘘と、でもいくつかでも理解しあえる部分もあるわけで、そのせめぎ合いを書こうと努力している。

■ノワールの文体とは／ハードボイルドの基本を利用する

――[21]ノワールと私立探偵小説との違いはいくつもありますが、とりあえずは、感情に即した文体であるか、理性に即した文体であるかだと思う。ノワールは前者。感情をいかに叩きつけるか、いかに感情を表すのか、そしてどう心理描写をするのか？

馳　なるべく言文一致でいきたい。会話の文章と地の文章が違ったとしても、なるべく距離を縮めたい。主人公の心理描写をする場合において、この場面なら普通汚い言葉がでてくるだろうと思えば、地の文でも使ってしまうし、もうちょっと登場人物が落ち着いていればそこは抑える。（人物が）エモーショナルになっていくときには意識してそっちのほうの言葉を使うときがある。

――ただ感情描写でも全部は書きませんよね、当然のことながら。従来のハードボイルド、北方謙三さんの言葉を借りるなら、〝行間に思いをこめる〟こともありますね？

馳　もちろんです。[22]行間に思いをこめるとは言葉を削るということ。書きたいことを書かずに余韻を残し、具体的にどうこうではなく、そういう味を残したいと思っている。人物の感情のぶれや動きを全部書いていたらすごく長くなってしまう。物語をすすめる上で、基本的には都合のいい部分しか書いていないわけです。しかし、書かないけど何かがあるということを思いながら書いています。その書かない部分を読者に感じさせるかどうかが重要でもある。

——それもあってか、文章は短いですね。

馳　㉓ワンセンテンスが長くなるとリズムが壊れるからね。物語の疾走感、感情のヒリヒリ感、そして文章の快感をめざしているので。

——たしかに馳星周の文体は、読んでいてひじょうに気持ちがいい。

馳　それは一番考え、研究していることなんです。㉔読んでて気持ちいい文体を作りたいというのはこれまであった。『鎮魂歌』から短く、しかもダッシュを多用したり、テンポよくドライヴ感をだしたりすることを始めた。㉕結局一冊の小説を書くときに百のエネルギーがいるとして、たぶん七十五は文章に力を入れている。

——ただ、『雪月夜』がいい例ですが、読んでいて気持ちいいんだけど、キャラクターが壊れているのに、文章がリズミカルになる場合がある。ついつい作者が韻をふんで詠《うた》ってしまうことが（笑）。

馳　それは否定しません。後で気が付いて直したりする。㉖常に最初から最後まで同じテンポというのもダメなんです。徐々にアップテンポにしないと疾走感がでない。

——文体のリズムですが、『鎮魂歌』などを見ると、感情をあらわにしないできわめてたんたんとした会話でつないでいく場合がある。最初から一人称で感情をバンバンぶつけるのではなくて、三人称でわりと省略をきかせて話を進めていく書き方。いわば、ハードボイルドの基本に則った書き方ですね。

馳　感情だけを丹念におっていくだけでは、たぶんエンターテイメントではなくなってしまう。随時ハードボイルドの文体とキャラクターを使う必要がある。

——ノワールを書いているからといって他のジャンルの基本を知らなくてもいいとはならないわけですね。

馳　基本[27]を知らないとそれを壊すこともできないと思う。その基本は他の小説をたくさん読むことでしか身につかない。ノワールがなぜ生まれたのか、ハードボイルドの文体とキャラクターはどう違うのかといったことを知っていたほうが、世界はひろがる。

■ミステリをどう盛り込むか／どう語るのか？／映画的手法について

——ノワールといってもミステリです。ミステリ味をどう盛り込んでいますか？

馳　自分ではミステリ作家としての才能はないと思っている。普通の推理小説みたいに殺人事件が起こって、状況を提示し、理論的にこの人が犯人だと考えるのは苦手です。でも、例えばの話、最初から謎が何重にも覆い隠されている状況、そこに何者かが介入してきて動きまわっているうちに、そのベールがはがれてきて、秘密はこれでしたよというのは、なんとか俺にも書ける。

――事件の奥に何が隠されているのかではなく、事件を通して人間関係が壊れ、はげしい葛藤がおき、人物たちをダイナミックに予想外の方向へともっていく。

馳　そう、物語のダイナミズムは狙っている。読者を驚かせたいし、はらはらさせたい。

――そしてときには読者を善悪の彼岸まで連れて行く。その驚きと昂奮ですよね。それこそが馳星周の力強いミステリだ。

馳　簡単にいってしまえば、ハードボイルド・ミステリとして、本格的なプロットの点でも、一時期までのロスマクが巧かった。でも感動はしないし、チャンドラーなどはおとぎ話にすぎない。[28]やはりハメット。ハメットは今読んでも凄いと思う。

――〝自分が自分であることの不安をハメットは徹底して書いた〟とエルロイはいい、エルロイ自身もハメットを絶賛しているわけですが、それと同じ理由ですか？

馳　そうなりますね。[29]最初エルロイの小説に惹かれたのも、そこにある狂気だった。それは（誰の心のなかにもあるし）自分のなかにもある。そんな深層意識を刺激するような凄い小説はかつてなかった。素面で書いたとはとても思えない。

――どうみてもあれは人間的にも文学的にもミステリ的にもはなはだしく逸脱している。ねじが一本か二本足りない。

馳　そう思う。でもだから傑作だといえるのかもしれない。

――エルロイの『ホワイト・ジャズ』のようなシュールな現代詩のような文体はめざさないのですか？　『鎮魂歌』の第一稿の段階では『ホワイト・ジャズ』のように記号をたくさん使って書かれましたが、時期尚早ということで見送った。いまはもう読者も慣れてきたし、使ってもいいのではないか。記号は感情をダイレクトに伝える意味でわりと有効なのではないか。『ホワイト・ジャズ』の方向にはいかない？

馳　いかないでしょう。むしろ記号は使わない方向にきている。いま書いているものは、逆にワンセンテンスが長い方向にいっていますね。とにかく違うことをやってみたい。描く世界も。『生誕祭』や『煉獄の使徒』などは全部現在形でやっていた。後者は偶然エルロイの『アメリカン・デストリップ』と同じことになったが。

――たしかにエルロイも変わってきましたね。感情の極限を、文体の極限で結晶化した。人物の感情に即した文体だったけど、『アメリカン・タブロイド』以降、叙事的な文体になっていますよね。そういう変化はどう思いますか？

馳　好き嫌いは別にして、当然だと思う。『ホワイト・ジャズ』で行き着くところまで行っちゃったから、あれをずっと続けるわけにもいかないと思う。たぶん彼も模索してきたんだなと思うんだけれども。

――ジム・トンプスンの『残酷な夜』における文章の消滅、『死ぬほどいい女』における意識の流れといった実験はどうです？　作家は物語と文体の破壊と再構成を考えるわけですが、そういうアヴァンギャルドな方向は考えていますか？

馳　うん、考えてはいるけれど、中編くらいからと思っている。やっぱりまだ俺は物語の奴隷だと思う。逸脱したいんだけど恐いんです。みんなついてきてくれるのかな、と。嫌な言い方をすると、自分のなかの文学的欲求と、俺の作品を好きだと言って読んでくれている連中に対する仁義ですね。いらないとは思っているんだけど、いきなりぶった切っちゃうのはどうかなと。そっちに行きたいんだったら、少しずつ連れて行かないとだめかなと思っている。

――映画的手法もよく使いますね。『鎮魂歌』では同じ場面を、視点をかえて語り直す方法をとっていますが、あれは『現金《げんなま》に体を張れ』で使われた手法ですね。

馳　意図的にやりました。同じシチュエーションだけど、そこにいたる過程が違う。主人公が何人もいるから。いろんな映画のことが頭にあったけど、それをやってみようというのはありました。[30]俺たちの世代は、映像世代だから、意識するしないにかかわらず体にしみ付いているのだと思う。シーンを描くときは絵コンテみたいなものが頭の中に浮かぶこともあるし。

■技術を高めるための模倣／作家に必要なのは情熱と覚悟

――小説家をめざす人たちに必要なものはな

んでしょうか?

馳　コピーや真似です。そこから書き続けることでオリジナリティがでてくると思う。何をやりたいかを明確にして、スタート地点に立つことです。途中でやりたいことが変わるということはあると思う。漠然と小説家になりたいといっても、何を書きたいのかということがないとだめです。テクニックというのはやり続けているとどんな人でも上達するから、それ以前の何かをもっていないとダメ。

——それ以前のものというのは?

馳　それはパッションでしょう。作家は傍《はた》で見るほど楽な商売ではないし、本の売り上げだって落ちていくし、ベストセラー作家といわれてノウハウとしていられるわけでもない。小説家としてやりつづけるには覚悟と情熱が必要だと思う。自分にしか書けないものを見つけることです。

——こういう小説は良くないというのはありますか?

馳　一番簡単にいうと、その人が書かなくてもいいんじゃないかという小説ですね。

——エピゴーネンはいいですか。

馳　そこがスタートだと思う。デビュー作がエピゴーネンを超えたものであることにこしたことはないけど、デビューしてエピゴーネンのままではやっていけないはずです。新人のものにはエピゴーネンですらないものが多い。俺の『不夜城』には、いままでのハードボイルドとは違うものを書きたい、アンドリュー・ヴァクスに対するアンチテーゼを書きたいという自分のパッションがあった。でもパッションだけでは書けない。小説というのは作り物だから、書く人の感情が込められているのは当たり前なんだけど、同時に冷徹な計算も別の部分で必要です。

――パッションという火がついて、そこに鍋をかけて、その鍋に劉健一や新宿という街をいれて煮立たせたということですね。

馳　まずその火がないと始まらない。その火も本人はバーナーの火だと思っているかもしれないけど、ちょろちょろした火であることがある。

――そのへんの自覚がどれだけあるか、パッションをいかにフィクションに結晶できるのかというのがありますね。

馳　自分を客観視できないと駄目だと思う。

（聞き手／構成・池上冬樹）

会話に大切なこと

石田衣良 ISHIDA Ira

①②普段と小説中の会話との違いは何ですか
③小説における会話の役割は何ですか
④会話で注意すべきことはありますか
⑤小説における会話の役割は何ですか
⑥会話で注意すべきことはありますか
⑦男と女の会話はどう違いますか
⑧男と女の会話はどう違いますか
⑨会話を書く場合、「誰々が言った」という表現を入れるべきですか
⑩⑪⑫格好いい会話はどうすれば書けますか

⑬⑮会話で注意すべきことはありますか
⑭会話にウイットやユーモアを出すにはどうしたらいいですか
⑯どうすればリズムのよい会話になりますか

「会話の書きかたねえ、そんなの考えたことなかった」

　そういって、テーブルのむかいを見た。ぼくの教える小説家養成講座の優等生で、若い美人だ。ホテルのラウンジの豪華なざわめきによく似あう紺のベルベットのスーツを着ている。凶暴に突きだした胸のあたりが濡れたように光っていた。

「いつも地の文から会話に移るときに、すごく緊張するんです」

「それで、だらだらとりとめない日常会話のような文章になる」

「そう」

「①でも、ぼくたちは普段の会話で、要点だけを話しているよね。これはアメリカ版『ミステリーの書き方』でグレゴリー・マクドナルドもいってるけど」

「わたしの女友達はそうじゃない気がする」

「じゃあ、表参道に新しくできたオープンカフェ、知ってる」

「みずほ銀行のむかいの白い日よけの店」

「②ほら、要点だけを話している。それに、小説のなかの会話は、日常の会話とはまったく別なものだ」

　彼女は不思議そうな顔でぼくを見ていた。シャツの襟元は鎖骨の遥かしたまで開いている。ぼくは胸の麓《ふもと》の白さから目をそらしていった。

「③だから、小説のなかの文章は会話も地の文もただひとつの目的のためにあるんだ」

「どういうこと？」

「④すべての文章は、結末にむかうおおきな矢印の一部になっていないといけない。物語をまえに加速させるためにだけ存在する。特にぼくたちが書きたいと思っているミステリーの分野ではそうだ。ぐるぐるまわる円環構造や、いれ子型の小説もあるし、なかにはルービックキューブみたいに適当に組み替えて読んでもいいなんて作品もあるけど、それは矢印型が自在にできるようになった人が書くものだ」

「物語をまえにすすめるための会話ね。それじゃあ、ランチのお店を決めるときに友達と話すのとは違うのね」

「そうだ。⑤読者に情報を与え、情況を説明し、伏線を張り、行動を描く。会話でも地の文章と同じことができるし、すべての会話は物語のダイナミズムを増大させるために全力で奉仕する。そうなると、誰かのもっともらしい話しかたを、テープレコーダーみたいに再現する必要はぜんぜんなくなる」

「よく小説家は耳がよくないといけないというけど、それならそんなにむずかしくないかも」

「⑥そうだよ。あらかじめその会話のなかで、なにを読者に伝えたいかきちんと決めてから書けば、そんなに緊張するほどのことはない。あとはその場で思いついた感じをだすために、相手への反応や当意即妙の思いつきなんかを、あまりくどくならないようにいれていくだけでいい」

「でも、男の人と女の人の話しかたは違うよね」

「そんなことない。⑦ほとんど同じだよ。最悪なのは、性差を語尾だけでごまかそうとする方法だ。だって、今日はまだ一回も『なになにだわ』なんて、きみはいってないよね」

「じゃあ、どうやって男女の違いを会話で示したらいいの」

「⑧言葉の細部ではなく、考えかたや感じかたの違いを書くんだよ。このネクタイ、どう」

「無地のソリッドなシルクタイ。艶のあるすごくきれいなオレンジ」

「ほら、ちゃんと女性らしい反応になっている。それを男にいわせれば、ファッションや美容関係かゲイバーのホステスかって雰囲気になる。⑨会話は小説のなかでは、それだけ抜きだして単独で存在するものじゃない。誰が話しているかなんて、その場面の設定ですぐにわかるさ」

彼女はきれいに左右対称に描かれた眉をひそめた。

「でも、特定の作家の会話を読んでいると、それだけですごくカッコいいというか、うまいなあっていう人もいるでしょう。さっきから話しているのは、小説のなかの平均的な会話のことばかりで、わたしはできたらもっとシャープに書いてみたいんだけど」

「ぼくみたいに」

困った顔でにこりとして、薄い肩をすくめた。彼女のうわ目づかいは控えめにいってセクシーだ。

「そういうことにしておいてあげる」

「ぼく自身で書くときは、会話のほとんどはさっき話したとおり、物語を前進させるためにつかっている。でも、なんにでも例外はある。創作では曲げてはいけない鉄則はないかられ。小説がおもしろくなるなら、どんな反則だって大歓迎。⑩ぼくの場合、例外条件はふたつだ」

彼女が身をのりだしてきたので、ブラジャーのレースの縁取りが見えた。双葉のように淡いグリーン。

「⑪ひとつは本筋とはあまり関係がなくても、その会話単独で忘れがたい魅力があるとき。フィリップ・マーロウのあの台詞みたいなやつ」

「タフでなければ、生きられない。やさしくなければ、生きている資格がない」

「⑫そう。あとは話者のキャラクターを立てるために有効なとき。これは昔ぼくが書いたやつだけど、『少年計数機』のなかのヒロキの台詞」

「わたし覚えてる。ケンタ・スカイラーク・ケンタ・デニーズ・デニーズ・ヨシノヤ・マック……」

「そこじゃないけど、まあいいや。要するに数に執《と》りつかれた少年のキャラクターを印象づけるために、しつこいくらい数字を会話のなかにいれていった」

「へーえ、やっぱりセンセイもちゃんと考えて書いてるんだ」

「センセイはやめてくれないか。でもね、どんなに気のきいたカッコいい会話でも、キャラクター造形に役立つ会話でも、そればっかりでは小説の車輪は動かない。きちんと推進力を発揮するその他大勢の文章があるから、逆にすこしだけ放りこんだ例外にも切れがでてくるんだ。そこはかん違いしないほうがいい。⑬最初から最後までカッコいい会話だけでできてる小説なんて、電話帳より読みにくいよ」

「わかりました。でも、そのへんをもうすこしききたいな。会話にウイットとかユーモアをだすにはどうしたらいいの」

「⑭そういうのは技術の問題じゃない。書き手に自然にそなわっているかどうかで決まるもので、一度書いた会話にユーモアが足りないからといって、あとから加えるなんて無理な話だよ」

「それじゃあ、小説家養成講座の先生としては失格じゃないですか。だって肝心のところは教えられないんでしょう」

「ボーイフレンドとしてはどう」

「ごまかさないで、ちゃんと考えてみて」

「はいはい。よくマンザイなんかを見てると、ここであのツッコミがくるなってわかっていても、笑っちゃうことがあるよね」

「お決まりの三段オチみたいな」

「そう。会話でも同じだと思う。同じことをいうのでも、⑮リズムやテンポが大事なんだ。どうやって切れのよさやスピード感をだすか。それには自分で書いた会話を、実際に声にだして読んで、リズムがもたつくところは、どんどん切っていくといい。それなら、繰り返していくうちに上達するし、会話は短くなって読みやすいのに、逆に記憶に残るようになる」

「イチ、ニの、サンか」

「⑯それでね、サンのオチのまえにうんとためをつくったり、落とさずに平然とヨン、ゴーと続けたり、読者の予測を裏切れるようになると理想的かな。でもそこまでいくと、内的なリズムを自由自在に刻む自分の文体をもっていることになるから、ほとんどプロ級だな」

「ふーん、なんだか、それはたいへんそうだなあ。わたしにできるかなあ」

「でも、よかったよ」

「どうして」

「今、小説を書いていない時期だから。作家って、書いていないときは小説のことがわかるようになるんだ。またつぎの作品にかかると、小説ってぜんぜんわからなくなっちゃうんだけど。おかしなもんだよね。それにさ、今夜は時間もあるし」

彼女はブレスレットのような腕時計に目を落とした。ラウンジは薄暗いので時間の感覚がなくなっているが、冬の日はとうに沈んでいる。

「こんな時間だったんだ。わたし、そろそろ失礼しなくちゃ」

あわてて、つい本音がでてしまった。

「どうして。まだいいじゃない。もっともっともらしい小説の話をしてあげるから。どこかここより雰囲気のいい店で」

「彼と食事をする約束をしているんです。センセイ、ごめんなさい」

伝票を取ろうとした彼女に、ぼくはあきらめて声をかけた。

「そのままでいいよ。どうせ、経費で落とすんだから。実際、会話の書きかたなんかを、真剣に考えたのは初めてだし、仕事の役にも立った」

「わたしのこと、嫌いにならないでね」

「うん、ならない」

「ほんとに」

「ほんとに。こういうのは、もう慣れてるんだ。会話を書くだけなら、簡単なんだけどな」

Q. 執筆する中で、絶対にしないと決めていることがあれば教えてください

●ストーリー上では、絶対に子供が可哀想な出来事に遭遇するようなことはしません。子供の涙は売り物ではないし、喜ぶときのほかに涙は見たくないからです。<秋月達郎>

●・調べられるものは可能なかぎり調べる。・他人の発想はパクらない。<浅黄斑>

●擬音を多用しない。セリフを現代口語風にしない（例:「まったく」を「ったく!」)、できるだけ約物（!、?、……）を使わない。同じ単語を繰り返さない（例:「そっくり」は「うりふたつ」とか「いきうつし」と書き換える)。自分で音読して話しづらい書き方はしない。あまり一文を長くしない。リズムを崩さない。リライトをいとわない。<浅暮三文>

●読者に対して不誠実なこと（スカスカの文章・投げやりなストーリー・流行に乗じただけの趣向・納得のいかない妥協)。<朝松健>

●日本文学のお家芸「話らしい話のない話」は絶対に書かない。<芦辺拓>

●双児の犯人。探偵が犯人。<梓林太郎>

●酒気帯びでは書かない。<東直己>

●途中で投げ出さないこと（最後まで書き終えてから、発表に値しないと寝かせてしまうことはあったとしても)。<姉小路祐>

●僕の思うところの「アンフェアな」記述。<綾辻行人>

●書きながら煙草を吸わない。吸うなら小休止する。<有栖川有栖>

●おざなりな情景描写。一向に見えないような人物描写。トリックばかりが先行して、小説の体を成していない小説。<伊井圭>

●安易に人を殺さない。<五十嵐貴久>

●のんだら、書かない。誰かと同じようには、書かない。<石田衣良>

●ウソは書かない。<石田善彦>

●偶然を多用しない。登場人物を多くしない。カタカナ語を極力さける。これをまもらないと読者はよみにくくなる。<伊藤秀雄>

●小説の中身についてなら、何をしてもかまわないと思います。執筆姿勢についての質問であれば、第一稿を書き上げるまでは、書き終えた部分を読み返さないようにしています。<薄井ゆうじ>

●レイプシーン、本当に殺せる方法。<えとう乱星>

●地の文で「彼」「彼女」を使わないとか、たくさんありますね。<逢坂剛>

●「まるで小説のような」という比喩を使うこと。<大沢在昌>

●とにかくその時点でベストを尽くす。まとめる時に直そうとか考えない。<恩田陸>

●当初、構想していたアイデアなどをはしょること。<霞流一>

●本筋に必要のないこと（たとえば必要のないセックス・シーン）。＜加納一朗＞
●巷で売れているものの二番煎じに当たるものを書くことは嫌です。＜香納諒一＞
●文章で他人を傷つけないこと。たとえ悪人でも誹謗中傷しないこと。＜狩野洋一＞
●作品によって取り組む姿勢に軽重をつけ、手を抜くこと。＜貴志祐介＞
●酒を飲まない。＜北方謙三＞
●セックスシーンは書かない。＜北上秋彦＞
●未完のままにしない。＜草川隆＞
●作中で自分の意見をいうこと。＜鯨統一郎＞
●他人の作品を参考にすること。人間のキャラ、ストーリーのシチュエーション共。＜久保田滋＞
●他人とその作品やしごとに対して敬意を欠くこと。エッセイや書評などで、実は内心「ウーンいまいちよくわかんない、あまりスキじゃない」と思えるものをホメないとならない時などはできるかぎり穏やかにことわるようにしています。そのほうが嘘ついてヨイショするより失礼じゃないと思うので。＜久美沙織＞
●推理小説はあくまでエンターティメント。あまりに残酷なこと。性的なことは避ける。＜小林久三＞
●嫌いな漢字を使わないこと。＜小森健太朗＞
●自分の視点を押しつけること。もちろん自分の訴えたいことを書くにせよ、自問しながら、押しつけにならないように書くようにしています。＜近藤史恵＞
●明らかに現実の人物を想定した登場人物を登場させないことです。小説の名を借りて、怨恨を晴らしている人を見かけますが、どうかと思います。また、文章表現上においては「脱兎のごとく」といった比喩を使わないようにしています。比喩を使うときはオリジナルのものを考えます。＜斎藤純＞
●自分自身で嫌いになる作品を書かない。＜斎藤肇＞
●人物の氏名で自分やあまりに親しい者は使用しないことにしている。＜齋藤榮＞
●怖いタブーには触れない。＜佐々木譲＞
●殺人とどろぼう。不倫は微妙な線。作中では何でもあり。＜篠田節子＞
●自分で（あるいは自分なりに）納得できるストーリーを思いつかない限り、筆はとらない。＜篠田秀幸＞
●安易に〝狂気〟を犯罪動機としないこと。＜篠田真由美＞
●リーダーは最小限。「？」「！」は使用しない。行あけもなるべくしない。＜島村匠＞
●絶対に、と言われると顔を伏せてしまうのですが。傍点、ダッシュ、三点リーダー、は基本的には使いません。「！」「？」に関しても語尾の解釈に誤解が出る時以外は避けています。「ら抜き言葉」も好みません。＜菅浩江＞
●途中で投げ出さないこと。書いたら何年かかろうが必ず書き上げる。＜鈴木輝一郎＞
●そういうことを決めないようにしています。＜田中啓文＞

●いったん始めたら、決して中断しない。<田中光二>
●原稿を落とすこと（絶対……のはずだけど)。<柄刀一>
●なんでもアリです。それが作品を面白くさせるなら。<辻真先>
●（1）主人公に楽をさせないこと→主人公が取るべき道に、いくつかの選択肢があれば必ず最も困難な道をえらばせる。(2）ストーリーの都合にあわせて、主人公に不自然な行動をとらせない→ストーリーの自然な流れを重視するということ。<富樫倫太郎>
●犯人が捕まって、すべての謎が解決してチャンチャン——みたいなこと。<友成純一>
●できる限り、女の子は不幸にしない。<中里融司>
●アイディアの二番煎じ（気づかずにやっているかもしれないが)。<夏樹静子>
●他人作品のマネをしたと言われないよう、気をつけています。<夏野百合>
●余分なことを書かないこと。<西村京太郎>
●絶対にしない、ということはありません。<法月綸太郎>
●酒は飲まない。飲んだら書くな。書くなら飲むな。<馳星周>
●途中の段階では縦で読まない（縦書きで読むのは最後の最後！と決めている)。なぜかはわからないけど、もしかしたら、わーっと書いて最後（推敲する段で）小説として客観的に読もうという魂胆かもしれません。<春口裕子>
●ビックリマーク！を使わない。「……」（カギカッコと点々のみという意味）も使わない。<東野圭吾>
●パクリ、引き写し、孫引き。<樋口明雄>
●セックス（うそ)、パクリ（微妙？)。要するに、執筆にタブーはありません。<藤水名子>
●酒を飲むこと。<藤田宜永>
●会話の途中、何か言いたいのだが、無言状態を「……」で済ませることだけは避けている。<船戸与一>
●締め切りを設定しないこと。今後はそうしようと思っています。<本多孝好>
●絶対にしないことなど決めないこと。<牧野修>
●インターネットの情報をそのまま流用すること。作家にとっては自殺行為だと思う。<松岡圭祐>
●読む人の心に「汚れ」をもたらすような描き方は、絶対にしたくないと思っています。<松島令>
●必要のない残酷なシーンを書くこと。<宮部みゆき>
●救いのない話は書かない。<森福都>

第4章

ミステリーをより面白くする

書き出しで読者を摑め！

伊坂幸太郎
ISAKA Kotaro

①プロットは必要ですか
②読者を驚かせるにはどうしたらいいですか
③読者の心を摑むにはどうすればいいですか
④意外性を演出するための方法はありますか
⑤印象的な冒頭には、どんなものがありますか
⑥冒頭にインパクトのある作品を具体的に教えてください
⑦冒頭にインパクトのある作品を具体的に教えてください
⑧効果的な伏線の張り方とは、どのようなものですか
⑨⑩小説の要素のうち、何から決めて書きますか

⑪読者の心を摑むにはどうすればいいですか
⑫映像的な描写をする場合、注意すべきことは何ですか
⑬読者の心を摑むにはどうすればいいですか
⑭新人賞に応募するときに気をつけるべきことは何ですか
⑮プロローグとエピローグは必要ですか
⑯タイトルは重要ですか

①僕は、最初にあまり綿密なプロットは立てられないんです。書きたい場面や書きたいモノがあるだけで、映画でいえば、予告編のようなイメージしか持っていません。書きたい場面や「絵」があって、それらをつないでいくパターンが多いですね。例えば『アヒルと鴨のコインロッカー』では、〈本屋を襲う〉〈ブータン人をめぐるトリックが明かされる〉〈ラスト近くで呼び鈴を押しても隣人が出てこない〉という三つの場面が思い浮かんで、それをとにかく結びつけたいと思いました。そういう物語の作り方は、映画からの影響が大きいのかもしれません。小説でも映画でも、僕はけっこうすぐ内容を忘れてしまうんですが（笑）、すごく印象的だった場面や決め台詞は鮮明に憶えています。だから、そういう発想で物語を作っているんでしょうね。

『アヒルと鴨のコインロッカー』は、書店強盗の場面から始まります。しかも、強盗の狙いは金ではなく「広辞苑」だという変な設定ですが、それはフィクションであるかぎり、②よっぽどのことが起きないと読者は驚いてくれないと思うからなんですよ。例えば、現実の話だと「昨日、二階の部屋の洗濯機の水が溢れて、俺の部屋がびしょびしょになったよ」というだけでも、「え、そうだったの？」と興味を持ってもらえるでしょうが、フィクションだとそんな程度では、「ああ、そう」みたいな反応しか返ってこない気がするんですよね。だから、見たことも聞いたこともないような話を書きたいと、いつも思っているんです。

腹を空かせて果物屋を襲う芸術家なら、まだ恰好がつくだろうが、僕はモデルガンを握って、書店を見張っていた。

（中略）

古くからある、個人経営の店なのだろう。昼間は近所の子供たちにコミックスを売り、夜は車でやってくる若者にヌード雑誌を売り、それでどうにか維持していけるくらいの規模に違いない。今時には珍しい、はたきの似合いそうな、書店だ。

（中略）

「椎名《しいな》のやることは難しくないんだ」河崎《かわさき》はそう言っていた。

たしかに複雑なことではなかった。どちらかと言えば技術的でもなかったし、誰にでもできることだった。

モデルガンを持ったまま、書店の裏口に立っていること。それだけ。ボブ・ディランの「風に吹かれて」を十度歌うこと。それだけ。二回歌い終わるたびに、ドアを蹴飛ばすこと。それだけだ。

「店を実際に襲うのは、俺だ。椎名は裏口から店員が逃げないようにしてくれ」河崎は言った。「裏口から悲劇は起きるんだ」

当の河崎はすでに、閉店直前の書店に飛び込んで、「広辞苑」を奪いに行った。

店内から物音がした。僕は驚き、右足を動かす。靴が雑草を踏んだ。土を踏んだ感触が気色悪く、鳥肌が立った。

《『アヒルと鴨のコインロッカー』／創元推理

文庫 p.7～10》

『アヒルと鴨のコインロッカー』はアマチュア時代に原型を書いていたこともあって、特に③④冒頭で読者を驚かせることに腐心しました。いつも書くときに注意しているのは、例えば「ドアを開けたら象がいた」というような、唐突な突飛さは避けよう、ということなんですよ。『ロード・オブ・ザ・リング』のような剣と魔法の世界にいきなり、連れて行かれるのは抵抗があるんです。僕の好みは「五丁目のコンビニから『ロード・オブ・ザ・リング』の世界に入っていく」という感じで（笑）。つまり、現実と奇抜な設定が、いつの間にか溶けて混じり合って、しかも自然だったらいいな、と思っているんです。書店を襲って「広辞苑」を奪うというのは、突飛さと自然さがぎりぎりのように思いますけど（笑）、とにかくそういうのが好きなんです。

だから、書き出しでいえば『アヒルと鴨のコインロッカー』は、仙台に引っ越してきた椎名が河崎の部屋の呼び鈴を押すところから入ろうとしていました。だんだん、突飛な話にしたかったので、最初は静かにはじめたかったんですね。ただ入居の挨拶というのは、それこそ〝摑み〟という点では弱い。だから、この作品では、冒頭にその〝摑む〟シーンを意図的に持ってきたんです。当時はアマチュアだったので、選考委員になんとか読んでもらおうという意気込みでした。

シュールレアリズムの詩には、日常の世界

で近い関係にあるものを離し、遠い関係にあるものを結びつける、という方法論があるそうですが、例えば〝石と薔薇〟とか〝動物園とエンジン〟などのように、遠いイメージのもの同士をぶつけて意外性を演出することを、僕はどこかで意識しているのかもしれません。

僕のなかでは、「書店」と「モデルガン」と「強盗」は、けっこう〝近い〟もので、そこに、「ボブ・ディラン」という〝遠そうな〟ものをくっつけるのが、僕の好きなバランスなんですよね。例えば、立ち居ふるまいはハードボイルドなのに、その人がキティちゃんのTシャツを着てたら、ちょっと「あれ？」って引っかかる、そういう感じが好きなんです（笑）。

『死神の精度』だと、〈死神という存在〉と〈CDショップの試聴機の前でヘッドフォンをしている姿〉の組み合わせがそうなんです。これを方法論といえるかどうかはわかりませんが、フィクションとしての好みなんですよね。

天使は図書館に集まるというのは有名な映画の設定ですが、死神にはCDショップの試聴コーナーに集まるという設定を作り、奇妙な現実感を生む効果をねらいました。「死神＝空を飛ぶのが好き」ではプラスとプラスになってしまうというか、〝近い〟気がするんですよ。「死神＝CDショップにずっといる邪魔な客」という組み合わせは、〝遠くて〟楽しいかな、と思いました。

彼女をタクシーに乗せた後で、私は深夜のアーケード街を歩いた。

（中略）

CDショップに入る。深夜営業をしているCDショップは貴重なので、発見できるといつもほっとする。

夜の十一時を過ぎている店内には、まばらではあっても、客がいた。するりするりと棚を通り過ぎて、試聴用の機械がならんでいる場所まで移動した。

この仕事をやる上で、何が楽しみかと言えば、ミュージックを聴くことをおいて他にない。

（中略）

私たちの仲間は、仕事の合間に時間ができると、CDショップの試聴をしていることが多い。一心不乱にヘッドフォンを耳に当て、ちっとも立ち去ろうとしない客がいたら、おそらく私か、私の同僚だろう。

《『死神の精度』／文春文庫 p.24〜26》

『死神の精度』の肝腎の書き出しは、床屋でのちょっとした小話から始めることにしました。

ずいぶん前に床屋の主人が、髪の毛に興味なんてないよ、と私に言ったことがある。「鋏《はさみ》で客の髪を切るだろ。朝、店を開けてから、夜に閉めるまで休みなく、ちょきちょきやってるわけだ。そりゃ、お客さんの頭がさっぱりしていくのは気持ちがいいけどよ、でも、別に髪の毛が好きなわけじゃないって」

　彼は、その五日後には通り魔に腹を刺されて死んでしまったのだが、もちろんその時に死を予期していたはずもなく、声は快活で生き生きとしていた。

「それならどうして散髪屋をやってるんだ？」訊き返すと彼は、苦笑まじりにこう答えた。

「仕事だからだ」

　まさにそれは私の思いと、大袈裟に言えば私の哲学と、一致する。

（中略）

　人の死には意味がなくて、価値もない。つまり逆に考えれば、誰の死も等価値だということになる。だから私は、どの人間がいつ死のうが、興味がないのだ。けれど、それにもかかわらず私は今日も、人の死を見定めるためにわざわざ出向いてくる。

　なぜか？　仕事だからだ。床屋の主人の言う通り。

《『死神の精度』／文春文庫 p.9～10》

　印象的な冒頭、といっても大きく分けると二種類あるように思うんですよね。書き出し[5]に印象的な〈場面〉を持ってくるパターンと、書き出しの文章そのものに凝る方法と。僕の場合、前者の代表例が『アヒルと鴨のコインロッカー』『死神の精度』で、後者は『重力ピエロ』の「春が二階から落ちてきた」になるのかもしれません。

『重力ピエロ』の書き出しは、自分では自覚的に「絶対これでやっつけてやる！」って思っていました。誰をやっつけるのかわかりませんが（笑）。当時から、やっぱり小説でしかできないことをやろう、小説でしかできないことをやるんだと思っていて、その思いを書き出しから読者に「ぶつけたい」っていう気持ちが強かったんですよね。


春が二階から落ちてきた。

私がそう言うと、聞いた相手は大抵、嫌な顔をする。気取った言い回しだと非難し、奇をてらった比喩《ひゆ》だと勘違いをする。そうでなければ「四季は突然空から降ってくるものなんかじゃないよ」と哀れみの目で、教えてくれる。

春は、弟の名前だ。頭上から落ちてきたのは私の弟のことで、川面に桜の花弁が浮かぶあの季節のことではない。

《『重力ピエロ』／新潮文庫 p.9》

読みたいと思う本は大量にあって、しかも読む時間は限られているとき、〝この一冊〟を選ぶにあたり、僕は最初の二、三行とか冒頭の場面を読んで決めることが、多いんですよ。タイトルはもちろん、最初の文章とかで、その人の言葉の選び方の感覚がわかりますし。だから、今改めて読んでみると、『アヒルと鴨のコインロッカー』をはじめ初期の作品は、その点で、良くも悪くも（笑）、気張っているなあ、と思います。だんだんとそれが嫌になって「自然に始めよう」と考えるようになってはいるんですが、やっぱり本心では「力を入れなきゃ」とは思うんですよね。ただ、書いた本人はすごく気がきいていると思う表現でも、意外に陳腐だったりする場合があります。「春が二階から落ちてきた」という冒頭を読んだ時点で、引いちゃった人もいるはずなんですよ（笑）。だからそのすぐあとにバランスをとろうと思い「いやいやそれはね」みたいな言いわけをつづけているんですけど（笑）。

『重力ピエロ』は、まず母親がレイプされた結果、生まれてきた子供を「春」という名前にしようと決めました。「春が二階から落ちてきた」は、その「春」からのインスピレーションで出てきた一文ですね。『重力ピエロ』というタイトルが先行していて、そのあとに兄弟の設定ができて、それから「春が落ちてきた」って書き出しが浮かんだんです。でも、これではあまりにファンタジーのような気がして、「二階から」という状況説明を加えることでバランスをとりました。「春が二階から落ちてきた」っていう一行目が決まると、それにつづく言いわけの部分はスラスラつながっていきました。

小説の書き出しのカッコ良さを思い浮かべるとき、学ぶところが多かったのは大江健三郎[6]さんで、『叫び声』など特に印象深いですね。そこでは、フランスの哲学者の言葉が引用されています。僕が登場人物の吐く警句やことわざを書き出しに援用するのは、その影響なのかもしれません。また、[7]ジョン・アーヴィングの『ホテル・ニューハンプシャー』の書き出しは、自分の兄弟を紹介するのに、こんなふうに可愛い語り口があるのかと驚かされました。「この物語は、こういうふうに語られていくんだ」という期待がふくらんで、それで読み始めたんです。

ひとつの恐怖の時代を生きたフランスの哲学者の回想によれば、人間みなが遅すぎる救助をまちこがれている恐怖の時代には、誰かひとり遥かな救いをもとめて叫び声をあげる時、それを聞く者はみな、その叫びが自分自身の声でなかったかと、わが耳を疑うということだ。

《『叫び声』大江健三郎著／講談社文芸文庫p.7》

父さんが熊《くま》を買ったその夏、ぼくたちはまだ誰《だれ》も生まれていなかった――種さえも宿されてはいなかった。一番年上のフランクも、一番騒々しいフラニーも、その次のぼくも、ぼくたちの中で一番年下のリリーとエッグも。父さんと母さんとは、おたがい同士、生まれた時からずっと知っている幼なじみだったが、フランクがいつも言う、二人の〝結合〟は、父さんが熊を買うまで起らなかった。

《『ホテル・ニューハンプシャー』ジョン・アーヴィング著、中野圭二訳／新潮文庫p.7》

じつは僕にはコンセプトというか、設定あ

りきで書いた作品があります。例えば『陽気なギャングが地球を回す』では四人組の強盗を書きたい、『グラスホッパー』では三人の殺し屋を書きたいといったものですが、これはたいていうまくいかないパターンなんですよね（笑）。やりたいことが最初で終わってしまうのが、その理由だと思うんですよ。設定ありきの『陽気なギャングが地球を回す』のときは、「銀行強盗は四人いる」っていうのがそもそも考えていた書き出しなんです。とはいえ、書き出しがそれだと、やっぱりあまりに素っ気ないように思って、前にいろいろ足しました。

二人組の銀行強盗はあまり好ましくない。二人で顔を突き合わせていれば、いずれどちらかが癇癪《かんしゃく》を起こすに決まっている。縁起も悪い。たとえば、ブッチとサンダンスは銃を持った保安官たちに包囲されたし、トムとジェリーは仲が良くても喧嘩《けんか》する。

三人組はそれに比《くら》べれば悪くない。三本の矢。文殊《もんじゅ》の知恵。悪くないが、最適でもない。三角形は安定しているが、逆さにするとアンバランスだ。

それに、三人乗りの車はあまり見かけない。逃走車に三人乗るのも四人乗るのも同じならば、四人のほうが良い。五人だと窮屈だ。

というわけで銀行強盗は四人いる。

《『陽気なギャングが地球を回す』／祥伝社文庫p.6》

ほんとうはこのエピグラムふうの文章からが本篇だったんですが、担当編集者の意見をいれて、前に出す形にしました。『陽気なギャングが地球を回す』の場合、本篇の書き出しはその四人の銀行強盗たちのキャラクター紹介になります。四人の特殊能力をざっと紹介して、いったいこの四人組がどんな銀行強盗をやるのか、読者の期待を煽《あお》るというか、ハリウッド映画がそんな感じですよね。あとはそれを逆手にとって、この冒頭は、主役たちを紹介している場面なんだな、と⑧読者を油断させておいて、そこに伏線を張ろうとも考えました。この手法、実は、大沢在昌さんの『新宿鮫』で学んだんですよね（笑）。『新宿鮫』は冒頭で、刑事の鮫島が人を助けるんですけど、「主人公の顔見せだな」と油断して読んでいたのが後半で活きてくる。新宿鮫メソッドですね（笑）。また、連城三紀彦さんの初期の短篇にも、いきなり書き出しが伏線だったということはしばしばあります。処女短篇集『変調二人羽織』に収録されている「ある東京の扉」では、作中作の探偵小説が「ウーウーとサイレンの赤い音で緊急事態を周囲に捲きちらしながら、一台の車が現場近くへ停車した」で始まります。それを編集長の男が、「今のパトカーならピーポピーポだ。それに現場近くへの近くは余分だ。現場へ到着しただけでいい。赤い音という表現もおかしい」と横からいろいろ訂正するんです。じつはそれが伏線になっていて、とても感心しました。

『陽気なギャングが地球を回す』[9]の場合、まずキャラクターの設定ありきでした。そこから〝彼らならどんな銀行強盗ができるのか〟を逆算して作り込むという苦しいやり方で、相当苦労しましたね。銀行からこれこれこういうやり口で金を奪うのに、こういう能力を持っているやつがいれば便利だ、という具合に、ストーリーからキャラクターの設定を詰めていくのが常道なんでしょう。

『グラスホッパー』では自殺をうながす「自殺屋」や、人を押す「押し屋」という職業人を書きたいと思ったので、最初に彼らを書いたらもう満足してしまいました。編集者に「基本的に小説は目的か謎で引っ張っていくもの」だとアドバイスされて、「あ、どっちもない」って悩みました。そう考えると、設定ありきで書くのは僕の場合、うまくいかないんです。[10]書きたい場面があって、しかもその場面が物語の後ろにあればあるほど、どんどん筆を進めないといけないので、それがいちばん、僕の場合はうまくいくパターンですね。

それにしても『アヒルと鴨のコインロッカー』しかり、『陽気なギャングが地球を回す』しかり、連作集『チルドレン』の第一話「バンク」しかり、冒頭に強盗、特に銀行強盗のシーンを描くことが僕の作品では多いんですよね。これは、それしか書けない、ということもあるんですけど(笑)、現実から微妙に浮遊している〝摑み〟を考えると、やっぱり急に暴力的なことが起こるのが、フィクションならではの期待感を煽るはずだと考えて、それで結局、思いつくのが強盗なんですよ。あるときウチの奥さんに「開き直って、あなたの書く小説は、全部そうしちゃえばいいじゃん」と言われたこともあるくらいで。僕の場合は、暴力的で且つ現実的な光景を考えたときに、殺人か強盗かの二択になってしまうことが多いですね。⑪とにかく冒頭に〝動き〟のある場面、物事が転がりだす場面を持ってこようとしています。

ただ、「暴力的」とはいっても、僕が意識しているのは、そういう暴力的な要素を持ち込む反面、でもこの先それを深刻に描いていく作風ではないんだよ、というのも伝えたいってことなんですよね。だから、書店は襲うけどボブ・ディランを歌うとか、〝暴力的だけど、銀行強盗をしながら演説をぶつとか、意外とユーモアがありますよ〟と仄《ほの》めかせればいいなあ、と思っています。

ハリウッド映画は、だいたい最初に〝摑み〟のシーンを持ってきます。主人公が活躍するシーンなどはその典型で、それはパターンとして確立されていると思うんです。『陽気なギャングが地球を回す』のオープニングはハリウッド映画的で、最初に主要キャラクターを読者に見せる段取りです。でも、やっぱり小説は「文章」なので、「春が二階から落ちてきた」みたいな〝摑み〟を独自で考えるほうがいいな、と僕は思っています。だからなのか、『グラスホッパー』のときもそうなんですが、譬《たと》え話を援用した書き出しもけっこう多いんです。

街を眺めながら鈴木《すずき》は、昆虫のことを考えた。夜だというのに、街は明るく、騒がしい。派手なネオンや街灯が照り、どこを眺めても人ばかりだった。けばけばしい色をした昆虫がうごめいているようにしか見えない。不気味さを感じて鈴木は、大学の教授の言葉を思い出した。十年以上前、学生の頃に聞いた言葉だ。

「これだけ個体と個体が接近して、生活する動物は珍しいね。人間というのは哺乳類《ほにゅうるい》じゃなくて、むしろ虫に近いんだよ」とその教授は誇らしげに言い切った。「蟻とか、バッタとかに近いんだ」

「ペンギンが密集して生活しているのを、写真で見たことがあります。ペンギンも虫ですか」と質問をしたのは、鈴木だった。悪気はそれほどなかった。

教授は真っ赤な顔で、「ペンギンのことは忘れろ」と吐き捨てた。

《『グラスホッパー』／角川文庫 p.5》

⑫小説は「読まれる」ものですから、映画とはぜんぜん違う手法が必要です。映像的な描写をすると、すぐに三ページぐらいになってしまいますが、それでは長過ぎます。もし、目の前に読者がいるなら「これって面白そうでしょ?」と訊ねてみて、「つまらないよ」って言われても、「でもさ、ここが良いじゃないの」と説明を加えることができるんですけど（笑）、小説だとそれは不可能ですよね。

だから、「読者は優しくない」と僕は悲観的に思っていて、どうにかして最初のほうではっとさせたいな、読者の心を摑む〈場面〉や印象に残る一文を書きたいな、と考えているんですよ。まずはこっちの車に乗ってもらわないといけない、というか。ナンパしたことないですけど、同じじゃないですかね（笑）。初対面の人に、とりあえず自分の車に乗ってもらうために頑張らなきゃいけないというか。ナンパならまず相手を笑わせるんですかね？　小説も笑わせたり、驚かせたり、はっとさせたほうがいいと思うんです。だから、物語の⑬⑭冒頭で〝摑む〟のは意図的にやったほうが、僕は良いと思いますし、新人賞に応募する場合は、特にそうだと思います。

冒頭について、最後に一つだけ。⑮これは個人的な好みなんですけど、僕は「プロローグ」って打たれてしまうと、あまりワクワクしないんです（笑）。「あ、これプロローグなのね」と思ってしまうと、あまり気を入れて読めない性質なんです。できれば、いきなり物語の中に投げ込んでほしい。「プロローグ」っていうと、なんだか雰囲気だけ読まされているような気がして、ちょっとノってこないんです。どうせ最後まで読まないと意味のわからない〝思わせぶり〟じゃないか、と冷めてしまうところがあったりもして。「エピローグ」は、読んできた流れでアリだと思うんですけど、「プロローグ」は作者が準備運動のストレッチをしているような気がして、「そんなことより早く試合！　ゴング、ゴング！」と思ってしまう（笑）。もちろん結末まで〝試合〟を観れば、あとからVTRで再確認して、「ああ、ゴングが鳴る前にこんなストレッチをやってたんだな」と感心するんですけど。新人賞の応募原稿を、「プロローグ」から書いている人がいるのかどうか、多いのかどうかもわからないんですけど、あまりいいやり方ではないような気がします。「プロローグ」を省いて、いきなり読者を巻き込んじゃおう、と意識することで、独りよがりで作者本人だけが盛り上がっているような危険性を回避できるように思います。

僕の短篇集『フィッシュストーリー』の表題作で、売れないバンドのボーカリストがレコーディング中に思わず漏らす台詞に、「これは誰かに届くのかなあ」というのがあるんですけど、不安で、でも届いてほしい、という気持ちで創作物というのは出来上がるのかなあ、と思うんですね。僕は、[16]デビュー前は特に、書店に自分の本が並んでいて、それをどうやったら読者に手に取ってもらえるか、とよく考えていました。あまりに本がたくさん並んでいるので。だから、そのためにはタイトルと書き出しが重要だと思ったんですね。なんというタイトルの本で、どんな書き出しの本なら僕は手に取るだろうかと想像していました。〝誰かに届けたい〟という思いがたぶん、一番大事なように思います。

（聞き手／構成・佳多山大地）

ミステリー作家への質問

Q.理想とする作品とその理由を教えてください　その1

●ハインライン『ダブル・スター』面白い。<青山智樹>

●司馬遼太郎『項羽と劉邦』、江戸川乱歩『陰獣』、横溝正史『真珠郎』、スティーヴン・キング『ボディ』、三島由紀夫『豊饒の海』、川端康成『雪国』、辻邦生『サラマンカの手帖から』など。<秋月達郎>

●特にありませんが、強烈な印象を残しているものに、松本清張氏の『砂の器』、夏樹静子氏の『黒白の旅路』などがあります。<浅黄斑>

●多すぎで書き切れません。J・サーバーの悲哀、バーセルミの実験性、ロッジの知性。スラデックの奇想。ラファティの笑い。スタージョンの清潔さ。龍之介や藤原審爾や織田作之助のような短編の切れ味。しかし一生にひとつだけ、書けるならばカルヴィーノの『我らが祖先三部作』のどれかみたいに軽く､滑稽な小説を。<浅暮三文>

●◎H・P・ラヴクラフト『チャールズ・ウォードの奇怪な事件』完璧な構成　◎夢野久作『ドグラ・マグラ』完璧な構成と奇想　◎山田風太郎『魔界転生』奇想と伝奇性<朝松健>

●本格ミステリーというのは「卓抜なトリック」「緊密な謎構成」「みごとな解決」など理想型が見えやすい割りに、実はそれらを全て満たすことは不可能に近く、一方で「際限なく書き続けられ、読み続けられる」ことこそ理想なので、実は単一の理想作品など必要でないのかもしれません。そうした中で、ほぼ完全無欠な謎解きのためのバーチャル空間なのに、行間からは街並みや時代の空気が見えてくるし、明らかにゲームの駒として作られているのに、登場人物には確かな息遣いと温かみを感じさせる鮎川哲也先生のお作は、確かに理想的といえると思います。<芦辺拓>

●『死の接吻』アイラ・レヴィン、『顔』『点と線』松本清張。<梓林太郎>

●『西遊記』『果てしなき流れの果てに』(小松左京)。強固に構築された世界に浸る楽しさを、堪能できるから。<東直己>

●限られたスペースでむつかしいですが……一つ挙げるとしたら、やはり松本清張さんの『点と線』です。鉄道を使った巧みなトリックもさることながら、汚職や公務員制度といった社会性を持ったテーマに強く魅かれます。<姉小路祐>

●トニー・ケンリックの『リリアンと悪党ども』。理由は――読めば分かるでしょう。<我孫子武丸>

●日本だと、半村良さんや山田風太郎さん。海外だと、スティーヴン・キング。これはもう、〝お話作り〟が、「うわっ」ていう程うまいと思います。構成の取り方が、非常に美しい。ただ、私の資質とは方向性が全然違うので、頭の中で理想にしているだけで、真似をすることもできません。<新井素子>

手がかりの埋め方

赤川次郎
AKAGAWA Jiro

①トリックの伏線はどこに書けばいいですか
②謎を解く手がかりはどう書けばいいですか
③謎を解く手がかりはどう書けばいいですか
④トリックを仕掛けるときに利用する読者心理とはどんなものですか
⑤現実にありえないトリックは許されますか
⑥トリックを書くときに一番気をつけなくてはならないことは何ですか
⑦プロの作家に必要なことは何ですか

＊「幽霊列車」および『三毛猫ホームズの推理』のトリックに触れています。未読の方は充分ご注意ください。

ミステリーを書いていて一番苦労するのは、トリックを考えることでも、ドンデン返しをひねり出すことでもなくて、手がかりをいかにして、読者の目につかないように、かつ記憶の隅にとどまっているように書き入れるか、ということです。

手がかりが、読者の記憶にぜんぜん残らない書き方をするのは不親切です。解決場面で探偵役が手がかりに言及したとき、「そんなの書いてあったっけ？」と思って、読者がページをめくって探さなきゃいけないようではダメ。「ああ、あれはそういう意味だったのか」とすぐわかるように、記憶に残る書き方をしたほうがいいのですが、あまりそればかり書くとすぐに真相を見抜かれてしまう。

相反する二つの要求をどう満たすか、ある意味、作者の力量が問われるところだと思います。

そう言う私も、『マリオネットの罠』（文春文庫）のときは、ちゃんと手がかりを残してくださいと編集者に言われて原稿に手を入れたんです。あれはあまりうまい埋め方ではなくて、この書き方では記憶に残らないだろうと思ったのですが、編集者の立場からすると、なにか言われたときに「ここに書いてあります」と言えればＯＫだと（笑）。初めての書き下ろし長編でしたから、勝手がわからなくて、手とり足とり指導してもらってほんとうに勉強になりました。

　②手がかりの埋め方の具体的な方法としては、「並列法」があります。これはどういうものかというと、手がかりをひとつだけぽんと出すと目立つから、他のいろんなものと一緒に並べる手法です。

「机の上には空のインクびん、万年筆、財布、インク消し、スポンジ、電話があって……」

などと描写しておく。そして、ずっと離れた箇所に、「万年筆はカートリッジ式で」という文章をおく。

　こうした二つの状況から、

「なぜインクびんがあるのか……?」

といった探偵の疑問を呼び起こす、というわけです。

　エラリイ・クイーンの『Xの悲劇』も、この並列法のバリエーションが使われていますが、探偵の言葉として手がかりが出てくると、ちょっとインチキな気がしてしまいます。品物がひとつだと、一発で犯人の見当がついちゃうから仕方がないんですが、意外な犯人に結びつく重要な手がかりが出てくる場面で、探偵が、「××はなかったか」「▲▲はなかったか」「■■はなかったか」と、いろんな品物を並列しながら質問していくんです。これは不自然に見える。このあたり、クイーンも相当苦労したと思いますね。

　ですから、どの小説も、いろんなものが出てきたり、話の途中で急に描写が細かくなったりしたら、怪しい。でもディクスン・カーのように、やたら饒舌で、描写や薀蓄が多い人は、手がかりがその中に埋もれちゃう

（笑）。

私が手がかりの隠し方でいちばん感心したのは横溝正史さんの『獄門島』（角川文庫）です。例の和尚さんのセリフ。[3]ひとつの言葉に別の意味を持たせて、手がかりを隠している。あの真相が明かされたときは感動しました。

また、同じ手がかりを主人公に違ったように解釈させてしまう方法があります。横溝さんほどうまくは行きませんが、私もわりあいよく使う手です。

私の「幽霊列車」（文春文庫の同名短編集に収録）を例にとってみましょう。

この作品の中では、駅で会った永井夕子が、油で手が汚れたからと語り手の宇野警部にハンカチを借ります。野ざらしで、あたかもずっと放置されてるような状態の手こぎの台車に、なぜ油がさしてあったのかが事件を解決するポイントなのですが、「今夜お風呂で洗って返すわ」と夕子が答えた瞬間、警部は別のことを想像して、話が違う方向に行ってしまいます（引用例Ⓐ）。

トリック自体はあまり大したもんじゃないと思っていたので、せめてこういった手がかりの埋め方で点数を稼ごうと、かなり意識して書きました。あとから、トリックが斬新だといわれて、「え？」とびっくりしたくらいです。この程度のことでほめられちゃいかんだろうと（笑）。

ちなみに、この作品の着想は「幽霊船」にありました。かの有名なメリー・セレスト号の実例のごとく、ついさっきまで人のいた跡

引用例Ⓐ

「ハンカチ貸してくれる？」

「え？」

「ハンカチ」

「ああ……」

私たちはまたゆけむり荘へ向けて歩き出した。

「油で汚れちゃった……」

私のハンカチで手を拭くと、「借りてていい？」

「やるよ」

「今夜お風呂で洗って返すわ」

とジーパンのポケットへねじ込む。

私の脳裏に、ちらっと昨夜の彼女の白い裸身が、フラッシュのように瞬いた。

——馬鹿！　何を考えてるんだ。

があるのに、総ての人間が姿を消している、という謎。

しかし機関士や車掌までいなくなったら、暴走して大事故になりそうです。これではパニックスペクタクルみたいになってしまうので、消えるのは乗客だけということにしました。ひなびた温泉町の駅を発車したときには、確かに八人の乗客が乗っていたのに、次の駅に着いてみると、全員、荷物などはそのままに姿を消している、というわけです。

しかし、船ならばどこへも逃げようがないと言えますが、列車は地面の上を走っている。だから姿を消したからといったって、何だ、飛び降りただけだろうと言われればそれまでです。

降りられなかった状況をつくるほうが大変で、そこで私は二つの駅の間は両側とも「切り立った」「のっぺりとした屏風のような崖」だという、およそ日本では絶対あり得ないような地形をでっちあげ、消えた乗客は絶対に飛び降りたのではないという状況を作り上げたのです。

小説の場合は書き手のほうが文中の世界をつくっていくわけですから、なんとでもなるんですが(笑)、テレビ化するとき、「ここどこですか」と言われて、こんなところありませんと答えたので、スタッフはずいぶん苦労したみたいですね(岡本喜八監督、田中邦衛、浅茅陽子主演で一九七八年の土曜ワイド劇場枠で放送。DVDあり)。

主人公のキャラクターとしては、それまで応募シナリオなどで使ったことがある「若い現代っ娘《こ》と中年男」の組み合わせに決め、プロローグとその主人公二人の出会いまでに何十枚かを費やしました。そろそろ何とかしなくちゃいかんなあ（笑）、と思ったのは、ほぼ半分を書き進んでからです。

何か空前絶後、驚天動地の大トリックはないかと頭をひねりましたが、そうそう簡単に出てくるわけもなく、やむを得ず、列車のうしろに括りつけておいた手こぎの台車で戻っていくという、ごく平凡な機械的トリックを使うことにしました。

そうなると、機関士と車掌もグルでなくては、乗客は消えることが不可能ですから、その二人がごく自然に共犯者であるような状況を作ることにしたのです。

この作品を本格ミステリー的に考えると、ハウダニットにあたる物理トリックの解明よりも、なぜ八人を消さなければならなかったのかというホワイダニット部分のほうがキモになります。そこにも手がかりを埋めました。

例えば、山の中の旅館なのに、トンカツとかエビフライが夕食のメニューとして出てくる箇所です。そこでも語り手が、となりの温泉に客をとられて不景気だから人手が足りないんだろうと間違った解釈をしたり、永井夕子が「私は都会っ子だから食べ慣れたものでほっとした」と答えたりして、読者の目をそらしました。

うまく行ってるかどうかはともかく、そういう会話をさせることで、読者の印象に残るようにするという狙いもあるわけです。これも百枚という制限の中で書いた小説ですから、余計なディテールはそんなに入れられないので、苦肉の策ですね。

もうひとつ、〈三毛猫ホームズ〉シリーズの第一作となる一九七八年の『三毛猫ホームズの推理』（カッパ・ノベルス→角川文庫ほか）を例にとりましょう。

これは、大がかりな物理トリックをフィーチャーした、私の作品では唯一のものです。カッパ・ノベルスという、当時は、ミステリーのいちばんメジャーな媒体で書くんだという気負いもあって、派手なトリックに挑戦しました。

ここでは、最初にまずクレーンが登場します。のちの殺人現場となる工事関係者用のプレハブ食堂で、主人公が小峰という老人に会うシーンです。老人がテレビのボクシング中継を見ながら声援を送っているのかと思うと、実は作業中のタワークレーンに向かって叫んでいたというのが本当のところです。ここでは、その老人が変わり者だということを示すための描写だと読者に錯覚させようとしました（引用例Ⓑ参照）。

その他にも、直接的な手がかりをずいぶんはっきり提示したつもりですが、まだ足りないと思って、〈椅子と机が消える〉という事件を入れました。そこでも、なぜ椅子と机をとりのぞく必要があったのかではなくて、なんの目的で盗んだのかという方向に話を持っていくようにしました。

「あるはずのものがない」[④]ほうが、「ないはずのものがある」よりも、ミステリー的には仕掛けやすいのです。

引用例Ⓑ

「何やってんだ！　だめだ、だめだ！　なってないぜ、畜生！」

　老人があんまり熱心なので、片山は邪魔するのが申し訳ない気がして、このラウンドが終わるまで待つことにした。

「行け！　止めろ！　そうだ、そっとやれ、そっと」

片山も仕方なくテレビの画面を眺めていたが、そのうち、どうも妙なことに気づいた。老人のかけ声と画面の試合がまるで一致しないのである。両選手がクリンチしていると「いいぞ！　そこだ！」と声をかけるし、激しく打ち合っていると、「だめだ、もっとゆっくり！」といらいらした声を上げるのだ。

――そのうち、やっと一ラウンドが終了、片山が「あの……」と声をかけようとすると、老人のほうはテレビがＣＭになっているのに、「今だ！　そうだ！そこだ！」とやっている。一体どうなってるんだ？

そして、事件発生後の現場検証シーン（引用例Ⓒ参照）。プレハブの建物は地面にただ置いてあるだけだったことを示し、だから「床と地面の間に入り込むような隙間は全くない」と読者に思わせるようにしました。

本当は固定されていないことのほうが重要なんですが、語り手を使って、密室性のほうに誘導してるんです。ミステリーの専門読者だと、ああ、おなじみの密室検証現場だなと思うから、かえってひっかかった人が多かったようです。

水平方向の距離を垂直方向に使うトリックですが、私だって試したわけではないから、ほんとうにあんなにうまく行くかどうか（笑）。撮影するときはたいへんだったみたいです（大林宣彦監督で一九九六年にＴＶドラマ化。ディレクターズ・カット版ＤＶＤあり）。ただ、⑤いかに世界をつくりあげるかが重要で、小説の中でしか成立しないトリックでもかまわないと思います。

⑥このエッセイの読者が、実際に書いていく上で気をつけるべきポイントとしては、いちばん大きなトリックをどこに置くか、その手がかりをどう埋め込んでいくかだと思います。最初から細かいところにこだわって書くと、小説として面白くなくなってしまいます。

八年ほど公募新人賞の選考委員をやってみて思ったのですが、小説として面白いものがとても少ない。読んでて疲れちゃうんです。自分が書いているものに対する愛着があるんだろうかと疑問に感じます。

⑦登場人物を愛さないといいものは書けない

引用例©

屋根や外壁に、抜け出られる部分や、外れる部分はないだろうか？　しかし、いくらプレハブでも、一枚一枚の板や屋根は太いボルトできっちりと締められていて、ちょっとやそっとではビクともしそうになかった。

しまいには、床板を外して、床下から出たのではないかとまで考えたが、食堂の乗った地面は非常に固く、そのせいか、棟自体も別に地面に固定されておらず、置いてあるだけなのである。ということは、床と地面の間に這い込むような隙間は全くないということだ。念のため、また中へ入って床を調べてみたが、床板をはがしたような跡は全くない。

と思うのですが、そういう愛情が感じられない。技術的にたいしたことがなくても、登場人物が生き生きと書けているほうがいい。主人公が印象に残らない小説はダメですね。

※この文章は、赤川次郎著『ぼくのミステリ作法』（早川書房）を参考にしながら、インタビュー原稿をまとめたものです。

（聞き手／構成・大森望＋編集部）

Q.理想とする作品と その理由を教えてください　その2

●ハードな本格ミステリが好きなので、緻密な計画殺人（ここ重要）を描いた鮎川哲也の『黒いトランク』を偏愛している。全編を覆うロマンチシズムを含めて。＜有栖川有栖＞

●『推定無罪』スコット・トゥロー。どうすれば主人公に感情移入できるか（させるか）という点でお手本になります。＜安東能明＞

●『砂の器』（松本清張）。見えにくい動機、血に染まったシャツを隠蔽する方法の美しさ、寒村の因習と深情け、親と子の絆。これらが渾然一体となり、ラストになだれ込む。魂をこれ以上にゆさぶられた作品を他に知りません。＜伊井圭＞

●私の次回作は、理想的な作品になる予定です。理由はただ面白いからです。＜五十嵐貴久＞

●小説は生きもので、理想の生きものなどこの世にはありません。ものをつくる人間は、自分のなかに神をもたなければいけないといいますが、それが特定の作品であるようでは、いけないと思います。創作や芸術全般へのおそれは大切ですが、ある作家への個人崇拝などは、作家として幼いと思うのですが。＜石田衣良＞

●『孤島の鬼』江戸川乱歩、『幽霊塔』黒岩涙香、『ゼロの焦点』松本清張、『バスカヴィル家の犬』コナン・ドイル、『赤毛のレドメイン家』イーデン・フィルポッツ。よみ易くて味のある文章、登場人物があまり多くない。偶然を多用しない。深刻な真相。スクープな記事。読んだあとで、印象がながく残っているもの。＜伊藤秀雄＞

●1.ゴッドファーザー、2.ジャッカルの日、3.法律事務所、4.百万ドルをとり返せ！、5.冷血、6.最後の診断、7.黒の試走車・赤いダイヤ、8.白昼の死角、9.総会屋錦城、10.松本清張の諸作、11.バルザックの諸作。わたしは30年来、興信所、バッタ屋、保険調査に従事してきました。腰掛けとしてでなく、それぞれの業界でプロでした。社会の裏側ばかり見てきましたので、現実を素直に見ることができなくなっています。目に見えるところで営まれている現実は、海面に浮かぶ氷山の一角に過ぎないという認識でしか社会をとらえることが出来なくなっています。上記の小説は、なおかつわたしの好奇心を刺激し、胸をわくわくさせてくれます。ですから、これらに匹敵するか凌駕する作品を書こうと考えてきましたが、目標が大きすぎて技術的に及びませんでした。けれども、何らかの形でこれらに迫りたいと努めています。そのためだけに作家を続けて行こうとさえ考えています。＜伊野上裕伸＞

●隆慶一郎氏『影武者徳川家康』。筋だて、キャラクター、会話のはこび、全てにおいてエンターテイメントとして完成している。＜上田秀人＞

トリックの仕掛け方

綾辻行人 AYATSUJI Yukito

①最近のミステリー小説のトリックにはどんなものがありますか
②視点はトリックを書く上で重要ですか
③現代のミステリー小説のトリックの種類にはどんなものがありますか
④トリックを使った名作を教えてください
⑤タネ明かしの際、何を最も避けるべきですか
⑥誰かの意見や感想を真に受けるべきですか
⑦以前考えたトリックを使うことはありますか
⑧アイデア帳は作ったほうがいいですか
⑨⑩アイデア帳を作るとき、どんなことを注意すべきですか

⑪アイデア帳を作るとき、どんなことを注意すべきですか
⑫前例のあるトリックを使ってもいいですか
⑬ミステリー小説で押さえるべき名作はありますか
⑭本格ミステリー小説で大事なことは何ですか
⑮プロットを作るときに注意すべきことはありますか
⑯ミステリー小説にとってトリックが一番重要ですか
⑰アイデアに詰まったときはどうしたらいいですか
⑱トリックを考えるときに何が一番大切ですか
⑲トリックの実現性は厳密に判断すべきですか
⑳ミステリー小説を書くときに最初に考えるのは何ですか

■トリックとは何か

――今回は、「トリックの仕掛け方」というテーマで綾辻行人さんに話を伺います。とりあえず、「こうすれば誰でもすごいトリックが作れる」みたいな……。

綾辻　そんなノウハウがあったら、僕のほうが教えてほしい（笑）。

――でも、もうかれこれ三十年以上、トリックを考えつづけているわけですよね。

綾辻　そうですねえ。最初に書いたのが小学生のころだったから。

――実際には、本格ミステリーそのものと密接に結びついていて、「これがトリックだ！」というふうには取り出しにくいでしょうが。

綾辻　語り方がむずかしい問題ですね。ここ十年、二十年の日本の本格とそれ以前の本格とでは、トリックというものをどんなレベルで捉えるか、その認識がずいぶん変化したようにも思います。ずっと昔だったら、「密室[1]トリック」「アリバイトリック」「一人二役トリック」みたいな分類がわりと容易で、トリックといえばまず、作中で犯人が犯罪のために用いる仕掛けのことを指していたわけですけど、最近ではいよいよ、作者が読者に対してどう仕掛けるかというほうに重きが置かれるようになっている。

――いわゆる叙述トリックとはまた違うレベルの仕掛け。

綾辻　いや、叙述トリックもその一部として含まれる仕掛けですね。作品全体をどんなふうに構成するか、出来事をどの視点でどういう順番で語るか、そういったところからすでに「仕掛け」が始まっている。

たとえばヴァン・ダインやエラリー・クイーンの初期長編が、狭い意味での本格ミステリーの典型ですよね。冒頭に事件が起こって、ファイロ・ヴァンスなりクイーン父子なりが捜査にやって来るところから小説が始まる。現場はこういう状況で、こんな手がかりがあるということが示され、関係者を尋問していって、その後の道行きはいろいろあるけれども、クイーンの場合だったら終盤手前で「読者への挑戦」が挿入され、解決編に至る——と、そういう形式。七十年以上も昔に確立された長編本格のスタイルです。

今、この形式に愚直に従って書く作家はあまりいないでしょう。②現代本格ではまず、どういう語り方を選ぶかが問題になる。同じ事件を描くにしても、どの角度から、どんな順番で描くかによって大いに効果が変わってくるからです。そこのところで読者に何らかの目くらましを仕掛けていくというのが、たぶん今の主流なんじゃないですか。

何かと話題の、東野圭吾さんの『容疑者xの献身』(文藝春秋)をあえて例に引きましょうか。あの作品は序盤で犯人側が手のうちを明らかにする、いわゆる「倒叙ミステリー」のスタイルをとっているけど、そういう話なのかと読者を油断させておいて、あるところにあるトリックを仕掛けています。③このトリック自体は、必ずしも非常に斬新なわけではありませんよね。にもかかわらず、ああいう形で小説にそれを埋め込んで、ああいう「見せ方」をすることによって、あれだけ鮮やかな効果を生んでいます。

ひとくちにトリックといっても、いろんなレベルがある。昔は大きく「物理トリック」と「心理トリック」に分けられていたのが、今ではそれとは別に、物語の内側に仕掛けられた（オブジェクト・レベルの）トリックか、物語の外側から仕掛けられた（メタ・レベルの）トリックか、という見方が必要ですね。局所的なトリックかプロット全体に関わるトリックか、という分け方もできます。

それらを十把《じっぱ》ひとからげにしてトリックがどうのこうのと論ずるのは、あんまり意味がないように思います。ただ、もちろん広い意味でのトリック——何らかの「仕掛け」、読者に対する「騙しの装置」という意味でのトリック——が、本格ミステリーとは切っても切れないものであることは確かでしょうね。

■黄金時代の名作トリック

——ただ、現代本格の場合も、黄金時代の本格ミステリーの古典的なトリックが一応の基礎教養というか根っこになっていて、おそらくさっきの東野さんにしても、それがある程度共有されているという前提のもとに書いてますよね。その意味で、いわゆる古典的な名トリックの話を先に伺いたいと思います。小学生のころから本格ミステリーを読んできた中で、最初に感動したトリックというのは何ですか？
綾辻　感動というか、衝撃を受けたのは『黄色い部屋の謎』（ガストン・ルルー／創元推理文庫ほか。別題『黄色い部屋の秘密』ハヤカワ・ミステリ文庫ほか）かな。[4] 密室トリックというものには、それまでにも子ども向けの江戸川乱歩作品に始まって、ポーの「モルグ街の殺人」とかドイルの「まだらの紐」とかでなじんでいましたけれど、そのうえで『黄色い部屋の謎』を読んだときには、かなり衝撃を受けましたね。小学校五、六年のころ。

物理的トリックではない密室トリックに出会ったのが、あれが最初だったんじゃないかな。トリックだけを取り出してみると、単純といえば単純、ずるいといえばずるいような真相でもあるんだけど、それがああいった長編小説の形で語られることで、命が吹き込まれるんですね。密室その他のトリックが「意外な犯人」の正体とも密接に絡んできて、長編ロマン的な側面も持つ物語全体と有機的に結びついている。

——密室トリックと意外な犯人ではどちらに感動したんですか？
綾辻　どっちかというと、意外な犯人のほうかな。そういえばあれ、現場が本物の密室だったのかを厳密に検証するために、確か部屋の解体までするんだよね。秘密の抜け道などがないかどうかを徹底的に調べて、あらゆる可能性をつぶしていって、これは本当に完全な密室犯罪だったんだ、と。当時、僕はとても純朴な子どもでしたから、「ああ、何だかすごく緻密な世界なんだなあ」って素直に感じ入ったものです（笑）。

――現場は原子物理学者の屋敷で、実験室もついてるし、科学的に厳密な感じが。

綾辻　出会う時期も重要なんですよね、こういうトリックって。読むのがあと二、三年遅かったら、それほど衝撃は受けなかったかもしれない。

――そのころ印象に残っているトリックというと、ほかには？

綾辻　ネタばらしになるので作品名は出せないけど、うまく決まったときの「バールストン・ギャンビット」。「顔のない死体」を典型とする、「死んだと思われていた人間が実は生きていました」的なパターンのことを、チェスの戦法になぞらえてそう呼ぶんですが、エラリー・クイーンはこの作例がけっこう多い。

――クイーンの国名シリーズに関しては、全巻の「読者への挑戦」に実際にトライしてみたそうですね。

綾辻　はい。小六から中一のころに片っぱしから読んで、毎作まじめに「挑戦」を受けて立って、五割くらいは的中した覚えがあります。創元推理文庫版の『オランダ靴の謎』って、ちゃんと余白がついていたでしょう。「読者への挑戦」の前の章にはページの下三分の一くらいの余白があって、推理のメモに使うようにって書いてあったので……。

――ホントに使ったと（笑）。

綾辻　素直に、そのスペースにメモを（笑）。あと、登場人物表にチェックを入れていったりね。

——どのくらいの時間、考えたんですか？

綾辻　いや、長くてもせいぜい一時間くらいかな。挑戦状に行き着くまでにも、読みながらあれこれ考えつづけてますからね。

——小学生のときから、そうやっていつもトリックを見破ろうと？

綾辻　だから、クイーンはあからさまに挑戦してくるから……。

——子どもだから、いわれるがままに挑戦を受けたと（笑）。

綾辻　「必要な手がかりはすべて提示された」とか「論理的に推理すれば必ず謎は解ける」とか書いてあるし……ね。僕は大変に純朴で素直な子どもでしたから、「ならば」と思って一生懸命考えたわけですよ（笑）。

■後出しジャンケン禁止

——クイーンから入ると、それが当たり前だと思って、自然と訓練されるんですね。

綾辻　そのうち、実はそれがかなり特殊なものであるということがわかってくる（笑）。さらには、自分が本格ミステリーのどこに一番の妙味を見いだしているのか、それもだんだん意識化されてきて。「きれいに騙されたときのショック」ですね。ああ、僕はこれが楽しいんだなあと。なので、ある時期以降、途中であまり真相を推理しないように心がける癖がついたりもして（笑）……まあそれも、時と場合によるんですけれどね。

——真相を見破る快感より、騙される快感のほうが大きいと。

綾辻　自力で正答にたどり着いたときの快感もあるんですよ、もちろん。クイーンの国名シリーズはだいたいそうですよね。ちゃんと考えれば、気持ちよく解けるようにできているから。よろしくないのは、いくら考えてもわからないうえ、解決編を読んでみると「後出し」だらけっていうような作品。「どこにもそんなこと書かれていなかったのでは？」という……重要な事実や手がかりを「空中から取り出す」ようなやつですね。

⑤少なくとも本格ミステリーにおいては、解決編に入ってから「実はこういうことがありましてね」と新しい情報を持ち出してくるのは、最も避けるべき手筋でしょう。そういう部分をできる限りなくす努力が、本格を書くときには大切です。早い段階からの伏線は多いに越したことはない。重要なデータは必ず、あからさまに出すのがむずかしければほのめかし程度でもいいから、事前に示しておく。

――ほら、ここに書いておいたでしょと言い訳できるように（笑）。

綾辻　「言い訳」というとみっともない感じもしますが、でも、そういった努力を怠っては絶対にいけない。後出しジャンケン的な書き方をまったくせずに長編を一本書き切るのはすごく大変なことだし、原理的には不可能なことなのかもしれないけど、なるべくそうあろうと努力して書きとおすという、そのスタンスが最も大事なんです。

――後出しといわれるより、トリックがバレバレだといわれるほうがまだまし？

綾辻　またそんな、意地の悪い訊き方をする（笑）。でもそうですね、後出しだらけの作品のほうが本格として低レベルだろうと僕は見ます。

——つまり、読者に真相を見抜かれることより、アンフェアと呼ばれることを恐れろと。トリックがバレるというのは、読者の経験値が千差万別なんで、そのレベルをどのあたりに想定するかっていう問題もありますね。

綾辻「後出し」はもう、フェア＝アンフェア以前の問題でしょう。何をもってアンフェアと呼ぶか、それはそれでもっと複雑で微妙な問題になってきます。トリックがバレるかバレないか、そのレベル設定については、もちろん考えなきゃならないところですね。僕の場合は作品によって、仕掛けの「勝負どころ」を想定します。「ここまでは見破られても致し方なし。その先のここで騙されてくれれば成功」というふうに。

たとえば『時計館の殺人』（講談社文庫）。あの作品のトリックについて昔、読者から面と向かって「バレバレじゃないか、すぐにわかったぞ」といわれたことがあったんですよ。ところがよく話を聞いてみると、「時計がいっぱいある屋敷が舞台だから、どうせ中の時計を狂わせてそれを利用するトリックなんだろうと予想した。案の定そのとおりだった。だからバレバレ」というのが、その人の認識だったんですね。⑥こちらが想定した「勝負どころ」をまったく見誤って、何だか得意げになっている。こういう人ってある割合でいますから、書き手はまじめに相手をしちゃいけません（笑）。

――その意味では、アヤツジ少年の正答率が五割だったクイーンの国名シリーズの場合は、難度設定が絶妙だったということですか。

綾辻　どうでしょうね。正答率五割といっても、犯人の名前が当たっただけかもしれないし。そのへん、もはや記憶が曖昧なんですが……『スペイン岬の謎』なんかは何から何まで完璧に推理できて、すごく気持ちよかった覚えがあります。簡単にわかってしまって作品評価が下がることも当然あるけれど、気持ちのいいわかり方をしたから、かえって評価が上がることもあるわけで。だから好きなんですよ、『スペイン岬』は今でも。逆に、こっぴどく騙されたがために今でも偏愛しているのは、『アメリカ銃の謎』。

――わかった瞬間に感動があるかないかも大きいですよね。途中で「あ、これだ」と閃いたときに快感があると、解決が思ったとおりでも気持ちよく読める。

綾辻　確かに。そういう感覚は今も変わりませんね。他人の作品を読んでいて、あるいはミステリー映画を見たりしていて、ことさらむきになって真相を見抜こうと身構えていなくても、何となく仕掛けが見えてくる場合があるじゃないですか。

たとえば映画「ＳＡＷ」の一作目を見たときに僕、始まってすぐ、「もしかしてこれって××が×××してたりして」という考えが頭をかすめたんです。ところが見ているあいだに、最初にそう考えたことをすっかり忘れてしまい（笑）……クライマックスで「なるほどこういう結末か、おもしろかったなあ」と満足した直後に、オーラスのアレが来ちゃった。あっ、しまった、忘れてた！　という妙なショックを受けて、そういう意味でも非常に楽しかったですね。一方で続編の「SAW2」は、見ているうちにふと、ある仕掛けの可能性に気づいたんですけど、でも「きっとそうに違いない」という確信には至らなくて……こういうときってね、ミステリー作家の性《さが》で、「もしも違ってたらいただき！」って思っちゃうんですよ（笑）。

――（笑）。なるほど。

綾辻　多いですね、そういう経験。途中で微妙にネタが見えてくると、「そうじゃなきゃいいのに」「違ったら自分で使えるのに」と祈りたくなってくる。だいたいにおいてその祈りはかなわなくて、理不尽にもちょっと悔しかったりして（笑）。

――その意味では、小説以外のメディアのほうが楽しみやすい？

綾辻　最近はそうなのかな。小説だと、単なる楽しみとして読めない部分がどうしてもあるからでしょうね。

■トリックも熟成期間が必要？

――自分で最初にトリックを考えたのはいつですか？　小説を書くより先にトリックを考えますよね。

綾辻　いや、同時ですね。小学校四年の終わりごろからいっぱいミステリーを読みはじめて、六年の夏休みに自分でも書こうと思い立って、それからトリックを考えて……ああ、やっぱりトリックが先かな。最初はトリックから入ってますね。あのトリックが……いや、とてもここでは話せませんが（笑）。

――読者に勇気を与えるためにも、どんなひどいトリックだったかをぜひここで。

綾辻　いやです。

――覚えてるんですか。

綾辻　一応、うっすらとは。

――いいじゃないですか。

綾辻　いやだ（笑）。

――小学生のとき考えたトリックだとしても恥ずかしい？

綾辻　恥ずかしいですよ、そりゃあ。何作か書いていくうちに、あまり恥ずかしくないものも考えついてはいるんだけど。

――それは残してある？

綾辻　原稿は捨てちゃった。中に一つ、これはいつか書けるかなあと思っていたネタがあったんだけど、この十何年かで書けなくなりました。ありきたりになっちゃって。

――どんなやつ？

綾辻「操り」もののアイデア。ある事件を名探偵が解決すると、その裏にニコライ・イリイチ（笠井潔〈矢吹駆〉シリーズの登場人物）みたいな謎の教唆犯がいると判明するわけ。次に別の事件を解決すると、やっぱりその裏にも同じやつがいて糸を引いている。これを長編四部作にして、最後の最後にそいつの意外な正体が明らかになる、っていう構想だったの。でももう、「シリーズを通しての黒幕」ものって、あまりにもありきたりになってしまったから……。

――その、意外な正体が知りたいところですが、小学生時代のものといえども、ネタそのものはなかなか明かしてくれない(笑)。

綾辻　いや、こんなふうにいってても将来、もしかしたら使えるかもしれないから(笑)。⑦トリックって、思いついてすぐに書くより、熟成させたほうがいい場合もあるんですよね。これは使えないと思っても、気長に寝かせておけば何かが起きることもある。

――ネタ帳とかあるんですか?

綾辻　ありますとも。⑧何冊も手書きのノートが保管してあります。いずれテキスト・データにしてまとめようと思っているうちにどんどん溜まっていって、いま見ると、何が書いてあるか意味がわからない部分もたくさん(笑)。

――(笑)。いや、記憶の衰えに関しては他人事じゃないけど(笑)。

綾辻　⑨ネタ帳を作るなら、何年たって読み返しても意味がわかるように書くこと。

――それは大事なアドバイスですね。

綾辻　⑩アイデアはとにかく、浮かんだときにすぐメモしないといけません。そのときはいくら大丈夫だと思っても、忘れちゃうことが多いから。どこへ行くときでも、僕は必ずノートを持ち歩いています。いや、ほんとに。

――ギャグ作家の人も、マンガ家の喜国雅彦さんなんかそうですが、ネタに詰まるとネタ帳にしてるノートを最初から全部読み返して、何か使えるネタがないかと探すそうですが。

綾辻　新しい作品にとりかかる前には、わりと読み返しますね。けどね、僕なんかは作品の絶対数が少ないから……。

――使ったことのないネタのストックがいっぱいあると？

綾辻　ありますよ。ストックだけじゃなくて、ちょっとしたアイデアまで含めれば、たぶん死ぬまでの分くらいは（笑）。書くの、遅いですからね。執筆のペースが今のまま変わらなければ、数は足りてるんじゃないかな。ただもちろん、いくらアイデアがあっても、十年後にそれを書く気になれるかどうかは問題ですね。長く寝かせておいたほうがいい場合もあるけれど、逆も当然あるわけで。でもまあ、十年寝かせておいて、それでも書く気になれるものは悪いアイデアじゃない、とはいえるでしょう。

――非常に含蓄のある、重みのあるお言葉ですが、いま一生懸命ミステリーを書いている人にとってはなかなか従えない（笑）。

綾辻　ぜんぜん実践的じゃないよねえ。

――でも、とにかくアイデアをメモして貯めておけば、十年後に役に立つ。

綾辻　[11]ストックが多いに越したことはありませんから。どんなにバカバカしい思いつきでも、必ずメモしておくのが大事ですね。

――アイデアをどんどん思いつく時期と、うまく小説化できる時期が一致しないことはままありますからね。「十年前に構想したときは筆力がともなわなくて、とてもこのテーマを小説化することはできなかった」みたいな話が小説のあとがきによく出てきます。

綾辻　逆に若くて未熟だからこそ、勢いで書けてしまうような作品もありますけどね。『迷路館の殺人』（講談社文庫）なんて、いま書けといわれてもあんなふうには書けないもの。

■トリックの前例

――新本格ブーム以降、大量の本格ミステリーが発表されて、順列組み合わせ的に見ても、あらゆるパターンが出尽くしたんじゃないか、オレの考える程度のトリックはとっくの昔にもう誰かが書いてるに決まってる……みたいな感覚を持ってる人も多いような気がしますが。

綾辻　二十年前には僕も、自分が思いついたトリックについて、こういうパターンやバリエーションはほかにないはずだなと、ある程度の自信が持てたんですよ。原稿をチェックする編集者にしてもそうだったと思う。ところが最近は、国産の本格ミステリーだけでも次々に新しい作品が書かれつづけていて、そのうえミステリー漫画やドラマもすごく増えたでしょう？　とうていそれら全部に目を配っていられないから、前例の有無についての判断はとてもむずかしくなってきています。これはまったく新しいトリックであると、確信を持って書くことが困難な時代になってしまったような……。

[12]こうなると、どこかで割り切りが必要ですね。ひょっとしたら過去に似たものがあるかもしれないけれど、だったらだったで仕方ないかと。アイデアが似通っていても、こうい

うアレンジでこういう小説に仕上げた例はきっとないだろう、とでも呑んでかかるしかない。

すでに知っていた前例の流用については、基本的には反対の立場です。ただし、そこに何か独自の演出やひねりを加えたりして、今までにない効果が生まれるはずだという確信が持てるのなら、それもOKだろうと。そうなるともう、「流用」とはいいませんね。バリエーションの案出。どこまでが流用で、どこからがバリエーションの案出なのか、その判断もむずかしいところですけれど、まずは本人が「これは安易な流用ではない」と自信を持てるかどうかでしょう。

独自に思いついたネタの場合は、前例の有無は必要以上に気にしないで、とにかく書いちゃえばいいんです。たまたま何か、かぶってしまう作例があったとしても、そのときはそのとき、トリックは似ていても違う小説なんだから……と思い切るしかない。

⑬もっとも、たとえば極端な話、ほとんどミステリーを読んだことがない人が「容疑者全員が犯人というトリック思いついた！」といっても困りますよねえ（笑）。そういう意味で、最低限やはり、押さえておかなきゃいけない古典や有名作はある。

――綾辻さんは、「古今の有名トリックだけを集めて紹介したようなネタばらし本」は読むな、百害あって一利なしという立場ですよね。『贈る物語　Mystery』（後出）の編者あとがきに、〈作家が苦心して考案したトリックをそんな形でむやみにバラしてしまうという行為自体が、僕にはどうにも許しがたいものに思えるわけです〉とありますが。

綾辻　基本的にはそう考えています。子どものころに読んでしまって、大いに後悔したその手の本って、みんなあるでしょう？　手軽な入門書として間口を広げる役割を果たしている側面は認めますが、僕としてはやっぱり賛成できません。名作を読んで驚く楽しみを、読者から奪ってしまう行為でもありますからね。

――間羊太郎《はざまようたろう》の『ミステリ百科事典』なんかはどうでしょう。北村薫さんと宮部みゆきさんの絶賛を受けて、二〇〇五年に文春文庫から完全版が刊行されています。

綾辻　あれはいい本ですね。

――でもあれは、本格ミステリーに登場するいろんなモチーフを分類して、それにまつわる膨大な数の作品のネタを割ってますよね。北村・宮部のご両所は、同書収録のまえがき対談で、ネタがかぶってるかどうかのチェックにこの本を使ってくださいと語っていますが。

綾辻「百科事典」ですからね。北村さんと宮部さんは、これからミステリーを書こうという人に向かって「チェックに使ってください」といっているわけでしょう。子ども向け、あるいは一般向けのネタばらしクイズ本のたぐいとは、想定している読者も違えば読む側の目的も違う。読み手は最初からそのつもりでページをめくるわけですから。むかし（『ミステリ百科事典』と）同じ教養文庫で出ていた乱歩の『探偵小説の「謎」』に近いものであって、万人向けのクイズ本と一緒くたに論じるのは間違いでしょう。

ああ、それでもやっぱり、まったく原典を読まずに最初から『ミステリ百科事典』を読んじゃうのはもったいない気がするな。だから僕、たまにぱらぱらと拾い読みするくらいで、いまだに通読・熟読はしてないんですよ、あの本。

――でも、まず原典から読むとなると、制覇するのにものすごく時間がかかりますよね。たとえば新本格以降から読みはじめたような人は、古典をどこまで読まなきゃいけないのか。

綾辻　本格ミステリー作家をめざすならこの百冊か二百冊は読むべし、というふうな必読書リストがあればいいですね。日本推理作家協会で作らないかな。

――綾辻さんに今からそのリストを作ってもらって、この回の付録につけるとか。

綾辻　いやですよ、そんな大変なこと（笑）。何人かで集まってやったほうが、目配りのきいたものができるだろうし。しかしまじめな話、確かにそれはやったほうがいいのかもしれませんね。いくら教養主義の崩壊が叫ばれようとも、最低限の教養はやはり必要だろうと。もちろん世の中には、過去の名作なんか何一つ読まずに、いきなりものすごい傑作を書いてしまうような天才もいるでしょうけど。そういう人にはそもそも、「ミステリーの書き方」なんていう指南書は必要ないんだよね（笑）。

――さっきちょっと触れましたが、初心者向けの入門書としては、綾辻さんが編んだアンソロジー『贈る物語　Mystery』（光文社文庫）も非常にいい本ですね。まえがきも作家紹介も各編解説も非常に丁寧で。

綾辻　ありがとうございます。自分でいうのも何ですが、苦労して編んだぶん、格好の本格ミステリー入門書になったんじゃないかと。これを読んで、作家紹介や収録作解題に出てくる作品にも触れていってくだされば、本格ミステリーの美味しいところはかなり把握できる。綾辻行人程度の知識なら、すぐに身につきますから。

——さすがにそこまでは無理だとしても、実践的な本格ミステリー読書ガイドにもなっていて、作家志望者にとっての実用性も高い。ただ、あとから黄金時代の古典を読む場合は、それを下敷きにしたバリエーションのほうを先に読んでいる可能性が高いですよね。結果的に、名作といわれるものを手にとっても、いちいちネタがわかってしまったり。

綾辻　いや、それでも、今なお読み継がれている名作は美味しいですよ。クイーンの『エジプト十字架の謎』とかね、いくらトリックがわかっても、読めば作品自体がすごくおもしろいし……。

ところで今ふと思ったんだけれど、そうやって必読の古典を読むかわりに、いっそ『名探偵コナン』と『金田一少年の事件簿』、そのほか売れ筋のミステリー漫画を全部読んじゃうという手もありますね。で、そこで使われているネタとかぶらないように気をつければ、前例問題はおおむねクリアできるかも

（笑）。うーん、これがいちばん実践的だったりしてね。僕も今からやってみようかな（笑）。

■トリックに未来はあるか？

――トリックの将来には特に悲観していない？

綾辻　僕が子どものころからずっと、もう新しいトリックはない、といわれてきたんですよ。密室トリックに未来はないとか不毛だとか、意外な犯人のパターンはとうに出尽くしたとか、それこそ三十年、四十年前からいわれつづけてきた。

けれども実際には、そういわれながらも本格ミステリーはずっと書き継がれていて、毎年のように秀作・傑作が生まれているわけです。よく引き合いに出すんですが、これはマジックの世界も同じなんですね。マジックのトリックの原理は前世紀初頭に出尽くしたといわれています。なのに、世界中で毎年、たくさんの新作マジックが考案・発表されつづけている。バリエーションと演出が優れていれば新作として積極的に評価するという土壌が、マジック界では確立しているんですね。そういった意味でも、トリックの将来について悲観的になることはないだろうと思います。

――バリエーションと演出次第で、古いトリックも新しく見せられると。

綾辻　そういうことですね。今回は一応「トリックの仕掛け方」というテーマですけど、トリックだけを単体で取り出して論じるのって、実はとてもナンセンスな話なんです。同様に、本格ミステリー[14]はしばしば「論理パズル」と揶揄されるけれども、パズルの部分だけを取り出しても意味がないし、価値がない。あえて僕がいってしまいますが、やっぱり「小説」なんですね、肝心なのは。トリックも論理パズルも、それが小説の形で提示されるところにこそ妙味がある。小説を物語といいかえてもいい。漫画やドラマ、映画という形もありますから。

単にクイズを出したいのなら、クイズだけでいいわけでしょう。わざわざそれを物語の形にしてしまうことで、単なるクイズでは生み出すことができない、さまざまな効果や感動を生み出せる。そこがおもしろいわけです。トリックは確かに大事な要素だけれど、それが物語全体の中でどういうポジションを占め、どういう機能を果たしているか、そういった捉え方をして論じるべきなんですね。

——逆にいうと、斬新なトリックを思いつかないからといって悲観する必要もない。

綾辻　たとえば、『黒猫館の殺人』（講談社文庫）に出てくる密室トリックなんか、ある種の典型です。掛け金が内側から下りている浴室で人が死んでいる。針や糸を使って施錠した形跡はない。あっさり答えをいってしまうと、使われたのは雪なんですね。雪つぶてで掛け金を固定しておいて、雪が溶けると掛け金が勝手に下りるという。これはもう、子どもでも知っているような使い古された密室トリックです。これ自体には一ミリの新しさもないんだけれども、ポイントは実はそこじゃない。密室のもっと外側にある、物語全体の仕掛けこそが主眼目なわけです。

——非常に大がかりな、あのメイン・トリックに眼目がある。

綾辻　あのトリックは独自に思いついたつもりで書いたんですが、発表後しばらくしてから、昭和二十年代に書かれた鷲尾三郎の短編に、同じ発想のものがあったことを知ったんです。「文殊の罠」（河出文庫『本格ミステリコレクション6　鷲尾三郎名作選　文殊の罠』に収録）ですね。あのときは「しまった」と思って、あわてて「文殊の罠」を読んでみたんですけど、根本のアイデアは同じでも使い方がまるで違うからOKだろう、と胸をなでおろしたものです。ところがその折も折、これもまた同じ発想を用いた某先生の某長編が刊行された。あまりにも時期が接近していたものだから、当時はあれこれと憶測が飛び交ったようですが、十何年も時間がたってしまうと、もはや文句をつけられることもありませんね。発想は同じでも、作品としてはまったく違う構造・テイストのものになっているから。このへんも小説のおもしろさですね。

——ちなみに『ミステリ百科事典』を引いてみると、「文殊の罠」のトリックは「花」の項目の中で紹介されてました（笑）。

綾辻　ごめんなさい。通読・熟読はしていないもので（笑）。

■『殺人方程式——切断された死体の問題——』徹底解剖

＊以下、『殺人方程式』の犯人、トリック、

仕掛け等について具体的かつ詳細に言及します。未読の方は、くれぐれもご注意ください。尚、464頁に本書のあらすじがあります。

——それでは、具体的な作品に即して、トリックがどのように作られたかを伺いたいと思います。今回のテキストに選んだ『殺人方程式』は、一九八九年五月に光文社カッパ・ノベルスから書き下ろしで刊行され、現在は光文社文庫と講談社文庫に収められています。「館」シリーズとは違って、物理トリックをフィーチャーした派手なバラバラ殺人もので、しかも形式的には警察ミステリーに分類されるという、綾辻作品の中ではかなり異色の長編ですね。光文社文庫版のあとがきによると、これはカッパ・ノベルス編集部からの注文だったようですが。

綾辻　お話をいただいたのは、まだデビューの翌年でしたからね。それはもう、命じられるがままに努力を……。

——その打ち合わせの模様を綴った光文社文庫版のあとがきがめちゃくちゃおかしいので、一部を抜粋して引用しておきます（466頁参照）。しかし、にもかかわらず、メインの物理トリック自体については、作中でけっこう冷たく扱われていて、探偵役の明日香井《あすかい》響《きよう》には、「仮にこれをネタにしたミステリがあったとしても、僕は大した評価はしないけどね」とまでいわれています。

綾辻　本音をいっちゃうと、あんまり気が進まなかったんですよ、これを書くの。

——今回、『殺人方程式』を「トリックの仕掛け方」のテキストに選んだのは、まさにそれが理由なんですよ。トリックの持ち合わせがない本格ミステリー作家志望者は、「すごいトリックさえありゃオレだって傑作が書けるよ」みたいに考えがちじゃないですか。でも逆にこれは、あまり新味のない物理トリックから出発してもこれだけの冴えた本格ミステリーが書けるという実例になる。

綾辻　はあ、なるほど。

――このあとがきに出てくる「それらしきネタ」というのが、ロープと滑車のトリックなんですね。

綾辻　そう。だって、あの打ち合わせのときS編集長、「島田荘司の『〇〇〇〇』みたいなのないの?」っていうから。僕も『〇〇〇〇』は大好きで、あのトリックにもたいそう驚いたものでしたから、読んだ直後に似たようなトリックを考えてみたりしていたわけ。ロープと滑車を使って、犯人が自分の体重を利用して、川の対岸にあるビルの屋上に死体を吊り上げるっていうトリックですね。そのメモがノートに残っていて。

――光文社文庫版の343頁にあるこの図がメモに残っていたわけですね（図Ⓐ参照）。

綾辻　自分に思いつくのはこの程度か、こんなのはとても使えないよなあ、と思って、手つかずで放ってあったんですけど、当時のカッパ・ノベルスって、こんな感じのトリックを求めていたんですね。叙述トリックなんてものは、まだまだ市民権を得ていないふうだった。トラベル・ミステリー全盛の時代でもありましたね。僕はデビュー作以来、もっぱ

図Ⓐ 綾辻行人『殺人方程式――切断された死体の問題――』
／光文社文庫 p.343

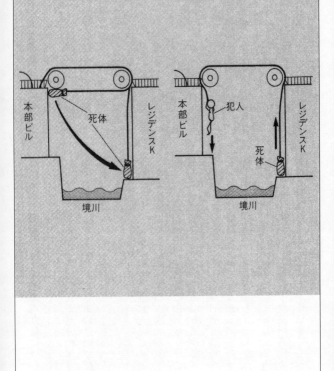

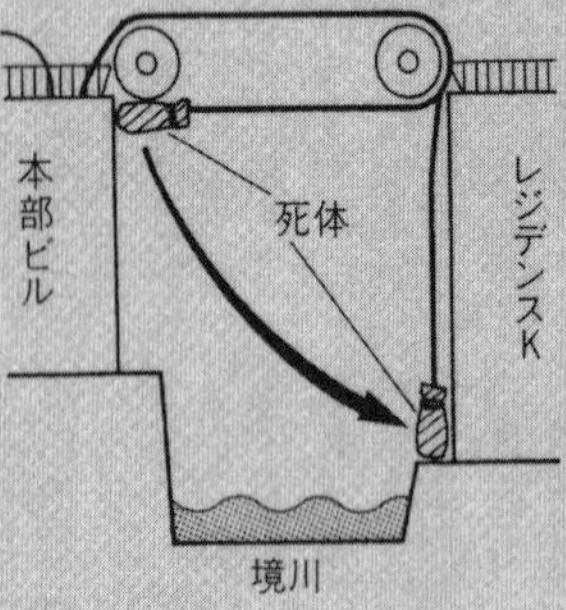

ら「目に見えないトリック」をメインに使っていたでしょう。でもそういうのは一般の読者にはわかりにくいから、ちゃんと「目に見えるトリック」でやってくれと。「目に見える」とはつまり、大がかりな物理トリックのことだったんですね。

そういわれても僕、物理トリックっていうのは本当に考えるのが苦手で。唯一あった手持ちのネタがこの滑車とロープの死体移動トリックだったから、打ち合わせのその場でその話をしたわけです。そしたら「よし、それでいこう」という話になって……。

——最近はむしろ叙述トリック全盛で、こういう正面切った物理トリックのほうが珍しいくらいですよね。この作品では、開き直ったように運動方程式まで出てきて。

綾辻　方程式は完全にあとづけ（笑）。いってみればまあ、照れ隠しみたいなもので。自然主義的なリアリズムははっきりいって嫌いなんだけど、そんな僕でも当然ながら、作中のリアリティ・バランスについては充分に気を遣います。作品ごとに、それぞれにふさわしいバランスを考えて設定するわけだけど、『殺人方程式』の場合は、刑事を主人公にしなきゃならないという縛りもあって、「館」シリーズみたいな閉じた空間は使えない。これまでになく現実と地続きの世界を書く必要があったんだけれど、しかし現実にはこんなバカなトリックを使う人間はいないだろうと思えて……けっこうそのへんで悩ましかったんですよ。で、その照れ隠しに（笑）。しかつめらしく運動方程式などを持ち出してきたら、読者を少しは納得……いや、ケムに巻くことができるかなと。

■演繹的方法

――でも、完成した小説を読むと、警察ミステリーの枠組ならではの「意外な犯人」にもなっています。

綾辻　結果としてはそうなりましたね。同じ光文社文庫版のあとがきで、「きわめて演繹的な方法で徐々に作品を組み立てていきました」と書いていますが、どこがどのように演繹的だったかというとですね、最初はとにかくこの、ロープと滑車のトリックだけがあったわけです。けれども、こんなトリックを使ってわざわざ死体を移動させる理由がわからない。

本格ミステリーでは最もポピュラーな密室トリックについても、その理由や必然性が必ず問題になりますよね。いくら画期的な密室トリックを思いついても、密室を作るためだけにそれを実行する人間はいないから。

そこを完全に開き直って、素晴らしい密室トリックを思いついてしまったがゆえに実行してしまった――というのも、作品によってはアリなんですけどね。まあそれは例外的なものだとして、密室トリックに限らず、物語内で犯人が仕掛けるトリックについては、なぜそんなトリックをわざわざ使ったのかという理由、必然性が重要なわけです。だから、まずそこから考えはじめた。

死体を川の対岸に飛ばす、というイメージ

は最初からあったので、なぜそんな工作をしなければならないのか、そういった死体の移動にどんな意味がありうるのか……と考えているうちに思いついたのが、警察の管轄の問題。死体が発見された場所によって、事件を扱う所轄署が決まるという。じゃあ、たとえば犯人は刑事で、川が管轄の境界線になっていて、自分が所属する警察署で事件の捜査を行なうために死体を川のこちら側へ移動させた、というのはどうだろうかと。

当時たまたま、某県警の刑事さんと交流があったので、世間話のついでにちょっと尋ねてみたんですよ。こんなのを思いついたんですが、実際問題として意味があるでしょうかって。そうしたら、「自分の管轄に持ってきてみずから捜査に当たるというのは、確かにある種のメリットがないわけではない。考え方としてはアリですなあ」というお答えでね、リアルな警察小説のディテールを求めてはいなかったので、それ以上の取材はしなかったけれど、発想としては何とかこれでいけそうだなと判断した。

次の問題は、なぜ死体を移動させるのに、わざわざこんなややこしいロープと滑車のトリックを使うのか。川の向こう側で殺しても、死体を車でこちら側に運んでくればいいだけの話なのに……というところで、被害者が対岸のビルに閉じ込められていて出られない、そんな状況が必要になって、「お籠もり」という設定が出てきた。新興宗教の教主が、儀式のために一定期間そこから出てはいけないと定められている、という設定ですね。まあそんなふうにして一つ一つ問題をクリアしながら、徐々にプロットを組み上げていったわけです。[15]

さて、ここまで進んでもまだまだ完成形にはほど遠くて……このあとに考えたのが確か、「首切りの理由」でしたね。

死体の移動に絡めて、何かもっと不可解な状況を演出できないかと考えているうちに、首なし死体の必然性を思いついたんです。首なし死体――死体の首を切る理由というのはいろいろあって、よくあるのは身元をごまかすため、それによって人物を入れ替えるため、というパターンなんだけど、このとき思いついたのはもっと単純な話で、首を切ったら重さが減るな、と。これは最も現実的なバラバラ殺人の動機でもあるんですけどね。要するに、バラバラにして小さく軽くして死体を運びやすくするため、という。

根本はそれと一緒なんですけど、この作品では、首を切り落として死体の重さが自分（＝犯人）の体重と同じになるように調整することが第一目的。そうすることで、ロープと滑車のトリックが可能になる。そこでさらに思いついたのが、お籠もりの期間中に被害者が運動不足で太ってしまったために、いざ犯行の段になると、首を切るだけでは足りなくなる、というアイデアでした。そのせいで犯人は、首に加えて片方の腕も切り落として重さを調整する必要に迫られてしまう、というのはどうだろうかと。

さらに次の問題は、切断した首をどうやって死体発見現場に持ち込むか、でしたね。その手順次第で、犯人を限定する手がかりを埋め込むことができるだろう。そのときその場所に首を持ち込めた者は一人しかいなかった、と推理できるようにして、それは主人公とともに現場へ駆けつけた所轄署の警部補である、という真相に持っていけたら、これはなかなかおもしろいんじゃないかと。そこで第二章のはじめに、事件発生のため朝早くに呼び出しをかけられた主人公の刑事が、犯人の警部補と出会って一緒に現場へ向かうシーンを持ってきたわけです。それがいちばん効果的な演出だろうと思って。

ただ、首を持ち込めたのは警部補だけだと絞り込める状況であることを、当の警部補があらかじめ予想できてしまってはまずい。だからそこで、偶然にも公安の刑事が別件で当該マンションの人の出入りを見張っていたという、これはかなり無理やりな設定を付け加えなければならず……って、こうして細かく振り返ってみると、何だかずいぶん苦労してますねえ（笑）。

——綾辻さんは、犯人が計画的に密室や不可能状況を作るという話はあんまり書きませんよね。

綾辻　確かに。だって、そんな必然性ってあまりないから。僕が書くものってそもそも、計画殺人さえ少なかったりしますしね。どちらかというと、偶発的な事件に持っていくほうが多いんじゃないかな。これは決して本格ミステリーの主流ではありませんけど。

——『殺人方程式』でもう一つ特徴的なのは、プロローグが⑴、⑵、⑶と三つあって、そのうちの「プロローグ(3)」で、犯人の視点で犯行準備の過程があからさまに書かれていること（467頁参照）。

綾辻　ああ、それはさっきお話しした、なるべく後出しをしないようにという意識の表われですね。この種の物理トリックの場合、自分がこういうのをあんまり書かないせいもあってか、解決編でいきなりロープと滑車を使いましたと説明することに強い抵抗を感じていました。……だから、最初からもう明かしてしまおうと思ったんです。この事件にはロープを使ったトリックが出てきますよ、と。

——犯人の買い物リストが、ロープ、シュラフ、釣り糸、テニスの硬球……。滑車だけは「最後のこれ」と伏せてますが。

綾辻　あとは全部書いてありますね、使う道具が。まあそれくらい、この物理トリック自体は大したものじゃないと見切っていたんでしょう。晒《さら》してもさしつかえない手の内はなるべくここで晒してしまうことで、「焦点となる問題は別のところですからね。ロープを使った物理トリックそのものじゃなくて、なぜ死体を移動させたのか、なぜ首を切ったのか、そこのところを考えてくださいね」というメッセージを送ったつもりだった。

——さらに要所要所に「明日香井叶《きょう》のノート」が挿入されて、状況を整理する。「明日香井叶のノートより(4)」で問題点を絞り込み、そのすぐあとに、事実上の「読者への挑戦」がある。明日香井響のセリフで、「何ならここで、昔の探偵小説ばりに例の『読者への挑戦』でも挿入してみようか？」と。

綾辻　そう、事実上の「挑戦」でしたね。このレベルまで持ってこられたんだから、堂々と「挑戦」してみてもいいかな、と思って。

——最後まで読むと、すべての伏線がきれいに回収されて、物理トリックや警察ミステリーという外枠の設定さえも結末の意外性に奉仕しているように見えるのがすごいなと。

綾辻　そこまでいうのは褒めすぎ（笑）。

——綾辻作品には珍しく、叙述トリック的な要素も全然なくて……。

綾辻　いや、いちばん外枠に、ちらっとそれらしき仕掛けはあるんです。岬映美《みさきえみ》という女の子が実は……というくだり。

——ああ、プロローグ⑴とエピローグ⑵の部分。

綾辻　この長編、本になるまでに三回ほど改稿してるんですけど、その外枠部分がない第二稿を編集部に渡したら、「『館』シリーズの綾辻行人らしくないから、もうひとひねりできない？」という物言いがついてしまって（笑）……二稿目でそのように再構成したんですよ。いま思うと当時のカッパ・ノベルスって、無理難題をガンガン要求してくる編集部だったなあ。

——でもそのおかげで、普通だったら出てこないものが引き出される効果もあったり。

綾辻　そうですね。こんなふうにいってますけど、決して怨んでなんかいませんし。むしろいい勉強になったと感謝しています。

一昨年、講談社でこの作品を二次文庫化したとき、十年以上ぶりにゲラを読まなきゃいけなくて、途中まではほとんど羞恥プレイをさせられているような気分でね、いやでいやで仕方なかったんです。ところが解決編まで読み進めると、「おお、なるほど」って、けっこう自分で感心したりもして（笑）。『鳴風荘事件』の二次文庫化のときもそうでしたね。何かだらだらした書きっぷりでつまんないなあ、と文句を垂れながらゲラの手入れをしたんですけど、解決編を読むと「よくできてるじゃないか」って（笑）。

■トリックは使い方が重要

――『殺人方程式』を例として考えると、メインのトリック自体よりも、トリックをどう使うかのほうが明らかに重要ですね。

綾辻 ⑯トリックそのものは切れ味が鈍かったり、さほど斬新じゃなかったりしても、それを包み込む全体のプロットやストーリーに、何かおもしろい視点や切り口があれば、作品はがぜん生きてきます。トリックはもちろん大事な要素ではある。でも、トリックそのものよりもそれ以外のところに実は成功のポイントがあるんじゃないか、というのが僕の経験則ですね。何らかの冴えたアイデアがどこかに必要だという、そのことには変わりありませんけど。

――『殺人方程式』の場合には、そういう冴えたアイデアが三つも四つも入っていて、それが解決編の意外性につながっていると思いますが、そのアイデアはどうすれば出てくるんでしょうか。

綾辻 ⑰うーん。それはもう、必死に考えてひねり出すしかないんじゃないですか。

――必然性とか演出とか人物配置とかを決めるときに、血を吐くほど考えるわけですね。

綾辻　考えますね。血を吐いたことはないけれども（笑）。

[18]いちばん大事なのは必然性。意味もなく犯人があれこれ複雑なトリックを使うことはありえないから。叙述トリックについては、意味もなく作者が使うのもアリだろうと僕は思うんだけど、これも人によって意見の分かれるところですからね。ましてや物語内のトリックとなると、これはもう常識として、犯人がそれを用いた必然性が重要となる。そこのところで何か今までにない新しさや切れ味があれば、トリック自体は凡庸でも作品は評価されるべきでしょう。『殺人方程式』を書いたときは、そこまで考えてもまだ、これは意味づけが弱いなあという迷いがあったんです。だから、「プロローグ(3)」の最後で、姑息な予防線を張ったりもしています。〈目的と手段、手段と目的の、転倒？　循環？〉とか、〈この状況下、この条件下で、こういった計画を思いついてしまったこと、その偶然の交差自体が一つの運命だったのだ〉とか。こんなふうに書いてしまわざるをえなかったところに、当時の自分の、引き裂かれた心理が読みとれますねえ。まだ足りないと思ってたんだよね、きっと。

――トリックの実行可能性という問題についてはどうでしょうか。

綾辻　[19]リアリズム小説の基準でもって、こんなトリックは現実には実現不可能だと批判するのは、野暮というものだろうと思います。

『殺人方程式』のこのロープ&滑車トリックにしてもね、こんなの、はっきりいって実行は限りなく困難でしょう(笑)。不可能に近いくらい困難だと思うし、リスクも高すぎる。現実にはありえませんね。

土屋隆夫さんがその昔、思いついたトリックは必ず実験してみて、実行可能であることを確かめてから使ったと書いておられますが(「私論・推理小説とは何か」)、そう簡単に実験できるトリックばかりじゃありませんしね。大がかりでちょっとバカバカしいようなトリックは実験なんてできないし、無理をしてやる必要もない。その作品のリアリティ・バランスの中である程度の説得力を持ち、なおかつおもしろければそれで良し、というのが僕の考えです。

——とりあえず方程式上で成立してればいいと(笑)。

綾辻　方程式はさておき(笑)……どんなトンデモ・トリックでも、この物語の中ならアリかもなあと読者を納得させてしまう、そこが作者の腕なんでしょうね。加えて、読者の側にも作品の性格を見極めたうえでの、ある種の割り切りが必要なのでは? たとえば島田荘司さんの『斜め屋敷の犯罪』(講談社文庫)を読んで、「こんなのありえない!」と文句をつけるのは、それこそ野暮もいいところでしょう。

——あともう一つ、『殺人方程式』が綾辻作品の中で特異なのは、共犯の存在。

綾辻　ああ、そうですね。僕は個人的なこだわりとして、共犯はできるだけ使いたくないんです。有栖川有栖さんと組んでやっている「安楽椅子探偵」シリーズ（綾辻行人・有栖川有栖のオリジナル原作によるＡＢＣ制作の犯人当てドラマ。「出題編」「解決編」に分けて放送され、論理的に真犯人を当てた視聴者の中から、最優秀解答に懸賞金が与えられる。一九九九年から二〇〇八年までに七作が制作され、六作目まではＤＶＤ化されている）でも、必ず「単独犯である」という縛りをかけてますね。

『殺人方程式』の場合はしかし、共犯がいなければどうしても成立しないトリックだったから、やむをえず。それでも、解決編に入るまでに共犯者の存在は明かしてしまって、その人物はどうやらこいつらしい、というところまでカードを開いていますね。

――共犯者視点のパートまで入ってますからね。

綾辻　共犯者がいる可能性を考えだすと、ロジカルに犯人を絞り込む手順がやたらと煩雑になってしまうでしょ。だから、できるだけ単独犯にしたいわけです。まあこのへんは、本格ミステリー作家でもそれほど気にしない人も多いみたいですから、やはり僕の個人的なこだわりにすぎない、ということで。

単独犯にこだわるのは、京大ミステリ研の「犯人当て」（探偵作家クラブ新春例会の恒例行事にならって始められた京都大学推理小説研究会伝統の推理ゲーム。出題者が問題編を朗読し、他の参加者が犯人を推理する。綾辻氏自身は在学中に七本の「犯人当て」を書き、そのうち二本は「どんどん橋、落ちた」と「フリークス」の原型になっている）で、そのように刷り込まれたせいもあるのかも。共犯、複数犯は美しくない、とされていましたからね、あそこでは。犯人の絞り込みがどうしても甘くなりがちだから。

――「安楽椅子探偵」のトリックはどこから発想するんですか？

綾辻　有栖川さんとの血を吐くようなブレストを通じて（笑）。あれも実は、トリックがメインの話はあまりなくて、中心はロジックのほうなんですね。ブレストで最初に出てくるのは「謎」でしょうか。なぜこんな妙なことが起きたのか、そういった謎を説明する理屈から入ることが多い。密室とかのトリックはいちばん最後かな。

こうして改めて考えてみると、僕[20]は本当にあまりトリックからは入らないなあ。「なぜそんなことをしたのか」「なぜそんなことになったのか」という必然性から考えはじめることが断然、多いですね。その意味では、綾辻行人はホワイダニット派かもしれない。犯行の動機は？　というホワイダニットじゃなくて（Whydunit の本来の意味は「なぜ犯行にいたったのか」で、普通は〝動機さがし〟を意味するミステリー用語。「誰が犯人なのか」はフーダニット、「どうやって犯罪を実行したのか」はハウダニットと呼ばれる）、なぜこんな状況になったのか、なぜこんなトリックを使ったのか、というところで、何かおもしろい、アクロバティックなアイデアが出てきたらそれで書けてしまう、そういうタイプなんだなと、今回お話ししていて再認識しました。

――『殺人方程式』もハウダニットに見えて、実はそこに眼目はなくて、ホワイダニットですよね。なぜそんなことをしたのかに眼目がある。フーダニットもそこから導かれるわけだし。

綾辻　ですよね。それが僕の手癖なのかもしれませんね。

――トリックメーカー・タイプじゃなくても、おもしろい本格ミステリーは書けると。

綾辻　冴えたアイデアはどこかに必ずあるべきだけれど、それがトリックそのものである必要はない、ということです。

――だから当然、トリックは出尽くしたと悲観することもない。

綾辻　もちろんです。またマジックの話になりますけど、古典的なありふれたトリックであっても、それを使った演技の手順が、ハッとするような新しい切り口で構成されているからすごい、という例がいくらでもあるわけです。それと同じで本格ミステリーも、必ずしも「前代未聞のトリック」ばかりで勝負しなくていい。トリックそのものの斬新さに頼らなくても優れた本格ミステリーは書けるはずである、と僕は思います。

――どうもありがとうございました。

（聞き手／構成・大森望＋編集部）

■『殺人方程式——切断された死体の問題——』あらすじ

【問題編】

八月十六日火曜日、午前七時前。警視庁刑事部捜査第一課の若手刑事・明日香井叶（二十六歳）は、M市内の自宅で事件発生の連絡を受ける。現場に向かいかけたところ、近所に住むM署刑事一課所属の尾関弘之警部補（三十九歳）の車が通りかかり、叶はそれに同乗する。

現場は、境川沿いに建つ鉄筋六階建てのマンション、レジデンスKの屋上。給水塔の下に転がる全裸の他殺死体は、頭部と左腕が切断されていた。ほどなく、コンビニ袋に入ったままの頭部が二階の廊下で発見され、顔の特徴から遺体の身元が判明する。

被害者は、新興宗教団体「御玉神照命会《みたまがみしようめいかい》」の新教主、貴伝名《きでな》剛三《ごうぞう》。前教主だった貴伝名光子《みつこ》は、いまから二カ月前に線路上で不審な死を遂げ、夫の剛三が教主の地位を継いだばかりだった。被害者は、死体発見現場から境川をはさんだ対岸にある、四階建ての照命会本部ビル屋上ペントハウスの神殿で〝お籠もり〟をしていたという。

検屍の結果、被害者は本部ビルで殺害され、頭部と左腕の切断後、レジデンスKに遺体を運び込まれたものと推定される。しかし、事件当夜は、公安一課の刑事が別件でレジデンスKの前で朝まで張り込んでおり、出入りした車は一台しかなかったことを確認している。唯一、レジデンスに戻ってきた車を運転していたのは、貴伝名光子の息子（被害者にとっては義理の息子にあたる）で大学院生の貴伝名光彦だった。光彦の車のトランクからは、被害者の左腕と、ハンマー、肉切り包丁、鋸が発見され、光彦は殺人容疑で逮捕される。

事件の解明に乗り出す素人探偵は、明日香井叶の双子の兄、明日香井響。京都の有名国立大学文学部哲学科の六回生。光彦の恋人、岬映美と一年半前までつきあっていたことがあり、その縁で事件に関わってゆく……。

明日香井叶のノートより(4)

［主要な問題点の整理］＊骨子

1　犯人は何故、貴伝名剛三の死体をレジデンスKの屋上に運び込んだのか？

2　犯人はいかにして、貴伝名剛三の死体をレジデンスKの屋上に運び込んだのか？

3　犯人は何故、貴伝名剛三の死体の衣服を剝ぎ、頭部と左腕部を切断したのか？

○「この三つの問題点に正しい答えが出せれば、事件は解決するはずだと思うね」――八月二十日午後十一時半、明日香井響いわく。

【解決編】

1　所轄署の刑事として捜査に加わるため。

2　胴体部分に関しては滑車とロープのトリックを使用。頭部は所轄署の刑事として現場に赴いた際に持ち込んだ。

3　A　身元確認を遅らせることで自分が最初に頭部を見て被害者の身元を捜索し、真っ先に殺害現場へと赴くため。

B　体重調節のため。

■『殺人方程式——切断された死体の問題——』

（光文社文庫版あとがき抜粋）

S編集長「やっぱりねえ綾辻さん、『館』シリーズだとか何だとか、あんまりマニアックなものばかり書いててもそんなに売れないから、うちじゃあちょっと違った感じでいこうよね」

綾辻「はあ」

S編集長「やっぱりねえ、主人公は刑事がいいよねえ。いちばん分かりやすいからねえ」

綾辻「はあ」

（中略）

S編集長「……やっぱりほら、ミステリといえばトリック、それも大トリックのあるやつがいいねえ」

綾辻「大トリックというと、たとえばどんな感じの？」

S編集長「ドーンと大きなやつね。あんまりマニアックな、ちまちましたやつじゃなくてさ、ドーンとこう、目に見えてアッと驚くようなね」

綾辻「それはつまり、物理的なトリックの方がいいと？」

S編集長「そうそう、物理的なやつね。たとえばほら、島〇荘〇の〇〇〇〇なんかいいねえ」

綾辻「ああ、なるほど。〇〇〇は傑作ですよね。でも僕、実はあまりあの手の物理トリックは得意じゃなくて」

S編集長「まあそう云わずに、プロなんだから。何かドーンと大トリックはないの？」

綾辻「ええと、ええと、じゃあですね……」

むかし考えたそれらしきネタを、苦しまぎれに話す綾辻。

S編集長、ぽんと手を打つ。

S編集長「おっ、それいいねえ。それでいこう。それ書いてよ。ねえ綾辻さん」

綾辻「は、はあ」

内心途方に暮れつつ、曖昧に頷く綾辻。

（中略）満足げに腕組みをするS編集長……。

■**「プロローグ⑶」からの抜粋**

二種類の刃物が必要だ。

一つは、大ぶりな肉切り包丁がいいだろう。

もう一つは、なるべくコンパクトに折りたたみのきく鋸《のこぎり》。この両方が必要だ。

包丁だけだと骨を断つのが大変だし、鋸だけだと肉が刃に絡《から》まって往生《おうじょう》する。包丁でまず筋肉と脂肪《しぼう》を切り、それから鋸で骨を切断する。これが最《もっと》も効率的な方法だろう。

手袋が要《い》る。もちろん、指紋を残さないためだ。巷《ちまた》に氾濫《はんらん》する推理小説や刑事ドラマで、これだけ「指紋」の概念が常識化してしまった今でもなお、現場に指紋を残していく犯罪者がいるというのは、まったく不思議なことだと思う。

それから、ロープ。なるべく細くて軽く、しかも丈夫なものでなければならない。

それから――。

大きな袋が必要だ。ちょうどいい品を探さなければならない。できれば水を通さないもの。ゴミ用のポリ袋ではちょっと小さすぎるし、弱すぎる。もっと大きな、頑丈《がんじょう》な袋が必要だ。例えば、そう、登山用の寝袋《シュラフ》などはどうだろうか。

それから――。

ロープとは別に、細くて丈夫な紐《ひも》が要る。これは、太めの釣り糸を使えばいい。

この糸の先を結びつけるボール。穴をあけて通せるようなものがいい。テニスの硬球あたりが適当だろう。

それから――。

最後のこれは、もしかしたら少々難物《なんぶつ》だ。市販のもので恐らく可能だと思うが、うまく使えるように手を加えなければならないかもしれない。強度の確認を事前にしておく必要もある。が、まあ何とかなるだろう。いや、何とかせねばならない。

以上の品々を、後に捜査の手が及んでも決して足がつかないよう、細心《さいしん》の注意を払って集めること。焦って不用意な買い物をするようなことさえなければ、大丈夫だ。大丈夫だ。

叙述トリックを成功させる方法

折原一
ORIHARA Ichi

①叙述トリックを成功させるためにはどうすればいいですか
②③新人作家が叙述トリックを使った作品を書くときに注意すべきことはありますか
④叙述トリックを扱った、押さえておくべきミステリー小説を教えてください
⑤サスペンスを生み出すために効果的な方法を教えてください
⑥⑦⑧叙述トリックを考える上で具体的な方法を教えてください
⑨⑩読者をミスリードする上で効果的な書き方は何ですか
⑪ミステリー小説を描くための材料はどこから探せばいいですか

■絶対に成功させるには

叙述トリックとは何か——。

これからミステリーを書こうとしている人がまさか「叙述トリック」の意味を知らないはずはないと思うので、ここでは叙述ミステリーの説明は省く。もし、知らない人がいたら、本ガイド中の我孫子武丸氏の項を読んだり、ミステリー関係のガイドブックなどを調べてほしい。この項を読むのは、それからのことである（よろしいですね）。

①まず、叙述トリックを必ず成功させる方法が一つある。この手を使えば、絶対に読者をあっと言わせ、地団駄を踏んで悔しがらせることができる。ただし、すでにミステリー作家として世に出ているということが条件である。

例えば、デビュー以来、ハードボイルドや警察小説で売っている作家が、ある時、突然叙述トリック物を書く。読者は最初からトリックが仕掛けられているとは知らないので、結末の意外な展開にまず間違いなく驚くだろう。これをやって成功を収めた日本人作家を私は知っているが、名前を明かすことがネタバレになるので、ここでは書かない。

翻訳物で例を挙げるなら、『ミスティック・リバー』で知られるデニス・ルヘインの二〇〇三年の作品『シャッター・アイランド』（早川書房）だ。わが国の最初のハードカバー版では結末に封がしてあるので、勘のいい読者はある程度、わかってしまうかもしれないが、封なしのオリジナルで読んだアメリカ本国のファンはかなり驚いたはずだ。しかし、もしトリックを見抜いたとしても、この実力作家はサプライズ・エンディング以外にも読ませる場面をたくさん用意しているので、かなりのすれっからしの読者でも、小説の出来には素直に感嘆の溜め息を漏らすにちがいない。

まさに一作家、一叙述トリック。ルヘインが今後このタイプの小説を書くことは二度とないと私は確信している。

■一作家、一叙述トリックでなくても……

一作家、一叙述トリック。これが叙述トリックにおいて成功する最大の秘訣だが、この手の小説は年間ベスト10の上位に来ることが多い。ハードボイルドや警察小説ファンで、本格推理をあまり読まない人は、こういうタイプの作品に対して免疫がないので、結末で受けるショックは大きい。彼らがいい評価を与えれば、まずその作品はベスト10の上位に来るというわけである。読む人が増えれば、本格ファンの票に上積みされ、その作品はそれだけベスト10に入る確率が高くなる。それが何なのか具体的に作品名を明かすことは、ネタバレになるので、ここでは差し控える。あなたには、その作品を探す楽しみがある。

一作家、一叙述トリックではなくても、逢坂剛氏や連城三紀彦氏、東野圭吾氏のように引き出しの多い作家の場合は、ハードボイルド、恋愛、真面目な（?）犯罪心理小説の間に、たまにぽんとこの種の叙述ミステリーを挟むと、ある程度の（あるいは、かなりの）成功を収めることがある。前の叙述トリック作品からしばらく時間が経過し、読者が油断をした時、彼らは「意地悪な仕掛け」を試みる。どれがその作品なのか、熱烈なファンなら知っているはずだ（知らなければ、自分で読んで探してみること）。

■あなたが作家志望者なら……

あなたがこれからミステリーを書こうとしている作家志望者だったら、まったく問題はない。一発勝負狙いで、このスタイルのミステリーに挑戦できるし、間違いなく成功を収めることができるだろう。読者はあなたに対して予備知識がないので、その受ける衝撃は計り知れない。だが、[2]あなたは第二作以降の創作に注意する必要がある。

なぜなら、あなたは叙述トリックの作品でデビューした「十字架」をこれからの作家人生で背負っていかなくてはならないからだ。読者の脳にはあなたの叙述トリックのミステリーが強烈にインプットされているので、次の作品にも過剰な期待を寄せる。今度はどんな手を使って我々を驚かせてくれるのだろうかと。

だから、[3]そういうことがあるといけないので、叙述トリックは最初の一、二作だけにして早々に撤退し、別の分野のミステリーを書いていくことを勧める。できるだけ早く、あなたが引き出しの多い作家であると読者に認知させることが大事なのだ。ミステリーの世界は広く、書くテーマの選択に困るほどネタは多い。

あなたが引き出しの多い作家になれば（これは容易ではないが）、たまに叙述トリックのミステリーを書いて、読者を騙すことに楽しみを覚えるようになる。

■書く前に古典を読んでみよう

私は叙述トリックの小説が大好きで、作家になる前はたくさんの作品を読んできた。

影響を受けた作品は、まずB・S・バリンジャーの『歯と爪』とフレッド・カサックの『殺人交叉点』。今や、叙述トリック作品の代表的な古典となっており、叙述トリックの基本を知りたい人にとっては必読ミステリーだ。簡潔なスタイルで、最後にそれまでの世界が百八十度反転するような驚愕の結末を持ってくるパターン。彼らはその重要なパイオニアである。

これらの小説の構成は実に単純。過去と現在を交互に書いていく。あるいは一人称と三人称の視点を交互に持ってくる。映画で使うフラッシュバックの手法のように、視点を変えることで、サスペンスを生みだす効果が出てくる。

私は十代の後半にこういうものを書けたらいいなと思いながらこの手のミステリーを好んで読んだ。作家になるなら、こんな作品を一度は書いてみたいと思った。そうした「フアン魂」をぶつけた作品が第一長編の『倒錯の死角《アングル》』と第二長編の『倒錯のロンド』の二作品だ。

もちろん、私自身、叙述トリックの古典がどういう構成をとっているのかは研究済みだったので、意識的に一人称と三人称、さらに過去と現在を並べてプロットを作っていった。

だが、前に書いたように、この手法は長くはつづけられない。読者のほうにはある程度「免疫」ができるし、騙されないように身がまえてしまうので、同じ球を投げることはできず、変化球勝負になる。

くどいようだが、あなたが叙述トリックで読者を驚かせたら、この分野からさっさと退散すべきだ。

じゃあ、「一作家、一叙述トリック」と主張しているおまえは、どうなんだと噛みつかれそうだが、私自身の認識は違う。私は自分が書いているのはサスペンス小説だと思っている。叙述トリック的な趣向はそのサスペンスを生みだす一つの道具と考えているのだ。読者と作者の見解の相違（ちょっと苦しいかな）。

だから、私はこれからも叙述トリックの手法を用いたサスペンスの方向で書くつもりでいる。このほうが私のスタイルだと思っているし、また書きやすいということもある。

■叙述トリックの小説の具体的な書き方

ここからは具体的にどうしたら叙述トリックを書けるのかを記していく。小むずかしいトリック論よりは実践論を読みたいと、あなたは思っているにちがいない。⑥まず、読者に対してどのような驚きを与えるかを考えることにしよう。そこから固い頭をほぐし、柔軟にしていく。

例えば、「男だと思っていたのが実は女だった」というのは、今や古典的なトリックだが、叙述トリックを考える上では大事なものだ。同じようなやり方で、「被害者が実は加害者だった」とか、「大人だと思っていたが、実は子供だった」というふうにして、正反対のことを頭の中でどんどんイメージしていったり、紙の上に書いていく。

たいていこうしているうちに、ヒントめいたものが生まれてくるだろう。

⑦次に、全体の大雑把なプロットを作る。結末は決まっているので、そこに至るまでの過程をある程度作っておいたほうがいい。

先に紹介したデニス・ルヘインは、『ミスティック・リバー』までの作品ではちゃんとしたプロットは作らずに書いたが、『シャッター・アイランド』においては、しっかりしたプロットを作り、綿密に計算しながら書いていったという。

『シャッター・アイランド』は、三人称一視点の文章で全体が構成されている。こうした例は、リチャード・ニーリィの『心ひき裂かれて』など、あまり多くないが、⑧叙述トリックを成立させるためには、高度のテクニックと筆力が要求される。かなりの力を養ってからでないと、全編三人称一視点パターンは失敗する可能性が大である。

[9]叙述トリック初心者が成功するには、一人称と三人称を並行させて書いていくのがいい。例えば、先に挙げたバリンジャーの『歯と爪』。これは一人称と三人称、過去と現在を巧みにからませていく。

一人称では、嘘をつけることをあなたは知っているだろう。もちろん、これは作中人物の「私」や「僕」に語らせるわけで、故意（意識的）に嘘をつくことは可能だ。しかし、これをあまり露骨にやると、読者にそっぽを向かれるし、結末の驚きの度合いが減じる危険性がある。

読者が「卑怯じゃないか」と思った時、読者の驚きは作者のアンフェアな手法に対する強い怒りに移行し、その作品に対して高い評価を与えない。作者は読者の手痛いしっぺ返しを食うことになるわけだ。

叙述トリックにおいて、一人称の果たす一番大きな役割は、読者をさりげなく誤誘導することである。[10]「私」が思っていることをふと漏らして、読者を作者の狙っている方向に誤って誘導する。

これに成功すればしめたもので、作者は今度は三人称の文章でさらに読者を迷い道に誘いこむことができる。少なくとも、私の場合はそうだ。でも、まあ、言うのは簡単だが、やるのはけっこうむずかしいかもしれない。

また、三人称の文章でも、会話で意識的に読者をミスリードすることも可能で、「彼って、○○なんだねえ」といった言葉を控えめに入れておくと、けっこう効果がある。

■現実の事件を使う

それから、現実の事件を利用するのもいい。誰でも知っているような事件をモデルにすれば、「先入観」を持った読者は勝手に思い違いをしてくれる。

例えば、あなたが宮崎勤事件を利用しようとする。読者にビデオ盗撮マニアの男が怪しいと思わせることができたら、あなたの目論《もくろ》見《み》はすでに半分以上成功している。そして、最後に犯人が子供だったとか、身内の人間だったというようにして、読者の裏をかく。

ただ、この場合の問題点は、時がたち、事件が風化していくとともに、読者の記憶が曖昧になっていくことだ。今、三億円事件をモデルにした小説を書いたとしても、どれだけの人に理解できるだろう。二十代、三十代の若い読者には、ほとんど「歴史の彼方の事件」になっている。そういう不利な条件下でも、読者をあっと言わせることができれば、あなたの実力は本物なのだが。

頭をやわらかくするために、もう一つ例を挙げてみよう。一九九七年に起きた「東電OL殺害事件」だ。昼間は一流会社の有能なOL。夜は通りに出て男を漁っている女。ノンフィクションや小説で何度も使われているので、今でも読者の記憶は鮮明だろう。

昼間の女、夜の女、二重生活、過去、現在、犯人。

これだけを見ても、叙述トリックを成立さ

せる要素はたくさんある。さらに、犯人はネパール人で冤罪かもしれない。真犯人は別にいるとしたら……。

こうして考えていくと、あなたはおもしろいプロットを作ることができるかもしれない。やれそうな気持ちになったら、まず、材料探しを始めよう。少なくとも、自分で一から考えるより、プロット作りが簡単である。

⑪私の場合、新聞の三面記事や、テレビのワイドショーでいろいろなネタを探すことが多い。材料は我々の周辺に無数に転がっており、それを見つけだし、料理するのは、あなたの眼力と腕にかかっているのである。

最後に、拙作『グランドマンション』（光文社文庫）を実践用テキストとして挙げてお

く。連作短編集で、一編一編に叙述トリックを仕込み、さらに作品全体に大きなトリックを仕掛けている。叙述トリックの小説を書こうとする人には、大いに参考になると思う。

ミステリー作家への質問

Q.理想とする作品と その理由を教えてください　その3

●『カノン』（篠田節子著）。人間をよく描写しており、人としての器、生き方を考えさせられた。ミステリアスなストーリーにひきこまれつつも知らない間にこれらのテーマについて考えさせられるところがすごいと思った。『柔らかな頬』（桐野夏生著）。人が背負うもの、苦悩、絶望、よくここまで描ききったと感嘆した。ミステリーという手法をとりつつも、人が抱える闇などについて読者は考えさせられる。巧い。<海月ルイ>

●『石川淳全集』石川淳。理由はありません。石川教の信者には。<逢坂剛>

●『獄門島』（横溝正史）。その時代の日本という国でしか成立し得ないミステリー。考えに考えぬかれたプロットもさることながら、無駄が一切なく、あらゆる要素がぎょうしゅくされている。論理で割りきるのが本格ミステリーであるが論理の果てに論理をこえたものが存在する。そのロマンに圧倒される。<大倉崇裕>

●理想とする作品は、かつていくつもあった。だが24年書きつづければ、自分と資質がまったくいっしょの先達などいないとわかる。つまり理想として追っても、そこへの道は自分の足もととはつながっていない。自分の理想は自分が書くもので、しかしその全容が決して前もってわかっているわけではない。毎回、どこかに（すべてでなくとも、せめて一部分でも）理想となるものを与えようと書いている。全部が理想的な作品がもし書けたとしたら、それは筆をおくときだろう。<大沢在昌>

●エラリー・クイーンの国名シリーズ。論理構築の見事さとシンプルさ。<太田忠司>

●谷崎潤一郎『細雪』。とにかく読んでいる過程がたのしい。<恩田陸>

●『獄門島』（横溝正史）は繰り返し読んでいます。プロットの段取り、人物の出し入れ、捜査と手掛り提示の進行、世界観作り……、どれも突出した出来で、創作に迷った時のチャートになってくれます。<霞流一>

●『不連続殺人事件』（坂口安吾）ミステリーのお手本。<金久保茂樹>

●『シャーロック・ホームズ』コナン・ドイル（ミステリーのひとつの原型を作った）。『鋼鉄都市』『はだかの太陽』アイザック・アシモフ（ミステリーとSFの融合）。<加納一朗>

●「私」体の作品では、ここ数年は、D・フランシスのスタイルにかなり多くのことを学びました。三人称体を考える時は、G・ライアルのマクシム少佐シリーズを読み返すことが多いです。また、短篇連作については、平岩弓枝『御宿かわせみ』と池波正太郎『鬼平犯科帳』のふたつが教科書です。<香納諒一>

●『百万ドルをとり返せ！』J・アーチャー。とにかく面白い。娯楽小説の傑作。『蟬しぐれ』（藤沢周平）、『柳橋物語』（山本周五郎）。二つの作品には人間の血が脈々と流れている。もちろん文章もうまい（勉強になります）。<狩野洋一>

手段としての叙述トリック——人物属性論

我孫子武丸
ABIKO Takemaru

①③通常の小説と叙述トリックの違いは何ですか
②前例のあるトリックを使ってもいいですか
④ミスディレクションとはどういうものですか
⑤叙述トリックを成功させるためにはどうすればいいですか
⑥読者に与える衝撃を大きくするにはどうすればいいですか

筆者は十年以上前、「叙述トリック試論」（『小説たけまる増刊号』所収／集英社）と題する文章をこう書き始めた。

「叙述トリック」という妖怪が、日本ミステリ界を覆っている——などということはない。はっきりいって、全然ない。おそらくこの先もないであろう。

読んで分かるとおり『共産党宣言』をもじったものなのだが、それはともかく、この十年で事情は相当に変わってきたように思う。「新本格」を産んだ講談社ノベルスが始めた「メフィスト賞」などで若いミステリ作家が続々とデビューし、またその多くが競うように作品を発表したこともあり、叙述トリックの使用される頻度もその言葉の認知度も格段にあがっているようだ。ブームそのものもネーミングも、あっという間に消え去るかと思われた「新本格」が十五年経った今、すっかり定着してしまい、その第一世代を読んで育った読者が書き手に回り、流れを引き継いでいたりするのが一因だろう。本来ならアンフェアと言われ、拒否感を示す人も多いはずの叙述トリックだが、綾辻行人の「館シリーズ」などを原体験として持つような若者には、「密室」と同様ごく自然に受け入れられてきたのかもしれない。

十年以上前に既に、ほぼ出尽くした感のあった「業界」だけに、現在の状況はいささか過当競争気味で、時には同趣向のトリックの作品が相次いで発表されるといった事態も生じてしまっている。しかしそれは見方を変えると、「新しい叙述トリックを見つける」時代から「効果的に叙述トリックを使う」時代に変わっただけで、密室やアリバイなどの物語内トリックと同レベルの水準に達したのだと言えるかもしれない。

もちろん、思いもよらぬ意外な叙述トリックがまだ生み出される可能性も充分ある。その場合、本格ミステリ作家なら、そのトリックをどのように見せれば一番効果的に読者を驚かすことができるか、と考えるだろう。そういった叙述トリックの使用法を便宜上[①②]、「目的としての叙述トリック」と呼ぶことにし、分類すれば過去のトリックと似通っていても、うまく使用することによって作品の面白さを引き上げてくれるような使用法を、「手段としての叙述トリック」と呼ぶことにして、本稿ではその後者のうち、人物属性に関する叙述トリックについて書くことにする。

以前、筆者は叙述トリックを「小説における、作者と読者の間の暗黙の了解の一つあるいは複数を破ることによって読者をだますトリック」と包括的に定義した。

基本的にはその「暗黙の了解」とは、小説においては映像がないだけに重要な「描写」「説明」、それらは「必要にして充分」なだけなされているであろう、というものだ。

通常の小説の記述法なら決して描写・説明[③]せずに進めない（と思われる）部分を意図的に欠落させ、そのことにより、実際とは異なるイメージを誤って喚起するようしむけ、意外性を演出する。これが小説における叙述トリックだ。
[4]最も使用頻度が高いのが主要登場人物の性別など、外見に関わるものであるのも、想像するビジュアルのギャップが大きいほど、騙されていた読者の衝撃も大きいからだろう。
　しかしなぜ、情報が欠落しているのに読者は実際とは異なるイメージを抱くかというと、作者が読者の思いこみ（暗黙の了解）を利用するからである。

　たとえばアメリカに、こういう古典作（もう半世紀前だからそう呼んでもいいだろう）がある。

　殺人を犯した脱獄囚を追うニューヨークの刑事。物語はその刑事の一人称と逃亡犯などの出てくる三人称パートで構成されている。刑事の執念の追跡の果て（実は中身はまったく覚えていないのだが）、事件は無事解決する。そういう話だ。ごく普通のサスペンスといっていい。――ただ一つ普通でなかったのは、刑事は黒人だったのです。そのことは最後の一ページで明らかにされる。

　中身のストーリーとまったく関わりのないこのサプライズは、本格好きの日本人としては「話と関係ないのかよ！」とツッコミたくなるようなものだったが、恐らく読み手がアメリカに住む白人、とりわけ人種偏見の強い人であったなら相当有効に働いたのではないかと思われる（まったく同趣向のスパイ小説もずっと後に書かれている）。白から黒へ反転するビジュアルイメージも衝撃的だろうが、同化していたヒーローがマイノリティであったという転落感、さらに白人だとは一言も書いていないのに、そう思いこんでしまっていた自分自身の偏見を見せつけられることとなる。

実際、この作品が本国でどのように読まれたのかは寡聞にして知らないのだが、もしそんなふうに読まれたのだとしたら、もはやこれは「社会派」といっても差し支えないだろう。

しかしこの作品が発表されたのは一九五六年。シドニー・ポワチエが黒人俳優として初めてアカデミー主演男優賞を取ったのが六三年。六七年には代表作「招かれざる客」と「夜の大捜査線」の両方が作られている。そういう時代だった、ということはいえるだろう。デンゼル・ワシントンやウーピー・ゴールドバーグを始め、ハリウッドでも黒人の人気俳優はそれ以降どんどん増え、オスカーを取ることも珍しくなくなっている今、このような作品が通用するのかどうか、それは分からない。もしアメリカ人たちが、「黒人が主役の可能性もある」と常に意識するようになったら、人種についての情報が欠落していることに気づいた段階でたくらみを見破るか、あるいは単に最後に「黒人でした」と言われた時に「ああそうだったの」ですんでしまうかもしれない。

以上から分かることは、

1　[⑤]情報の欠落を意識させてはいけない。

情報が欠落していると気づいた段階で、叙述トリックというものを多少なりとも知っている読者はすぐにその狙いを見破ってしまう。上記のようなよほど強力な思いこみを見つけるか、そうでなければ巧みにミスリードする必要がある。書いていないにも拘わらずあたかも書いてあるかのように。実のところ大抵の叙述トリックは、巧妙なミスリードとあざといレトリックの集積体であることが多い。そしてまったく目新しい叙述トリックを考え出すことが難しい現在、このミスリード部分だけでも新しい要素があれば、驚きを演出することは可能だ。

性別誤認を例に取ってみよう。女性を男性に見せかけるなら、・男性の多い職業にする・自分のことを「ボク」と呼ぶなど男性的な口調・行動が男性的・恋人が女性（レズビアン）、などが真っ先に考えられる。これらは既にありふれているだけに、逆に怪しまれる可能性もあり、使用は慎重にしたほうがよいだろう。また、酔っぱらって立ち小便をする、といった荒技（？）も可能かもしれないが、当然行き過ぎれば失笑を招くのでほどほどに。

一人称を使用すれば、自分の外見についてさほど触れなくても不自然でないため、主人公の属性は隠しやすい。また、多少の「狂気」を導入すれば、明らかに事実と異なることでも「主人公はそう思いこんでいたから」という説明ができる。これももちろん、余りにご都合主義の狂い方では呆れられてしまうかもしれないので注意が必要だ。

2　思いこまされていたイメージと真相の間

のギャップは大きいほどよい。

白人だと思っていたら黒人だったというのと、日本人だと思っていたら中国人だった、あるいは韓国人だった、というのとではギャップの大きさが断然違う。日本では人種ネタは使いにくいところだろう。といって、日本人だと思っていた主人公が実は帰化した白人だった（あるいは黒人だった）、と明かされたとして果たして面白いかどうか。……場合によっては面白いかもしれないが、なかなか難しそうだ。一概には言えないが、強者から弱者への転換の方がその逆よりも衝撃を生む可能性が高いと思われる。日本人から白人、は明らかに弱者から強者だし、日本人から黒人、では微妙なところ（アメリカ黒人とアフリカ黒人では相当イメージに差があるだろう）。

また、余りにも特殊な例を持ってきたのでは卑怯だと思われるだけで、騙される喜びはない。読者自身の中にある偏見を照射するような、そしてまたそれが時代や社会と結びついたものであった場合の方が、衝撃はより大きくなる。[⑥]

性別誤認ネタが数多く書かれるのも、いまだジェンダーに関する偏見が根強い（永遠になくならないのかもしれない）からであり、ミステリ作家の側はそれを利用しない手はない。

総理大臣を主人公にして、それが最後に女性だったと分かる話があったとしたら充分驚くだろうし、余りにも女性の政治家が少ないことを、語らずとも読者は思い出す。作者にそんなつもりがなくても、時代と分かちがたい暗黙の了解を利用しようとする限り、どうしようもなく叙述トリックは社会と関係してくるのだ。また、そのテーマ性をストーリーにも関連づけて書くことができたなら、作品はさらに深みを増すことだろう。

ミステリー作家への質問

Q.理想とする作品と その理由を教えてください その4

●江戸川乱歩の戦前の少年物『怪人二十面相』『少年探偵団』『妖怪博士』『大金塊』。小学生でまず最初に出会って探偵小説の魅力を教えてくれた原点。放送局に入り、これらの作品をラジオの連続ドラマにして見て、その面白さは、ただものではないと実感した。少年物だけに乱歩の本格物にありがちな堅苦しさと通俗物のエロがなくのびのびと書かれている。<川野京輔>

●『デビッド・コパーフィールド』。人物造形のすばらしさ、ストーリーテリングの巧みさ。<貴志祐介>

●泡坂妻夫先生『煙の殺意』、連城三紀彦先生『戻り川心中』。ミステリの基本は短編だと思っています。その意味で両作は、今でも大切なお手本です。<北森鴻>

●島田荘司『占星術殺人事件』。トリックのすばらしさと探偵の魅力の2点。昭和56年に発表された大胆で単純なこのトリックは、今でも世界ミステリ界の金字塔です。<鯨統一郎>

●たくさんあり過ぎてこの紙面には到底書ききれません。でも強いてあげるなら、〝ディーン・R・クーンツのサイコ・ミステリー物〟です。理由はベストセラーの要素をあますところなく盛り込んだ構成にいつも感心させられるから。<鯨洋一郎>

●北方謙三氏の「ブラディ・ガール」シリーズ。北方ハードボイルドの決定版、様々な試みがちりばめられていて、エンターテインメントの教科書である。国外では『モンテ・クリスト伯』。これも、エンターテインメントのお手本ではないだろうか。<久保田滋>

●「ハイペリオン」4部作。ダン・シモンズ。本を読むたのしみをギューッとぎょうしゅくしたような大名作。深みといい、広がりといい、たのしさ、せつなさ、知的ワクワク……すべてがあるスゴイ作品だと思います。<久美沙織>

●・クリスティの『アクロイド殺害事件』。語り口の妙と驚愕のトリック。トリックを生かすも殺すも語り口にあることを痛感しました。また、本を閉じたあともしばらくその小説世界から抜け出せない。こういう小説を書きたいと思います。・トマス・H・クック『緋色の記憶』『死の記憶』『夏草の記憶』。小説の形態は全く違いますが、上記『アクロイド殺害事件』と同じく語り口のうまさに圧倒されます。その叙情的な語り口はまさに私の理想とするところです。・松本清張の短編小説群。清張氏の短編小説には、人間の持っているあらゆる心の闇のようなものが全て描かれています。人間の弱さ、ずるさ、醜さなど、全ての短編小説を通して人間の一面を知ることが出来ます。<小杉健治>

どんでん返し――いかに読者を誤導するか

逢坂剛 OSAKA Go

①プロットづくりで一番大切なことは何ですか
②読者を飽きさせないためにはどのようにすればいいですか
③効果的な伏線の張り方とは、どのようなものですか
④読者を誤導するためには何が必要ですか
⑤読者を誤導するためには何が必要ですか
⑥作品に使うトリックは一つに絞ったほうがいいですか
⑦ジャンルを意識して書くことは必要ですか
⑧前例のあるトリックを使ってもいいですか
⑨読書はたくさんしたほうがいいですか

⑩プロットづくりに役立つ作品を具体的に教えてください

■結末の重要性

いつも〈どんでん返し〉にこだわるわけではありませんが、少なくとも予定調和は避けたいと思っています。とくにミステリの場合は、わたし自身が子供のころから読んでいて、当然こうなるだろうと思っていたのがグッと外される、スカをくらうような快感が忘れられないんですね。だから、それを読者にも味わってほしい。短篇なら短い中にいろんな仕掛けを詰め込んで、読者が「あ！」と驚いている顔を想像したい。

ミステリの驚き、意外性はいろいろありますが、①プロットに関していうなら、やはり結末の重要性をあげたい。ミステリは体操と同じでね、着地を誤ると、それまでどんなに良くてもまずくなる。ミステリ賞の応募作の欠点のひとつがそれで、三分の二くらいまでは抜群のペースでおもしろく読ませるのに、最後にガタガタッと崩れてしまうケースが多い。「結末がおもしろくなければ失敗作とみなされる」（ディーン・R・クーンツ『ベストセラー小説の書き方』）という言葉があるほどで、結末の処理の仕方にこそプロとアマの差が大きく出ると思う。では、具体的にどのように驚かせ、どのように衝撃的な結末を作るのか、それを話していきましょう。（以下、『水中眼鏡《ゴーグル》の女』『百舌の叫ぶ夜』『裏切りの日日』のトリックに触れますのでご注意ください）

■時制のトリック／バリンジャーと『水中眼鏡《ゴーグル》の女』

わたしの作品の中でもトリッキーなものに、『水中眼鏡《ゴーグル》の女』という作品がある。これはバリンジャーの『消された時間』のトリックがベースなんですが、書いたときにはまったく意識していなかった。書き終わって、「そういえばバリンジャーに似たような仕掛けがあったな」と思い出しただけだった。

実際、『水中眼鏡《ゴーグル》の女』とバリンジャーの関係が指摘されても、わたしの小説ではそう簡単に先が読めないと思うし、トリックがわかっていても読者を驚かせる自信がある。

少しネタをあかすと、ふたつの物語が、一人称と三人称の二視点で、交互に展開していく。現在の時制と思われる〈一人称〉の話が実は〈過去〉の話で、過去の時制と思われる〈三人称〉の話が〈現在〉の話。それ以外の類似点はない。

バリンジャーの場合、記憶喪失をテーマにしているし、必ずしも一人称と三人称の視点のつながりが緊密ではない。そもそもあのネタは短篇のもので、二百三十頁（文庫本）でも長過ぎましたね。

しかし『水中眼鏡《ゴーグル》の女』のほうでは、一人称と三人称のパートを（自分でいうのもなんだけど）うまくつないで、一人称視点の物語の補足説明の章のように三人称の視点を活用している。大胆なことをいうと、バリンジャーの場合はミスディレクションが少ないんじゃないかな。だから逆転の切れ味がないように思う。

■餌をまく／読者の誤導／脇役の配置

②③その逆転、またはどんでん返しのために必要なミスディレクションを効果的に生み出すために、若いころは、ストーリーの構成、大雑把な進行表みたいなものを作っていた。とくに一種のどんでん返しを決めるためには、構成をきちんと頭の中に入れておかないといけないから。それを見ながら自分の小説を積み上げていくわけです。その過程の中で、読者に悟られないように、いろんな餌をあちこちにばらまく。ばらまいた餌には本当の餌もあるし、偽の餌もあるわけですね。それをいかにも、意味ありげにまかないといけない。そうしないと、食いついてくれないんでね。

その餌のまき方というか、④読者を誤導するひとつの方法として、脇役の配置の仕方がある。『水中眼鏡《ゴーグル》の女』では、ゴーグルの女に調査を依頼される小寺《こでら》という青年と、主人公の精神科医「わたし」と愛人関係にある看護婦を配置した。

小寺は女に依頼されて、店のオーナーの素行を調査する。彼の役割は、読者に「女の夫は悪者だ」と思わせることにあるわけです。小寺の立ち振る舞いを見ているうちに、夫よりも女の味方をしたくなる。最終的には、そこまでひどい夫なら、彼女が思いあまって殺してしまっても同情できるかも、と思わせるのがミソなんです。

一方、看護婦はやたら色気をふりまいて

「わたし」をベッドに誘おうとする。愛情よりも、セックスのことしか考えていない看護婦に対して、読者はいささか閉口する。まあ、一部では歓迎する向きもあるかもしれないが（笑）。ともかく「わたし」はうんざりしていて、けなげに治療室に通ってくる不幸なゴーグルの女に、惹かれていくようになる。

この脇役二人の行動は、一見物語に関係ないようにみえて、終盤の事件にからんでくる。要するに、読者を誤導するための、まき餌のひとつですね。⑤読者はだまされるものか、とけっこう身構えて読みますが、サイド・ストーリーが進むとリラックスしてしまう。そこが狙い目でね。脇役のセリフや行動のさせ方に仕掛けを施しているわけです。

これは映画でも同じでしょう。脇役の隅々まで監督の意思が働いているかどうかで、まったく出来が違ってくる。小説でもそうで、ちょっと通りがかりのヤツでも、「通行人A」の扱いで書いてしまうと印象に残らないが、名前を与えて、さりげなく主役にからませると、物語に複数の方向性が出てくる。その方向性をどこまで意識するかに、プロと素人の差が表れる。そこの差が、また意外と大きいんです。新人賞の応募作品を読むと、主要な脇役はともかく、そうでない脇役は実におざなりに描かれているのが多い。

■逆転の方法／トリックを複数使う

ストーリーの逆転という点では、やはりトリックが有効でしょう。『百舌の叫ぶ夜』では、『水中眼鏡《ゴーグル》の女』ほどではないにしろ、過去と現在の時制をうまくずらしてめくらましにしているし、さらに双子のトリックも使っている。⑥これは昔からある基本的なトリックのひとつですけれども、他の仕掛けやトリックと組み合わせると、新しいトリックのように見せかけることができる。本格物とハードボイルドの融合ですね。

これは第一長篇『裏切りの日日』を書くときから考えていたことで、本格的なトリックをハードボイルドの世界で書いてみたい気持ちがあった。初期の短篇集『空白の研究』もそうですが、わりとトリックにこだわっている。新本格の人たちが、どう思ってるか分かりませんが、わたしには、本格物をたくさん読んできた自負があるし、かなりトリッキーな作品も書いています。

でもハメット、チャンドラーを読んで目からウロコが落ちた。いわゆるミステリではなくて、小説の魅力に目覚めたんですね。だけどハメットとチャンドラーには、ミステリとうたいながらもアッと驚く、トリックや仕掛けがない。それをなんとか融合させたいというのが、当時のわたしの最大の願いだった。それで、『裏切りの日日』では、エレベーター内の人間消失、というトリックを合わせ技で使った。これなんかも、よくできたほうだと思います。

要するに、トリックだけでなく、⑦ジャンルの融合も大事だと思う。本格だと思ったらハードボイルドだった、ハードボイルドだと思ったら、本格の要素があるというのは、「小説」

のおもしろさのひとつですよ。ミステリもまた当然小説なのだから、小説そのもののおもしろさや質の高さも、必要だと思いますね。

■強烈などんでん返しのある『燃える地の果てに』

小説のおもしろさという点で、近年いちばん話題になったのは、『燃える地の果てに』ですね。

この小説は「オール讀物」に発表した、百三十枚ぐらいの中篇がもとになっているんですが、愛着があり、なんとか長篇に仕上げたいと思って、作品集に入れなかった。しかし、一度発表したものをリメイクするわけだから、なんか新しい趣向を考えなければいけない。そこで思いついたのが、あのトリックというか、構成の大仕掛けだった。幸い好評で、どんでん返しのある小説の代表になったけれども、インターネットなんかで見ると、「最後のどんでん返しのために、長々とつまらん話を読まされて、がっかりした」なんてのもあって、こっちががっかりすることもある。嬉しいことに、複数のミステリ・ベストテンの上位を占めたので、そういう意見はきわめて少数だと思うけれど。ただ本音をいうとね、どんでん返しばかり話題にされるのは、作者としては残念でもある。ほんとうに苦労したのは、むしろそれ以外の部分でしたからね。

いうまでもないけれど、最後まで読者をいかに惹きつけ、いかに読ませるかに、作家は頭を悩ます。結末も重要だが、それまでの過程で読者を惹きつけないかぎり、意味がない。

小説の中では、ギターの作り方やギターの仕組みなども詳しく書いたけれど、それはギターにさしたる興味も知識もない人に、なんとかおもしろく読んでもらえないかな、と思ったからです。何度も、分かりやすく書き直そうとして、努力した覚えがある。手触りを伝えたい、主人公が見たもの、感じたものをリアルに感じてほしい、ということですね。その感触や音や表情を喚起させるのも、また小説の大いなる魅力のひとつですからね。

あの作品でいちばん苦労したのは、爆弾の捜索過程だった。捜索行為そのものが巻き起こす、村人の間の軋轢を書きたかった。いつの時代も変わらない国家の隠蔽体質といったものを、冷戦当時のロシアとアメリカの、スパイ合戦をからめて書いた。その過程には、小さなどんでん返しがいくつもあり、最後のどんでん返しにつながる。

雑誌に発表した中篇は、三人称の小説で、現代の「わたし」が女のギタリストと村へ行くところは、まったくなかった。ネタばれになるので詳しくはいえませんが、物語の結末で、人物の入れ代わりがわかるという仕掛け。そこに最大の衝撃がある。人物の入れ代わりは、わたし自身わりと好きでよく使うし、ロス・マクドナルドの作品でもお馴染みでしょう。[8]前例のあるトリックでも、新しい工夫がしてあれば使ってかまわない。ただし、使うなら数段衝撃的なものにしないと、読者は満足しない。自分でいうのもなんだが、あんな風に〝変身〟が使われた例はあまりないんじゃないかな。読者を誤導する餌も、たっぷりまいている。どういう風に偽の餌にかみついてもらうのか、どういう風にミスリードするのか、その辺も作家の腕の見せ所なんでね。

■プロットの立て方に必要なもの／潜在意識のマグマ

⑨驚きや、どんでん返しのあるプロットを作ろうと思っても、そう簡単にできるものではない。プロットを論理的に立てようとしても、なかなか立てられるものではない。それは、鍛えて手に入れていくしかない。やはり、いかに子供のころたくさん本を読んだかが大きいと思うけれども、作家を志すなら、いまからでも遅くはない。

物語のパターンを、できるだけたくさん頭の中に詰め込むことによって、自分が何かを書こうとするときに、〝あのパターンの引き出し〟〝このパターンの引き出し〟と、どんどん開けていくことができる。それを組み合わせて、自分の中でプロットを作っていく。

この過程を、「潜在意識のマグマ」とよぶ作家もいる。潜在意識は、決して眠ることはない。どんどん読んで、どんどん書いていくと、潜在意識の中でさまざまな波紋が広がり、関係や結合がなされてひとつの形を作る、と。

⑩プロットの作り方で、ひとりだけお薦めの作家をあげるなら、ハドリー・チェイス（『ミス・ブランディッシの蘭』『悪女イブ』）でしょう。スピーディでひねりがあり、サスペンスにみちている。ひじょうによく計算されたプロットで、かなり参考になるんじゃないかな。　（談）

ミステリー作家への質問

Q.理想とする作品と
その理由を教えてください　その5

●あまりにも有名な『幻の女』（ウイリアム・アイリッシュ）の冒頭に、20代の私はシビれた。「夜は若く、彼も若かったが、夜の空気は甘いのに、彼の気分は苦かった。苦虫をつぶしたような彼の表情は……」。ラブサスペンスだが、20代後半の頃、私は辞書をひいて何度もこの『幻の女』を読んだものだ。コーネル・ウールリッチ（ウイリアム・アイリッシュ）の『幻の女』はミステリの面白さ、楽しさを教えてくれた作品で、いろいろ役に立った。<小林久三>

●コリン・ウィルソンの諸作。<小森健太朗>

●ジャン＝ジャック・フィシュテルの『私家版』。シンプルにひとつの結末にむけて流れていくミステリ。それでいて細部まで繊細に作りこまれている。<近藤史恵>

●ミステリーに限って挙げるなら、『戒厳令の夜』（五木寛之）、『カディスの赤い星』（逢坂剛）、『写楽殺人事件』（高橋克彦）。それぞれの作家の専門分野を生かした作品で、作家の思想までが込められています。通常、自分の趣味の範囲で小説を書くと、マニア受けのものになってしまいがちですが、これらは違います。時代を超越している点で、普遍性も持っています。『深夜プラス1』（ギャビン・ライアル）も挙げておきます。登場人物のすみずみにまで目が行き届いた作品です。大人のエンターテインメントはこうありたいものです。<斎藤純>

●『ジュラシック・パーク』（マイクル・クライトン）。理由：先端科学からアイデアをひねり出し、ジェットコースターストーリーを作り上げていく点。<篠田節子>

●①『八つ墓村』（横溝正史）。僕の原風景。たった一つの探偵小説です。②『虚無への供物』（中井英夫）。その心意気というか、作品の持つ崇高な気高さに打たれました。③『グリーン家殺人事件』（ヴァン・ダイン）。これで本格長編という香りに。僕にとっては基本中の基本を教えていただいた書物です。<篠田秀幸>

●『砂の器』（松本清張）、『人間の証明』（森村誠一）。森村さんから、聞いた時、氏がみずからプロットの模倣だと言い、ポジとネガの関係にあるとおっしゃった。カメダケとストウハのデスメッセージからはじまり、成功した人間が不条理な理由で崩壊しそうになるという殺人の動機など。氏の大好きな作品が『砂の器』で何とか現代（当時）に甦らせたいと考えに考えぬいて書いたと教えてくれた時、これはすごい作家がいるものだと仰天した。松本さんも森村さんも凄い。私メは勝てないかもしれない（いや実際はプロと草野球なのだが）と思い、いまだに頭から離れません。<嶋崎信房>

●多くの人に読まれるという意味で宮部みゆきさんの諸作。さほどミステリーに興味のない人から、ディープなミステリーファンまで惹きつけ、老若男女、幅広い読者に支持される作品は他にない。理想です。<新野剛志>

ストーリーを面白くするコツ

東直己 AZUMA Naomi

①読者に見放されてしまう展開とはどのようなものですか
②魅力的なキャラクターはどうやって作ればよいですか
③読者に見放されてしまう展開とはどのようなものですか

ずっと探しているんだけど、どうしても見当たらないので、記憶で書きます。

確か、旧（つまり、すばる書房盛光社の）『奇想天外』にどなたかが連載なさっていたエッセイで読んだのだ、と思うんだけど、昔のアメリカで、週刊小説雑誌が大流行だった頃の話題だった、と思う。当時のこのテの週刊小説雑誌は、ストーリーは波瀾万丈、主人公は、危機に次ぐ危機を乗り越え、毎週毎週、純情な読者をハラハラさせ、引きずり回して、売れていたらしい。たとえば、ある号で、その物語の主人公が、深さ二十メートルの穴の中に落ち、壁には手がかり足がかりはなにもなし、主人公も裸一貫で、道具はなにもない。その穴に、毒蛇がうじゃうじゃと出て来て、さぁ、進退ここに窮まれり！　どうする、主人公！　ってな場面はよくあったそうだ。

で、「次回に続く」となる。読者は、一週間が経つのを今や遅しと待ち続け、さて次号を手に取って読んでみる。

すると、恐るべし、主人公は、「超人的な力」を発揮して、二十メートルを一息に跳躍して、穴の外に躍り出たぁ！

というような場面がそこここに頻出していたのだ、というような話を読んだことがある。

まぁ、これだとそのうちに、読者に見放されますな。①なんでもあり、なんでもできる、オールマイティのスーパーヒーローというのは、「あり得ない」からダメ、というよりは、「見ていてムカムカする」からダメ、ということになりがちだ。

桃太郎は、どこかバカっぽい。桃太郎には、なんの弱点も弱味も、自分に対する疑問もないからだ。「日本一！」ってあんた、おれは君、桃太郎君には「日本の代表」づらをされたくはないね。高橋尚子なら、ぎりぎり許すけど。一方的に鬼たちを「退治」して、金銀珊瑚に財宝をかっぱらって来て、その幸せそうなツラはなんだ、何様のつもりだ。

一方、ウルトラマンには悲しみがある。事態の深い背景や、事態が収拾した後の、善後策などには関わることができない、たった三分間の活躍だけを求められている、無敵のでくの坊。「三分以内に片を付けなくてはならない」というウルトラマンの弱点は、物語に深みと陰影を与えている。

『西遊記』の孫悟空もそうだ。孫悟空は、ほぼ無敵である。だから、猪八戒や沙悟浄らと冒険＆漫談付の珍道中を繰り広げずとも、玄奘三蔵を雲に乗せてそのまま天竺に連れて行って、お経を持って来ればいいのに、と思うわけだが、それじゃ話は面白くないし、お経にも有難味がなくなる。ドラマを展開するためにも、孫悟空は頭の輪っかなどの弱点を持つ必要がある。いや、そもそも玄奘三蔵が虚弱でしかもわからず屋であり、孫悟空の弱点の権化のような存在で、それで苦労しつつ、話を前に進めなければならないわけだ。

②魅力的な主人公には、みな、弱点がある。

それは、「全ての人間には弱点がある」からでもあるけれど、同時に、弱点によって、物語を説得力を持って展開することができるからでもある。

『用心棒』の桑畑三十郎は、孤独な長旅の末に、宿場で娼婦たちが目の前で踊り、おそらくは「好きな女をお選びなせぇ。好きにしてよろしゅうござんす」って状況にありながら、「危ねぇ危ねぇ」と、きっぱりとその誘惑を退けることができるほどの男だったのに、夫婦の情、母子《おやこ》の情にほだされて、その心が弱点となって、危機を招いてしまった。このあたりの物語の展開が、「堪らない」のである。

あるいは、『シェーン』でもいい。シェーンは、殺人者にしては、心が優しすぎた。自責の念が強すぎた。それが、悲劇的な結末につながり、観るものの心に感動を呼び起こすわけだ。少年に、真剣に語る（そうせずにはいられない）殺人者。その、露《あらわ》にはしない悔悟に満ちた口調と表情が、我々を刺激してやまないわけである。

その点、たとえば『ベン・ハー』などの浅薄さを思い出すにつけ、主人公に「弱点」は必要なのだ、としみじみ思うわけだな。

この映画は、まぁわりと程度の低い、キリスト教のプロパガンダ映画だが、主人公のベン・ハーには、ほとんど弱点はない。母、妹、恋人への深い愛情が弱点、と言えば言えるが、まぁ、血縁への愛、というのは、あまりに当たり前すぎて、弱点性がかなり薄い。

で、ベン・ハーは、不運な成り行きと、悪辣な旧友のおかげで苦労するのだが、その苦労のどこにも、ベン・ハーの落ち度はなく、彼はただひたすら「誇り高く胸を張り」「ベストを尽くす」ことで、年長の実力者のサポートを受けて、上昇を始める。

……どうも今一つ、つまらない。

現在の、映像はど派手だけど、物語が薄っぺらなハリウッド映画の原点、という感じがするほどだ。

我々は、恵まれた環境にある無敵のヒーローが、なんの苦労もなく成功する物語、などには感動しないようにできている。我々自身の人生がそうであるように、さまざまな障害や危機や苦難を、必死の努力と、たいがいは素敵な幸運と、友情や愛情やなにかによって乗り超える、という物語に感動するようにできている。なぜなのかはよくわからないし、ちょっとみみっちいかな、とは思うが、事実そうなのだから、仕方がない。

映画で言うと、たとえば『リード・マイ・リップス』なんてのは、主人公の弱点をうまく転がした、素敵な映画だった。女は難聴、男は元ヤクザ（まだズルズルつながっていて、ヤクザに借金もある、前科者）、という弱点をかかえつつ、一発大逆転をする、という痛快な映画だったけど、これなどは、物語の進展とふたりの関係の変化、それぞれの場面で「弱点」が有機的に物語を絡み合わせる、本当によくできた映画だった。弱点の閉塞感を突き破るラストの爽快さは、見事なものだったな。

というように、魅力的な物語には、主人公の弱点は不可欠である、と言ってもいいだろう。古今東西、たくさんの人に長年愛されている物語の主人公たちは、たいがい弱点を持っている連中ばかりだ。日本で言えば、忠臣蔵の赤穂浪士たち、あるいは幕末から維新あたりの、志士の群像。実際は知らないけれども、我々のイメージの中では、彼らはそれぞれに性格破綻者じゃないかな。

　あと、登場人物が、たいがい大きな弱点を持った者ばかりで、それがみんなそれぞれに必死に誠実に頑張っている世界の感動的な物語がある。チャーリー・ブラウン、スヌーピーとその仲間たちの群像劇『ピーナッツ』だ。あの世界の魅力は、それぞれに弱点を抱えた人物たちの、誠実な生き方を模索する姿にある、と思うのだが。

比喩は劇薬

小池真理子 KOIKE Mariko

①③比喩をうまく使うにはどうすればいいですか
②④自分の文体をどのように確立すべきですか
⑤比喩の使い方のうまい作家を具体的に教えてください
⑥比喩の使い方のうまい作家を具体的に教えてください
⑦自分の文体をどのように確立すべきですか
⑧豊かな比喩表現はどのようにすれば獲得できますか
⑨豊かな比喩表現はどのようにすれば獲得できますか
⑩豊かな比喩表現はどのようにすれば獲得できますか
⑪上手な情景描写の方法を教えてください

⑫優れた比喩とはどのようなものですか
⑬比喩をうまく使うにはどうすればいいですか

■比喩と文体

[①②]比喩は、適正なタイミングで適量を使用すれば、劇的な効果を出せると思います。

わたしも小説を執筆中、ここでなにか良い比喩が出てくれれば、ぴったりと決まるなって感じることがあります。でも一〇〇パーセントはまる比喩が思い浮かぶケースは確率的に低いですね。いつも何か言葉足らずと思いつつ、通り過ぎてしまいます。意識して比喩を書こうとするのは、それほど難しい。

[③④]比喩は劇薬に喩えられるくらいですから、使いすぎは論外です。ただ、比喩を上手に使おうとした場合、比喩そのものを単独で取り出して考えるよりも、まずは文章そのもの、ひいては文体そのものに磨きをかけるようにした方がいいと思います。

わたしは比喩も含めて文体だと考えています。比喩だけが独立して浮いて見えるのではなく、比喩が文体に溶け込んでいることが肝要なのです。そうなって初めて、その人個人の優れた文体が持てたと言えるようになるのではないでしょうか。「彼女は薔薇のように美しかった」という類《たぐ》いの、中学生が書くような直喩を使った文章が悪いかというと、必ずしもそうでない。その比喩が文章に溶け込んでいれば、幼い比喩でも効果を及ぼすのです。

『望みは何と訊かれたら』（新潮社）では、精神的に追いつめられた沙織という主人公が、異様な情況の中でセックスをした後の場面を、ブックエンドの比喩を使って表現しました（引用例Ⓐ参照）。

■影響を受けた作家

⑤比喩といえば三島由紀夫ですね。三島はわたしがいちばん影響を受けた作家であり、大好きな作家です。三島ほど明晰に情景や心理を描写できる作家はいません。いつも真似てみたいと思ったりもしますが、とても無理です。

三島が使う比喩にしても、三島の文体に溶け込んでいるからこそ優れた効果を出しているのです。文章全体が醸し出すオーラのようなものが伝わってくる。

三島の作品からひとつ例を挙げれば『豊饒の海・第四巻　天人五衰』（新潮文庫）の冒頭でしょう。朝から昼下がりまで半日にわたる海について、もうこれ以上書きようがないだろうと思うくらい執拗な描写が続くのです（引用例Ⓑ参照）。

でもその三島にしても、これはいかがなものかという比喩もあります。喩える対象とかけ離れたものを持ってくるというのは比喩の常道ですけど、「彼女の目は洞爺湖の水のようだった」とかいうようなものは、どうかと思います。

一方でわたしは、スタンダールなどのヨーロッパの翻訳小説も好きでした。当時の翻訳は正確さを期すあまりに、余剰なものがそぎ取られた文章が続く傾向がありました。三島の雅《みやび》な文章とは対極の、いわゆる「翻訳調」

引用例Ⓐ『望みは何と訊かれたら』／新潮社 p.366

説明も解釈も分析も、したくなかった。ただ、世界のあらゆる恐怖、あらゆる不条理、あらゆる悲しみから逃れ続けていたかった。小さくなって、吾郎の胸にもっと深く身体を埋めてしまいたかった。どうして赤ん坊のように小さくなれないのか、と我が身の大きさを呪った。（中略）

欲望のおもむくまま、互いが等分に求め合ったのか、奇妙な興奮状態にあった吾郎に烈しく犯され続けていただけなのか、どちらだったのかはわからない。気がつくと窓の外が少し白み始めていて、わたしと吾郎はモルフォ蝶のいる部屋の真ん中で、素っ裸のまま、それぞれ別々の方を向き、ブックエンドのようになって、いぎたなく眠りこけていた。

と呼ばれる堅苦しさのある文章でした。あまり褒められることのない文章です。

でもわたしは整理小箱の中に一つ一つの言葉がきちんと収められていくような、曖昧さのない翻訳文は好きでしたね。難解なことを述べようとする時にきちんと語っていこうとする姿勢が、堅苦しい翻訳文とマッチしていたように思えます。翻訳作品の比喩は決してこなれてはいなかったけれど、ほとんど気にならなかったです。
⑥最近の作家で比喩が印象に残るのは、イギリスのミステリー作家ルース・レンデルです。知に対する遊び心が横溢している作家です。読む側がある一定レベルの教養を持っていないと本当の面白さが分からない小説ですし、作者もそれを承知で書いています。

特にバーバラ・ヴァイン名義の作品は文章が濃密で純文学といって差し支えありません（引用例Ⓒ参照）。日本人が好むような柔らかい比喩ではなく、堅苦しかったり観念的だったりする比喩ですね。シェークスピアの引用を知らないと理解できないような比喩もありました。

比喩を多用するといえば、アメリカのハードボイルド作家のレイモンド・チャンドラーや、彼から強い影響を受けている村上春樹がいます。新人賞の応募原稿とかで、この二人の真似をする人ってびっくりするほど多いのですがやめた方がいい。雰囲気が好きだからというだけでやっても、結局は猿まねで終わってしまいます。

引用例Ⓑ『豊饒の海・第四巻　天人五衰』三島由紀夫著／新潮文庫 p.7

漁船が二杯出てゆき、沖には貨物船が一隻《せき》動いている。風が大分強くなった。西から入ってくる一艘《そう》の漁船が、エンジンの音を儀式の開始の合図か何かのように近づけてくる。それというのも、そんなに小さな卑《いや》しい船であるのに、船の進行には車輪もなく足もないから、裾《すそ》を引いた衣裳《いしょう》で膝行《しっこう》して来るように高雅に見えるのだ。

午後三時。鰯雲は薄れ、南の空に白い雉鳩《きじばと》の尾羽根のような形にひろがった雲が、海に深い投影を落している。

海、名のないもの、地中海であれ、日本海であれ、目前の駿河《するが》湾であれ、海としか名付けようのないもので辛うじて統括されながら、決してその名に服しない、この無名の、この豊かな、絶対の無政府主義《アナーキー》。

日が曇るにつれて、海は突然不機嫌に瞑想《めいそう》的になり、鶯色《うぐいすいろ》のこまかい稜角に充たされる。薔薇《ばら》の枝のように棘《とげ》だらけの波の茨《いばら》でいっぱいになる。その棘自体にも、なめらかな生成の跡があって、海の茨は平滑に見えるのだ。

午後三時十分。今どこにも船影がない。

ふしぎなことだ。これだけ広大な空間が、ただほったらかしにされているのだ。

引用例©『死との抱擁』
バーバラ・ヴァイン（ルース・レンデル）著、
大村美根子訳／角川文庫 p.271〜272

彼女はあのときから恐れていたのだろうか？　寄り集う慈悲の女神たちは、カラスのごとく暗くなりかけた芝生の木々に止まったり、彼女が嫌う蛾のごとく窓ガラスを叩《たた》いていたのだろうか？　そうなのだとわたしは思う。いずれ起きる出来事はすでに影を投げかけていた。没する前の太陽がつかのまの輝きを放った瞬間、ふっと芝生に揺らめいた、長く尾を引く本物の影と同じように。

■文体の獲得

毎日[7][8]エクササイズをするように、好きな作家の文章を書き写すのがいいという人もいますが、わたしは疑問に思っています。自分の文体を作ろうとする場合、確かにテクニックで半分はクリアできますが、それ以上は難しい。それは書き手自身の「身体感覚」が抜けているからです。

例えば悲惨な現場に行き会わせた自分を表現する場合、紋切り型でない言葉で紡いでいかなければなりません。ではそれが、本当に自分の言葉かどうかを見極めるためにはどうしたらいいか。書き手自身の身体感覚が必要になってくるのです。正しい言葉を選択していれば自然と身体に響いてくる。そういう訓練をしていけば比喩もはまるようになるのではないでしょうか。

若い世代には「ＫＹ」という言葉に代表されるような、仲間内しか通用しない言葉を使う人がいるかも知れません。でも、自分の心情を自分の言葉で伝えていく鍛錬なくして、自分の文体を確立させることはできないでしょう。そういうわたしも、これが小池真理子の文体だと手応えを感じられるようになったのは、本当に最近のことですが。

■わたしの比喩

十年ほど前に書いた『ひるの幻　よるの夢』（文春文庫）という短編集に出てくる、

愛する人の体臭に関する比喩表現が印象的というこことで、今回の講師役に白羽の矢が立ったとうかがいました。

日にさらした暖かいおがくずのような匂い（68頁）

湿った藁《わら》のような匂い（２４１頁）

日向くさいような体臭（１８２頁）

熟した果実のような匂い（２５９頁）

最初の二例が七十五歳の老人と七十二歳の作家、後の二つが二十歳代の若い男性を対象にした比喩です。確かにわたしは五感を使った表現をすることが多いですね。とりわけ嗅覚、匂いです。⑨これは東京から軽井沢に居を移したことが大きな原因の一つです。軽井沢に住むようになってから、これだけ匂いに対する色々な表現の仕方があるのかということに気づきました。これは東京ではあまり感じなかったことでした。それまで用いたのは、せいぜい十月に咲く金木犀の香りとか雨の匂いとか、それくらいでしたでしょうか。

直木賞受賞作の『恋』にも書きましたが、木肌からあふれ出てくる樹液の匂いとか、これまで嗅いだことのない匂いを軽井沢で色々体験しました。まず四季折々の空気の匂いが全然違います。

「日向くさい」という比喩も以前から使っていましたが、本当の日向くささって都会では嗅ぎとれません。自然の中でベランダのウッドデッキが夏の陽にずっと照らされていて、それが夕方になるとぷんと香るんです。そうかこれが本当の日向くささなのかと気づきました。

雪にも匂いがあるんです。氷点下の空気が凍りつくような寒い中、降り積もった雪からは甘くてすがすがしいペパーミントのような匂いが漂ってきます。また視覚的なことですが、雪は決して白くない、というのも新たな発見でした。月の光などの効果もあるのでしょうが、青みがかって見えるんです。

聴覚で顕著なのは雨の音でした。都会の部屋で聞く雨音は、外を行き交う車や人の喧噪が混ざり合った雨音です。でも軽井沢だと雨音がまっすぐに降ってくることがあります。雨の音以外なにも聞こえない。すると、まるで自分が水の檻の中にいるような気分になります。

この「水の檻の中」という比喩を初めて使ったのは、新聞に書いたエッセイでした。夏の日の軽井沢に激しい雷雨があった時、飼い猫がおびえてベッドの下にもぐり込んだのです。その様子を見て、ふとこの言葉が浮かび上がりました。小説の使用例ですぐに思いつくのは、『青山娼館』のラストシーンです(引用例Ⓓ参照)。

軽井沢に住むようになったのは偶然ですが、こちらに来てからは間違いなく五感が研ぎ澄まされて、それにしたがって比喩表現が豊かになっていきました。[10]ものを書く人は普段から、無意識のうちに色々なものを言葉にしよ

引用例Ⓓ『青山娼館』／角川書店 p.294

さあっ、と乾いた風のような音がしたと思ったら、その時、窓の外で雨が降り出した。雨は庭の木立の葉をたたき、草を濡らし、湿った土の香《か》を立ちのぼらせた。

わたしたちは、雨が作る水の檻《おり》の中に閉じこめられたまま、深くつながり続けた。

一回腰を動かすたびに、わたしは思った。「生きている」と。「生きていきたい」と。

生きている、生きていたい、生きている、生きていきたい……。呼吸が烈《はげ》しくなり、喘《あえ》ぎ声が喉の奥からもれてくる。肘掛け椅子の脚がぎしぎしと鳴る。

わたしたちは噛みつきあうようなキスをする。性と性、生と生とがぶつかり合う。

水の音をぬうようにして、遠い雷鳴が聞こえている。

うとする作業をしているはずですから、自然の中に身を置くことはプラスになると思います。

でも逆に都会だからこその表現もあります。わたしの東京での住まいからは東京タワーがよく見えます。ここに降る雨は、都会の埃の匂いがする。ロマンティックではないけれど、そこからは都会の片隅を確実に表現する比喩も出てくるはずです。

わたしの作品は、音楽に喩えれば交響曲ではなくて室内楽のような、微細な心理描写中心のスタイルが多い。その場合、キャラクターの心理を畳みかけるように、何度もくり返して表現していきます。かつて読んだ翻訳小説から学んだような、多少硬くても曖昧さを排した比喩を使います。例えば、『望みは何と訊かれたら』では、主人公の沙織の心理を一台のピアノを使って表現しました（引用例Ⓔ参照）。

一方、『青山娼館』のように情景描写をする時に比喩を使うこともあります。例えば、今この場所からは東京タワーが見えます。そして先ほどは、雨が降って春雷が鳴りました。この三つを並べると三題噺じゃありませんが、ある情景が生まれます。⑪それを比喩を使った情景描写をしながら、登場人物の心理描写を差しはさんでうまく溶け込ませていきます。そうしたことによって、乾いた感じ、クールな感じ、逆に湿った感じ、あるいは哀しみや絶望など、さまざまな登場人物の心理をより効果的に描くことができるのです。

編集部の方が気に入ってくださったという先ほどの比喩ですが、自分の評価としてはレベル1程度ですね（笑）。[12]読者が読んだ時に、そのシーンを頭の中で再現できるような比喩が、レベルの高い比喩であると考えています。よほど良い比喩を思いついた時はメモします。「ひぐらしの鳴き声が連鎖する波のように」というフレーズを思いついた時がそうでした。そしてわりとすぐに使いました。

　でも執筆中には、ほとんどそういうメモを見ることはありません。書いて書いて書いているうちに、フッと思いつくんですね。それこそが前述した身体感覚なのではないでしょうか。

　[13]くり返しになりますが、比喩をうまく溶け込ませるには自分の文体を確立させるしかありません。そのためにはテクニックを覚え、身体感覚を獲得することが必要です。その身体感覚を獲得するためには優れた作品をたくさん読んで、書き続けること。ただただ、それだけではないでしょうか。単純でありふれた結論ですが、わたしはそう思っています。

（聞き手／構成・西上心太）

引用例Ⓔ『望みは何と訊かれたら』／新潮社 p.440

不思議だ。わたしを決定的に変えたのは、革インターでもなければ、大場修造の思想でもない。爆弾テロでもなければ、前科者になったことでもなかった。わたしを以前の自分と異なる人間にさせたのは、他でもない、秋津吾郎だった。吾郎と過ごした時間が、おぼろな記憶に変わっていくことはなかった。それどころか、日を追うごとに記憶は鮮明になり、より静けさを増していった。それはまるで、海の底に沈んだ、一台の捨てられたピアノのようだった。一匹の魚も泳いでいない深い群青色の水底で、演奏する者もないまま朽ちていくピアノのごとく、吾郎の記憶は、音もなく、ひっそりとそこに在り続けた。

ミステリー作家への質問

Q.理想とする作品と その理由を教えてください　その6

●短編：吉行淳之介『百メートルの樹木』。文章の平易さと短編の構成の妙。長編：司馬遼太郎『国盗り物語 斎藤道三編』。キャラクター造形が素晴らしい。<鈴木輝一郎>

●デビュー前（1979年以前）に読んだ星新一のショートショート、筒井康隆の短編。海外ではフレドリック・ブラウン、ロバート・シェクリイの短編。これらの作品を読んで、こういう小説を書きたくて、ぼくは小説を書き始めました。自分に書けるとは思いませんが、アレクサンドル・デュマ『モンテ・クリスト伯』には憧れます。全ての面白さの要素が詰めこまれた、まさに理想の作品と思っています。<高井信>

●有明夏夫『浪花の源蔵』シリーズ。魅力的な登場人物、時代設定、いきとどいた時代考証、胸躍るストーリー。謎はあるが本格に堕すことなく、シリーズものとしての引きも見事。何から何まで理想の作品です。といって、自分がそういうものを書きたいというわけではないのですが。<田中啓文>

●『死者の中から』ボアロー&ナルスジャック。悪夢と現実の間の浮遊感覚がすばらしい。<草薙圭一郎>

●理想とする作品というより、好きなミステリーなら、江戸川乱歩の小説。熱中して読んだのは小、中学生の時ですが、人間存在のミステリアスな凄みというようなものを感じました。<田中雅美>

●アーサー・C・クラーク『渇きの海』『2001年宇宙の旅』。どちらか一方にするべきかとも思ったが、甲乙つけがたいので、専門知識を駆使しながら説明過多にならず、しかも無類に面白い。<谷甲州>

●泡坂妻夫氏の『乱れからくり』。人間の心理の盲点を楽しく突いてくれる驚くべき謎解きのつるべうちで、大きな意外性も充分。しかもそれらがコンパクトにまとまっている。幻想的な圧倒的な謎とまさに快刀乱麻を断つ解決の、島田荘司氏の『占星術殺人事件』。明快に提示されている屈強な不可能性と、シンプルで膝を打つ謎解きの、カーター・ディクスンの『ユダの窓』。同様に、その解明ぶりが端整で巧妙な鮎川哲也氏の短編『赤い密室』。挙げていけばきりがないし、これだけが理想、と限定することもできない。<柄刀一>

●H・G・ウェルズの『宇宙戦争』です。小学校の図書室で読みました。震え上がりました。すさまじく怖いのに、ページをめくらずにいられませんでした。映画をはるかに凌駕するイメージの喚起力。息をもつかせぬ畳み掛ける展開。そしてアッと驚く予想外の結末。世の中に、こんなに面白いものがあったのかと目を見張らされました。読者に問答無用でページをめくらせる。私の理想であり、目標です。<釣巻礼公>

アクションをいかに描くか

今野敏 KONNO Bin

①ミステリー小説におけるアクションシーンの存在意義は何ですか
②ミステリー小説の中にアクションシーンはどれくらい書いてもいいですか
③アクションシーンを書くときに気をつけることは何ですか
④⑤アクションシーンに迫力をもたせるにはどうすればいいですか
⑥アクションシーンを描くために経験は必要ですか
⑦音楽を演奏するシーンを描くとき、どんなことを注意すべきですか

①アクションは、ミステリにおけるスパイスだ。スパイスというのは、ご存じのとおり、適量使えば料理をぐっと引き立てるが、使いすぎると料理をぶち壊しにする。

②アクション描写は、どちらかというと控えめなほうがいい。短い文章で効果的にアクションを書くことは、読者に刺激を与え、作品にスピード感を与える。

だが、もし何十ページにもわたってアクションシーンが続いたら、刺激は失せ、むしろ読者は退屈してしまうだろう。

何事もほどほど、というのが大切だ。

アクションシーンも、小説のほかの描写と同様で、重要な要素を無視できない。視点の問題だ。③視点がばらつくと、小説が稚拙に感じられる。アクションシーンなどでは特にそうだ。

ちょっと実験をしてみよう。ボクシングの場面を描写してみる。次のようなアクションシーンを読んで、あなたはどう感じるだろうか。

Aは、まるでダンスを踊るように軽いステップを踏んで、Bに近づいたり距離を置いたりした。AはBを恐れてなどいなかった。

Bは、Aの傲慢な態度に腹を立て、弄ぶようなステップワークに苛立っていた。左手のジャブを繰り出し、なんとかAを捉えようとしていた。

Aは、ダッキングやスウェイといったディフェンスのテクニックを駆使してBのジャブをかわした。どうってことはない。Aはそう感じていた。Bのパンチは蝿がとまりそうなほど遅く、よけるのは簡単だ。

Bは、基本を忠実に守った。ジャブを繰り出し、距離を詰め、ペースをつかもうとした。右のフックには絶大の自信がある。

やがて、BのジャブがAの顔面にヒットした。Aは、余裕をもって次のジャブをかわそうと、頭を低くした。

Bはそのチャンスを待っていた。自慢の右フックを打ち込んだ。Aの体が大きく揺らいだ。

視点は第三者のものだ。いわゆる神の視点とも言える。では、次は、Aの選手の視点で描写してみよう。

足が軽い。今日も調子は悪くない。小刻みにジャンプするたびに、自分自身の筋肉の躍動を感じる。

相手は、あせっているようだ。距離を詰めてこようとする。左のジャブが飛んでくる。その瞬間に、彼はバックステップした。

相手の左ジャブは空を切る。さらに、左右上下に頭を動かして、ジャブをかわしてやる。これで、相手は苛立つはずだ。

たいした相手じゃない。彼は思った。しばらく遊んでやろうじゃないか。

そう思ったとたん、視界が揺らいだ。

すっと腰が浮くように感じる。

相手の左ジャブを食らった。

おっと、油断大敵だな……。

彼は、次のジャブをかいくぐろうとした。

その瞬間、目の前がまばゆく光った。天井のライトが見えた。

髪の毛を濡らしていた汗と水がしぶきになって飛ぶ。

なんだ……。

彼は無意識にガードを固めていた。ステップを踏もうとする。だが、膝から力が抜けた。

右フックか……。

彼はリングが傾いていくのを感じていた。

さて、あなたはどちらの描写を支持するだろう。私が読者なら、後者を歓迎するだろう。

アクションシーンを書くということは、文字通り動きを描写するということだ。④その際に、「まるで○○のように」とか、「○○が、○○するように」といった修飾語は必要ない。スピード感を失わせるのだ。

肉体の動きを表現する場合、ダッキングやスウェイなどという専門用語もあまり必要ない。「左右上下に頭を動かして」これで充分だ。

⑤動きを言葉に置き換えるのだ。それが、迫力あるアクションシーンのコツだ。そして、痛みや衝撃を描くことが大切だ。

私は、空手を三十年ほどやっているが、道場での経験がおおいにアクション描写に役立っている。打たれたり蹴られたりしたときの痛み、戦いのときの恐怖感や疲労感などを描写することができるからだ。

⑥もちろん、武道や格闘技の経験がなくてもアクションシーンは書ける。類推するのだ。誰でも誤って柱に頭をぶつけたことくらいは

あるだろう。その打撃の衝撃を、アクションの衝撃に当てはめるのだ。衝撃や痛みを描くことで、アクションシーンの臨場感が俄然増すのは間違いない。

さて、アクションシーンというのは、何も戦いの場面ばかりではない。音楽の演奏などもなかなか描写するのが難しいアクションのひとつだろう。

だが、アクションシーンの描写の基本は同じだ。動きを言葉に置き換え、感じることを描写するのだ。

次に掲載するのは、私の初期の作品の中の、ジャズの演奏シーンだ。作品の名は「ジャズ水滸伝」。

古丹と比嘉が頷き合った。古丹は鍵盤に指を置き、比嘉がスティックを振り上げる。

次の瞬間、ステージ上で何かが爆発した。客は残らず、びくりと飛び上がっていた。

それは、ピアノの和音と、トップシンバル、フロアタム、バスドラム、それにベースの音の砲弾だった。

間髪を入れず、比嘉がスネアでロールを始める。

遠田が、一番細いG弦のネックのつけ根あたりで早弾きを始め、古丹が高音部へ展開していった。

音が狭い店の壁にぶつかり、跳ね返り、充満した。客たちは、ぽかんとした顔でその演奏を見つめている。信じられないものを見たときの人間の反応だ。

比嘉がタムタムの短い連打を飛ばす。それ

を合図に、また音の砲弾が、今度は三発連続して客席を襲った。

次の瞬間、サックスも飛び込んできて、いっせいに四人はフリーフォームに突入した。

比嘉はぴたりと古丹をマークしていた。古丹は左手で地鳴りのようなパターンを弾き、右手は中音域から高い方へ高い方へと展開していく。

比嘉は、右手のシンバルで一定の速度をキープし、左手とバスドラムで、古丹の音を追っかけていた。いつしか、バスドラムが左手のスネアと入れ替わったと思うと、左手は、さらに自在に飛び回った。

猿沢のサックスには、全く淀みというものがなく、高音から低音までの、広いレンジから、次々とフレーズが流れだしてくる。（以下略）

いかがだろう。少しは臨場感を感じていただけただろうか。⑦音楽を演奏する場面の描写で一番いけないのは、アーチスト名や曲のタイトルだけを書いて、主人公が悦にいっているような類のものだ。

読者は、文章から音を聞き取りたいのだ。

そのためには、動きを、音を、演奏者の表情を文字に置き換える努力をしなければならない。

動きを言葉に置き換える。痛みや衝撃や興奮を物理的に描写する。それができれば、あなたはアクションシーンの免許皆伝だ。

Q.理想とする作品と
その理由を教えてください　その7

●『ドグラ・マグラ』夢野久作。ぶ厚い小説だが、一気呵成にブッ飛ばして読める。そのスピード感が凄い。それでいて、ミステリー、ホラー、SF——エンタテイメントのあらゆる要素を詰め込んで、読者の脳味噌を破壊する。他にも、大藪春彦『野獣死すべし』、平井和正『ヤング・ウルフガイ』シリーズ、とかに影響を受けていると、自分では思っています。＜友成純一＞

●『エジプト人』ミカ・ワルタリ。『黒死館殺人事件』小栗虫太郎。＜豊田有恒＞

●チェスタトンの「ブラウン神父」シリーズ。ミステリの短篇として完成された形だと思うので。＜鳥飼否宇＞

●『妖星伝』半村良。ありとあらゆるタイプのキャラクターが活き活きと動き、世界に関わる謎をキャラクターたちの運命と共に描き尽くす。あらゆる面で、理想の作品です。＜中里融司＞

●何とかベストには絶対入らないけど、忘れがたく好きな作品があります。例えばランドールの『ファンレター』とか、エイブラハムズの『プレッシャー・ドロップ』、ブース『影なき紳士』、アリグザンダー『恐怖のブロードウェイ』、カー『髑髏城』etc。それらの作品に共通しているのは、舞台設定、主人公の造形、情景描写などがすばらしく、読後しばらくはボーゼンとしてその作品世界から去り難く思わされること。そんな作品を、一生に一作でもいいから、書いてみたいものです。＜難波弘之＞

●ジョン・ディクスン・カー『三つの棺』。物語、登場人物、雰囲気など、ありとあらゆる小説要素がトリックに奉仕しているから。＜二階堂黎人＞

●アイリッシュ『幻の女』『黒衣の花嫁』。とにかく、好きな作品だった。他に理由はない。＜西村京太郎＞

●最近の作品はあまり読んでいないが、S・キングの人物描写、パラノイア的だがその熱量の多さに圧倒される。三島由紀夫の美文、マネしようと思ってもできないが、美術工芸品のような文章を書けるようになりたい。＜野沢尚＞

●『ウィチャリー家の女』(ロス・マクドナルド)。プロットと文体がみごとな調和を示しているので。＜法月綸太郎＞

●広瀬正『マイナス・ゼロ』。同一の主題を巧みに2本の作品にして、それぞれ独立し成立させた筆力にあこがれて居ます。＜橋本純＞

●『しょうがない人』。原田宗典さん。あったかい。＜春口裕子＞

●レイ・ブラッドベリ『何かが道をやってくる』。長編でありつつも、詩を読んでいるような感覚。訳もいいが、原文は巧みに韻を踏んでいて、読んでいて飽きない。自分には決してない才能を感じる。＜樋口明雄＞

悪役の特権

貴志祐介
KISHI Yusuke

①スムーズなストーリー進行に何が必要ですか
②魅力的な悪役の描き方はありますか
③主人公と悪役の描き分け方を教えてください

アンケートをとったことはないが、多くの作家は、主人公より悪役を描いているときの方が断然楽しいはずだ。少なくとも、私はそうである。

日頃がんじがらめになっているモラルの桎《しっ》梏《こく》から自由になれるから、つまり、主人公の性格が悪すぎると読者の共感が得られないため、品行方正にせざるを得ない鬱憤を、悪役に極悪非道の限りを尽くさせることで解消できるから、という理由ではない。

悪役には、もともと特権がある。いわば、物語の神に祝福された存在なのだ。悪役を描いているときは、意識的にせよ無意識的にせよその特権をフルに享受できるため、それは滑らかに筆が進み、書き手は束の間、幸せな気分に浸れるのである。

悪役の特権を、思いつくままに三つ列挙してみる。

まず、『逆張りの余得』がある。

①ストーリーの進行は、偶然と必然を適度にブレンドして行われなければならない。すべてをピタゴラ装置のような必然に設定すると、プロットの構築が死ぬほど大変になる上、かえってリアリティがなくなり、踏んだり蹴ったりである。よって、何らかの偶然の要素は必須である。

ところが、読み手の意識の中では、ここで奇妙な現象が起きる。主人公にとってちょっとでも有利な偶然は、ご都合主義として厳しく指弾されるのに、不利な偶然は、比較的寛大に許容されるのだ。

たとえば、主人公の車が悪役の車を追って

いたとしよう。悪役の車が突然エンストしたために逮捕に至ったとしたら、金返せと言われるのは必定だが、主人公の車が壊れたり事故ったりするというのは、陳腐だが、常套手段である。

つまり、主人公にとって不運な偶然とは、悪役にとっては、幸運な偶然に他ならない。したがって、丁半博打にたとえると、主人公の逆の目に張っている悪役は、自然に勝ち続けることができるのだ。

二番目は、『半ば不可視であることの恩恵』である。

例外もあるが[②]、悪役は、ミステリアスでなければならない。底を割ったらおしまいで、その時点から、読者の興味は離れていく。したがって、主人公とは違って、悪役の行動は、何から何まで描写されることはない。囚われの身の主人公が、どんな手を使ったかあきらかにすることなく敵のアジトから脱出したら、非難囂々《ひなんごうごう》だろう。だが、同じことを悪役がやると、「恐ろしい奴だ」くらいで許してもらえるかもしれない。

嘘だと思われる方は、映画版『羊たちの沈黙』を思い出してほしい。レクター博士が脱走する手口は、小説同様詳細に描かれているのだが、身動きできない状態から手錠を外すのに使ったチルトンのボールペンを手に入れた方法については何の説明もない（小説では、半年前に入手したペーパークリップを、口腔内などに隠し持っていたという設定になっている）。だが、本来なら突っ込まれそうな瑕疵《かし》を逆手にとって、レクター博士の神秘性を際立たせる演出に使えたのは、彼が悪役だからである。

　残念なことに、レクター博士は、小説においても映像においても、シリーズが進み主人公化するのに比例して、急速に輝きを失っていった。その一因は、私見では悪役の特権を放棄したことにあると思う。

　第三に、『不良の善行』効果を挙げておきたい。

　真面目な優等生が教室のゴミを拾ったとしても、さほど感心されないが、後頭部まで届く剃り込みを入れたヤンキーが同じことをしたら、どうだろう。一躍、好感度が急上昇することは間違いない。

　これは、大きなマイナスから小さなプラスに転じた際のギャップによる、一種の錯視効果なのだが、うまく使えば、悪い奴だが感情移入もしてもらえる、魅力的なキャラクターを作れるかもしれない。

　この連載では、自作を解説の素材にするのが恒例のようだが、あらためて振り返ってみると、私自身、悪役の特権を充分に活用してきたかどうかは、はなはだ心許ない。

　『黒い家』では、半ば過ぎまで本当の悪役が誰なのかを明かさない方針を採った。ミステリーを読み慣れた人なら、比較的容易に見当はつくだろうが、このやり方は、不可視の存在であることの恩恵を、増幅してくれたかもしれない。
　③もともと主人公に比べて情報の少ない悪役だが、意図的に正体を隠すため、極力、搦《から》め手から行動を示す必要があった。子供時代の

作文や、新聞記事、知人の噂話などである。そうした情報を積み上げることで、モンタージュのような効果を生み出せたのではないかと思う。

また、前半に三善《みよし》という強面のキャラクターを登場させておいたのだが、これは、悪役を際立たせるための伏線だった。

主人公の若槻《わかつき》が見た三善は、こう描写される。

> 四十代前半だろうか。眉は非常に薄く、頬はこけて縦じわが入っていた。深く落ち窪《くぼ》んでいる目は、ほとんど瞬かない。(中略)
> だが、地味なスーツを着て礼儀正しくふるまってはいても、どこか常人にない精気のようなものを発散しているのが感じられた。それもスポーツマンのような陽性のエネルギーではなく、どこか陰にこもった凄惨《せいさん》な気配があった。

三善は、元やくざで、修羅場をくぐってきたという設定である。それが、終盤に再登場(?)する。若槻が、恋人の恵を救うために、黒い家に忍び込むシーンである。

> 正面の壁に小柄な人影が見えた。こちらを向いて足を投げ出して座っている。逆光なので、上半身は黒いシルエットにしか見えない。若槻は、魅入られたように、足を踏み出していた。
> もう一度、マッチを擦った。近づくにつれて、しだいに、壁に凭《もた》れている人間には、ギ

リシャ彫刻のトルソ像のように胴体と足はあるものの首も両腕もないことがわかってきた。

これが……恵なのだろうか。

発狂しそうな恐怖に、若槻の体は瘧《おこり》のようにぶるぶると震え始めた。

指の間で自然に炎が消えた。機械的に次のマッチを擦る。火傷《やけど》の痛みはまったく感じなかった。

切り株のような人体の脇には、丸い物体がこちらを向くようにして浴室のタイルの上に安置されていた。若槻はちらちらと揺れるマッチの炎を近づけた。

それは切り離された人間の頭部だった。両耳と鼻がそぎ落とされていたが、三善の生首であることだけははっきりとわかった。

悪役にとっても、三善は容易な獲物ではなかったはずだ。だが、具体的にどうやって殺したのかは、あえて描かず、説明も省略した。結果だけをぽんと投げ出して、あとは読者の想像に任せるのが最も効果的だと思ったからである。

今考えても、これは、正解だったようだ。たぶん、どう描いても粗が目立ったはずだから。

性描写の方法

神崎京介
KANZAKI Kyosuke

①官能的なシーンが多い小説を書くときに最も重要なことは何ですか
②③官能的なシーンが多い小説を書くときに避けなければならないことは何ですか
④官能的なシーンが多い小説を書くときに最も重要なことは何ですか
⑤⑥共感を呼ぶ主人公の作り方を教えてください
⑦文章中で固有名詞を使うときの注意点はありますか
⑧服装や小物などの描写は必要ですか
⑨キャラクターを立たせるためには、どのようなことをすればいいですか
⑩読者を感情移入させるために気をつけるべきことは何ですか
⑪一人称で書くべきですか、三人称で書くべきですか

⑫一人称を使うときのリスクにはどんなものがありますか
⑬短編と長編では、構成の作り方を変えたほうがいいですか
⑭読者の心を摑むにはどうすればいいですか
⑮そのジャンルにおける特殊な言葉や表現を使ったほうがいいですか
⑯官能シーンは必要ですか
⑰性描写に擬態語、擬音語は使うべきですか
⑱プロの作家として官能的シーンを書くときに必要なものは何ですか
⑲自分が未経験なことを書いてもいいですか
⑳自分が未経験なことを書いてもいいですか
㉑自分の文体をどのように確立すべきですか

■心構え

私の作品は性愛小説、官能小説、あるいは情愛小説などと呼ばれることが多いようです。どのように呼ばれてもかまいませんが、自分では恋愛小説だと思っています。

①性的な交わりのシーンが多い小説を書くとき、最も重要なのは技巧でもプロットでもありません。

心構えです。

女性をどう捉えるか、女という性をどう捉えるかを常に自問しながら書くべきです。②官能表現を性の道具としたり、官能的な小説を自分の欲望のはけ口とするような発想をすべきではないのです。

好きな女性とセックスしたいと思うとき、男はたんに挿入して射精の行為だけをしたいのではないでしょう。もしそうだとしたら、相手の肉体を借りた自慰と同じになってしまいます。相手を好きだと思うから抱きたいのであり、独占したいと思うからつながりを求める。その「好きだ」「独占したい」という気持ちを外して小説を書いてはいけないと思います。性的なつながりの前提としてあるべき愛情を外してしまうから、レイプだの陵辱だのといった非道なことが平気で書けてしまう。③文学は倫理・道徳を説くものではないけれども、読んだ人の心が汚れていくものであってはならないと思います。

男性にとって女性は愛すべき存在であり守るべき存在です。けっして欲望のための道具などであってはならない。その基本的姿勢を間違えてしまうと、読んだ人の心に響くよい小説は書けません。

④もうひとつ重要なのが書き手の自尊心や自負心です。

ときどき雑誌などの企画で、著名作家が匿名で官能小説を書くことがありますが、作家として非常に恥ずかしいことだと考えています。彼らは自分が書いた作品に対する誇りがないのでしょうか。匿名や変名にするのは自分の名前を出せないような小説を書いていると感じているからでしょう。作家は自分を明かせないものを書くべきではない。「私はこういうものを書くんだ。だから読んでくれ」というのが作家としてあるべき態度です。

「これは官能小説だから低俗なものだ、下卑たものだ」などと書き手が思った瞬間、その作品は下卑たものになります。もちろん、「誰が書いているのだろう?」と読者に想像させる企画としてのおもしろさがあるのは否定しません。でもそれは編集者が考えるおもしろさであって、作家はそれに与《くみ》すべきではない。作家が作品に向かうべき真摯な態度ではないからです。

■キャラクターとプロット

主人公のほとんどは普通のサラリーマンです。スーパーマンのような男性、絶世の美男美女はあまり出てきません。良くも悪くも平凡な普通の男性です。

その理由は、小説を単なるお話にしてしま

いたくないからです。志の問題です。こういう主人公がいて、こういう人と出会って、こういうことをしました、さあ勃起してください、という欲情させるためだけの小説は書きたくない。読者が小説に書かれていることをあたかも自分のことであるがごとくに感じ、そこから何かを感じ取ってもらいたい。それは性的な情動の真理であるかもしれないし、人生訓であるかもしれない。そのときにいわゆるキャラ立ちした主人公では、読者が素直に同化できません。つまり、こうした意図で小説を書く場合、⑤あまりに立ったキャラはじゃまになってしまうのです。

主人公についての明確な描写も避けます。主人公の顔つきも書きません。おぼろげな輪郭程度でいい。年齢と大雑把な職業ぐらい。出身地もぼんやりとでいいでしょう。体格についても書きません。細かく書いてしまうと、読者が「オレももしかしたらこうなれるかもしれない」という気持ちで読めなくなってしまいます。そうではなくて、「オレももう少し勇気を持てば」とか「あのとき、こうしていれば、オレもこんな幸運なことが味わえたかもしれない」と思ってもらいたいのです。

よく「銀座デパート婦人服売場の課長」などと細かく具体的に書いた小説がありますが、具体的であればあるほど作り物＝虚構感が増します。そうなると主人公の感性も作り物と感じさせてしまい、読者の現実とリンクするのが難しくなります。読者にとってのその小説は他人の経験となるだけ。仮想現実的に小説を体験する歓びが半減してしまいます。⑥主人公の造形はあくまで読者のイマジネーションにゆだねたほうがいいのです。

同じく、固有名詞の扱い方にも慎重であるべきです。私はクルマを登場させるときも、車名ではなく「ドイツの高級車」といった書き方をします。できるだけ固有名詞を出さない。「ドイツの高級車」で読者がイメージするのはなんでしょう。ポルシェ、BMW、ベンツ……。そこは読者にゆだねます。読者はそれぞれに高級車のイメージを持っています。一律ではありません。ですから、細部を読者にゆだねることによって、私が書いた小説が、一人ひとりの読者のなかで、再構築されていくのです。

⑦⑧⑨固有名詞で細かく造形していくのは簡単です。作家にとっても楽しいかもしれない。でも、読者とのやりとりこそが大切です。私にとって、私が書いた小説と読者が生きる現実が、読者の頭の中でリンクしながらリアリティを増していくことがベストだと思っています。そして、それこそが作家にとってもっとも苦心するところなのです。書かない難しさがあるのです。説明を省きすぎると今度は読者がイメージできなくなってしまいます。その匙加減が重要です。

テクニックとしては、できるだけ地の文で説明せずに、会話のなかで登場人物の口を借りてさり気なく語ります。そのほうが自然と読者のなかに入っていく。もっとも、会話があまり説明過多になると不自然ですからほどほどにしなければなりませんが。

描く内容は誰にでもありそうな現実です。

しかし、ありそうで、実際にはない。ちょっと道を誤ったらここへ行けるかもしれない、と思わせることが大切です。でも、そこの感覚は難しい。たくさん書いてその感覚を手に入れるしかないでしょうね。

⑩もうひとつ仕掛けがあります。私の場合、読者が小説内に入り込みやすくするため、主人公（多くは男性です）の主語をできるだけ省いています。つまり視点のある側の主語を外すわけです。主語が省かれていることで、あたかも自分がそうしているような感覚を読者は味わえると思っています。たとえば「背中に手を回した」とあれば、赤の他人である主人公が女の背中に手を回しているのではなくて、読んでいる読者自身が背中に手を回しているイメージが生れる。

実際には難しいことです。たんに主語を消せばいいわけではありません。背中に回したその手は男女どちらのものなのか、一読しただけで読者にわからなければならない。したがってどうしても主語を書かざるをえないところはあります。たとえば段落が変われば主語を書かなければなりません。文章として意味が通じることは最低限必要なことです。例として私の作品から二つほど紹介しましょう。

乳首を噛んだ。今度は少し力を加えた。

歯の先端に肉が食い込む。膨張をして硬くなっている乳首がかよわいものに感じる。口にふくんでいる時のその存在は大きいのに、今はとても小さくて弱いものに思える。不思議なことに、そのことがお母さんへの愛しさにつながっていくものだ。年下だから甘えてもいいとか、お母さんになら少しは大目に見てもらえるといった気持ちが失せていく。この女性は男として守るべき女なのだという思いが膨らんでいく。

(『女薫の旅　今は深く』講談社文庫／29ページより)


主人公の山神大地が、酒井真世の母親、真貴子とセックスする場面です。乳首を噛んだのは大地、噛まれているのは真貴子です。


山本は彼女を仰向けに倒した。

首筋に沿って舐める。髪の生え際づたいにくちびるを滑らせる。耳に細い息を吹きかける。もちろん、くちびるを使っている間も乳房への愛撫は怠らない。

右手で乳房を包み込んだ。たっぷりとした下辺を持ち上げて揉む。硬く尖った乳首を指先で摘んで圧迫する。穏やかなやさしい快感だけでは単調になってしまうから、痛みを加えることで刺激に変化をもたせる。

(『男でいられる残り』祥伝社文庫／44ページより)


「山本は彼女を仰向けに倒した」と書いた後は、主語を省いて書き進めています。首筋に沿って舐め、髪の生え際づたいにくちびるを滑らせているのは山本ですが、主語が隠されたことで読者はあたかも自分が愛撫をしているような気持ちになります。

私は基本的に三人称で書きます。[11][12]一人称、つまり「私」を主語にして書くと、読者が入り込みやすいのではないかという考え方もありますが、私はそう思っていません。これは私小説をかなり読み込んできた弊害かもしれませんが、一人称だと読者はそこに作家の存在を感じ取ってしまうと思います。私が一人称で「私が」と書いたら、読者は「神崎京介」という存在を意識してしまう。

例外的に『夜と夜中と早朝に』（文春文庫）という作品では、「わたし」という一人称で書きました。このときは意図的です。主人公はフリーライターから小説家になり、銀座でも遊べる程度の成功をおさめた、という設定です。このときは「わたし」＝神崎京介と思われてもいいし、逆にそれを利用してやろうという気持ちもありました。読者は「これは神崎京介の私小説かもしれない」と思う。それこそ、こちらの術中にはまったといえるでしょう。

私の短篇は最低でも原稿用紙にして四十枚からです。[13]構成としては「序破急」の三部構成ではなく、「起承転結」の四部構成で考えます。「起」で読者にたっぷりサービスをして克明に書くためには、どうしても「承」が必要になってきます。「起」でセックスシーンを書いたら、「承」で二人の関係性とかを書かなければなりません。そのあと「転」があって、最後に「結」がくる。長篇は好きに書けばいいんです。構成は考えません。

小説全体の中での性愛シーンの配置や分量は、基本的には考えていません。ただ、短篇の場合は、できるだけ冒頭に性愛シーンを置き、なおかつできるだけ濃厚な描写にしようと気をつけています。たとえば書店で立ち読みしたとき、だらだらと状況説明が続くのは苦痛でしょう。「このなかにはエッチなものがあるかもしれない」という期待感とともに手にとってページをめくる読者のためには、冒頭に少しでも満足してもらえる記述を置きたい。そうすれば冒頭だけでなく、次も読んでくれるかもしれない。読者がなぜ読んでくれるのかについては、常に意識するようにしています。タイトルについてもそうですし、⑭冒頭の数ページについても気を使います。いまは「あとのほうにすごい官能シーンがありますよ」といって、作家が読者に忍耐を強いるような時代ではありません。読者にはそこまでつき合う義理も何もないわけですから。数ページ読んで「これは違う」「これはつまらない」と思ったら、途中であっさり捨ててしまうのが読者です。読んでもらう工夫をしなければなりません。

■用語と描写

性愛描写において特殊な言葉を使う作家もいますが、私はこだわりません。できるだけ一般的な言葉を使います。陰毛はあくまで「陰毛」であり、割れ目は「割れ目」であればいい。特殊な言葉、新しい表現はすぐ陳腐になります。性器の新しい表現を考えることに心血を注ぐのはあまりにもばからしい。昔から陰茎と言っているものを「陰茎」と書くのがなぜいけないのでしょうか。「陰茎」で伝わるのだから、それで充分です。[15]作家はできるだけ陳腐にならない言葉を選ばなければならない。そのためには、昔から使われてきた言葉を用いるのがいちばんいいのです。

　ためしに十年前、二十年前に書かれた官能小説を読んでみてください。現在でも読める作品と、陳腐化して滑稽なものになりはてた作品があるのがわかります。

　すぐ消えてなくなる小説は書きたくありません。誰だってそうでしょう。もちろん本も商品ですから、消費されてしまうことはわかっています。きょう発売された本が半年後に、市場に残っていないかもしれない。でも書き手の姿勢としては、あっという間に消費されてなくなるものを書くべきではないと思います。文学は時の流れに抗うものでありたい。だから新しい言葉は使いません。

　性器等の描写に解剖学や医学の専門用語を使う作家もいるようですが、私はこれらも使わないようにしています。小説には情感が大事です。男性の思いや女性の思いを描写しなければ、たちまち小説は解剖学的な話になってしまいます。たとえばクンニリングスの描写をするときも、そこにいたる男性の感情、女性の感情を書くのでなければ、ただたんに即物的に描写しているにすぎなくなるでしょう。

　冒頭に書きましたが、私は性愛を描写していても、純愛小説を書いているつもりです。愛がないセックスはありえないという前提です。躯を重ねるときは互いの気持ちが高まっているのであり、互いに「好きだ」「欲しい」と思っているわけです。情感のないセックスを書くのでは何の意味もありません。それはあなた自身のことを考えるとよくわかるでしょう。気持ちが相手に向かっているときは、相手に対して真剣に「躯が欲しい」「触れたい」「つながりたい」と思うはずです。その一点を考えると、とても純粋でしょう。ただセックスできればいい、気持ちよくなればいい、というのではない。必ず愛があるはずです。

⑯ではなぜ性愛を書くのか。感情の描写だけではいけないのか。よく考えてください、いまの時代、まったくのプラトニックな純愛なんてありえないでしょう。どこかに性的なものが必ず入ってくる。だから私が書いている小説は、性描写はあっても（あるからこそ）純愛小説なのです。

⑰擬音語、擬態語も使いません。下品だと思っているからです。男女のつながりは美しく描かれなければいけません。例外的に使うのは「くちゃくちゃ」。これは下品さが女性の背徳感を高めるようなシチュエーションで敢えて使います。もちろんその背徳感とは、屈辱的な状況や一方的に暴力的なシーンとは根本的に異なります。

人は派手なもの、激しいものに目を奪われがちです。しかし私は美しいものが残ると思います。そしてそれが人に読んでもらうための基本的なスタンスであり志だと思っています。たとえば痴漢を書いたとする。扇情的になって面白いかもしれない。でも、痴漢を取り上げるということによって、痴漢行為がいいことなんだと誤解する人を生み出しやしないだろうかと考えてしまうのです。

もうひとつ例を挙げましょう。たとえば「女は口では拒絶していても、心の奥では歓迎しているものだ」といった身勝手な論理を前提にした小説があるとします。それを読んだウブで女心がわからない男は信じてしまうかもしれません。私はそんな男を増やすことに加担するような文章は書かないし書きたくもありません。世の中と自分の心を汚してまで金を稼ぎたくはありません。

私は性行為に向かう登場人物の心理を、できるだけ細かく描いていきます。たとえば愛撫にしても、ひとつの行為から次の行為に移るとき、現実にはほんの数秒で変化しているけれども、そこに何百字も費やして細かく書いていきます。それは、そこに意味があると思っているからです。

愛撫する場所が乳房から性器へと移動していくときのことを考えてみてください。

経験を重ねた男性なら、何の躊躇もなく性器を愛撫できるでしょう。また何度も肌を合わせた関係なら抵抗感も少ないでしょう。でも、まだ童貞を卒業したばかりの少年だったらどうでしょう。初めての女性とだったらどうでしょう。そのあたりの男性の心理を丹念に書かないとリアリティが生れません。読者が、「オレもこうだったよな」と共感したとき、小説は読者自身のリアルな物語になるのです。私は性愛における肉体的な行為を書いているのではなく、行為における心理を書いているのです。

ただ、私の作品を注意深くお読みになるとわかりますが、挿入以降についてはあまり書いていません。挿入以降になると、感覚としては、どの女性も多分同じだろうと思うからです。そうなると、個々の女性への思いは消えてしまうのではないかと考えるのです。あまりにそこを詳しく書いてしまうと、たんに欲望を満足させるためだけの小説になってしまう。ですから挿入から射精までの書き込みは少なくなります。

私の経験からいっても、挿入している時の感覚はどの女性もさほど変わりません。太っているか痩せているかという程度のものです。よく締まる、名器だ、俗に言う数の子天井だイソギンチャクだとありますが、大した差ではありません。セックスの醍醐味はその前までにある。服を脱がせるまで、陰茎をくわえさせるまで。くわえ方、舐め方のテクニックは女性によって違いますが、気持ちよさの感覚は同じです。

経験から言って、人がセックスの技巧を考えるのは二十代まででしょう。私の場合は、それ以降は考えなくなりました。セックスというのは男女が魂の融合に向かうための手段と思うようになりました。

■経験と取材

性描写[18]、官能的表現は性的経験が豊富でなければ書けません。むろん乏しい経験でも妄想を頼りに二、三冊は書けるでしょう。でもそれではプロの作家として、十冊、二十冊と書き続けていくことは難しくなります。小説は「こんなことをしてみたい」という妄想を書くものではありませんから。男女のつき合いのなかで必然としてのセックスを書いていくのです。奇想天外なアクロバットのような性の技巧を書くのでないのです。だからこそ、裏付けとなる経験がどうしても必要になります。性描写は愛の結びつきそのものでありますから、必然的に普遍的なものになっていくのです。

私の作品は基本的に男性の視点からですから、女性の快感についても、あくまで男性から見たものです。男性から見て、女性がこう反応し、こう感じているように思える。それはあくまで男性の目を通してのものであり、いわゆる神の視点から女性がどう感じたかを書いていません。性描写についても、わからないことを安易に書くのは危険です。ただ、わかるところもあります。たとえば女性に乳首を舐められることは男性でも快感になります。私は男女の性感帯は同じだと思っています。男性が乳首を舐められる快感の何倍かが女性の快感なんだろうという程度の想像は可能です。それ以上はわからないけれども、それだけの手がかりがあれば書くことはできるでしょう。

男性は女性の快感がわからない、女性は男性の快感がわからない、よく女性は男性の何倍も感じている、などと言いますが、本当のところはわかりません。両方を経験して比べた人はいないのですから。しかし、わからないからこそ飽きないのだともいえます。

女性の快感についてわかるのは、心がつながったときの歓びです。「愛している」と男が本気で言い、女も「愛している」と言ったとき、たぶん肉の快楽と同じぐらい心も快感で震えているはずです。その快楽はわかります。肉の快楽とともに心の快楽もある。肉の快楽を書いていきながら、少しずれていた感覚がつながり、最後はひとつになる。魂の融合みたいなものです。そこが究極の快楽です。そこにブレがなければ、快楽を書き切れるでしょう。

私は取材して書くことはありません。[19]ほとんどが自分のなかにあること、過去の経験を元にしています。ただ、小説は経験だけでは書けないけれども、経験がなければ書けないこともたくさんあります。性的なことに関して言えば、私はかなりの経験を重ねていると自負しています。およそ性的なことで経験していないことはないと胸を張って言えるぐらいにです。

二十代のころは、毎週、大人のおもちゃ屋に行っていました。性商品にも流行があるだろうと思っていたからです。案の定、通っているうちに流行がわかってきました。SMが流行ったり、ロリコンがきたり、コスプレが増えたり。季節による変化もあります。そういうことは行ってみないとわからない。

大人のおもちゃ屋は入るときはいいけれども、出るときは恥ずかしい。出てくるところを誰かに見られやしないかと気になります。その恥ずかしさを知ることも、小説を書くうえで大切だと思っています。ただし、いろんな経験をすればいいというものでもない。経験はそれを活かそうと思って蓄積するのでないと活かせません。[20]

書くために取材することはありませんが、わからないから経験してみようと思うこともあります。最近では女性がエステで受けるレーザーピーリングを体験してみました。猛烈に痛かった。レーザーによる永久脱毛もやってみました。体験しようと思ったのは、いつかそれが小説に活きると信じているからです。

■文体

私は若いころからたくさんの小説を読んできましたが、いまも仕事机の近くに一冊だけ文庫本を置いています。吉行淳之介さんの『コールガール』です。作家である「私」が、『コールガール』という長篇を執筆するために仕事部屋を借りる。隣室を借りているのは他ならぬコールガールであり、ときおり声や物音が聞こえてくる。それとともに、「私」が体験し、見聞きするあれこれが書かれています。

自然体の作品で、書かれているのはいかにもありそうなことです。「私」の感覚も発想も何ひとつ不自然なところがありません。それでいて、真似るのが難しい文章です。とても勉強になります。とくに会話を入れた鉤括弧の使い方、改行して地の文で受けて、ふたたび改行して会話に戻るといった筆の運びは、私も何度かやってみましたが、どうもうまくおさまりません。吉行さんとの違い、あるいは吉行さんの時代と現代との時代、空気感の違いをあらためて感じ、それがまた勉強になります。吉行さんの作品は若いころもよく読みましたし、いまも読み返します。

『コールガール』から典型的な文章を引用しましょう。「私」が売春宿の女将に電話する場面です。

「どうですか、いい女の子はいますか?」

「いえもう、その方はすっかり廃めてしまいました」

「そんな弱気でどうするのですか」

「でも、ねえ」

「一度、会いたいな」

「ええ、あたしも、いろいろお話したいことがありますわ」

ここらあたりの会話には、やはり虚々実々といった趣が感じられる。女将は、「いろいろお話したい」と言った直後、念を押しつかりした口調で、

「でも、書いてはイヤですよ」

寸刻も置かず、私は切り返した。

「何を言っているのですか。信念をお持ちなさい。ぼくが全部書いてあげますよ」

受話器の中の声が、ふっと詰った。間もなく、その声は、

「そうねえ、でも、わたしの良いように書いてくださる」

「それは、あなたの立つ瀬があるように書きますよ」

この返答は、微妙である。「良いように」といっても、なにを良しとするか、その判断には個人差があるのだから。女将は乗り気の口調をみせて、
「それじゃ、洗いざらいお話しようかしら。それはもう、ずいぶんと、いろいろなことがありますものね」
（『コールガール』（角川文庫、58～59ページより）

会話のなかに「私」の心理状態を挟み込むなど、鉤括弧を自在に操っているのがおわかりいただけたと思います。

私は自分の文章がへただという意識が強いようです。だから文章がうまくなりたい、美しい文章を書けるようになりたいと常に思っています。

もうひとつ影響を受けたのは村上龍さんの畳みかけるような文体です。私は文芸誌の新人賞に何度応募しても落ち続けて、「オレの日本語はだめだな」と思ったことがあります。なぜかそのとき、フランスに行こうと思ったのです。理由は自分でもわかりません。

ただ、「オレは美しいものを見て、『美しい』とはまだ言えないな」と思いました。そのために絵や彫刻を見て、自分の価値観を作って、もし人が「こんなの大したことないね」と言うものでも、「いや、オレは美しいと思うよ」と言える自信が欲しかったのです。それでフランスに行きました。そのとき唯一持って行った日本語の本が『コインロッカ

ー・ベイビーズ』でした。フランスにいる数カ月間、何度も読み返し、これが勉強になりました。実際にいろんな面で影響を受けていると思います。

さて、文章表現で迷うのは指示詞の使い方です。「彼はそう言うと」とするか、「彼は言うと」とするか。「そう」という指示詞を入れるかどうかで迷う。「そう」の二文字で空気感が変わってしまう。「彼は」というだけで第三者的な感じがあるのに、さらに「そう」を入れると、読み手にさらに退いた客観的な視点だと感じさせる危険があると思っています。さいなことかもしれませんが、さいなことの積み重ねが大切です。読者にリアリティを持ってもらうことと、ストーリーをお話として成立させることとは、意外と両立が難しいものです。

「彼は、すぐ」なのか、「彼はすぐ」なのか。これも迷います。句読点の使い方でずいぶん空気が変わりますから。ただ、指示詞も句読点も、唯一絶対の正解はありません。状況に応じて判断していかなければなりません。

文体のリズムもかなり気にしています。しかし、リズムはなかなか変えられません。数年前、仕事場を整理していたら、二十代前半に書いた原稿が出てきました。へたくそなんですけど、文章の基本的なリズムは今と変わらないんです。間合いや息づかいも変わっていない。だから文体は持って生まれたものであり、文体論は意味がないかもしれないと思っています。

用語や文字に拘泥することはありませんが、

例外的なのは「軀」ぐらいでしょうか。「体」や「身体」ではなく「軀」を使います。旁《つくり》に口が三つあります。快感のあるところには穴がある。あまり漢字に意味を持たせたくないのですが、これだけは譲れません。あとは「裡」「拡がる」ぐらいです。

文体もこだわりません、神崎京介風文体などというものを確立することに何の興味も持っていません。特徴のある文章だと言われるよりも、美しい文章だと言われたいと考えています。個性が際立ちすぎるのは、プロの作家として危険でもあると思っています。[21]日本人は飽きっぽいので、飽きられることはしたくない。百万部のベストセラーをただ一点出すより十万部の作品を十点出せるほうがいい。百万部のベストセラーを出したら、日本人はその作家に飽きてしまいます。一世を風靡しても消費されるわけです。

これから作家をめざす人は、自分が書いたものを異性も読むかもしれないと思って書くといいのではないでしょうか。男性だったら女性読者を、女性だったら男性読者を。特に性描写や官能表現の多い作品の場合、男性作家が女性読者を最初から除外して書くのと、男性も女性も視野に入れて書くのとではまったく違ってくるでしょう。そうすれば、誰かを不快にするような表現もおのずと抑えられるでしょう。

ミステリー作家への質問

Q.理想とする作品と その理由を教えてください その8

●デュマ『三銃士』、司馬遼太郎『燃えよ剣』『国盗り物語』『項羽と劉邦』、柴田錬三郎『眠狂四郎無頼控』、隆慶一郎『一夢庵風流記』『吉原御免状』、金庸『書剣恩仇録』『秘曲 笑傲江湖』、宮城谷昌光『孟嘗君』。理由→面白いから。もっと面白いものを書きたいと思うから。＜藤水名子＞

●ミステリだと、チャンドラーの作品。特に『長いお別れ』。主人公の世界の見方、世間との接し方、描写が好き。＜藤田宜永＞

●レイモンド・チャンドラー『長いお別れ』。ひとつひとつのセンテンス、ひとつひとつのセリフがそれぞれ立ちあがってきます。＜藤原伊織＞

●G・オーウェル『一九八四年』。これほど予見性に溢れた作品は読んだことがない。取材の体力がなくなったとき、最後の作品としてこういう黙示録を書いて筆を折りたい。＜船戸与一＞

●ダンセイニ『二壜のソース』。読者に、真相の途中までを悟らせながらじらし、最後に強烈なもう一ひねりを（たった1行のせりふで）加える。＜松尾由美＞

●D・フランシス。言うまでもありません。＜松岡悟＞

●トーマス・マン『魔の山』。R・L・スチーブンソン『宝島』。ドストエフスキー『カラマーゾフの兄弟』。中身の面白さはもちろんですが、この3作品に共通しているのは、小見出しの面白さです。つい胸が躍って、読んでみたくなる小見出しが、連なっています。『もちろん女さ』『ベンボウ提督亭にあらわれた海のふるつわもの』『おれが来たんだ』などなど、読み物としての楽しさのエッセンスが、あふれるように詰まっているような気がします。＜松島令＞

●有栖川有栖『双頭の悪魔』。本格推理の奇蹟的到達点。北村薫『秋の花』。人生について厳粛な思いにとらわれる名品。チェスタトン「ブラウン神父」シリーズ。ミステリの形式で神を語れると知ったトールキン『指輪物語』。その圧倒的な世界観に。＜光原百合＞

●『ジャッカルの日』（フレデリック・フォーサイス）。〝息詰る攻防〟を活字上で完璧に展開した作品だから。＜森福都＞

●理想というわけではないのですが、あのような素晴らしい作品を一生に一度は書いてみたいという意味で、中井英夫さんの『虚無への供物』。＜矢口敦子＞

●カミュの『ペスト』。敗北を確信しつつも、全力を尽くす人間の姿を描いた名作。＜山田宗樹＞

●ウンベルト・エーコ『薔薇の名前』。（私が）中世ヨーロッパモノを書いているので聖書のようなものです。＜吉田緑＞

●SFジャンルだが……。オースン・スコット・カードの『ソングマスター』。SFの枠に囚われず、幻想文学としても高い評価を与えられる。＜羅門祐人＞

推敲のしかた

花村萬月
HANAMURA Mangetsu

①推敲とはどんな作業ですか
②翻訳小説の影響とはどのようなものですか
③翻訳小説の影響とはどのようなものですか
④推敲とはどんな作業ですか
⑤推敲する上で避けるべきことは何ですか
⑥勉強すれば美しい文章を書けますか
⑦一番簡単な推敲の方法を教えてください

私は自分が何故、日本推理作家協会に所属しているのかよくわからないのです。作品自体もミステリーとはまったく無縁といっていい。これは確認をとっていないのですが、ミステリーとは古い時代の英語では女性器をさすという説を聞いたことがあるので、そういう意味では、私もミステリーを書く小説家かもしれません。

それはともかく、ミステリー小説は大好きです。最近では山口雅也さんの〈奇偶〉に夢中になりました。ミステリー小説の困ったところは、玉石混淆ということです。落ちがきっちりと決まっている小説は素人にも書きやすい反面、文章に論理の色香とでもいうべき気配を立ち昇らせることのできる才能は、なかなか出現しません。ポオ、あるいは江戸川乱歩という先達があまりに大きすぎるのかもしれません。また海外ミステリーを読み、それに影響を受けて推理小説を書くとなると、読者は翻訳の日本語に影響された奇妙な日本語に出くわすことと相成るわけで、文芸上における推理小説の不遇は、このあたりにも原因があるのではないでしょうか。

①推敲とは、自分の書きあげた文章を恰好よいものにするということに尽きるのです。決して破綻したストーリーを訂正する作業のことではありません。

ですから翻訳小説に馴染んでミステリーを書く方は、無意識のうちに染みついてしまった英語などの文法をいったん漂白する必要があります。②日本語で書かれる文芸ですから、あくまでも翻訳調の日本語ではなく、純粋な日本語を磨きあげることが必須です。それから意図的に翻訳調で書かれるのならば、それは文芸として成立するのですが。

　新人賞はともかく、職業小説家に与えられる文学賞などで純粋な推理小説がなかなか受賞できないことの原因のひとつが、ここにあります。

　ところで、他人の文章にはあれほどきつい評価を下す貴方なのに、なぜ自分の文章に対しては見事なまでに判断停止が起きるのでしょうか。プロでも判断停止を起こしてしまう小説家が存在します。エンタテインメントの小説では文章のよしあしよりも筋立ての面白さで勝負ができるというのも事実ではありますが、このあたりを克服しないと、ちょっと恰好悪いでしょう。自負心、自尊心の問題ですね。

　もっともこれらはセンスの問題でもあるので、努力精進すれば獲得できるというものでもありません。理詰めでせめてもうまくいかないのが、文芸自体が内包しているミステリーであるといっていいでしょう。

『その食堂の広さは広い』——これは、あるベストセラー小説家の作品の導入部にあった文章です。

　推敲とは、まず、こういう不細工な部分を削る作業なのです。このような『馬から落馬した』式の文章を私も書いてしまうことがあります。それを独り、赤面しながら修正していくのが推敲であり、これを丹念に続けていくと、こういう陳腐な誤りを犯さなくなっていくものです。

ああ、そうだ。以前、小説家志望のある人に『馬から落馬した』式の文章を書かぬようにと言ったら、なんと彼には意味がわからなかったようでした。こんな者までもが小説家を志すのですから、まったく空恐ろしい現実であり、またまたミステリーであります。

もうひとつ問題提起をしておきましょう。あきらかな疑問文に、貴方はなぜ『?』をつけるのですか。これは無意味な植民地根性ではないのですか。

③翻訳調のよくない影響でしょうか。杓子定規に配された主語も鬱陶しい。推敲の段階で削らなければなりません。いいですか。日本語とは主語を省けるという素晴らしい機能を包含している言語なのです。ですから植民地根性を発揮して英文調の日本語を書く愚だけは避けていただきたい。

ここまで書けば、なんとなくわかってもらえるでしょう。④推敲とは、削る作業です。シェイプアップというのですか。デブな文章は恰好悪いでしょう。スリムにしてあげる作業が推敲です。もちろん匙加減として微妙に筋肉を盛りあげることも必要であり、否定は致しませんが。

けれど加えるのが推敲だと主張する小説家がいるとしたら、その小説家はプロットがきちっとできあがっていない雑な書き手なのです。もちろん連載仕事に追われて、矛盾の多々ある原稿を書いてしまい、それを本にするときに加筆訂正するということは誰でもしていることではありますが、文芸ということの純粋性を考えると、これはあまり褒められた行為ではありません。

あとから思いついたあれこれを書き加えたり、拙い文章を修正すると、なによりも文章のリズムが崩れます。

これは絶対に避けたい。完成度などといったものは経験を重ね、歳をとってしまえば否が応でも身に付いてしまうものであり、また勝負できるものが完成度だけという抜け殻のような悲惨も往々にして見られるものであります。

⑤推敲のときに視点の乱れをなおすことも避けたほうがいいでしょう。そもそも視点が乱れているほうがおかしいのです。それに技術レベルの視点の問題を超えて、結局は作者の視点にすぎないという根元的なジレンマを抱えているのが視点の問題でもあり、視点原理主義に陥った作品は冗漫で無駄が多い。

また、視点の問題に絡めて『は』と『が』といった助詞のことを考えることが往々にしてみられますが、これも原理主義に陥って文章から色香を削ぐ原因になります。広辞苑でもなんでもいいから『は』と『が』を引いてすこし考えてみてください。

じつはこの助詞の問題こそ論理で解決するよりも、センスがものをいうのです。小説家のレベルのみせどころでもあります。

文法とは論理ですが、その論理を軽々と超えるセンスというものがたしかに存在するのです。川端康成の文章における『弖爾乎波《てにをは》』などがよい例でしょう。そして川端などの権威を超越するのも、これまたセンスの働きです。センスのよい小説家に傾倒するのはかまいませんが、権威に擦り寄っているようでは先が見えています。

⑥センスとは生まれもった才能のことです。センスのよい者には永遠に勝てないという残酷な現実がある一方で、推敲を重ねることによってある程度のセンスを獲得できるというのも事実であります。

⑦初心者の貴方は、まずは『深い湖のように美しい瞳』といった無様な比喩を削ってみましょう。ほとんどの比喩は不要であるという文章表現上の現実があるのです。

タイトルの付け方

恩田陸 ONDA Riku

①タイトルはいつつけますか
②タイトルはどうやって考えますか
③いいタイトルとはどんなものですか
④タイトルの要素は何ですか

僕はむしろ各楽器の響きの個性を大切にしたいし、結論は聴衆にゆだねたい。もちろん言いたいことはありますが、百パーセントは言わないで、八十パーセント位にとどめておきたい。

（中略）

いつも冗談に言っているんですが、僕の場合、曲の題名が決まれば三分の二は書けた気になる。ほとんどの作曲家は題名なんかにこだわらないんですけど。僕がタイトルにこだわるのは、やはり残り二十パーセントを聴衆にゆだねたいから。ある方向性は持ちながらも多義的な題にしたいからです。

（『時間《とき》の園丁』／新潮社より）

のっけから引用で恐縮ですが、「タイトルの付け方」というお題で原稿を書くことになり、大変なことになった、どうしよう、と頭の隅で考えながら本を読んでいたところ、右のような一節が目に飛び込んできました。なぜかどきっとしました。そして、「これだ、この通りだ」と思いました。この文章を書いたのは、惜しくも近年急逝した、日本が誇る作曲家、武満徹です。

①私は小説のタイトルを考えるのが好きです。いつでも、何かいいタイトルはないかと考えています。小説の中身は決まっていないのに、この先書きたい小説のタイトルだけは幾つもノートに書き溜めてあります。気に入ったタイトルを思いつくと、それだけで小説が書けた気になるし、タイトルがプロットまでどんどん産み出してくれて、逆にこちらに書けそ

うなパワーを与えてくれるからです。

元々、空想癖のあった私は、子供の頃から、本そのものよりも目録、映画本編よりも予告編にわくわくさせられたものでした。岩波書店の児童書の目録を眺めて、本のタイトルや表紙の絵から内容を想像していればいくらでも時間が潰せたことを覚えています。ちなみに、当時一番気に入っていた本のタイトルは『りんご園のある土地』でした。

なので、自分が小説を書くかどうかも分からない時から、タイトルはいろいろ考えていました。というよりも、どういうタイトルの作品があったら自分がそれを読みたいだろうか、わくわくするだろうか、と考えるのが好きだったのです。

私が[②]タイトルを考えるのは、映画のポスターをイメージするのと似ています。作品そのものがポスターになっているところを思い浮かべ、タイトル文字や惹句をイメージします。主要な登場人物の顔はもちろん、色調も浮かべば言うことなしです。映画のポスターは、映画の雰囲気や内容を正しく伝えなければならないのと同時に、お客にその映画を観たいという気にさせなければなりません。だから、タイトルも、作品のイメージを感じられ、内容を期待したくなるようなものにしなければならないのです。ピタッとポスターに収まるタイトル、字体まで浮かんでくるタイトルはなかなか見つかりません。

私は、映画でもTVドラマでも、歌でも、タイトルをチェックするのが癖になっています。タイトルというのは内容を端的かつ象徴的に表すものであり、その魅力を伝えるものでなければならないと思っているからです。

よく文芸誌で、新人賞の一次、二次選考に残った作品のタイトルがずらっと載っていますが、この中のどのタイトルだったら読みたいかなあ、なんてことも考えます。最近、印象に残ったタイトルはＴＶドラマの『天体観測』でした。ドラマは結局、時間が合わず観られなかったけれど、このタイトルならば、私もティーンエイジャーの青春群像ものを書いてみたいと思ってしまいます。

あなたの明日の予定が変更になってしまい、ぽっかり時間が空いたので、映画でも観ようと考えたとしましょう。今、目の前のテーブルの上に最新号の「ぴあ」や、最近送られてきた試写会の招待状があります。それをちょっと見てみましょうか。

『インファナル・アフェア』『リーグ・オブ・レジェンド』『ジャスト・マリッジ』『ライフ・オブ・デビッド・ゲイル』『リベンジャーズ・トラジディ』。

さて、このタイトルを見て、聞いて、あなたはその映画を観たいと思うでしょうか？

少なくとも、私は「いいえ」です。というよりも、私には正直言って、とてもこれらの映画の広報担当者が、観客の記憶にその映画を残したがっているとは思えません。もちろん、これらの中には原題もあります。だったら、いっそ英語表記にすべきで、どう考えてもこのカタカナの羅列は私たち日本人が観る映画のタイトルではありません。『風と共に去りぬ』や『アパートの鍵貸します』が『ゴーン・ウイズ・ザ・ウインド』や『ジ・アパートメント』ではないのと同じことです。

仮に、これらの映画の内容が素晴らしく、ヒットしたとします。しかし、観客は「アンディ・ラウとトニー・レオンが警官とマフィアを演じた映画」とは思い出せても、『インファナル・アフェア』というタイトルは思い出せないでしょう（原題は『無間道』。それの英語版タイトルを「邦訳」したらしい）。これでは、タイトルではなく、ただの商品番号に過ぎません。映画とタイトルが乖離してしまっているのです。それは、映画にとっても観客にとっても不幸なことだと思います。

では、どういうタイトルがいいタイトルなのでしょうか。

③私が考えるに、タイトルを見て、まず観客がある程度自分で何かをイメージできるもの。なおかつ、分からないところがあって、本当はどんな内容なのだろうかと興味をそそられるものです。

例えば、映画としても小説としても印象に残る素晴らしいタイトルに、トマス・ハリスの『羊たちの沈黙』があります。

とても知的で神秘的なタイトルです。どこか怪しく、怖い予感もします。キリスト教文化に馴染みのある人ならば、宗教的な意味合いも感じとるかもしれません。闇の中にうずくまっている、羊の群れが浮かびます。そして、映画を観たあとでは、それがヒロイン・クラリスの子供の頃の体験を基にしたものだと知ります。改めて、映画のタイトルと内容がしっかりと観客の中で結びつき、タイトルが重層的な意味を持って、作品と一つになって観客の中に残るのです。

ここで、私は冒頭の武満徹の言葉を思い出すのです。④八割はかっちりと説明し、残り二割は観客の想像によって完成する。これがタイトルに必要な要素だと思うのです。

タイトルは作品の象徴です。そして、作品の内容や、作品の運命までも決定してしまいます。さあ、思い浮かべてみてください。あなたの大切な作品の顔です。そのタイトルはあなたの作品を象徴していますか？　そのタイトルに、作品の全てを託せる強さがあるでしょうか？　そして、あなた自身がそのタイトルに魅力を感じるでしょうか？　これらの条件を満たしているのであれば、それはきっとよいタイトルなのです。

作品に緊張感を持たせる方法

横山秀夫 YOKOYAMA Hideo

①短編小説と長編小説の違いは何ですか
②作品に緊張感をもたせる方法はありますか
③ディテールを描くことは重要ですか
④小説にリアリティをもたせるにはどうすればいいですか

私は主に短編ミステリーを書いています。短い枚数で読者を楽しませるためには、長編とはまた違った工夫が必要です。短編は一気に読んでもらわねば書き手の敗北ですので、先の頁を捲ってもらうための補助線とでもいうべき「緊張感」の作り方について、私なりの方法を二つ述べます。

一つは、物語の冒頭から間もない時点で、主人公の心を鷲摑みにする出来事を起こすことです。具体的には、その主人公にとって、最も起きてほしくない出来事を起こす――という手法を多く用いています。

誰にでも、「間違っても、こんなことだけは自分の身に起こってくれるな」と内心思っていることがあるはずです。考えるのもおぞましいので、日頃はあまり考えずにいる。そうした潜在的な恐怖心を炙り出す出来事を起こし、主人公に強烈な負荷をかけて一気に物語の緊張感を高めるわけです。

出来事は「事件」と言い換えることができます。ただ私は、「実際の死」よりも「社会的な死」や「組織の中での死」に重きを置いて書いているので、事件を殺人にすることは滅多にありません。ミステリーを書くうえで、殺人事件が魅力的な素材であることは確かですが、「当事者性」という意味においては、主人公が刑事であれ探偵であれ死者の近親者であれ、直接の被害者にはなりえません。その殺人事件を「社会的な死に瀕する事件」に置き換えることによって、主人公は真正の当事者になりうる。つまりは、読み手が事件の「最大の被害者」とともに物語の中を歩ける、という利点が生じることになります。

では、起こってほしくない出来事とはどんなものかと言えば、決して「大事件」である必要はありません。あくまで主人公にとって「大事件」であればいいわけです。私の作品を例に引くなら、「密室の人」（『動機』所収／文春文庫）がその典型的なものです。主人公である裁判長が公判中に居眠りをしたうえ、寝言で若い後妻の名を呼んでしまう、という書き出しです。起こってほしくない出来事には「職業人として」と「個人として」の二通りがあるわけですが、この裁判長の場合は、「職業人として」の比重がかなり高いケースと言えます。

この作り方は、逆からアプローチすることもできます。つまり、何か悪い出来事が起こった際に、その出来事によって最も窮地に陥るであろう人物を考え出して主人公に据えるという方法です。

警察小説の「動機」（同前）がそのタイプに当たります。発想の出発点は、「警察手帳は一冊紛失しただけでも部内で大騒ぎになる。では、その警察手帳が一度に大量に消えたらどうなるか」というものでした。現実社会では、ほとんどの警察署が今、署員の手帳紛失事故を恐れ、帰宅時に手帳を署内に置いていく「一括保管制度」を採用しています。しかしそれは、見方によっては大量盗難事件を招きかねない危険な制度だとも言えるわけです。

さて、実際にその大量盗難事件が起きた場合、最も困るのはいったい誰か、と考えます。署長や警務課長は頭を抱えるでしょう。事件を調査する監察官や捜査員も、犯人の目星がつかなければ焦りを濃くするに違いありません。そのうちの誰を主人公に据えても緊張感の伴う物語を書くことが可能だったと思います。

結論から言うと、私は、その県警で一括保管制度を起案し、導入した本部警務課の調査官を主人公に選びました。いわゆる「言いだしっぺ」の人物ですから、署長や監察官よりも事件を知らされた時の衝撃が大きいと踏んだわけです。補強材料として、主人公が制度導入に際し、刑事部の反対を押し切って強行実施したという経緯を盛り込み、さらには、生真面目な警察官だった父親がその生真面目さゆえに心を病んでいったエピソードを絡めることで、「職業人として」だけでなく「個人として」も決して起こってほしくない事件に組み上げていったわけです。

また、こうしたストーリーの場合、タイム・リミットを設定することも効果的だと思います。「動機」では、二日後までに犯人を挙げられなければ盗難事件を記者発表せざるをえない、とのシバリをかけ、「公表」イコール「組織の中での死」を読み手に印象づけ、中盤から後半にかけての緊張感の持続に役立てました。

作品に緊張感を持たせるもう一つの方法として挙げたいのは、ディテールです。[③④]作品の舞台や主人公の職業の専門性などに関する的確なディテールの積み重ねは、物語にリアリティを与え、そのリアリティが作品全体にほどよい緊張感を与えます。短編の場合、「入口付近」はとりわけ重要で、設定した状況や人物をいち早く立体化させるため、吟味したディテールを文章の中に無理なく織り込んでいく作業に腐心します。

私は二種類のディテールを使います。資料、経験、取材などから得た蘊蓄が一般的なものですが、それとは別に、既に獲得した知識をもとに自ら創り出す「創造的ディテール」、あるいは「想像的ディテール」とでもいうべきものです。ディテールとディテールの間に、もう一つ、架空のディテールを加えて現実と虚構の隙間を埋めていく、といったことだと考えて下さい。

この思考方法は、ディテールに限らず、物語の核となる部分の構築にも応用可能です。「ここに縦に並んだ二つの真実があるならば、その延長線上には必ずこうした真実もあるはずだ」という確信。同様に、「横並びする二つの真実があるならば、その間には間違いなくこうした真実がある」と読み切って導き出す結論といったものです。

無論、それらは「虚構」の部類に入るわけですが、真実と真実の間に挟まれた虚構は、それがとことん考え抜かれたものであるならば、オセロゲームのように真実へと色を変えます。その逆に、虚構と虚構に挟まれた真実は、どれだけ真実だと言い張っても虚構に裏返ってしまうということです。

いずれにせよ、ミステリーを書くという行為は、読者に対して謎を含んだ物語を仕掛けると同時に、常に書き手自身が推理の線を果てなく延ばし、想像力をフル稼働させ続ける行為にほかなりません。そうした作業によって、二つの真実の間に、現実にはどうしても目にすることのできないもう一つの真実を「言い当てる」ことが、新たな物語世界を切り開くことになると思います。

ミステリー作家への質問

Q.推敲するときに気をつけていることは何ですか

●基本的にミスのチェック。時制とか誤字とか。<青山智樹>
●漢字の「閉じ」と「ひらき」です。<秋月達郎>
●同じ表現の繰返しを避ける、できるだけ簡明な言いまわしに換える、などなど。<浅黄斑>
●文章の上では自己制限を徹底することです。しかしそれでも、捨てるべきか否かという文章のブロックが出てきます。それを捨てるように心がけています。要するに最初の原稿にこだわらないことに気をつけています。担当編集者に根ほり葉ほり感想を聞くことも心がけます。自分が面白いと思ったことをよりシェイプアップすることが最終的な目的ですので、細部は細部に過ぎないと思うようにしています。神が宿る地ではありますが。<浅暮三文>
●文章の緊張感。<朝松健>
●エピソードや提示されるデータの順番・流れがスムーズになっているか。<芦辺拓>
●フィーリング。そして、いかにわかりやすくするか。<飛鳥部勝則>
●できるだけ文章を刈り込む。<梓林太郎>
●推敲は、必ず縦書きにして行う。<東直己>
●あえて言えば、文章の流れでしょうか。<阿刀田高>
●つじつまがあっているかどうか。<我孫子武丸>
●みっともない文章をなるべく残さない。<綾辻行人>
●正しい日本語であること。20年後に読まれても表現が陳腐でないこと。<有栖川有栖>
●繰り返し読むしかない。<安東能明>
●重ね言葉や、情景の重複、同じ表現。<伊井圭>
●他人に内容が伝わるか。<飯野文彦>
●・いかにスムーズに読めるようにするか ・全体のリズム感の統一 ・人物たちの整合性<五十嵐貴久>
●文章のつながりやリズムの良さを、徹底的に見直すこと。<石田衣良>
●文章の流れ。<石田善彦>
●音読して、言葉のリズムをチェックします。<伊多波碧>
●辞書を座右におき、誤字に気をつける。だぶった使用をさける。簡潔がよいといっても新聞の編集手帳のような節約した文章はこまりものなので注意する。<伊藤秀雄>
●全体的バランス。<稲葉稔>
●1.文章の表現が独りよがりにならないこと　2.編集者の示唆は出来るだけ取り入れること　3.リアリティ（最近はおもしろく読ませることも意識し始めた）。

＜伊野上裕伸＞

●考えが行き詰るまで考え、考え尽くしたと思ったらしばらく間を置いて、忘れた頃にもう一度考える……といったことを何回か繰り返します。＜井上夢人＞

●語尾や同一名詞が同一頁内に続けてでてこないようにしています。＜上田秀人＞

●話の整合性。スピード感や濃淡のバランス。冗長な部分の削除。＜薄井ゆうじ＞

●小さなミスも逃がさないように注意します。＜海月ルイ＞

●視点、てにをは。＜えとう乱星＞

●センテンスの終わりが「である」「である」「していた」「していた」などとだぶって単調にならないように気をつけます。＜逢坂剛＞

●ストーリー上の矛盾点がないか。ミステリーとしての仕掛けが問題なく機能しているか。＜大倉崇裕＞

●文章のリズム。＜大沢在昌＞

●文章としての流れの良さ。＜太田忠司＞

●数字的なデータ、日、時など、前後で矛盾しないよう、ミスが起きないよう、気をつけています。＜大谷羊太郎＞

●ひとりよがりな表現はけずる。＜恩田陸＞

●読みやすい文章になっているかどうか、頭の中で音読する。＜霞流一＞

●文章のリズムです。私は雑誌発表段階でも、本にした時の行立てを推定し、最初からパソコン上の画面をその行立てにして作品を書き進めます。ですから、その段階で版面が美しいと思える形になるまで推敲します。＜香納諒一＞

●登場人物の与えられた性格が途中で変っていないか？　謎ときに合わせるために無理矢理、人物の性格行動を途中でねじまげていないか？　＜川野京輔＞

●語句を直す場合、その文章だけではなく、前後2頁くらいに目配りする。＜貴志祐介＞

●99%、推敲はしない。＜北方謙三＞

●素直に音読できるような文章にすること。＜北村薫＞

●音読してみて、リズムが良いように直します。＜北森鴻＞

●第三者的視点をもつよう心がけます。＜鯨洋一郎＞

●書き進んでいるときはあまり考えないでどんどん続ける。推敲のとき不要な部分や重複を削除する（第1回）。語尾や形容詞の整理を（第2回）。全体の流れ（第3回）。一読者として（第4回）。但し、時間があれば、ここまでやりたい。＜久保田滋＞

●文章のリズム。必ず音読します。＜倉阪鬼一郎＞

●書いているときは夢中であり、かなり思い込みで書いているようです。その思い込みをなくすために時間を空けて推敲するのがいいのですが、なかなか思う通りに行きません。文章面では言葉の重複や説明の重複、簡潔に出来る文章はもっと簡潔にと心がけています。＜小杉健治＞

●改行の頻度。＜小森健太朗＞
●書いているときは熱中しているので、つい筆が走ってしまいがちですので、くどい表現をしていることがあります。それを削ります。それを生かしたほうがいい場合もあるのですが、私の作風には合いません。細かいことでは、同じ言い回しが頻出しないように点検します。＜斎藤純＞
●北海道出身なので「ら」抜きの台詞。＜佐々木譲＞
●知ったかぶり。ヘタにペダンチックになってないか。説明を描写に書き換え、先を急ぐとプロットに合わせて文章が説明調になる。多いと説教になり、強引に読者を説得しようとしてるので失敗作となる。失敗作が多いんだがね。＜嶋崎信房＞
●言葉の重複をさける。前に書いたのとは違う文章。つい、自分の好みの語彙で作ってしまう。＜子母澤類＞
●文章のリズム。同じ言葉が繰り返されていないか。＜新野剛志＞
●独りよがりの文章をなくす。＜真保裕一＞
●全体のバランス、書き急ぎの補充、などです。＜菅浩江＞
●声に出して読むこと。＜鈴木輝一郎＞
●ほかの部分と矛盾しないように。説明過多にならないように。＜高井信＞
●展開がスムーズかどうか。もっといい言葉（表現）はないか。緊張感が持続しているかどうか。＜田中啓文＞
●表現を簡潔に。＜田中光二＞
●登場人物の行動に矛盾がないかどうか。主要人物の場合は大丈夫だが、長編の脇役は、結構ぶれることがある。＜谷甲州＞
●自分が書いたことを忘れ、読者として読みます。＜辻真先＞
●「このシーンでは、何をいいたいのか」を常に頭において推敲する。＜汁村真琴＞
●以下のことに気をつけています。1. 物語の整合性　2. 文章のリズム　3. 文法上の誤り＜釣巻礼公＞
●（1）物語の流れが自然であるかどうか（2）読者にとって、読みやすいかどうか（文章が）。＜富樫倫太郎＞
●接続詞や、語尾が繰り返してないか、くどくないか。言い廻しというか、構文を極力シンプルにすること。＜友成純一＞
●ストーリーの辻褄が合っているかどうか。本格ミステリでは特に大切。＜鳥飼否宇＞
●物語に、そして文章にメリハリをつける。＜中里融司＞
●論理の齟齬、文章表現。＜夏樹静子＞
●なるべくアッと言わせる展開を心がける。＜夏野百合＞
●日本語としてダサい表現がないように。＜難波弘之＞
●無駄を排する。自分が退屈しない。＜二階堂黎人＞
●自分の文章に酔わないこと。＜西村京太郎＞

●時間をおいて熱を冷ましてからとりかかる。<野沢尚>
●「てにをは」の問題。<法月綸太郎>
●まえに書いた事実と違っていないか。重複していないか。文章のリズム等。<橋口正明>
●ムダな文章を削る。<東野圭吾>
●漢字が多く、文章が「濃く」ならないこと。重複描写を削ること。文字の統一にはこだわらない。<樋口明雄>
●読者に解り易い表現かどうか。表現が正確かどうか。<深谷忠記>
●飽きずに読めるように工夫する。<藤木稟>
●矛盾点をなくすことと文章のチェック。<藤田宜永>
●連載時には気づかなくても、連載終了時には何が不足で何がよけいかは本能的にわかっている。単行本化の際にそれを加筆修正する。<船戸与一>
●リズム、それだけです。<本多孝好>
●作中の矛盾。<牧野修>
●格好いい（と自分で思っている）比喩などにおぼれないように。<松尾由美>
●テンポを心がける。気どった言いまわしより、読み易さが大事。<松岡圭祐>
●イメージや意味が、読む人に的確に伝わる言葉になっているか、細心の注意を払います。<松島令>
●同じ表現のくり返しを極力削る。<光原百合>
●余分な言葉を削ります。<宮部みゆき>
●文章のリズム。<森博嗣>
●いろいろな意味での矛盾の解消。同じような表現の羅列がないか(同じ言い回しも)。誤字脱字。<八重野充弘>
●自己模倣をさける。<横山秀夫>
●途中で文を加筆する時に視点を間違えることがあるので気をつけている。<吉田縁>
●・登場人物の視点。・文章のリズム。・読者の目。<羅門祐人>

第5章

ミステリー作家として

シリーズの書き方

大沢在昌 OSAWA Arimasa

①シンプルなストーリーをどうしたら面白くできますか
②小説の要素のうち、何から決めて書きますか
③キャラクターの魅力的な作品でお手本となるものは何ですか
④警察小説の代表的なものを教えてください
⑤警察小説には、独特の構成パターンがあるのですか
⑥舞台となる街の空気感を小説に込めるにはどうしたらいいですか
⑦タイトルはいつつけますか
⑧物語を面白くする登場人物の設定方法を教えてください
⑨物語の後半を盛り上げる方法を教えてください

⑩物語を面白くする登場人物の設定方法を教えてください
⑪シリーズ化する場合のポイントは何ですか
⑫密度の濃い小説を書くには、どのような方法がありますか
⑬⑭ご自身の作品で最も構成がうまくできた作品を教えてください
⑮登場人物を事件に巻き込むためには、どんな工夫が必要ですか
⑯登場人物にリアリティをもたせるにはどうすればいいですか
⑰シリーズで、マンネリを防ぐためにはどうすればいいですか
⑱どうやって殺人事件を魅力的に描きますか
⑲シリーズで、マンネリを防ぐためにはどうすればいいですか
⑳小説を書くときに取材は必要ですか
㉑作品は常に同じスタンスで書くべきですか
㉒物語の主人公は成長させなければいけないですか
㉓㉔シリーズもののデメリットは何ですか
㉕シリーズに挑戦する人に対するアドバイスはありますか

――「シリーズの書き方」というテーマなんですが、とくに《新宿鮫》をテキストにして、大沢さんがこのシリーズをどういうふうに書き継いできたのか、一作ずつ具体的にお話を伺いたいと思います。まず最初は『新宿鮫』（一九九〇年九月刊）ですが、執筆の経緯については、『無間人形』カッパ・ノベルス版のあとがき（「新宿鮫との出会い」）でお書きになってますね。

大沢　はい。

――これ、すごく興味深く読んだんですけれども、ご存じない方のために簡単に紹介します。編集部から依頼があった八三年の時点で考えていたのは、「一見さえない中年サラリーマン、実は凄腕エージェント」というキャラクターが出てくるエスピオナージ的なものだったけれど、一枚も書かないまま六年が過ぎて、次に催促されたときには「脳外科医を主人公にした『パニック医学ミステリ』」を考えた。ところがそれも行き詰まって、最後に、「アクション映画のようにすかっとする小説がいいなあ」と思いつく。

「かっこいい主人公がいて、かわいいヒロインがいて、そのヒロインの命を守るために主人公が大暴れする。ヒロインはロックシンガーで、コンサート会場がクライマックス。主人公は刑事かな、といった単純なアイデアである。／ちょっと考えただけで、いかにも陳《ちん》腐《ぷ》、ありふれたアイデアである」

と、ご自身で書いていらっしゃいますが、そういう誰[1]もが思いつくような話を、誰が読んでも面白く思わせるにはどうすればいいかと考えたとき、出てきた答えが「会話」だったと。生々しく下品だけど、そのぶんリアルな会話を作ることができれば、成立するはずだと思った。そしてリアリティのある刑事にするために、「キャリアの落ちこぼれ」という設定を作り、名前を鮫島に決めた。「えげつないなあ」と思ったが、「この際とことん、えげつなくなってやろう」と決意して、舞台は新宿、渾名は新宿鮫、「どうだ、笑いたきゃ笑え、殺さば殺せ、もってけドロボー！　という開き直りである」というふうにして《新宿鮫》が誕生する。私が意外だったのは、てっきり舞台の新宿を先に決めたと思ったんですよ。ところがこれを読むと、鮫島という主人公の名前が先にあって、次に新宿という舞台が決まり、だから「新宿鮫」になった、と。いつもそんなんですか。主人公の名前から先に考えるんですか。

■『新宿鮫』の誕生

大沢　名前っていうか、キャラクターですよね。僕はいつも小説書くときに、まずキャラクターを決めて、そこから舞台をどこにするかを決めるんです。シリーズものの場合だと、主人公のキャラはすでに決まっているから、悪役であるとかヒロインであるとかをどうするか、まずそこから考える。それががっちりできるときもあれば、曖昧なままスタートして失敗したなと思うときもあるんですが、基本的にはまずキャラクターありきなんですよ。

『新宿鮫』の前に、『氷の森』（講談社／一九八九年四月刊）を書いたんですが、これが思ったようには受けいれられなかった。自分のハードボイルドの集大成を書こうという、明らかに確信犯的な意図があって、他の仕事も全部セーブして、一回五十枚の連載に集中して、今までにないタイプのハードボイルドの敵役とか、そういうものを模索しながら書いたんです。

自分では非常に難しい仕事をやり遂げたつもりになったわけですね。それで結果が出たかというと、ご存じのとおり出なかった。すごく意気消沈して、どうしたものかなと。当時ちょうどデビュー十年目くらいだったんですが、結婚した直後ということもあって、今後どうなってしまうのだろうと初めて不安になった。

でも、とにかく食ってかなきゃいけない。次、カッパ・ノベルスの書き下ろしをやることだけが決まっていて、その時点で頭にあったのが、先ほどちょっと触れたパニック医学ミステリだったんです。この小説に関しても、いろいろと小難しいことを考えていたんですが、『氷の森』に対する反省というか失望から、めんどくさい話はもういいよと。小難しくやってもダメなもんはダメじゃんと思ったんです。

じゃあ、「めんどくさくない話ってなんだ？」と考えると、要は単純な話なんですよ。主人公がいて、ヒロインがいて、悪いやつをやっつける。組織に所属している人間をそれまで書いたことがなかったんで、「じゃあ刑事が主人公の勧善懲悪のベタな話でいくか」

と。ただ、よくある一匹狼の刑事をぱっと書いちゃうと、それはあまりにも嘘だろう。まして やハードボイルドを書いてきた自分が、そういうのを書いたのではリアリティのかけらもないじゃないかと。

そこで頭に浮かんだのが、E・R・ジョンソンの『内部の男』（高沢瑛一訳／ハヤカワ・ミステリ・シリーズ／一九七一年刊）[③]です。内部監察班所属で、同僚から嫌われている孤独な主人公、『内部の男』、『シルヴァー・ストリート』のトニー・ロント刑事。その後読み返したらそれほどでもない作品だったんだけど、最初に読んだ高校生くらいのときはすごくインパクトがあった。ああいう、とにかく一匹狼にならざるをえない主人公を書きたい。ただし日本では、嫌われ者の刑事でも、誰も組んでくれないってことは考えられないんで、なにかいい材料はないかと泥縄で警察のことを調べたわけです。そこからキャリア制度が出てきた。キャリア制度の矛盾を突こうなんていう気は全然なくて、僕としては隠し味の調味料として〝カレー粉〟を使うくらいの気持ちで、〝キャリアの落ちこぼれ〟という主人公を創造した。これで、誰も組んでくれないキャラができあがったと。

じゃあ、そいつをいったいどこの所轄に飛ばすか。本庁じゃないことは明らかですから。いちばんよく知ってるのは当然六本木で、所轄は麻布署です。でも、当時の六本木はバブルの後期ですから面白みがない。やっぱりマンモス都市・新宿、ここしかないだろうなと。

■新宿の理由

大沢　新宿なんか一度も書いたことない、めんどくさいなと思ったんですけど、でもまあどうせ刑事が主人公の話だし、いろんな事件がいっぱい起きるだろう。《87分署》(エド・マクベイン《87分署》シリーズ／ハヤカワ・ミステリ文庫ほか)じゃないけど、同時進行で複数の事件が発生するほうが話が膨らむ。だいたい、捜査一課の刑事が殺人事件をずっと追ってくような話は、主人公や事件の設定で言うと、日本のミステリーの中ではもしかしたら一番多いくらいのパターンなんで、それを外すとしたら、やっぱり、同時進行型の複数犯罪小説だと。そう考えると、新宿がベストチョイスになる。そこでやむをえず新宿を舞台にする、新宿署にすると決めたわけですね。そこからまた新宿の勉強を始めるわけです。

ご存じのように、もともと新宿は僕にとって馴染みのある街じゃないんで、一番参考になったのは、参考文献にも挙げてありますけれど、『欲望の迷宮』というノンフィクションです(橋本克彦／時事通信社／一九八九年三月刊→現・ちくま文庫『欲望の迷宮　新宿歌舞伎町』)。

そのあと自分でも新宿に足を運んだりしました。で、あるとき、歌舞伎町で喧嘩を目撃したんです。片方がスジ者で、片方がカタギだった。でも誰も立ち止まらない。それを見たとき、「これが新宿だ」と思った。

カタギ同士の喧嘩なら野次馬が集まってきますよね。だけど片方がスジ者だとわかると、人の波が一瞬立ち止まるだけですっと離れていく。新宿におけるやくざのポジションが、そこにはっきりあらわれていると思いました。やくざがいることを拒否はしないけれど、関わることは拒否するという。今や盛り場すべてのルールになってますけど、とくに新宿は、多くの人が「新宿＝やくざが多い街」と思ってるだけに、そういう感覚が強い。

そのちょっとした光景を見たとき——これは『新宿鮫』の冒頭シーンにそのまま生きてますが——新宿の街の空気がここにあるなと思ったんですね。そこから、「この街には、ふたつの法がある。刑法と暴力だ」（文庫版25ページ）っていうフレーズが出てくるんだけど、もしかしたらこれで新宿を舞台にして書けるかもしれないなと、そのとき漠然と思ったのを覚えてます。

で、まあ、主人公は嫌われ者の刑事。キャリアの落ちこぼれ。どうせなら名前もインパクトのあるものにしたいっていうことで、鮫島と。僕は釣りが好きで、鮫島という釣りの名所が房総にあるんですね。で、次はタイトル。書き下ろしなんで、決めずに書きはじめたんですよ。でも、わりあい早い段階だったと思うけど、書いているうちに「新宿の鮫島……新宿のサメ……新宿鮫！」って言葉が出てきた。自分でもさすがに「うわぁ」と思ったんだけど、半ば『氷の森』失望症候群みたいなものもあって、いささか開き直った気分でしたから、どうせだったら、とことんえげつなくいくかと。叩かれてもいいやって気持ちもあったし、どうせ誰も読みゃあしねえやっていう感覚もあるわけです（苦笑）。『氷の森』を誰もそんなに評価してくれなかったわけだから、これだって知らないうちに出て、知らないうちに初版で消える小説になるだろう、そんなふうに思ってました。

ただ、桃井のキャラが浮かんできたときに、あ、もしかしたらこの小説、いけるかなと。署内では「マンジュウ」（死体）と渾名されている。死んでしまったような男なんだけど、実は死んでないという。本来、それこそハードボイルドの主人公になるキャラなんですが、それを脇役に持ってきたのは「贅沢なキャスティング」っていう感覚なわけですよ、僕の中で。あ、贅沢なキャスティングができたなと。するとこれは書いてて面白い。

それと、鮫島が木津から救出されるのは、本来ならクライマックスシーンなんだけれども、二段構えのクライマックスにできた。次に砂上を、それもヒロインの晶のコンサート会場で逮捕するっていう二段構えの山場を作れたことで、自分としては面白いものができたという気がしました。ただもちろん、売れるとかヒットするとかはこれっぽっちも思ってないです。

――手応えはあったけれども、まさかこんなに大ヒットするとは思ってなかった。

大沢　全然思ってないですよ。自分なりに手応えがあったものなら、他にもありましたからね。だけどそれは同じことの繰り返し（初版どまり）だったんで。自分としては、まあこんなもんだろうという感覚です。

――ということは、一作目を書いてるとき、シリーズ化する意図はなかったんですか。

大沢　なかったですね。ただ、『新宿鮫』ってえげつないタイトルだなって思いながら書いている最中、ふっと「毒猿」って言葉が浮かんできて、これもえげつなくて面白いなと。で、こんな小説、独立して書いてたってしょうがないから、もし『新宿鮫』がそこそこ評判が良かったら、第二作のタイトルは『毒猿』にしようと思ったんです。

――その一作目に、真壁という男が出てくるんですが、「真壁とは、近い将来必ず対決する――鮫島の心に予感があった。そのときは、簡単にはすまないだろう」（文庫版55ページ）と作中に書かれています。読者は、これはよほど重要な人物だろうと思うわけです。ところがその真壁は、ひとりでアジア人グループのアジトに乗り込んで、リーダーを射殺して、自分も刺されて重傷を負って新宿署に出頭し、物語の半分手前で退場しちゃう。死んでないことは明らかなんだけど、刑務所に入ったら、出てくるまで時間がかかりますよね。

大沢　それはもう、相当かかりますよね（笑）。

――どこかでこの真壁を再登場させて、鮫島と対決させるということを、すでにこの段階でお考えになったんじゃないですか。つまり、もうこの時点で《新宿鮫》をシリーズ化させようとしていたのではないかと、私は推測しているんです。そうじゃないと真壁の存在が非常にヘンなんですよ。
大沢　あれは、真壁のキャラを表現するうえでの言葉なんですよ。変な言い方になりますが、鮫島ほどの〝剣豪〟になれば、すれ違ったときその場では斬らなくても、「こいつとやるときは半端じゃ済まないだろうな」って感じると思うんです。だから、真壁がそれきり出てこなくても、僕の中ではよかった。ただ、真壁を読者に印象付けるためのフレーズであって、実際に小説中で対決を実現しようという気は、この時点ではまったくなかった。
――はあ、そういうことですか。この真壁が……。
大沢　だから、⑩これもまたキャラの贅沢な使い捨てという感覚で、僕の中ではまあ良しだな、と。確かに印象に残るキャラクターですが、もともとは木津の作ったライター型の拳銃をクローズアップするための道具なんですよ。つまり、木津のキャラクター作りがあって、木津の作るピストルがあって、そのピストルをクローズアップするために真壁がいる。鮫島が抱く「予感」は、その真壁をクローズアップするためのフレーズなんです。

■『毒猿』――「今度は戦争だ！」

――でも、そうやって書いた『新宿鮫』が大ヒットして、約一年後に『毒猿』（一九九一年八月刊）をお出しになります。当然今度はシリーズ化を意識しますよね。そのとき、最初にお考えになったポイントって何ですか。
大沢　⑪小説のかたちを変えるということです。

最初に言っておかないといけないのは、小説を書くとき、とくにシリーズものはそうなんですが、僕はまず「かたち」を考えるんですよ。今度はどんなかたちの小説にしようか、と。

　過去に自分が書いてきたものや、今まで読んできた他の人の作品も含めて、小説のかたちってあるじゃないですか。うまく表現できないんだけど、料理で言えば料理法とか。同じ素材を唐揚げにするか炒めるか、生で食べるか煮るかっていうバリエーションの中で、次の作品は、『新宿鮫』とははっきり味付けを変えよう、かたちを変えようと。それは前提としてあった。

　そのとき、[12]僕の中にある『新宿鮫』のイメージは、鮫島が木津という男をずーっと追っ掛けていく一本道の小説だったんですよ。だから次は、もっといろんなものを投げ込んで、横筋のいっぱい入った密度の高い作品にしようと考えたんですね。

　そこで頭に浮かんだのが、映画の『エイリアン』。一作目は、密閉された宇宙船の中で暴れまわるエイリアン一匹と戦って、クルーがひとりずつ殺されていく、わりと一本道の話だった。ところが監督がリドリー・スコットから、ジェームズ・キャメロンに替わった『エイリアン2』は、エイリアンがいっぱい出てくる。「今度は戦争だ!」っていう宣伝文句がテレビスポットで流れてましたよね。『エイリアン2』は大好きな映画で、すげえ面白いなと思ったんですよ。

　だから二作目を考えているとき、「今度は

戦争だ」っていう文句がぱっと頭に浮かんだ。要するに、新宿を戦争状態にしようと。どういう戦争かはまだ全然考えてないんだけれど、とにかく新宿を戦争に巻き込む。「毒猿」という言葉は、鮫島の敵役というか対決相手の名前にぴったりだから、タイトルは『毒猿』、中身は新宿が戦争になる。それでかたちができたんです。そこから何を書くか考えて、日本人じゃないほうが戦争になったときにリアリティがある。だから、中国人か台湾人の殺し屋がいいだろうっていうことで、今度は毒猿の肉付けを始めるわけ。いろいろ取材した結果、「水鬼仔《ツイクイア》」っていう海軍特殊部隊が台湾にあって、これが最強のエリート集団で、しかも武道はテコンドーを導入してると。それで今度はテコンドーのことを調べて。

そうやって毒猿のキャラがある程度できたとき、じゃあ何をしに来るのかと。毒猿が単純にキリングマシーンなら、鮫島が戦って勝てるわけがない。所詮、射撃訓練もろくすっぽ受けてないような日本人の刑事が殺しのプロと対決して勝っちゃったら、それはリアリティも何もない。だから、正面対決は避けたいっていう気持ちがあったんですね。リアリティをなくさないために。

そこで、復讐のために日本に来ると。で、今度はそれを追って台湾人の刑事（郭）が来て、毒猿との間には男の友情がある。さらに、鮫島とその台湾人刑事の間にも男の友情ができる。メインはここだなと。「今度は戦争だ」につながる要素をそこらじゅうにちりばめて。

ただ、ひとつ問題は、毒猿は日本語がしゃべれない。彼はいったいどうやって日本で行動するのか。通訳が必要だ。どうせだったらこれは女、それも薄幸な女がいいと。それで、残留孤児二世の日本人の女の子（奈美）が出てくる。

⑬実は自分でも、《新宿鮫》シリーズ中、『毒猿』はいちばんきれいなかたちでできた小説だと思ってるんです。あれだけ多くの登場人物がいながら、それぞれが落ちつくべきところに落ちついて、話が完結してるから。まあ、毒猿が虫垂炎で死ぬっていういかにもな設定なんだけれど、ある意味、これはこれでやむなしと。彼にはやっぱり生きて虜囚の辱を受けさせるわけにはいかない。

⑭小説の結末で、もう一生涙は出ないだろうと思っていた奈美が毒猿の若い頃の写真を見て泣くっていうのも、すごくきれいなラストシーンだと思うし。自分が組み立てた小説のかたちに必要なパーツが全部パッパッパッときれいにはまって、最後まであまり乱れることなく落ちついた。その意味では、自分としてもテキストどおりにできた小説だなという気がしてるんです。

——面白いですねえ。作者の意図ってそうなのかと。こちらは全然違うふうに考えてたんです。つまり、一作目がヒットしてシリーズ化するとなったときに、当然考えるのは、主人公を物語の前面に出してしまうと大変じゃないですか。そのたびにいろんな目に遭わせなきゃならないし。長く続かせるためには、主人公を一歩後退させたほうがいい。たとえば一作目は鮫島が木津に捕まって危機に瀕してますよね。でも毎回あんなに危機に瀕してたらやってられないから、物語の前面からちょっと退かせたほうがいい。だったら強烈な敵役を出してきて、そっちに物語の中心軸を置けば、主人公は傷つかないで済む、ということをお考えになったんじゃないかと思ったんですよ。

大沢　いや、全然考えてなかった。

――というのは、さっき、毒猿と対決したら勝つわけがないとおっしゃったけど、たとえば（『新宿鮫』の敵役の）木津だって、鮫島は自力で勝ってないんですよね。ただ捕まってるだけで、桃井が助けてくれるわけですから。そういうパターンもありうるわけですよ。毒猿と対決しても勝てないんだけれども、誰かがまた間に入ってどうにか助かるとか。なのにそれとまったくかたちを変えてしまったのは、シリーズを長続きさせるうえで、主人公を物語の前面から一歩後退させるという意識があったのかなと思ったんですよ。

大沢　長続きさせるという意識は、まだこの時点ではないんですよ。

――ほう。

大沢　つまり、『毒猿』ができあがったときは自分でも「いける」と思ったけど、『新宿鮫』があんなに売れたこと自体、自分としては「何これ？」って感じで、まさか自分にとってこんなに大きな存在になるとは思っていない。確かに賞はもらってましたけれど（日本推理作家協会賞、吉川英治文学新人賞）、でも何十万ていう人が待ち焦がれるようなシリーズになるとは思ってないですよ。たまたま『このミス』（『このミステリーがすごい！　1991年版』宝島社）で一位になったりとか、そういうことで売れたんだと。『毒猿』に関しては、同じだけ売れることはもうないだろうと。その時点でたしか『新宿鮫』が十万部とか十二万部とかだったから、七万、八万ぐらいのレベルだろう程度に思ってたわけですね。それでも今までの自分の実績で考えれば御の字ですから。

『毒猿』は自分では気に入ってるけれども、『新宿鮫』は警察制度の盲点をついたとか、窓際族の励ましになるとか（笑）、そういう評価があって、僕としては「いやあ、全然そんなつもりじゃないなあ」と思ったけど、売れた原因はそれかなって頭もあったし。『毒猿』のような直球のアクション小説は、逆にそこまでいかないのじゃないかなと。

やっぱり初めてのベストセラーですから、自分の中で判断がついてないんですよ。なんでそうなったかとか考えてもしょうがないし。書くスタンスを変えてないと前から言い続けてるのはそれなんですよ。一作目を汚すような二作目は書けないっていうプレッシャーはあったけど、売れる売れないとか、シリーズとして長続きするとか、そこまで考えていない。逆に、長くやればダメになるに決まってるっていう頭があったんで。だから、シリーズの先を考えて、鮫島を後退させようなんて全然考えてない。

馳（星周）も、《新宿鮫》の中で『毒猿』は別だ、あれはシリーズものとは言えないんだって書いてましたけど、僕にとっては全部同じだから。《新宿鮫》シリーズだ、鮫島が出てくるじゃん、だからいいんだよそれで、と。

――『毒猿』は小説としては評価するんですが、個人的に好きじゃないのは、鮫島をある種傍観者の立場に置いてしまったからなんです。たぶん確信犯だろうけど、「それ、ずるいんじゃないの」と。

大沢　みんな傍観者だと言うけれど、僕自身の中ではそんな意識は全然なかったんです。鮫島ちゃんと活躍してるじゃんって（笑）。

■『屍蘭』――シリーズの安定

――その『毒猿』もヒットした。すると当然、第三作『屍蘭』（光文社／一九九三年三月刊）のときには、もうこのシリーズは続くというふうに思ってましたよね。

大沢　そうです。そのときに、ものすごい勢いで売れてましたから。はっきり覚えてないけれど、『毒猿』が瞬く間に十万部を超えたとき、『新宿鮫』は二十万部を超えてましたから。しかも毎月のように重版している状態で。『毒猿』が出たら『新宿鮫』がまた売上ベストテンにランクインして、担当の渡辺（克郎）くんとも「これ、どこまでいくの？」「いや、わかりません。こんな経験ないです」って。もしかして、とんでもないことになってるなと。

で、次によく言われたのが、「鮫、猿ときたら次は鯖ですか」とかね（爆笑）。それ面白いけど鯖じゃ魚だしな、鮫と一緒だしなあって。やっぱり、魚、動物ときたら、次は植物だろうと。それで蘭にしたんです。

——えーっ、本当にそういう考えなんですか！

大沢　そうなんです。実はこれ、編集者との雑談で、全然関係ない他人の小説の話をしてるときに思いついたタイトルなんです。「蘭だったらさ、屍蘭とかっていいんじゃない？蘭は死体の臭いがするとか言うじゃん」って。それを編集者が思い出して、「大沢さん、『屍蘭』って前に言ってたじゃないですか。あれいいっすよね」と。「ああそうだね。植物だしな。『屍蘭』でいくか」って。それが出発点だった。

——つまりタイトルから決まったっていうことですね、この三作目は。

大沢　そのときはタイトルから。「月刊宝石」の連載だったから、まずタイトルを決めなきゃいけないって事情もあったんですけど。そこで蘭と。イメージとしては病室ですね。一作目のタイトルは主人公だけど二作目は敵役だった。三作目も敵役がらみだろうと。ホモの拳銃密造人、最強の人間兵器、次はどんなやつをもってくるか。普通のキリングマシーンとかだと、『毒猿』の二番煎じになっちゃう。

これはやっぱり正反対でいこう。おばちゃんだな、と。どこにでもいるおばちゃんが実は凶悪な人殺しっていう設定でいこうと。そのおばちゃんも、プロの殺し屋というよりは、ちゃんと別の職業を持ってる。じゃあそういうおばちゃんが殺しに駆り立てられる原因はなんだ？　やっぱ情だろう。その情を持っている綾香ってヒロインがそこから出てきた。もうひとつ、材料として頭にあったのが胎児です。これはかなりえげつない題材だけど、正直、ここまで来たら、《新宿鮫》シリーズを待っている読者の人はかなり荒唐無稽なものをぶち込んでも許してくれるだろうなという気がした。それで血液毒についていろいろ調べて、実在しないけれども血を固めてしまう毒を考えて——おばちゃんが拳銃で撃つとかナイフで刺し殺すっていうのは全然合わないから——編み棒の先に毒つけてブスッていう、すごく変な殺し方をする。それでキャラが固まるわけですね。

でも、そのおばちゃんの殺し屋が、普通に雇われて殺人をおかして、それを鮫島が追うんじゃ、話として弱い。一本線だから。そこで胎児の売買をくっつけるわけですね。そこで、おばちゃんが情を持っている相手は男じゃない、女だった。その女が藤崎綾香で、綾香は実はかつて自分の腎臓を移植するために買われたという。つまり自分が逆の立場で被害者だった。そこでおばちゃんに情が生まれた。でも、その女とおばちゃんだけじゃ、そう荒っぽいことはできない。そこでヤメ刑事《デカ》（光塚）が出てくる。新宿を舞台にしている限り、そろそろヤメ刑事の悪役っていうのを出してもいいんじゃないかと。

これで、おばちゃん、綾香、光塚と、三人の主軸ができる。⑮じゃあどこで引っかかるか。殺人はもちろん起きるんだけれども、殺人事件の捜査は防犯の仕事ではないので、フックが必要なんですよ。担当のナベちゃん（前出・渡辺克郎氏）とはよく「フック何にする?」と話してましたね。何がきっかけでこの事件に鮫島が関わるか。1は拳銃の密造、2は薬物。3は盗品故買と、それに売春。じゃあ、知り合いのポン引きと出会って、そいつが殺されたことから鮫島が事件に興味を持つって導入にしようと。今回のフックはこれだな、っていうのができた。このへんから、《新宿鮫》シリーズの基本になるかたちができたかなというところですよね。

――この第三作の『屍蘭』では血液凝固剤、『無間人形』ではアイスキャンディ（錠剤型をした安価な覚醒剤）、次の『炎蛹』には害虫が出てくる。今の説明を聞いてなるほどと思ったんですが、シリーズがもう完全に安定した。

大沢　自信ですね。読者がついたっていう。

――この第三作から第五作まで私は「小道具三部作」と呼んでいるんですけれども。

大沢　ははは（笑）。

――なんか、《ケイ・スカーペッタ》シリーズ（別名《検屍官》シリーズ／パトリシア・コーンウェル／相原真理子訳／講談社文庫）みたいな雰囲気がありますよね。

大沢　なるほど。

■『無間人形』の文学的香気

――次は、第四作の『無間人形』（読売新聞社／一九九三年十月刊）。これは直木賞を受賞して、その受賞コメントで、「シリーズものなんで、とれるとは思っていなかった」というようなことをおっしゃっていますが、でも『無間人形』は傑作ですよ。

大沢　そうですか（笑）。かたちで言うと、これ、ちょっと『新宿鮫』に似てるじゃないですか、晶の危機がラストにあって。それと、選評でも書かれたんですけど、香川兄弟に人間的リアリティはあるけれど犯罪的リアリティがない。どうしてもそれが弱みだなと僕は思ってて。財閥の御曹司がなぜシャブの密造をやっているのか。

――いちばん突出しているシーンが、ラスト近くの、香川昇が景子に殴られながら「幸福だった」（文庫版498ページ）と思うところ。

大沢　つまり男女の複雑な、ねじれた愛情ですね。

――あそこに深い人間ドラマが鮮やかに描かれていますよね。ああいうシーンは《新宿鮫》で初めてなんじゃないかと思うんですよ。一種、文学的な香気がある。これは直木賞をとっても当然だっていう気がします。

大沢　僕は逆に、香川兄弟の造形があの作品の弱点だと思っています。あのへんはメロドラマじゃないですか、とくに景子と香川の兄貴の関係は。あのシーンはちょっとチープだなと思いながら書いてましたから。むしろああいうシーンがないほうが作品として硬くなる。

――そうなんですか。まあそれはそれとして、ここで第一作に出てきた真壁の名前がまた登場する。真壁の兄弟分の角《すみ》という男が出てきて。真壁は三年前に人を殺して刑務所に入ってると。それだけじゃなくて、何度も真壁の話が出てくる。第一作の段階では、真壁を再登場させる意図はなかったとおっしゃいましたけど、この段階ではもう、シリーズが続くことはわかっているわけですよね。真壁をどこかで出そうと意図してたんですか。

大沢　頭のどこかにはありました。でも、これまた、角というやくざにリアリティを持たせるための材料なんですね。真壁は同じ組にいたからよく知ってると。すごくいいやつだった。男だった。あいつが買っていた刑事が鮫島だと。だけど、だから俺も鮫島を買ってるじゃ、話にならない。「でも俺はあいつが嫌いなんだ」ということで、角に人間的な存在感を持たせられる。真壁という触媒を使うことで光らせるっていうか、角のキャラクターがリアリティを持つ。[16]やくざだって人間だから、やくざ同士でいろんな話をするだろう。あくどい話だけじゃなくて人間臭い話もするだろう。そこで真壁の話をさせることで、やくざに人間臭さを出す。

僕が小説家としてもしかしてちょっと新しいことをしたかな、という自負があるとしたら、刑事を主人公にした小説で、本来は悪役であるはずのやくざたちに生活感を持たせたことなんです。やくざだって、女房がいたり子供がいたりするし、落ち込むこともテンションが上がることもある。ビジネスマンなら会社の生活と私生活と両方あるわけですから、やくざにもその両方を持たせたい。ちょっとした会話の中で、「ああ、やくざもおんなじ人間なんだね」と読者に思わせることで、ぐっとリアリティが出てくる。つまんないことでいいと思うんです。「昨日食った飯、うまかったよな」とか、「あいつ、結婚したらしいよ」とか。

変な話ですけど、このシリーズって、やくざにファンが多いんですよ。ファンレターもいっぱい来る（笑）。「拘置所に入ってるけど、若い衆に先生の全作品を買わせたいんでリスト送ってくれ」とかね。俺はこんなにやくざを悪く書いてるのに、なんでだろうって思うんだけど、どっかにやっぱり、彼らが憧れるやくざの生き方があるからみたいなんですよ。ただ強いだけの、健さんみたいなやくざはリアリティがない。といって、悪いばかりのやくざもいやだ。そうすると、悪いことをしてるけど人間臭いところもあるやくざ。しかも心の片隅に任侠心みたいなのを持っていて、ちょっとかっこいいじゃん――というところが、どうもやくざの人たちには好まれるみたいで。

だから真壁の噂話にしても、新宿にはいろんなやくざがいて、毎回いろんなやくざが出てくるけれど、ちゃんと横のつながりがあるっていうのを見せることで、やくざに実在感を持たせる、その材料なんです。書いているときに、「そうだ、ここで真壁の噂話をさせよう。そうするとこいつちょっとリアリティ出るじゃん」って。その程度の感覚なんですよ。

――『無間人形』の直木賞受賞で、このシリーズに対する考え方は変わりました？　たとえば、次作をどうしようって考えるときに。

大沢　いや、それよりも、読者の数がすごく多くなっちゃったんで、そっちのほうが大きいですね。『新宿鮫』はこのとき四十万部くらいいってるんです。その後も版を重ねて、最終的にノベルスで五十万部くらい売ったと思うんですけれど。途方もない数の読者がついているという実感があって。だから、直木賞とったからってことよりも、直木賞までとっちゃった以上は、次は何しようか、くたびれたな、っていう感覚でしたね。

■『炎蛹』から『氷舞』へ

――それで書かれたのが第五作の『炎蛹』（光文社／一九九五年十月刊）。

大沢　直木賞とってから、二年間あいだがあくんですね。これは、光文社創立五十周年記念出版の特別書き下ろしという話で、もう長いものはできないと。とにかく書き下ろしの時間がとれなかったから。それで、また一作目の同時多発型犯罪小説みたいなのに戻ろうと。いくつかの要素を並べて、ちょっとこのへんで軽いものにしようと思ったんです。いや、[17]《新宿鮫》ってそんなに毎回毎回、どんどん厚くなるような話じゃないんで。さらっと読めるB級アクション風の《新宿鮫》もアリだよ、っていうものにしようと決めていた。『炎蛹』は枚数的にもそんなに長くないし、読者も含めて一回クールダウンしようよと。

――ここに植物防疫官の甲屋《かぶとや》という男が登場

してきて、鮫島と協力しながら捜査を始めるんですが、このシリーズでは何作か、一匹狼であるはずの鮫島に協力する男が出てくる話がありますね。後半では、敵対したはずの香田（鮫島と同期のキャリア）もある種の協力者になって。相棒小説っていう雰囲気がところどころに出てくるんですが、これは意図的なんですか。

大沢　意図的です。甲屋っていうキャラは、どうせ一回きりの使い切りのつもりですから。変わり者で学者肌のじいさん。自分が役人のくせに「あんた役人のくせに話わかるな」っていうような、典型的な学者キャラ。それを鮫島と組ませたいと。これがまたさっき言った、小説のかたちとか味付けでしてね。甲屋が最後に怪我して入院するのも計算してましたし。『炎蛹』は、本当にもう、組み立てどおりに話が動いていった。とくに書き下ろしですから、途中でよじれない。連載だとよじれてくるときもあるんですけれど、これに関しては設計図どおりにできた。だから僕の中でも重たい作品ではないな、というイメージですね。

――その前の『無間人形』に比べると『炎蛹』はちょっと軽くて地味な印象なんですが、次が第六作の『氷舞』（光文社／一九九七年十月刊）。これは私は傑作だと思っています。

大沢　ありがとうございます。

――シリーズ最後の傑作になっているのが残念なんですけれども。

大沢　やはりか（笑）。

――これはいろんな、語るべきところがあると思うんですが。ここでヒロインの晶のバンドが売れてきて、鮫島との関係がぎくしゃくしはじめる。そこに江見里《えみり》という新しいヒロインが出てきて、鮫島が少し寄り添っていく。このシリーズで初めて、晶を退場させるのかなという気配が出てきたんですが、そういう意識はあったんですか。

大沢　迷ってました。実は今でも迷っているんですけれど。『炎蛹』は言われたとおり軽い作品だったし、またかなりあいだもあきましたから、読者はやはり重たいやつを待っているだろうと。そうすると、何をもって重くするか。やはりさっき言った味付けの問題になってくる。もうさすがに五種類書いてますから、やってないパターンは鮫島の恋愛ぐらいしかない。しかも当然、犯罪者との恋愛になる。これ、本読みならたぶん、鮫島が江見里に惹かれはじめた時点で「こいつが犯人だ」って絶対わかるはずなんですね。謎の女が殺人をおかしてるっていう前段がありますから、それはしょうがない。あとは鮫島が惚れてしまうほど魅力的な女をちゃんと書けるかどうか。それと最後、別離がどうなるか。江見里を殺すことは考えなかった。これがだから、晶との関係を断ち切らない理由なんですね。もし江見里を殺してしまったら死に別れですから、鮫島にはものすごく残ってしまうんで、晶との関係は終わらざるをえない。だけど、殺さずに退場させる、生き別れさせることで、まだ晶とつながる可能性を残した――というのが僕の結論なんですね。ちょっと話が先走りしますけど。

――今おっしゃった、「やってないパターン」というのは、私は鮫島の恋愛ぐらいだった」というのは、私にとってはたいへん意外な答えなんです……（困惑）。つまり私としては、第二作の『毒猿』でシリーズを続かせるために物語の前面から後退した鮫島が、この『氷舞』で傍観者の鎧を捨ててもう一回前面に出てきたと解釈したんですよ。鮫島の混乱が、このシリーズにある種の緊張感を与えている。もちろんそれだけじゃなくて、『氷舞』には何重にも仕掛けがあって奥行きの深い作品になっているんですが、「やってないパターンが恋愛」っていうふうにはまったく思ってなかった……。

大沢　僕、ほんと深く考えてないんですから、書くときに（苦笑）。

――じゃ、もしかしたらこれもそうなのかな。私は深い意味があると思ったんだけど……。『氷舞』には仙田《せんだ》って男が前作に続いて登場しますよね。このシリーズでは、警察関係者と鮫島の個人的な交友関係を別にすると、複数巻にまたがって出てくるのは、真壁とこいつだけなんですよ。

大沢　そうですね。

――で、その仙田について、『氷舞』では、「仙田は冷静で計算高く、一方で人の心を惹きつける面をもっている。そして必ずまた新宿に戻ってくる。／鮫島はそのときを逃さないつもりだった」（文庫版30ページ）と書かれている。また真壁と同じように、いかにも重要なキャラクターのような描かれ方をしています。で、この仙田は第五作（炎蛹）、第六作（氷舞）に出てきて、第八作の『風化水脈』にも別名で登場してるんですが、非常に珍しいパターンなんです、このシリーズの中では。これも、そんなに意味はないんですか。

大沢　これはあります（笑）。このときにはもう（仙田の登場が）二作目ですから。つまり、真壁はまだ一作しか出ていない。噂話で出てくるけど。仙田に関しては、完全に盛り上げていっているわけですよ、僕の中では。だから、次の《新宿鮫》で仙田と決着つけるっていうのはずっと考えてます。ただ、難しいのは、真壁もそうだったんですけど、仙田があまりにも魅力的なキャラクターなんで、鮫島と殺し合ったり鮫島が手錠をかませたりという決着のつけ方ができるかどうか。

――そうですよね。先の話になるけど、『風化水脈』に名前を変えて出てきた仙田の描き方を見てると、対決する相手じゃなくなってますよね。

大沢　今それで悩んでるんですよ。先に手の内をバラしますとね、鮫島はまだ人を殺したことがないんですよ、一度も。で、そろそろ……って考えてて。それも、憎いやつを殺すっていうよりは、殺したくない相手を殺さざるをえない状況下で殺すっていう小説にしたいなと。そうすると、その対象は仙田かなと、実は今漠然と思ってるんです。果してそのとおりの小説になるかわかりませんけど、もし鮫島が誰かを殺すとすれば、むしろ殺したくない相手のほうが小説として面白いなと、そういう単純な発想で小説書いてるんで（笑）。

――『風化水脈』に別名で登場する仙田を見てると、鮫島は仙田に対してちょっと好意を感じてますよね。おや？　っていう感じがする。

大沢　仙田も恋人を救われた恩義を鮫島に感じてますからね。この関係では到底殺し合いをするとは思えない。しかし、何か材料をまたこしらえて、殺し合わざるをえない局面を作りたいなと思ってるんです。

■『灰夜』と『風化水脈』の問題

――続く二作は、執筆順では先に『風化水脈』（毎日新聞社／二〇〇〇年八月刊）をお書きになって、それから『灰夜』（光文社／二〇〇一年二月刊）なんですが、《新宿鮫》シリーズとしては『灰夜』が第七作ということなので、『灰夜』の話から伺います。ここで初めて新宿を離れたんですが。これはどういう意図なんですか。

大沢　『氷舞』疲れですね。『氷舞』で重たいものを書いたんで、これも僕の中では『炎蛹』と同じパターンで、少し楽な話を書きたい。といって、『炎蛹』みたいなものをまたやってもしょうがないから、今度は鮫島を本当にひとりぼっちにして。これ、鮫島が主人公じゃなくても成立する話ですよね。だから僕の中では番外編なんです。[19]そろそろ作品数もたまってきたから、番外編をやってもいいだろうと。

鮫島の一人称をやるかって話も出たんですよ。あるいは、別の人間の一人称小説に鮫島が出てくるとか。《眠狂四郎》シリーズにそういうのがあるの覚えてます？　女の視点で狂四郎が出てきたりする。まあ、そこまでやるのは凝りすぎだとしても、番外編をやりたいなと。そうすると、地方を舞台にして、新宿鮫なんて名前がまったく通用しないようなところで、鮫島がひとりの男として戦う話を書けないかなと。敵役はとんでもない悪徳警官にして、同じ刑事としておまえだけは許せない、そういうやつを出そうと考えて、今度はそのキャラを作るわけですね。

——作品としては『炎蛹』と同様にちょっと軽めだったと思うんですが、まあそれは『炎蛹』と同様に、その前に傑作がありますんでね。

それでいよいよ問題の『風化水脈』なんですが。カッパ・ノベルス版のあとがきで作者ご自身が、「『新宿鮫』というシリーズを書いていながら、主要舞台であるその新宿について、いったい自分はどれだけを知っているのだろう、ふと顧みたことが、この作品を書くきっかけだった」とお書きになっているように、作中に新宿の歴史が挿入されてるんですね。これ、初読のときと再読したときの印象が違ってまして、初読のときはすごく量が多いし、しかも生のかたちで挿入されていると思ったんですが、再読してみたら、思ったほど量は多くない。しかもそんなに生じゃなくて、たくみに物語の中に挿入されてる。さすが大沢さんだなと思って、初読のときほど悪い印象はなくなったんですが。

大沢　あははは（苦笑）。

——ただそれでも、新宿の歴史の挿入はどう考えても必要ないと私は今でも思ってるんですが。

大沢　『風化水脈』は、味付けでいうと、隠された死体が見つかって、過去の犯罪が暴かれるというパターンですね。それと、僕が書きたかったのは人情小説なんです。今度は人情小説の要素を《新宿鮫》に入れようと。で、本当はまだ早いんですけれど、そろそろ真壁かなと。それと、真壁の恋人になる銀座のホステス（雪絵）がいますが、その女心を書きたかった。真壁というやくざの恋人を持ち、足を洗うことを願いながらも、足洗ったらこいつは人間として死んでしまうんじゃないかと揺れる女心。[20]その方面の取材費はずいぶん使ってますんで（笑）、そろそろそういう取材も役立てたいと。銀座とかホステスの生活とかね。だから人情小説、それと女心。

　この小説の中で、雪絵が母親と話すシーンがあって、「恋人はやくざだ。でも別れられない」って打ち明けて、母親が「つらいね」（ノベルス版193ページ）って言う。あのシーンが実は僕すごく好きなんですよ。これは絶対泣けるはずだ、そう思って書いたんですね。変な話ですけど、水商売の世界を知ってる人間、とくに女性なら、絶対このセリフは泣けるはずだっていう確信があって。その一点でも、これは時代小説みたいな人情小説だろうと。

　で、その中に過去の犯罪を持ってくるとしたら、材料としては新宿の歴史を使わざるをえない。だから小道具なんです。十二社《じゅうにそう》に巨大な池があって、昔は歓楽街で。それがどんどん小さくなっていって、今は地上げで穴だらけになっている。そこにかつてドラマがあったって意味では、まさに新宿の歴史を小道具にしたんですよ。

それと、僕らの年代だと、西新宿の高層ビル街はかつて淀橋浄水場だったなんて当たり前の知識じゃないですか。若い人と話していると違うんですよ。「そういや高層ビル建つ前って、あそこ何だったんですか。あんな広い敷地が突然地上げで出現したなんて思えないし」みたいな話で。「あそこは浄水場があったんだよ」って言ったら、「え?」っていう。あ、そうか、今の若い人は知らないんだと。考えてみると自分もこれを書いているときはもう四十代で、真ん中より上の歳ですからね。今さらという気がするけど、真ん中から下の人たちが西新宿のことを知らないんなら、書いておくのも悪くないかな。そういう感じですね。

■《新宿鮫》は変わったか?

――お話を伺ってだんだんわかってきたんですが、つまりこのシリーズに対する私の考え方が大沢さんと違うんです。つまり大沢さんは、《新宿鮫》はずっと変わってないという立場ですよね。そこが根本的に違うんですよ。私は変わってきてると思うんです。私の解釈をもう一度簡単に説明すると、一作目の『新宿鮫』は、えげつないなあと思いながらも、もういっちゃえって書いた小説だと。つまり、ある種のケレンで成り立っている。それが『毒猿』以降、「このままいったんじゃ先細りするのは目に見えているから、鮫島を一歩引かせよう」っていうんで、今度は敵役を前に押し出してくる。それが毒猿であり、おばさんの殺し屋ですね。それだけじゃまだ物足りないんで、贅沢な趣向として血液凝固剤とかの小道具を放り込む。そうやって何作か書いたあと、じゃあもう一度鮫島を前面に出し、傍観者の立場を捨てて混乱させようとしたのが第六作の『氷舞』。ここまでは一貫してると思うんです。ところが『灰夜』と『風化水脈』に関しては、まったく違う物語が始まったんじゃないか。鮫島が、『毒猿』のときよりさらに後退してるんじゃないでしょうか。『風化水脈』の真壁は、昔、自分が殴り込みに行った中国人のグループと対決するんであって、鮫島とは対決しない。対決するどころか……。

大沢　鮫島が助けにくるっていう。

——「ありがとう」とか言われてですね。

大沢　そうそう（笑）。

——『毒猿』のときはまだ最後ちょっと対決っぽいシーンがあったのに、今回はまったく対決しない。明らかに、鮫島を物語の前面から後退させている。じゃあ、新宿の歴史は何だったのか。ある種の実験だったと思うんですが、それ以前の《新宿鮫》とは全然違うシリーズを、広範囲な読者に向けてここで新しく始めたんだと私は思ったんです。それが成功してないと。

大沢　ああ、なるほどね。

——ほぼ同時期に、《佐久間公》シリーズ『心では重すぎる』（文藝春秋／二〇〇〇年十一月刊）を書かれてますが、あれも実験ですよね。佐久間公が行く先々で出会う人がみんな長セリフをしゃべる。ある意味、ディスカッション・ドラマの雰囲気で、物語を壊しかねないんだけど、これは成功してると思う。なぜかというと、その実験が佐久間公の変化、あるいは現在の立ち位置を照らしてるからなんですよ。ところが同じように考えたとき、新宿の歴史を挿入するという『風化水脈』の実験は、鮫島を何も照らしていない。そもそも鮫島が前面にいないから。真壁と対決させないように後退させてしまったから。でもそれは、根本的にシリーズに対する考え方が違うんでしょうがないんだなって、今気がついた（笑）。

大沢　たぶん、僕のほうが《新宿鮫》を冷淡[21]に見てるんだと思うんですよ。ビジネス的に言うと《新宿鮫》はもちろん巨大なんですけど、自分が小説家としてやっていくうえでは、《佐久間公》のほうが己との関わり方が太い。《新宿鮫》は、極端な言い方をすれば、よく稼いでくるタレントさんみたいな。もちろん大事なシリーズで、いい加減なスタンスでは向かえないんだけど、技巧とか組み立てとか計算とかが働くシリーズなんですよ。

《佐久間公》は、『雪螢』以降、もはやそういうものでは取り組めない。だから《新宿鮫》ほど簡単には書けない。次の《佐久間公》をいつどんな題材で書くのか。それはわからない。自分の中に出てこないと書けない。《新宿鮫》は、無理して作れば『炎蛹』とか『灰夜』みたいなものも書ける。飽きられたくないってこともあって、次から次へとは書かないよっていうだけで。

――もうひとつ、『氷舞』を最後に《新宿鮫》が終わってると思うのは、『灰夜』『風化水脈』には、犯人あるいは第三者による独白の挿入がないんです。いい悪いじゃなくて、物語の形態そのものが変わっている。だからその意味でも新しい、まったく違う物語じゃないか。

大沢　ああ、それは全然考えてなかった（笑）。本当に、言われるまで気がつかなかったなあ。何が違うんだろう。僕としてはそんな意識してないなあ。それほどのキャラがいなかったのかもしれないし。モノローグがそんなに効果的だとも思わないし。むしろ臭いなっていうか。

――そうですか、困ったなあ。私は傍観者としての鮫島を批判してるんですけど、そうじゃないって言われちゃうと……つまり私は、鮫島にもう一回、試練を与えるべきだと思うんです。傍観者としての鮫島を捨てて。その試練のかたちは三つだと勝手に思ってるんです。

大沢　ひとつは晶と別れることでしょ。

――生き別れですね。ずっと昔、「晶を殺せ」って、生意気にも大沢さんに言ったんですが、それは撤回します（笑）。殺さないほうがいいですね。殺すと残っちゃいますから。

大沢　そうですね、何回も死ぬってやっちゃったんで、今さらって感じもあるし。もう生き別れしかないと思ってます。

――もうひとつは強大な敵の出現。で、最後のひとつが、何作目か忘れたんですが、桃井がそろそろ定年だってくだりがあるんですよ。桃井は死んだように生きている人間だけれども、でも今は新宿署内で鮫島をカバーしてくれてる人間ですよね。ところが桃井が定年退職したら、理解者がいなくなってしまう。

大沢　（鮫島が）剝き出しになりますね。

――そうしたら自分はどうするんだろうって、脅えというほど大げさじゃないですが、思うシーンがある。つまり、新宿署における鮫島の立ち位置が変わってしまう。もしかするとそれが仙田を殺すことにつながるかもしれないけれど、それはまたひとつ混乱を与えますよね。だから必ずしも晶との別離、強大な敵の出現だけじゃないと思うんです、試練を与えるのは。そうすればこのシリーズが、私の好きな当時に戻るんじゃないかと（笑）。

大沢　わははは。なんかかなり意図的な誘導を受けてるような気がするな（笑）。

――『風化水脈』のパターン、つまり鮫島を傍観者に置いたままのパターンっていうのはどうも私は好きじゃないんで、なんとか元に戻してもらいたいっていう個人的な願望なんですが。

■鮫島は傍観者か？

大沢　「最近の鮫はぬるい」というような声はたまにありますね。その、つまり情とか要らねえだろうと。情のない世界に生きてるから《新宿鮫》だったのが、鮫島にも情があると同時に出てくるやつがみんな情が深くなっちゃって、優しくなっちゃって、大沢在昌は降りたかっていうね。そういう声があることも事実なんですよ。

これ、並行して書いてる他の作品の影響もあるんです。『ザ・ジョーカー』（講談社／二〇〇二年四月刊）なんかそうですけど、オーソドックスでドライな主人公のハードボイルドをこちら側で書いてる分、《新宿鮫》はどちらかというと情の小説みたいな雰囲気があって。それが、《新宿鮫》しか読まない人からするとどうも物足りないらしい。まあ、次の《新宿鮫》はあいだもあいてることだし、今度はヘビーなものを書かざるをえないと思いますけどね。そのヘビーさが何かと言えば、晶との別離かもしれない。ただ、桃井がいなくなることは、実は考えてなかった。確かに作中の時間経過でも、桃井はそろそろ退官が近づいてきてるはずなんですけど。桃井の退場はまだ考えてないです。晶の退場はずっと自分の中にあるんですけど。「晶はいないほうがいい」って言い続けてる人たちに屈伏するみたいで悔しいなっていう気持ちも一方であるにしても（笑）、まあ確かに晶に対する想いが僕の中で離れてきてるのは事実なんですよ。

――さっき聞き忘れたんですが、『風化水脈』でどうして鮫島を真壁と対決させなかったんですか。いつか仙田と対決させる、これは考えてるとおっしゃいましたよね。真壁との対決は考えてなかったっていうこと？　ここで真壁と対決させることはできましたよね。それをしなかったのは、どこかに鮫島を前面に出したくないという……。

大沢　それは違いますね。それだと二重対決になるじゃないですか。こっち側に王が率いる中国人グループがいて、なおかつ真壁がいて、鮫島がその両方と対決するとしたら、話として無理が出てくる。じゃあ王と真壁が組むかって言ったら、そういうキャラじゃないことは今までえんえん書いてきてるんで。かといって、真壁が王たちを倒したあと、「じゃあ鮫島さん、懸案の対決やりますか」って、それじゃあ西部劇だろう。あまりにも王道すぎるというか。

むしろここは真壁がひとりで乗り込むことが大切なんであって、そこに鮫島が行き合わせるかたちで物語の決着をつける。真壁と鮫島が直接対決しないほうがきれいなかたちになる、そういう発想ですね。もうひとつ、鮫島は過去にいろいろな相手と対決してきましたから、真壁はもういいだろう。もっと別なほうと対決させようって気持ちがあったのも事実です。（真壁との対決には）新しさがない、ある意味では。

——私、真壁は非常に気に入ってるキャラクターで、真壁が出るときには何かが起こるとずっと思ってたもんですから。

大沢　どうもその真壁ショックが難しいね（笑）。それが点を辛くしてるんじゃないかって思うんだよな。

——ありゃ？　って思いますよね。こんなふうに退場しちゃったら、次に登場しようがない。

大沢　ないですね。真壁はもう出てきません。

仙田に関しては、最初から友情モードがあっただけに、むしろ対決させたい。逆に真壁と対決しなかった分、同じような馴れ合いは仙田とはできない。

でも僕は、『風化水脈』を書いてたときも、鮫島を傍観者にしてるっていう意識は全然ないんです。だって鮫島がいなきゃ日の目を見ない物語じゃないですか。

――でも、狂言回しですよね。

大沢　これに関しては、そういうポジションになった部分がありますけど。でもそれは、こっちに鮫島と真壁がいて、向こうにはじいさんと真壁の恋人のおっかさんがいて。

――四十年前の白骨死体があって、真壁と中国人の抗争があって。物語の前面で語られているのは明らかに違う人物の話じゃないですか。

大沢　ええ。でも鮫島がいるから全部物語になってるわけじゃないですか。

――それを狂言回しって言うんじゃないですか。

大沢　まあそうですけど。でも鮫島がいなければ成立しない。

――確かにそうだけれども、それに対することで鮫島はなんら変わらないですよね。

大沢　[22]変わる必要がある作品とない作品があると思うんです。

――（身を乗り出しながら）このシリーズは変わるシリーズなんですよ！

大沢　あははは（笑）。

――そもそも第一作がそうじゃないですか。だから、そう考えたときに『氷舞』が傑作になるんですよ。傍観者じゃない鮫島が久々に出た。そこまでのあいだは、鮫島が傍観者だけれども、物語がうまいし、キャラクターの彫りが深いし小道具の出し方もうまいから、気がつかない。だからずるい確信犯なんですよね。

大沢　そんな（ふたたび苦笑）。

——これ褒めてるんですよ。何も全作、鮫島を前面に出して書けって言ってるわけじゃないんです。シリーズですし、いろいろご事情があるでしょうから。

大沢　いやいや……（みたび苦笑）。

■シリーズものの宿命

——私みたいな読み方をすると、『氷舞』が最後の傑作なんですよ。『新宿鮫』でびっくりして、『無間人形』で文学的な香気を漂わせて、そして『氷舞』で混乱のピークに達するという。《新宿鮫》は三つの作品なんです。そこで終わって、『風化水脈』から始まったのが新しいシリーズっていうふうに読んでしまうんですよね。

大沢　そんなふうに考えてなかったなあ（笑）。

——作者の考えが違うんじゃどうしようもないなあ。困ったなあ。オチのつけようがない。

大沢　ほんとにそんな深く考えていないんですよ。味付けとか形とか、そんなことしか考えてないですからね。あいだがあくとまったく違う作品を書く感覚だし。「鮫島は——」なんて書きながら、「おお、これ、あの有名な鮫島さんか」と思ったりしますからね（笑）。

――シリーズを終わらせたことは今までないですよね。

大沢　完結というかたちで終わらせたことはないですね。

――ということは《新宿鮫》も、結末をどうしようとは全然考えてない。

大沢　考えてない。書かなくなったら終わりっていうだけ。鮫島が死ぬとか、警察をやめて終わるとか、それもあざといじゃないですか。「シリーズの掉尾《ちょうび》を飾る作品」なんてのもどうよ、って気がするし。老兵は死なず、消え去るのみでいいんじゃないかな。もしかして十年くらい経ったら、《佐久間公》がそうでしたけど、ふっと魔が差して書きたくなるかもしれないし。終わりますと宣言してからまた書くと都はるみみたいでみっともないけど、十年くらい新作が出なくて「終わったんだろうなあ」ってなんとなくみんなが思ってても、また出てくれれば、「ああ、まだ書いてたのか」って。

――うーん、困ったなあ（笑）。もし次回作で《新宿鮫》を書くとしたら……。

大沢　もうすぐ書きはじめますよ。

――それはどういう方向に？

大沢　さっき話したとおり、鮫島はまだ人を殺したことがないんで、殺しかなと思ってます。シリーズもので主人公に十字架背負わすのもちょっと臭いパターンでいやなんですけど。どんどん背負い込んでいくのってたるいじゃないですか。《スカーペッタ》もそうだし、《スペンサー》シリーズ（ロバート・B・パーカー／ハヤカワ・ミステリ文庫ほか）もそうだけど、過去の話がえんえん出てくると、ちょっとうざったい。《スペンサー》は僕、スーザンでうんざりして、まったく読むのやめちゃったんですけど。晶を後退させたのはそれもありますね。毎回出して議論させて、（バンドが）売れたらどうした、売れなかったらどうしたっていう会話って、なんかスーザンとスペンサーみたいでいやだなと。《新宿鮫》って、[23]これはシリーズものの宿命なんですけど、新刊が出ても、いきなり七作目とか八作目から読む人って少ないんですよ。重そうに見えるから、なかなか手にとってもらえない。主人公に重いものを背負わすとそういう空気がなおさら強くなりますから。それも避けたいっていうのがありますね。

――ほう、なるほど。

大沢　僕の場合、ずっと《新宿鮫》しか読んでない読者が多かったんですけど、最近、《新宿鮫》だけ読んでないって人が増えてきちゃって（笑）。理由を聞くと、[24]「一からちゃんと読まなきゃいけないでしょ」って。「いけない」って雰囲気になってる。読者にもある種の覚悟めいたものを強制する空気があると。それは困ったなっていう感じですね。

――だからこそ、作者の意識としては、鮫島を物語の前面から退場させて傍観者にしたほうがいいという判断なんじゃないんですか。鮫島が一作ごとに試練を受けて変わってくシリーズだと、「一作目から読まなきゃわかんない」ということになる。それを避けるには、主人公の変化はあまり書かないで傍観者にしたほうがいいと。

大沢　いや、なにも全作品をそうする必要はないと思うけど。

――私、そもそも《新宿鮫》は、そういうものではないと考えてるんですよ。つまり、ひとりの男が傍観者でいて、目の前で起こるひとつずつの事件を報告していくというシリーズではない。ケレン味たっぷりにデビューして、この先いったいどうなるんだろうって興味で引っ張ってきたんだから、「一作目から読まなきゃわかんない」って読者がいてもそれはしょうがない。

大沢　僕の中では、適当にふらふらして、まっすぐ行くときもあれば、ちょっと寄り道するときもあり、なんとなくまあ続いてるね、っていう感覚ですね（笑）。目的地に向かってまっすぐ突き進んでいくっていう感覚ではない。

――そこが一番の違いで困るんですが。私はまっすぐ突き進んでほしいんですよ。

大沢　あははは（笑）。

――（ふたたび身を乗り出しながら）一作目の衝撃があったわけじゃないですか、それをまっすぐ突き進まないで『風化水脈』みたいに横へずれちゃうと非常に裏切られた気がするわけですよ！

大沢　困ったなあ（笑）。全然考えてなかった、それ。そのときどきで書きたいものがあるじゃないですか。じゃあなんで今度《新宿鮫》やるかっていうと、ナベちゃんも編集長になったし、しゃあない書くかっていう。読者も次はまだか次はまだかってすごく期待して下さっているし。でも書いてないときは、《新宿鮫》が自分のシリーズだっていう意識はあんまりないんですよ。今書いてるもののことしか考えない。『炎蛹』や『灰夜』のときは、自分の中でそんなにものすごく《新宿鮫》を書きたいって気持ちはなくて。書かざるをえない状況だったんで、悪く言えば、なるべくちゃちゃちゃっと済ませられる話にしようってことで、ちゃちゃちゃっと書いたっていう(笑)。

――じゃあ最後に、まだシリーズを持っていない若手作家で、たとえば版元から求められてこれからシリーズに挑戦する人に対するアドバイスは何かありますか。

大沢　[25]やるべきだと思います。だけどシリーズ以外のものも必ず同時進行で書きなさいと。シリーズだけになるとほんとに苦しいし、シリーズの限界がその人の限界になってしまう可能性があるから。できれば二対一くらいでシリーズ以外を多く書いたほうがいい。そのほうが、シリーズのために溜まる材料も増えてくる気がします。シリーズは書いたほうが勉強になりますよ。同工異曲ができないから。同工異曲を避けようとすることで、今まで扱ったことのない題材やテーマに目が向くこともあるし、語り口を変えることもできるから。シリーズはやるべきだと思う。ただし、シリーズのみに走るのは避けるべきですね。

(聞き手・北上次郎、構成・大森望)

ミステリー作家への質問

Q.職業作家として成立する条件は何ですか

●自転車みたいなものでしょうか。書き続けていれば倒れずにすむ。＜浅黄斑＞
●質と量。そしてスピード。小説家を職業にする場合は、それで生活できる収入を確保できないとならないからです。いきおい、年間に出版する本の数も、ある程度必要になるでしょうし、長く続けられる質も問われると思っています。＜浅暮三文＞
●神話の昔から膨大に蓄積されてきた《物語》なるものと、小説という形式を受け継ぎ、後世に継承させるという意思を持っていること。＜芦辺拓＞
●同じようなトリックを使わないこと。長時間原稿用紙と向き合っていられること。＜梓林太郎＞
●他人に、読んでもらえる、あるいは、識別してもらえる程度の、読む人を激怒させない程度に読みやすい字、が書けること。それが無理なら、ワープロなどで書けること。まずこれが最低限必要な条件、と思ってます。＜東直己＞
●才能、努力、運でしょうね。執念のようなものも必要でしょう。＜阿刀田高＞
●質・量ともコンスタントな成績が残せることだと思います（簡単そうで、むつかしいですが）。＜姉小路祐＞
●何か1本、いい物を書くしかありませんね。プロになってからそれなりの賞がないと……。＜伊井圭＞
●コンスタントに書き続けること。くさらないこと。考えすぎもよくないと思います。＜石田衣良＞
●常に書き続けることと、締め切りを守ること。＜伊多波碧＞
●1.自分の才能への思い上がりと編集者に認められる幸運。2.小説に頼らなくても食いつなげる見込み（作家を断念したあとのことを含めて）。＜伊野上裕伸＞
●一定レベルの作品をある程度量産できる事。＜上田秀人＞
●受賞したとき当時の編集者に「これからは体力で書いてください」と言われました。その通りだと思います。作家は、書きつづけることです。＜薄井ゆうじ＞
●受賞歴。今は本が売れない時代なので本屋も小説本をおきたがらない。その中で、受賞作はもちろん、大型の文学賞の受賞歴のある作家の本は必ずおいてもらえる。つまり、一般読者の目にとまる機会が与えられる。受賞歴は職業作家としてやっていくには一番必要。冠をもつことで仕事もしやすくなる。＜海月ルイ＞
●コンスタントに作品を供給していくこと。その中で、何作かにひとつは、（自分にとっての）勝負作であれば尚よい。＜大沢在昌＞
●才能の有無と運（持っている才能と時代の流れが合うこと）。＜大谷羊太郎＞
●続けていく意志。＜恩田陸＞
●エンターテイメント系の作家の場合、自分で面白いと思う作品は、第三者が読んで

も面白くなければプロとは言えないんじゃないかと思っています。<加納一朗>

●専門ジャンルを持つこと。常に「増刷になる本」を書こうとすること。<狩野洋一>

●注文があってもなくても書きためる事、その努力が出来る事が条件でしょう。<川野京輔>

●物語を愛していること。<貴志祐介>

●自分に書きたいことがあって、書けて、それが、経済的に自分を支えてくれるだけの読者をたまたま得られる種類のものであること（まれなことだと思います）。<北村薫>

●月並みですが、己の書いた１枚の原稿に支払われる対価。その集積によって生活が成り立つこと。５年後も、そうである自信が持てること。<北森鴻>

●小説作りが楽しければよしとする気持ちがなければやっていられない。<草川隆>

●研究熱心さ。<鯨統一郎>

●意欲、持っている引き出しの量。ポテンシャルを持ち続けること。<久保田滋>

●才能。うまれつきの性質、能力。100%。運もふくめて。もちろん努力がいらないわけではないですよ。ただ全員才能はあるのがあたりまえな人たちの中で競っているので。<久美沙織>

●よくわかりませんが、ただひたすら書き続ける根気と編集者の方々のアドバイスによく耳を傾けること。ある面の頑固さは必要だと思いますが、他人の意見を聞き入れる柔軟性も必要かもしれません。<小杉健治>

●新鮮な発想と旺盛な好奇心そして体力。<小林久三>

●自分はミステリー作家だと自覚すること。<齋藤榮>

●苦しくとも書き続けること。これだけです。<篠田秀幸>

●一定レベルの作品をコンスタントに提供できること。<篠田真由美>

●でっかい賞の受賞が一番早い。私メのように賞などに縁のない者はコツコツと。まあ、王、長嶋とバントの川相の違いと申しましょうか。<嶋崎信房>

●毎回70%レベルの出来で書き続ける。もちろん書く時は100%のつもりで。<子母澤類>

●編集者に、次作の期待を抱かせる作品を書き続けられること。<新野剛志>

●量産はできずとも、一定の水準に達する作品を書き続けることでしょうか。<真保裕一>

●コンスタントに注文が来ること。それをきちんとこなしていけること。<菅浩江>

●最低限の生活ができるだけの収入。<高井信>

●太く短く、やがて細く長く、書きつづける気力があれば。<柄刀一>

●基本的に他の職業と同じだと思います。具体的には下記のようなことです。1.役割に対する責任感（出版に携わる中での作家という役割を自覚すること）2.情報の収集力および分析力　3.体力および忍耐力<辻村真琴>

●食っていけるかどうか→家族を養えるだけの注文があるかどうか、また、その注文をこなしていけるかどうか。<釣巻礼公>
●「自分は何を書きたい」という気持ちを捨てて、どう書けば読者が喜ぶか、驚くかを最優先にすること。<富樫倫太郎>
●物語をつくることへの欲求。キャラクターへの愛。<直井明>
●出版社や読者からの需要を、己の信念を曲げずにある程度満たすこと。<二階堂黎人>
●頭の体力。書くことに、あきないこと（あきることがあるから)。<西村京太郎>
●大衆が自分に何を求めているか、一応知った上で、それに反逆する精神を忘れず持ち続けること。<野沢尚>
●哲学、時代感覚、それに出版を続けること。３年〜５年も作品が売れないと以後、出版は困難。<橋口正明>
●尽きないこと。アイデア、体力、気力など。<春口裕子>
●書き続けられること。<東野圭吾>
●とにかく、なにがあっても書き続けていけること。<藤水名子>
●自分のコアな部分を持っていると、書き続けられる気がします。なぜなら、コアな部分は、なくなるものではありませんから。<藤田宜永>
●徹底して社会全体にたいして寄生している職業なのだと自覚すること。<船戸与一>
●なんらかの文学新人賞を受賞すること。<麓晶平>
●確信犯的な勘違い。<本多孝好>
●作品を発表しつづけていること。<牧野修>
●しめ切りを守る事。売れる作品を書くこと。<増山法恵>
●たくさん書けること。<松尾由美>
●読者に喜んでもらうこと。そして、充分に稼ぐこと。<松岡圭祐>
●読む人を接待できるように書き抜く努力だと思います。<松島令>
●ミもフタもないですが、運だと思います。良き編集者との出会いも運に左右されますから。<宮部みゆき>
●著作による収入。<森博嗣>
●自律心があること、注文があること。<森福都>
●1. 持続力（机に向かって何時間座っていられるか）2. 継続力（作家として、どのぐらい長く継続できるか）<森村誠一>
●定期的な仕事をもっていること（例えば連載が月に最低2、3本はあり、確実に年に2、3冊は単行本になり、ある程度重版されること)。<八重野充弘>
●精神的もしくは物質的にハングリーであること。<矢口敦子>
●死なないこと。<山田宗樹>
●面白い作品を書き続けること。<横山秀夫>

連作ミステリの私的方法論

北森鴻 KITAMORI Ko

①連作ミステリー小説とは何ですか
②シリーズミステリー小説のメリットを教えてください
③④⑤シリーズミステリー小説を書く上で注意すべきことは何ですか
⑥シリーズミステリー小説を書くとき実際にどのようなことをされましたか

カルチャーセンターの講師を始めて半年になる。その教室で幾度となく繰り返しているのが「この教室は新人賞を目指すことを目的としていません。純粋に趣味としてミステリを書くための教室です」という台詞。そして教室が終わった後の飲み会では「小説は誰かに教わってなんとかなる性質の仕事ではない」とも話している。したがって、ここで述べようとしているのはあくまでも北森鴻という作家の、ごく私的な方法論でしかない。

＊

①さて一般に「連作」と呼ばれるミステリには、二つの種類がある。一つはシリーズを通して同じ設定、もしくは同じキャラクターたちが事件との遭遇、及び解決に当たるというパターン。一話一話は完全に独立しており、ときに過去の事件との関わりが述べられることはあっても、それが有機的つながりを持つことはない。拙作でいえば、民俗学者が探偵を務める「蓮丈那智」シリーズや、京都の貧乏寺を舞台とした「裏京都」シリーズがこれに当たる。ただし蓮丈那智ものについていえば、全く別の長編作品とリンクする短編を入れているので、全くの独立作品とは言い難い面もあるのだが。

②こうしたシリーズを書くメリットは、一つにはキャラクターの造形や舞台設定が安定することで作者としても執筆しやすいという点。読者の立場からいえば、物語世界に入りやすいという点があげられる。

あまり大きな声では言えないのだが、作家

の立場から裏事情を明かすと、隆盛といわれるミステリ界にあって、短編の圧倒的に不利な状況がこうしたシリーズミステリを生んでいるという一面もあるかもしれない。なにせ短編集が売れない。したがってバラバラの短編では出版の目処が立たない。ならば連作で、というきわめて消極的な理由も現実として、ある。では、作家の誰もがシリーズミステリを書けるかといえば、これまた出版界の現実がそれを容易に許してくれる状況にないのである。ごく一部の書き下ろし作品を別にして、シリーズミステリの発表の場は小説誌に限られている。しかし、そこに用意された「席」はあまりに少なく、よほどユニークで魅力的な設定及びキャラクターを立ち上げないかぎり、編集者が席を空けて待っていてくれることはない。

なんだか、書いていてひどく気が滅入ってきたぞ。全然ミステリの書き方になっていないじゃないかという声が聞こえてきそうだが、執筆という行為の先に出版という結論を見据えるなら、こうした状況も知っておかねばならないのである。

さて、シリーズミステリを執筆するうえで、留意しなければならない点をいくつかあげておこう。

③キャラクターと設定の安定。そこにはとりもなおさず「マンネリ」という陥穽が待っていることを忘れてはならない。事件の発生↓キャラクターとの関わり↓解決への条件提示↓解決。一連の流れを安定と考えるか、あるいはマンネリと考えるか。作家のアイデアが

問われるところであろう。わたしの場合、毎回作品の切り口を変えることで緊張感のあるマンネリを演出しているつもりである。

探偵の超人化にも気をつけねばならない。シリーズを重ねるにつれ、探偵は次第に欠点を克服し、より完全体に近づこうとする。どうしてもそうなってしまうのである。世界的にあまりに有名な名探偵だって、登場当初は推理に煮詰まるとコカインを吸い、昼夜を問わずバイオリンは弾くわ化学実験は行うわの、相当の性格破綻者であった。それがやがて国家レベルの事件にまで関与する優等生になってしまうのだから。探偵は常に事件の解決役であらねばならない。したがって超人化やむなしという声もあるが、やがてそれが第二のマンネリを招きかねないのではないだろうか。

＊

連作ミステリにはもう一つ、それぞれが短編として完結しながら最後の一話によって全く別の一面を読者に展開してみせるタイプのものがある。これを連作長編と呼ぶ向きもある。拙作でいえば「屋上物語」「顔のない男」「メイン・ディッシュ」「共犯マジック」がこれに当たる。[4]

連作長編を書く場合、作家に要求されるのは「俯瞰」と「凝視」という相反するテクニックを、同時に行使する能力である。と、いかにもな言葉を使ってはみたがそれを具体的に説明するのは難しいので「共犯マジック」を例にとってみたい。[5]

「共犯マジック」では、まず頭の中に昭和のさる大事件を書いてみたいという発想があった。だが、事件そのものがあまりに有名すぎて、つけられた作家の手垢も十や二十ではない。

ある時、新聞社の発行する昭和史ムックを読んでいるうちに、その事件とよく似た事件が二つ、昭和史の中にあることに気がついたのである。これを仮に事件A・事件Bと呼ぶ。いずれも、誰もが耳にしたことのある大事件である。そこでこの三つの事件を関連づけることを考えた。すなわちさる大事件は、事件Aの反省をもとに計画され実行にうつされた。そしてさる大事件のコピーキャットとして事件Bが発生する。発想としては面白いが、いかにも現実味が薄い。ならばいっそのこと、現実味をなくしてしまってはどうか。人の不幸ばかりを予言する占いの書を創作し、それに関わった人々が我知らずのうちに、昭和の犯罪史の中で共犯を演じてしまう。そして、個々が関わる事件も昭和の犯罪史に残るものにしよう。かくして「フォーチュンブック」という占いの書に振り回される人々の短編を重ねることで、昭和のさる事件があぶり出されるという構図が生まれた。

これが「俯瞰」である。

雑誌掲載ということもあり、個々の短編は一応の完結をみる体裁をとらざるを得なかった。これが「凝視」である。さらに「凝視」[6]と「俯瞰」を関連づけるために、一話完結の様式を取りながら、どこかに解決しない部分を設定しておくというテクニックも取り入れてみた。

執筆前にかなり詳しい登場人物の設定、及び相関図、それぞれの事件と背景、使用するトリックなどを一枚の紙に表化することで「俯瞰」と「凝視」を同時に行った。

「メイン・ディッシュ」その他の作品でも、ほぼ同様の作業を終えてから執筆に取りかかっている。

とまあ、ごく簡単ではあるが、北森鴻の仕事の一部を公開させていただいた。

参考になりましたでしょうか。

ミステリー作家への質問

Q.職業作家の大変さと楽しさは何ですか

●いちばん大変なのは、やはり締切に間に合わせること。楽しさは、やはり、創り出す喜びでしょうか。<浅黄斑>
●大変さは貧乏が足元の板一枚下で笑っている。楽しさは自分の作品をいつまでも愛してくれる人がたくさんいること。<朝松健>
●好きなことを仕事にできたのだから、それだけで楽しい。けれども、好きなことを仕事にしたので、弁解は通用しないので大変。<東直己>
●大変:まったく何のネタもないのに〆切が来ること。楽しさ:人から「面白かった」と言われること。<我孫子武丸>
●いろいろな意味での自己管理が大変。小説を書くことそれ自体は基本的には楽しい(はず)。<綾辻行人>
●大変なのは、読者に対する責任が発生すること。楽しいのは、読者に対する責任が発生すること。<新井素子>
●好きな推理小説にひたって生きられるのだから、とても楽しい。生活に不安定さが伴うのは、昨今、他の仕事でも同様だろうし、これで安定していたら罰があたる。<有栖川有栖>
●何の仕事も大変に変わりありませんが、僕の場合ははっきり言って収入です。楽しさは、好きなことをしていられるから。<伊井圭>
●個人として私は完璧なエンターテイメントを書くのが目的ですので、そのためにはありとあらゆるものを犠牲にしなければならないのは辛いです。楽しいと思ったことは一度もありません。<五十嵐貴久>
●たいへん:否がおうでも、締切までには書かなければならないこと。たのしみ:世界のすべてを素材にして、自分の世界をつくれること。調子のいいときは、こんなに書くの楽しくて、お金もらっていいのかなと思います。<石田衣良>
●スクープの発見とそれを活字にすること。<伊藤秀雄>
●決して一般論ではありませんが、作品のひとつひとつに自分が未体験であるものを追い求めることは、かなりのエネルギーを要求されます。読者に読んで貰って、面白かったと言っていただいた時は至福の喜びですね。<井上夢人>
●大変さとしては、いつも他人と違った視点でものをみつづけなければいけない事。楽しさは、ものを産み出している実感がある事。<上田秀人>
●楽しいことは、書くこと。代償として本を読む時間が少なくなったのが悲しい。大変なことはあまりないのですが、締め切りが惑星直列したときです。<薄井ゆうじ>
●コンスタントに書き続けることが、大変でもあるけれど、楽しいわけですね、メシの種でもあるし。<逢坂剛>
●生活が安定しないこと(金銭的に)。組織や他人の干渉をほとんど受けることなく、

1人で好きなように仕事を進められること。＜大石直紀＞

●楽しさ：自由ということでしょうか。ある程度までは、自分一人のさいりょうで物事を運べる。大変さ：自由さ故の不確定さ、いつ食いっぱぐれるか判りませんし。＜大倉崇裕＞

●・とにかく、どんなときでも締切に合わせて書かねばならないこと。・人間関係や他者のルールに気をつかわなくてよい。映像化などで、空想の世界にしかなかったものを、生身の役者さんが演じてくれること。＜大沢在昌＞

●自分のしていることに丸ごと責任取れること。＜恩田陸＞

●四六時中、大好きなミステリの事ばかり考えていられるのは幸せだと思います。２年前まで、会社勤めをしながらの兼業作家だったので、その時の苦労を思うと今はとても楽しいです。大変なことは、専業になった分、自分に言い訳が出来ないことでしょうか。＜霞流一＞

●毎日原稿を書いていられることが楽しい。大変さはすべてを自分ひとりで受けとめなければならないことでしょうが、それもまたやがては楽しさや満足感の源のひとつに転じたりします。＜香納諒一＞

●期日までに一定のレベルの物を仕上げなければならないこと。これはどんな仕事にも共通することなのですが、勤勉にしていれば必ず成果が出るものではない分しんどいですね。生み出すのが辛い分、完成した作品はどれほどできの悪い子だろうと可愛いです。＜加納朋子＞

●大変さは、経済的不安定。それ以外は、すべて楽しさです。＜貴志祐介＞

●自分が好きなことを職業にできる幸福。＜北方謙三＞

●自分の創造した物語が本になるのはうれしいことです。＜北村薫＞

●収入が不安定なこと。でも、ストーリィを作る楽しさの代償に金銭が得られるのは嬉しいことだ。＜草川隆＞

●・大変なのは作品が常に人目にさらされるということ。・楽しいのは、読んでくれる人がいるということ。＜鯨統一郎＞

●食えるようになるのが大変。今のところ、狭い範囲だけど、一応の市民権を得ていること。＜久保田滋＞

●大変さ：時給や定期収入、社会的地位の安定などがないこと。わたしは小説家というのは「書かずにはいられない呪われた存在」でもあると思っています。書いても書いてもあまりウケないと、生きている意味そのものがないように感じられてきますね。プロとして通用しなくなったら生きててもしょうがなくなる、というのが最大の「大変さ」でしょうか。たのしさ：スキなこと、自分にしかできないことをやっている点。＜久美沙織＞

●職業作家の大変さ：収入が不安定で不安。楽しさ：自由に仕事ができる。＜黒田研二＞

●・じっくり時間をかけいい小説を仕上げたいと思っても早く本にしないと収入に

ならない。このジレンマがいつもつきまとっています。・楽しさは、好きなことをして生活できることです。<小杉健治>

●作業の結果が遠くにあることが大変。楽しいのは、作業の大変さを忘れた頃に結果になるところ。<斎藤肇>

●死ぬまで終われないゲームをやってるようなものです。一つが終っても、別の作品を書いている最中なので、作者自身は、達成感・終息感がない。<篠田節子>

●自分の本を読んでいる人たちがいると思うこと（これは大変さでもあり、楽しさでもあります）。<篠田秀幸>

●一番好きなことでお金を得なければならないのが大変でもあり楽しくもある。<篠田真由美>

●自分の書いたものを読んでもらえるだけでストレス発散。ああでもない、こうでもないと批評されるのもいい。運よくそんな場に遭遇したら、ジッと聞いてるだけで気分がいい。たとえ悪口でも。書くことが苦痛なら作家をやめればいい。<嶋崎信房>

●時間の自由と自分の世界の中のみで生きられ、しかもそれが生きる糧になること。脱稿の時の至福の喜び。大変さは、孤独の世界で苦しむこと。限界を感じて自分を追いつめる、才能への不安。<子母澤類>

●大変さ：単調な生活、孤独（不安定な収入？）。楽しさ：自分の中からひとつの世界が生まれる喜び。<新野剛志>

●仕上げた作品に１人で責任を持つのは大変。１人で納得ずくの作品を仕上げられるのは楽しくやり甲斐がある。<真保裕一>

●大変さ：ネタを練っている姿はただのアブナイ奴なので家族に尊敬されない。楽しさ：自著が書店に並んでいるのを見るときの達成感。<鈴木輝一郎>

●大変：給料を払ってくれる人がいない。楽しさ：読者の喜ぶ顔がみえる。<谷甲州>

●楽しさは、自分が作り出し、作りあげたものを、誰かが喜んでくれること。大変さは、それを作り出し続けなければならないこと。<柄刀一>

●書くことが好きですし、他に取柄のないことを自覚しているので、けっこう楽しいです。大変といえばすべてが大変ですが、組織の中の大変さよりは少なくとも自分にとってラクです。<辻真先>

●大変さはあまり感じていません。たぶん、能力を超えるほどの受注を抱えたことがないからでしょう。楽しさは作家でいることそのものです。この仕事が好きなので。<釣巻礼公>

●書けようが書けまいが、とにかく書かないと金が入らない。無理矢理にでも書いていれば、ノッて来る。ノッて来て、ラストまでが一気に脳裏に浮かんで、それを書く手が止まらなくなる。<友成純一>

●書くという行為の孤独さが最も辛いが、作品が完成した瞬間の喜びは何物にもか

えられない。<鳥飼否宇>

●締切を守らねばならない。別の人格を多く創って、つきあわねばならない。楽しさは、自分だけの宇宙を創造して、その運命を左右できる。いろいろなキャラクターたちとつきあえる。<中里融司>

●どちらも「継続すること」。<中津文彦>

●よきにつけ、あしきにつけ、全部自分で背負わないといけない。<法月綸太郎>

●職業作家であることそのものが大変であり楽しくもあるのではないでしょうか。<馳星周>

●大変さ：生活の不安定。楽しさ：一国一城の主。<はやみねかおる>

●大変さ→常に書く。楽しさ→自分の子供（作品）のいろいろな表情を見られる。手元にあるとき、ゲラや本になったとき、店頭に並んだとき、読者の手の中にあるときなど、それぞれに違う顔。<春口裕子>

●書き続けねばならないのは大変。書いたものが本になった時はうれしい。<東野圭吾>

●・いやなこと（自分の本意ではないもの）も、場合によっては書かなければならない。→好きなものだけ書いていればいいわけではない。・楽しさ→好きなことが、書ける。<藤水名子>

●現在の世界とは違う世界で遊ぶことができるのが楽しいかな？　大変さは、他の職業でも言えるけれど、好きなことでも継続するのは大変。<藤宮弥生>

●大変なことはない。楽しさに満ちあふれている。個人的には、プロの料理人の楽しみと同種だと思う。<松岡圭祐>

●週刊誌の連載を抱えながら、それ以外の長編を書き抜こうとすると、時間がいくらあっても足りません。それでも、イメージを言葉という形にしてゆく作業は、つらく厳しいものながら、中毒になるほど楽しさをあわせ持ったものだと思います。<松島令>

●好きなことが生計の道になるのが何よりの楽しみです。<宮部みゆき>

●大変さ：孤独。楽しさ：無から有を作り出せる。<森福都>

●継続することの難しさと同時に、継続による加速度による快感。最も書くことに適した環境を自らつくりだせること。嵐や極寒、猛暑の季節に快適な環境で仕事ができることは、大きな幸福です。インクの香りも新しい新刊本が届けられたとき。大増刷の通知。<森村誠一>

●大変なのは、経済的なことと家族の理解が得られにくいこと。楽しいのは、それ以外のすべて。<山田宗樹>

書き続けていくための幾つかの心得

香納諒一　KANO Ryoichi

①小説を書くときの心得を教えてください
②③挫折せずに書き続けていくためにはどうすればいいですか
④一日にたくさん書いたほうがいいですか
⑤⑥プロの作家とアマチュアの違いは何ですか
⑦作家になれた場合、肝に銘じておくべきことは何ですか
⑧小説を書く上で自分のペースを作るにはどうすればいいですか
⑨日記などの忘備録は付けたほうがいいですか
⑩小説をずっと書き続けるためには、どんな工夫が必要ですか
⑪日記には何を書いたらいいですか

⑫小説を書くには情熱と技術、どちらが大切ですか
⑬一日のノルマを決めて書くべきですか
⑭一日のノルマを決めて書くべきですか
⑮小説の作法を学ぶための参考書を教えてください
⑯作品を書いていく際に、どの部分に一番注意すればいいですか
⑰作品を書いていく際に、どの部分に一番注意すればいいですか
⑱読書はたくさんしたほうがいいですか
⑲小説を書くときに参考になる読書の方法を教えてください
⑳より優れたミステリー小説を書く方法を教えてください

現役時代の落合博満がスランプについて訊かれ「スランプに陥ったといえるのは王さんと長嶋さんだけ」と答えたことがあります。それ以外の選手が、スランプというなどおこがましいという意味です。物書きもそれと一緒で、スランプといえるのは漱石と鷗外ぐらいで（いったかどうか知りませんが）、私も含めてごく普通の力量の物書きが、スランプに陥るなどとんでもない話です。かくいう私自身は、デビューしてそろそろ二十年になりますが、スランプに陥ったと感じたことは一度もありません。

しかしながら、どんな仕事であれ、ずっと続けていれば、必ず好不調の波はあるでしょう。そして、時にはそれを「スランプだ」と深刻に考えてしまうこともあるかと思います。

物書きになりたいという夢を持って努力している人が、その途上でそういった状態に足を取られてしまうと、その夢を諦めてしまうことにもなりかねません。

そういう場合のために、この一文を認《したた》めます。私は何年かのあいだ二足の草鞋で小説を書き、現在は専業で物書きをしています。よって、書き続けていくための心得を、別に仕事を持っていた時と、筆一本で立った時と、それぞれの場合について出来るだけ具体的に書いてみたいと思います。

もっとも、真っ先に書いておきたい心得はただひとつ。

——書き続けろ！　歯を食いしばって書き続けろ！　です。

さて、それは深く心にとめおいた、とお互

いに理解をしまして話を進めますと、デビュー前は、何らかの仕事を持ちながら、懸命に原稿を書き進めることでしょう。あるいは学生さんならば勉強があるし、主婦の方ならば家事があり、その空いた時間に作品にむかいます。

この時、②挫折をせずに書き続けていくコツは、〝一区切り〟を大事にするということです。

では、〝一区切り〟とは何か。それは、あなたが作品をいじりすぎないし、逆に原稿用紙やパソコンにむかって書いているのに頭の中が一休みしてしまっていたりもしない、一区切りとなる分量のことです。私自身にとっては、デビュー直後は、土日の午前中の二時間がそれに当たりました。それはいろいろな時間帯にいろいろな長さの時間に亘《わた》って執筆をしてみたのち、ある日ふとわかったことです。土日の午前中に二時間書くと、自分の書きたいシーンがちょうど切れ目のいいところまで書けました。二時間が経った時には、頭の中には次に書きたいことが次々と浮かび、前のほうをもっとこうしたら良くなるといったアイデアも見えるようになっていたのです。すなわち、頭の回転と執筆とがぴたっと重なったわけです。

物書きになりたいという夢を挫折させてしまわない心得のひとつは、こうした③〝一区切り〟を持てるのが、自分の生活の中のどこなのかということを、一刻も早く見つけることだと思います。見つかると、それが生活のヘソとなります。その〝一区切り〟を一日なり一週間なりの単位の中で最上に生かしていけるように、通勤から仕事から食事から、あらゆることを検討し直していけばいいのです。「通勤電車の中の時間活用術」や「早起きであなたも成功する」といった類の本が、いつの時代もベストセラーになりますが、自分自身の目標と、その目標にむかうための生活のヘソがしっかりしていないうちに、いくら早起きをしたり満員の通勤電車の中で何かをしてみようとしても無意味です。しかし、このヘソさえしっかりすれば、書き続けている中で、例えば今週は〝一区切り〟を倍の分量、あるいは三倍や四倍こなしてみようとか、逆に今週はどうしても疲れているので半分で済ませようといった調整が利きます。こうした調整をする時にも、その〝一区切り〟があなたの生理にあったものでさえあれば、小さな達成感の積み重ねになっていくでしょう。執[④]筆速度とか分量を気にする人がいますが、それはまちまちでいいはずです。私の場合でいえば、先述した土日の午前中には二時間でちょうど十枚が書けました。

ところで、これはデビュー前のことですが、ある時点で私は自分の文章がまだまったく小説になっていないと気づきました。私は二足の草鞋の片方として編集者を生業にしていましたので、その時は平岩弓枝先生の『御宿かわせみ』の連載原稿を頂戴していました。担当をさせて戴き、三ヶ月ほどが経過した頃だったと思います。『かわせみ』の生原稿と自分の原稿を比べた時に、それこそ一字一句に至るまで、天地ほどの差がある、比べることなど不可能なほどの距離があることに気づいたのです。自分は到底物書きにはなれないという諦めの気持ちが、私の人生にただ一度起こったのはこの時です。

　しかし、結論は二、三日で出ました。それまでの私は、出来るだけ多くの分量を書きたい、そうすれば先に道が開けると信じていましたが、その発想を捨て、一日に原稿用紙一枚を、たとえ何時間かかっても、徹底的に文章を磨いて書くことにしたのです。それこそ亀のような歩みですが、これを一年休まずに続ければ、三百六十五枚の原稿が出来上がります。これが出来たら、また頭から推敲すれば良い。そうしたら、二年目か三年目には一本の作品が完成するはずだと思いました。――というより、数年後には、必ず完成させる、と心に決めたのです。

　努力話というのは本人がいい気になりやすいものですので、もうここで切り上げますが、なぜ私がこの話を持ち出したかといえば、編集者をしていた時に、何十人何百人の作家志望者に出会いましたが、九割九分までの人に共通することはただひとつで、努力を不充分にしかしていません。努力には終わりがなく、充分ということはないのでしょうが、少なくとも[5]プロの物書きは誰でも、作家志望者といわれる人たちの十倍は努力しています。「企業秘密」として、それを表に出さないだけです。言葉を換えれば、本気[6]で物書きになりたいのでしたら、道は簡単で、現在の十倍努力をすればいいのです。さらに換言すれば、才能とは決して大それたものではなく、十倍の努力とは何かが自分で想像がつき、それを挫折せずにいつまでも継続出来ることだと私は思います。

　さて、そんなふうな努力の結果、あなたはデビューし、なんとか執筆で生活が出来るようになり、専業の物書きになりました。後半は、そういったシチュエイションについて記しますと、まず真っ先[7]に心する必要があるのは、書けなくなったらまた他の仕事をすればいい、などとは決して、それこそ一瞬たりとも考えないことです。物書きというのは病気であって、おそらく一生癒えることはありません。感染してしまったと笑って引き受けましょう。

　だからこそ書き続けることが益々大事になるわけですが、好不調の波をただ乗りきるだけではなく、あたかもノースショアの名サーファーのように、その波と戯れて、好不調[8][9]が存在すること自体を喜びにさえ変えてしまうという意味で、私は日記をつけることを勧めます。

　時間的に少し話が戻りますが、二十代から三十代の前半ぐらいまでの私は、好きなことをやっている時間はまったく疲労にならないと思っていました。それは、信念でそう思うとか、自分にそういい聞かせる、といったことではまったくなく、単純にそう信じていたのです。ですから、寝ませんし、休みませんでした。小説を書く時間が、それまでの小説を書いていなかった生活の中にすぽっとプラスされたわけですから、休憩の時間が減るのはあたりまえです。しかし、今から思うと当然ですが、そうやって暮らしておりますと、時折まるでロボットの燃料が切れたようにして、ばたっと倒れました。

私は熱狂的な阪神ファンであり、プロ野球ファンですので、野球の話をひとつします。カズ山本選手がバッティングセンターで働きながら練習に励んでいた時、彼を見いだした穴吹義雄監督からのアドバイスはただひとつで、毎日ゆっくり風呂に入ってマッサージを受け、しばらくリラックスして休め、ということだったそうです。練習のしすぎで、青い顔をしていた山本選手に必要なのは休養であることを見抜いたのです。[10]日記をつける意味は、自分でそれを見抜くことにあります。スランプと思われるものの原因の大半は、躰と心双方の疲労です。そんな時には、ぱっと休んでしまえばいいのです。しかし、そんな時ほど、知らず知らずのうちに追いつめられているために、なかなかぱっとなど休めやしません。そういった悪循環を、日記を書き、読み直すことによって断ち切ることが出来ます。

さらには、小説そのものの技術の向上にとっても有意義です。奥さんや御主人、恋人、友人、または先輩作家や編集者の何人かが、こうしたほうがいい、ああしたほうがいい、といったアドバイスをくれることもあるでしょうが、おそらくそういったことの多くは、それほど役には立たないはずです。あなたとあなたの作品の関わり方は、あなた自身にしかわからない、あなた独自のものだからです。

[11]私は、日記の中には、自分の作品のどの部分がどのようにうまく書けたのか、どこは難

所だったのかといったことを書き留めておくようにしています。勿論、日常生活の雑多なことも書いてありますので、こうした作品についての考察の部分には、★印を付けてあります。そうすると、あとでその部分だけを拾って読み直すことで、自分の小説の技術の再確認にもなります。⑫小説というものは情熱で書くものだと私は信じて疑ったことのない人間ですが、しかし同時に、小説が文章という たったひとつの手段によって成り立つ以上、文章の技術と内容（感動やテーマやあれこれ）そのものとは切り離された別々のものではなく、完全に同一のものだとも考えます。すなわち、どういったスタンスで、どんな技術で書くかということが作品を決定づけるわけで、書けなかったことは存在しないのです。書けて初めて、その内容が存在するのが、小説というものです。ですから、情熱を燃やし続けながら、技術のブラッシュアップを心がける必要があります。

忘れてならないのは、こうして日記をつけるのは、自分と対話するためであって、決して自分を縛るためではないということです。⑬毎日、一定の目標を立て、同じように生きようとしても、それは無理というものです。かえって、今日も予定がクリア出来なかった、と思っては落ち込むだけでしょう。そもそも自分の感情は流れていて、自分自身にさえなかなか思うようにならないナマ物ですから、それを管理しようとしても無理だと私は思います。いっそのこと、こう思ってはどうでしょう。どんなに不規則に暮らしたとしても、結局ひとりの同じ人間ですから、その不規則にも限度があります。例えば七十二時間ぶっ続けでビデオを観る、ぐらいはまだ可能かもしれませんが、百五十時間はなかなかぶっ続けでは観られないし、観たくもない。不規則という規則性、というと詭弁に聞こえるかもしれませんが、特殊なクスリでもやらない限りは、だいたいは二十四時間の中で何かをやって眠るというのが人の生活の基本ですから、真面目に規則的に生きようとしなくても、ある一定の幅の中で規則的になるのです。ポイントは、その幅を自分で押さえ、確認することです。そして、そのためには日記が便利なのです。

私自身、規則的な生活をしているのかといえば、答えは否、否、否、と否が三つぐらい連なります。映画のビデオが観たければ飽きるまで観ていますし、旅行がしたくなれば旅行に行き、本が読みたければ読み続けます。ジャズとのつきあいは段々とマニアへとなりつつありますし、それに勿論、私は酒は大好きで、月に何度かはひとりでも宿酔《ふつかよ》いするまで飲んでしまって後悔します。しかし、最後⑭に必ず立ち返るのは、いい作品を書く、そして、そのための時間を確保するということです。確保するためには、ある程度の規則的な生活は便利です。それが便利な範囲に於いては、規則的に仕事を進めればいい、というぐらいに考えればいいのではないでしょうか。規則が勝《まさ》って心が縛られては何にもならないように思います。

最後に、執筆を進める上で、スランプとは

いわないまでもどうもうまくいかない、という状態について、私自身の経験をひとつ具体的に披露いたします。長篇でも短篇でも、必ず何カ所か、どうしても筆の運びが遅くなる箇所というのがあります。実をいうと、これがいつでも悩みのタネでした。しかし、この点について、⑮大々先輩作家である河野多惠子先生の『小説の秘密をめぐる十二章』（文春文庫）という本を読み、目から鱗が落ちました。一言で申しますと、筆の運びが遅くなる箇所があるのは当然だ、ということですが、これでは何のことだかわからないと思いますので、知りたい方は是非この本を読んで下さい。小説執筆について考える時に、私自身は最近で最も感銘を受けた一冊です。

とはいえ、これだけではなんだか不親切に思えますので、私自身が私の作品とむかい合ってわかったことを記します。私がどうしても筆が滞ってしまう箇所は、作品の山場となる部分の前後にあります。すなわち、構想段階に於いて作品をイメージした時に、「書きたい」と思ったシーンが勿論あるわけですが、これからそこにかかるか、あるいはそこを書いたあと、というのが、どうにも足踏みになるケースが多いのです。なんとかこの状態をやっつけたい、やっつけてスムーズに進むようにしたい、と長年思って来ましたが、『小説の秘密をめぐる十二章』という本に出会ったこともあって、これはこれで良いのだ、と思えるようになりました。なぜなのか。私なりに考えて出した答えは、⑯作品が成功するか失敗するかの境目は、実は山場やそこに登場する良い一文（男は優しくなければ生きる資格がない、の類です）にあるのではなく、そういったものの前後を如何に書くかにある、ということです。そこに作品成功の大きな比重がかかっているのですから、書くのに足踏みが生じても当然なのです。

そう気づくと同時に、作品を推敲する時にも、山場よりもむしろその前後により一層の注意を払うような習慣がつきました。川端康成の『雪国』を思い出して下さい。「国境の長いトンネルを抜けると雪国であった」という出だしは誰でも知っているでしょう。しかし、そのあとに「夜の底が白くなった」という一文が続くことは、あまり知られてはいないかもしれません。が、実は小説としての文章のヘソは、この「夜の底が白くなった」のほうにあると私は思います。別のいい方をすれば、この続きの一文が出てきたからこそ、作者はあの有名な書き出しを得られたのだろうと思うのです。この逆の例は、一々挙げるまでもないでしょう。あなたがお読みになって、この部分は作者がいい気になって書いたな、といった感想を持たれる場所に出くわしたら、その前後を読んでみて下さい。浮いた一文を支える他の文章が、何もないことに気づくはずです。自分で気に入った一文ほど、その小説の躓《つまず》きになります。⑰「かっこいい～」と思う一文を書いた時こそ、注意深くその前後を見渡さなくては、と、常に自戒するように心がけましょう。

小説の文章を検討するというのは、その文章がどう見えているかを知ることと、なぜそれがそう見えるのかを知ることのふたつを両輪とする作業だと思います。「夜の底が白くなった」という一文が凄いのは、それが極めて優れた描写であると同時に、極めて優れた文章そのものでもある点です。川端康成という作家が、推敲を重ねた結果、ああいった書き出しを得たのかどうかはわかりませんが、読み返せば読み返すほど、何か背筋が寒くなるような気さえします。

自分を鍛練するためとか、小難しい理屈をつけずとも、[18]読書というのは物書きにとって最上にして不可欠の趣味です。本は読んで読んで読みまくりましょう。それだけですが、ちょっとだけ秘訣めいたことを書いてこの稿を閉じることにしますと、[19]流行作家といわれる人たちの最新作を読むのではなく、彼らや彼女たちのデビュー作と、その後一、二年ぐらいの間のものを集中的に読んでみたらどうでしょう。デビュー当時の作品には、なぜその作家が現在のような作家になったのかを知る手がかりが、それこそてんこ盛りで入っています。そして、本当に好きな作家の場合は、その作品を書き写しましょう。私は自身がデビューしてから五年ぐらい経った時に、思い立ってこの勉強を集中的にやった時期があります。集中的とはいっても、毎日十五分とか二十分ぐらいです。これぐらいの時間なら、誰にでも取れるはずです。効果は大でした。

書き写すといっても、余程短い作品ならば別でしょうが、そうでない場合は、頭から書き写そうなどとは絶対にしないことです。面倒くさくなって途中でやめてしまうでしょうし、それに私の経験からすれば、あまり意味もありません。ではどこを書き写すかといえば、作品のヘソとなっている箇所を、その前後何枚かに亘ってやるのです。それをしてみると、まずはヘソとなる箇所がどこかを見極める目が養われますし、良い作品であればあるほど、かなり遠い位置からそのヘソの部分にむかって、小説世界を形作る様々な要素が連動していることがわかるはずです。

ここまで書いて、「ミステリー」という言葉を一度も使わなかったことに初めて気づきましたが、[20]ミステリーは小説の分野のひとつです。ミステリーを書く、と思うよりは、人間をきちんと描く優れた小説を書きたい、と思って、私は毎日仕事をしています。それが優れたミステリーを書く道でもあるでしょう。

ミステリー作家への質問

Q.作家志望の方にアドバイスがありましたらお願いします

●作品をともかく完成させる事。完成させた作品を、きちんと目のある人に読んでもらう事。＜青山智樹＞

●可能なかぎり、自分の好きな世界を小説にしてゆくべきですね。興味のないものを無理に書くのはいくら生活のためでもやがて辛くなります。すべてにおいて無理をしないで自然体で、こつこつと書きつづけることです。＜秋月達郎＞

●・推敲だけは欠かせません。・手間暇を惜しまないで下さい。＜浅黄斑＞

●小説家になるための道は王道（投稿によるデビュウ）だけで、近道はありません。従って小説家になる方法は、チャレンジをやめないことだと思います。僕は都合10年ほど投稿を続けました。そうやって、デビュウするまでどこまでもチャレンジを続けていれば、おそらくどこかの時点でデビュウしているでしょう。またそう考えなければ運や状況に左右される極めて曖昧な小説家デビュウという結果は納得できないと思います。だから仮になれなかったとしても、悔いの残らないように、チャレンジの方法を考えた方が賢いと思います。小説のために人生があるのではなく、人生を悔いなく生きるために職業の選択があるのですから。＜浅暮三文＞

●あまりもうかりません。生活基盤をしっかりさせてから作家になることをおすすめします。＜朝松健＞

●こんなけっこうな、充実感があってプライドを持てて、他の職業、たとえば勤め人みたいなよけいな屈辱や圧迫を感じずにすむ職業はめったにないでしょう。文句は言いつつも、実は日々まことに快適に過ごしてます。だからといって、そのことを知った読者のみなさんが大挙して書き手に転身されると、こちらの商売が成り立たないし、小説自体も危機となるので、なるべく作家業の魅力に気づかないでほしいと願うや切です。＜芦辺拓＞

●最後まで書くこと、それだけです。「継続は力なり」という月並みなことばは真理であり、出来あがるまで止めないことが重要です。地道に書き続けること、それ以上の方法は何もありません。＜飛鳥部勝則＞

●日本の出版事情からして、年間に長編を４、５冊を書ける自信があること。＜梓林太郎＞

●読書と執筆が好きなら、こんなに楽しい仕事はない。苦労も楽しみです。もしもそう思えないようだったら、向いていないかも知れない。と思って、別な仕事に目を向けるのもいいかも知れません。＜東直己＞

●これ一筋と励むにはリスクが大きすぎます。普通の社会生活を続けながら、その一部で作家への情熱を燃やし続けることが大切でしょう。そして、この普通の社会生活を営むことが作家として役立つところもおおいにあるのです。一筋が最短距離というわけではありません。＜阿刀田高＞

●（短く言うのはむつかしいですが）「その人にどれだけの才能があるかは、神様すらもわからない」という言葉があります。なかなかすんなりとはデビューに至らないかもしれませんが、あきらめずに頑張ってほしいと思います。＜姉小路祐＞

●例えば『ミステリーの書き方』のようなHowTo本はあまり当てにしない方が良いと思います。＜綾辻行人＞

●えー、まず。えっと。作家っていうのは、喰えません。なかなか、生計維持ができません（本人の努力が、まったく結果に反映されません）。だから、やめといた方がいいと思います。でも、それでも、小説を書きたいのならば。こりゃもう、〝やってみるしかない〟ということになると思います。ほとんど、〝博打〟ですね。何のアドバイスにもならなくて、ごめんなさい。＜新井素子＞

●とにかく書くこと。まずは書く凡才たれ。書かない天才には何の価値もない。＜有栖川有栖＞

●賞は多いので、賞をとった後、どれだけ頑張れるかが大事だと思います。＜安東能明＞

●僕はその立場にありませんけれど、恥ずかしながら以前、小さな小説塾で講師の真似事を1年半ほどしたことが（食べられなくて……）ありました。その時の生徒さん方の大半に感じられたのは、書くことばかり汲々として、本を読んでいないということ。まずは多読が基本、ではなかろうかと思っています。＜伊井圭＞

●毎日コツコツ書くしかないと思います。これは自分に対するアドバイスですが。＜飯野文彦＞

●1. 基本、やめといた方がいいんじゃないかと……。2. それでも、とおっしゃるなら、頑張って下さい。3. あと、正義を持っているといいと思います。＜五十嵐貴久＞

●書き、完成させ、誰かに読んでもらう。このサイクルをくりかえす。それ以外には、上達の道はありません。もしあなたに、ほんとうに力があれば、必ずチャンスはやってきます。ということは、書くことのなかに楽しみを見つけられるようなら、成功も不成功もたいして違いはないことになる。プロもアマも、ぼくたちはみんな同じ山を登っている途中です。エンジョイ！＜石田衣良＞

●本業があればそれを大切にして、作家のほうは趣味としたほうがよいのではないか。作家だけで生活して行くのは大変なことだと考えます。＜伊藤秀雄＞

●へこたれず書きつづけること。それでダメだったら素質がなかったと思って、さっさとやめること。＜稲葉稔＞

●とにかく作家を目指しておられるなら書くことでしょう。一般論として申し上げられるとしたらそのぐらいしかありません。作家ってそれぞれ作品も〝なり方〟も違うと思いますので。＜井上夢人＞

●自分のスタンスを決めたら、あとはあきらめずに続けていく事です。＜上田秀人＞

●作家志望ではなく、作家になることです。自分が決心すれば、今日から作家です。ほかに仕事を持っていても、毎日すこしずつ、こつこつ書きつづけること。それがもしできないのなら、作家になりたいだけであって、作家ではないのです。作家を志望するなんてやめましょうよ、かっこわるいもん。作家になりましょう。「一生かかって押入れいっぱいの未発表原稿を残してやる」くらいの気概があれば、いずれ誰かが本にしてくれます。<薄井ゆうじ>

●まずは一流出版社の新人賞、文学賞をとることです。安易に持ちこみとかツテとかコネとかあてにしないこと。そんなのをあてにしていないで正攻法で新人賞に応募し、自分の実力を知ることから始める。<海月ルイ>

●とにかく書くこと、書き続けること。<えとう乱星>

●子供のころ（10代のころまでに）、たくさんたくさん本を読んだ人は、作家になる基本的資質があります。もしそうでなくて、賞金目当てにやってみっか！？　という人はやめた方がいいです。ま、大天才なら別ですけどね。これくらいの小説ならオレにも書ける！ と思ったとき、あなたはもう半分作家になってます。100人中99人は挫折しますが、最後の1人になれるかもしれません。<逢坂剛>

●努力すれば（作家に）なれる、というものではありません。ある程度まで頑張って芽が出なければすっぱりあきらめることも大切です。<大石直紀>

●他に収入の術を確保してから作家になること。<大石英司>

●日本人なら日本語は書ける。何か物語を考え書いてみることだと思います。題材なんてものは、その気になればどこにでも転がっているはず。<大倉崇裕>

●理屈はあとでついてくる。書くこと。そして「目には見えない」センスを磨くこと。それはつまり、多く読み、観て、鑑賞するということだ。どんな傑作でも1作しか書かない人間は、作家ではなく作者だ。多作を勧めるわけではないが、作家とは継続して作品を発表しつづける職業である。さらにいえば、作家はなることよりも、ありつづけることの方が、はるかにつらく難しい。それを難なくできる人間などいない。だがデビューしてから、自分の器の限界に気づくことほど、哀しいものもない。覚悟せよ、それにつきる。<大沢在昌>

●悪いことは言わないから、人生をもっと大切にしなさい。<太田忠司>

●純粋なトリック小説だけを書き続けて、生涯現役作家を続けるのは、至難のわざと思います。トリック（本格推理で扱う物理的な大トリック）の案出力には、年齢の壁があるのでは。乱歩もそう言っていたように記憶していますが、私自身もその現実を体験しました。<大谷羊太郎>

●とにかく人の本もいっぱい読む。とにかく最後まで書く。<恩田陸>

●コツコツと努力をあきらめないことでしょう。私の場合、ミステリの様々な新人賞に応募し始めたのが19歳、デビュー出来たのが35歳、言い古されたことですが、「継続は力なり」だと信じています。それと、原稿の直しを面倒臭がらないこと、自分の作品を大切にしたいものです。エラそうな事を書いて恥ずかしい限りです。<霞流一>

●セルフコントロールに自信が無い人には絶対に向きません。「平凡な幸せ」（週休

2日、夏休み、お盆休み、結婚、子育てなど）を捨てないと作家にはなれません。＜金久保茂樹＞

●自分の文体を持つこと。視点がしっかりしていること。ひとりよがりの作品はいけません。＜加納一朗＞

●私は編集者との二足の草鞋をやめて専業作家になる時に、担当していた作家の何人かから貴重な言葉を戴きました。その中で、自分が肝に銘じているアドバイスを三つ、ここに公開します。一は、「専業作家になど落ち着こうとせず、ガソリンスタンドで働きなさい。その方が、ものを書く上で何倍もためになる」。二番目は、「毎日がむしゃらに書きなさい」。そして三つ目は、「自分の頭で判断しなさい」です。特に三つ目が、何より難しく、そして何より大切なことだと思います。＜香納諒一＞

●とにかく最後まで書くこと。そして書き終えたら、できるだけたくさんの人に読んでもらうこと。＜加納朋子＞

●たくさん本を読むこと（興味本位でいい）。人生での失敗を恐れないこと（あとで小説の材料になる）。物見高い人間になる（観察力は大切）。専門分野を持つこと（その分野で小説を書く）。約束を守る人間になること（特に原稿の〆切は厳守）。金儲けをしたいと思うなら作家を目ざすな（楽しいけど、割の悪い職業だ）。＜狩野洋一＞

●あらゆる事に興味を持ち、ちょっかいを出して見る。品行方正では作家は無理でしょう。＜川野京輔＞

●・とにかく、多く読むこと　・書き続けること　・最後まで書くこと＜貴志祐介＞

●書き続けることが、最も大きな才能だと思うこと。＜北方謙三＞

●何のために書くのかという強い信念が必要。作家は儲からないものだと思え。＜北上秋彦＞

●今、仕事をお持ちでしたら、やめないこと。少なくとも3冊は出版して、経済的に十二分にやっていけるとなってから（そんなことは、まずありません）専業になった方がいいです。＜北村薫＞

●とりあえず専業よりは兼業で。人生の選択肢は多い方が良いでしょう。作家だけが、すべてではありません。「小説家」と呼ばれる快感は、ある種の魔味です。溺れるには、あまりに危険です。＜北森鴻＞

●自分の書いたもの（あるいはこれから書くもの）が新しいかどうかがポイントだと思います。新しさを感じさせる作品であれば、必ず誰かの目に留まると思います。＜鯨統一郎＞

●作家は、〝根気〟と〝厚かましさ〟が何より求められる職業だと思います。いつか芽が出るという思いで日々格闘する気合いをどうか持ち続けて下さい。私自身も現在そうした想いで過ごしていますので。＜鯨洋一郎＞

●作家という職業は、それになることよりも、作家であり続けることの方が難しい。

少なくとも、誰からも助けの手はのびて来ない孤独な職業です。傷ついても、自分でなめて治さなければならない。その意味で精神的に強さが要求されるのです。その点に自信のある方は、デビューの方法は沢山あります。しかし、そのあとはあなた自身の問題となるのです。門は広く開かれていることは間違いありません。でも通り抜けるのは、あなたと、あなたの作品なのです。＜久保田滋＞

●むいてるかむいてないかは、1回マジメに書いてどこかに応募すればわかると思います。第1次選考すら通過しなかったとしたら、たぶんまったくぜんぜんむいていないのでプロになりたがるのはあきらめたほうが良いと思います（趣味でかく分にはおスキにどうぞ）。作家というのはひとりで自分の好きなようにシゴトがすすめられる職業（にみえる？）なので、人間関係が苦手な人や「ひきこもり」ぎみの人が、「なれたらいいな」と思ってしまう場合があるかもしれませんが、プロのモノカキは不特定多数の他人を「おもてなし」する役割でもありサービス業の一面ももってないとイケナイので、ほんとに他人と一切コミュニケートできなかったら、シゴトにできるわけありません。家族や周囲の人とうまくいかない人は、スタッフ（担当編集者等）ともうまくやっていきにくいわけで……ピカソや魯山人みたいな超天才（コレは応募したらたぶん1発目でみつけてもらえると思います）だと、話はべつですが。あとは拙著『新人賞の獲り方おしえます』シリーズを読んでいただけると（笑）おかげさまで、コレはほんとに役にたった！ と多くのかたから言っていただいてるので、読んで「ケッそんなこたァセンコクご承知だよ！」かもしれませんが。まあウソだと思ってせめて1度はよんでいただけると……。＜久美沙織＞

●同じ作家は2人いらないから、ワンアンドオンリーを目指してください。＜倉阪鬼一郎＞

●夢をあきらめず、書き続けることができれば、いつか必ず！＜黒田研二＞

●読者としての自分の好みと、自分の資質がおうおうにして違う場合があります。私は習作時代はトリック物が好きでそのような傾向のものを書いていましたが、自分に向いているのは社会派的なものであると気づいてから、賞に近づきました。自分が書き手としてどのような資質を持っているのか、それを見極めることが先決です。そのためにも、たくさん書いて誰かに読んでもらうことが必要かと思います。才能とは続けること。続けられるのは、そのことが好きだからです。小説を書くということに情熱があれば書き続けることが出来、いつか花開くと思います。＜小杉健治＞

●まず、自分の感性も思想も一度疑ってその上で書きたいものを残して下さい。それと読者をあなどらないこと。読者には作者に見えないものが見えます。最後に言葉を信じること。言葉はあなたが行けるところよりもっと先まで行けるのです。＜近藤史恵＞

●貧乏と孤独を恐れないでください。この二つを友にすると人生が楽になります。

＜斎藤純＞

●マンガや映画やゲームのかわりに書いた小説ではなく、小説が小説であるから可能な作品を読ませて下さい。ただし、こっち方面は作家になるのはともかく、続けてゆくのは大変だろうと思います。＜斎藤肇＞

●沢山ありますが、多いのでここには書けません。私の作品の中にそうしたアドバイスをまとめたものがあり、それを読んで乱歩賞に応募した人もいるようです。だいぶ前の作品なのでここではその作品名などは触れないでおきます。本当にアドバイスが欲しければ自分で探す努力をするでしょうから。＜齋藤榮＞

●作品世界が①大きいか、②尖っているかというのが一つのポイントかな、という気がしますが。＜篠田節子＞

●あらゆる可能性を探り続けることだと思います。「創作物を出版する」という行為は、書店の店頭では一見平凡なことに思えますが、実際はかなり特殊なものだと考えます。それだけに自分の中に、さまざまなルートを探ってください。たとえ苦しくとも、諦める必要はないと思います。なかなか諦めきれずに、悪あがきをした（僕など特に「大いにした」）連中の生き残りがプロ作家なのです。デビューは遅くなっても問題はありませんよ。＜篠田秀幸＞

●職業としてはこれほど割に合わぬものもない。カタギでいたいと思ったら止めておくこと。金がもうかる、名誉を得られる、カッコイイ、というようなことはすべて幻想だと思うべき。＜篠田真由美＞

●文章デッサンを何度もやり描写力をつけること。これは私メが大学生の頃、当時教授だった三浦朱門（この人は作家として決してうまくはないが……）さんに毎日文章デッサンをやらされた。灰皿を持ってきて、これを全部文章で表現せよとか、地図を全部文章で書けとか法律文を作れとか、テレビのニュースを見て新聞記事を書いてみろとか、金魚鉢の金魚を文章で表わせとか……。くり返しやると、匂い、味、音、暖寒、色、雰囲気が自然に文章の中に入ってきます。そしたらしめたもの、後は自分のアイデアを生かし、エンタテイメントを構築して下さい。第2、第3の松本、森村が出現します。いやこの2人がONとしたら、ノモ、シンジョー、イチロー、マツイが出てきてミステリー界は万々歳になります。＜嶋崎信房＞

●まず、多くの作品を読むこと。先行作品を読まずになれるのは詩人でしかない。というのは暴言かもしれませんが。HPの日記等を見るとその思いがしきりとします。バルトあたりの影響でしょうか。＜島村匠＞

●まず書き続けること。それが一番だと思います。＜子母澤類＞

●まず、こういうものが書きたいという世界観を見つけてください。見つかったらひたすら書き続けること。諦めず10年も書き続けたら作家になることはできると思います。＜新野剛志＞

●よほどの天賦の才がない限り、多くの作品を読み込んでいく。それ以外に近道はない気がする。＜真保裕一＞

●エンドマークまで書くこと。そうすれば、応募もできるし、誰かに読んでもらってアドバイスを得ることもできます。あすなろ君やワナビーにはならないで下さい。＜菅浩江＞

●1）せめてメールぐらいは読み返して誤字脱字変換間違いはなくすように。2）せめて新人賞の募集要項には目を通すように。3）脱稿しただけで巨匠になったと勘違いしないように。＜鈴木輝一郎＞

●・流行に惑わされず、時代に迎合せず、自分の書きたい小説を書くこと、書き続けること。・尊敬する作家の作品よりも自分の書く小説の方が面白いと「錯覚」すること。・いい意味で、思い上がること。＜高井信＞

●自分の方法論は正しいのだと信じて書きつづけることしかないとおもいます。そういう意味で、いろいろな意見を載せたこういった企画は、自信を与えてくれるはずです。＜田中啓文＞

●なんでもいいからともかく1冊書き上げること。運はあとからついてくる。＜田中光二＞

●作品は「商品」です。売れない名作というのはあり得ません。＜草薙圭一郎＞

●若いうちは小説を書く以外の体験をした方がいいです。小説を書く技術は、あとからくっつけても間にあうから。何かひとつ専門を持ってもいい。趣味でも職業でも、それが不可能なら小説以外の専門書を大量に読むこと。10年たったら、自分の「引き出し」として使えます。＜谷甲州＞

●自分の書きたいのはこれだ、という世界とスタイルを持つこと。習作だから、と言って途中でやめるのではなく、とにかく書きあげること。書きあげるクセ、力をつけること。そして、読者として高い目を持つ人に読んでもらうことも大事かと思います。＜柄刀一＞

●作家になるのは簡単だが、作家でありつづけるのは困難だ。だれの言葉か忘れましたが、パクッておきます。それから、天藤真さんが小生に贈ってくれたアドバイスは、「年に1本、2年に1本でいいから、世に問う意気ごみの作品を書きなさい」守れませんでした……つくづく困ったものです。＜辻真先＞

●作家になりたいとずっと思っていれば必ずなれる（そういう人を何人も見てきて、みんなデビューしていったから）。＜辻村真琴＞

●毎日、書くこと。2枚でも3枚でも書くこと。それが無理なら、1行でも2行でも書くこと。何を書けばいいかわからないときには自分が最も好きな、あるいは自分が理想とする小説を、200～300枚くらい自分がその作家になったつもりで丸写しする。そうすれば、その後、机に向かえば5行や6行はかける。勿論、その作家の文章に似ているだろうが、最初はそれでいいのだ。そこがスタートラインである。＜富樫倫太郎＞

●映画評論家の故小川徹に言われた言葉「書くんなら恥を書けよ、恥を。他人の恥を見て、読者は喜ぶんだ。イイ格好したけりゃ、お前が金を払うんだな」を、そのまま贈ります。「自分は何を表現したい」という自己主張を捨てること。読者を〝説得〟しようとしないで、むしろ驚かせたり笑わせたり、怖がらせたりすることを主眼にする。〝個性〟や〝自己表現〟なんて、どんな書き方をしたって自然に滲み出て来る。<友成純一>

●作家では食べられない。なるべく兼業にしたほうがいい。<豊田有恒>

●読者の心に直接働きかけてしまう仕事です。場合によっては、読者の人生や日本の未来を変えてしまうかもしれません。人間や世の中について、精一杯考えて書いてください。<鳥井架南子>

●完成されていなくても斬新な作品を期待しています。<鳥飼否宇>

●現在職があるなら、決して辞めずに物書きを並行する。勤務先には迷惑をかけず、同僚に後ろ指をさされることがないよう、まじめに働く。あとは、自分の時間をいかに有効に使うか工夫する。<直井明>

●自分の書きたい世界をはっきりともって下さい。作品中で生活するキャラクターと、とことん話し合って下さい。そして、なによりも作品を書きあげて下さい。<中里融司>

●プロットができたらとにかく書いてみる。ストーリーを文章化することに慣れる。<夏樹静子>

●とにかく書いてみる。行動あるのみ。<夏野百合>

●徹底的に物語の雰囲気に凝ること。<二階堂黎人>

●作家になるには、「才能」プラス「運」が必要だと思っている。困ったことに、この二つとも、つかみどころがない。作家志望の方は、このあいまいなものに賭けるのだということを覚悟して下さい。簡単に作家になれることもあるし、永久になれないこともあります。<西村京太郎>

●気がついたら食事も忘れて書いていた……というタイプでないのなら今すぐ作家志望は断念した方がいい。小説を趣味とする人生も、決して悪い人生ではない。<野沢尚>

●5年後、10年後に小説というメディアがなくなっているかもしれない——そういう覚悟を持って臨むこと。<法月綸太郎>

●内外の秀れた小説を読むこと。ミステリーに限らず。<橋口正明>

●とにかく作品を書きあげる。それ無くして次は無し。<橋本純>

●作家なんてなるものじゃありません。もっとまともな人生を求めなさい。<馳星周>

●書き続けること。<はやみねかおる>

●誰かに読んでもらうと新しい発見があると思います。<春口裕子>

●やめたほうがいい。<東野圭吾>

●けっして、作家になろうなんて考えないで下さい。これ以上、ライバルを増やしたくありませんので。素直にあきらめて、下さい。才能ある人が、いっぱいデビューすると、こちらはオマンマの食い上げデス（笑）。<樋口明雄>

●どうしてもなりたかったらねばり強く書きつづける。<深谷忠記>
●とにかく、なにがなんでも諦めないことです。諦めて、やめてしまったら、そこで終わり。諦めず、しぶとく、ふてぶてしく（でも、新人の時代は、編集者の前ではしおらしく）。<藤水名子>
●書き始めたら最後まで迷わずに仕上げましょう！<藤木稟>
●物を書く場合、書き手がその世界に心から入り込む必要があります。極端に言えば酔いしれてもかまわないのです。しかし、どこかで、そういう自分を冷めた目で見ているもうひとりの自分がいないと、ひとりよがりの作品となり、読者の心を揺さぶることができないような気がします。自分の作品は優れているのだ、と思いこむ力と、それを冷徹に見つめるもうひとつの目が自然にせめぎ合って、作品が出来上がるのではないでしょうか。どんなに破格な小説とて、一言で言えば自己対象化ができないと他人に読ませる作品を作り出すのは難しいと僕には思えます。<藤田宜永>
●私も含めて……ですが、書き続けること……かな？<藤宮弥生>
●いろんなジャンルのいろんな「いい作品」をたくさん読むこと。これ以外の方法はないと考えたほうがいいかと思います。<藤原伊織>
●編集者の言葉に耳を傾けよ。しかし、それはこの業界のビジネス慣行を知るためだ。作品自体については笑って聞き流せ。この業界で生き残る要諦はひとえに作家の独自性にある。それを磨くのはきわめて孤独な作業なのだと知るべし。<船戸与一>
●とにかく遮二無二、書きつづけること。何事にも耳を傾け眼を向けること。<麓晶平>
●書きたいという欲求に誠実であること。書きさえすれば、あとはプロであろうが、プロ志望者であろうが、大家であろうが、新人であろうが、同じ土俵にいるのですから、お互い、がんばりましょう。<本多孝好>
●なるべき人がなるべくしてなる、と私は思うのですが。<牧野修>
●自分を信じること、でも信じすぎないこと。<松尾由美>
●書く前に版元にコンタクトを取ったり、応募する賞を決めたり、自費出版やネットで発表って手もあるさなんて思わずに、1作を最後まで書き上げる。商売をするには、先ず、良い商品を持つ必要がある。話はそれから。<松岡圭祐>
●言語印象操作で生きてゆくのは、嘘つきの罪を問われかねませんが、読む人を楽しくする嘘なら、とことんついてもいいのではないでしょうか。そういう極上の嘘を、ついてみたいと思いませんか。人様を大切にする精神からつく嘘は、神仏も笑って許すのではないでしょうか。<松島令>
●念ずれば通ずる（ことが比較的多いと思う）。<光原百合>
●ケースバイケースだから、人のアドバイスは役に立たないと思います。本を読む暇があったら、書くことではないでしょうか。<森博嗣>

●類語国語辞典（大野晋・浜西正人著／角川書店）が便利です。自信を持っておすすめします。＜森福都＞

●1. 常に他人に読まれることを意識して書く。2. 名作（ミステリーに限らず）、古典、受賞作、問題作等、内外を問わず読む。読んだら簡単なメモを取る。3. 俳句や和歌をつくる。特に俳句は抽象化の極致であり、ものを見る目が培われる。小説の実作に大いに役立ちます。4. 感動した出会いや、風景や、その他の印象的な経験を文章に記録する。＜森村誠一＞

●「好きなことをするしかないじゃない」と開き直って書き続けているので、他人様にアドバイスなんてとてもとても。＜矢口敦子＞

●あきらめないこと、どん欲であること、チャンスは、どん底をほんの少し過ぎたころにやってくる。もうダメだ、と思ったときがこらえどき。＜山田宗樹＞

●あきらめないこと。＜横山秀夫＞

●出版事情がとても厳しいのでひたすら難しいとしか言えないです。「どうやったら作家になれるか」と問う人が多いが、書きもしないで作家になりたがる人が目立ちますね。まずは「書け」これしかないです。＜吉田縁＞

●1冊の本を書きたいだけなら、プロ作家にはならないほうが良い。誰から何を言われようと書き続ける気力と体力を持つ者だけが、専業作家として生き残ることができる。＜羅門祐人＞

あとがき

本書の企画が日本推理作家協会にもちこまれたのは、二〇〇三年頃だったのではないかと思う。

いわゆる「小説の書き方」読本は、世に溢れている。似たようなものを作ってもしかたがない、と思っていたが、当時幻冬舎にいたS氏は、ひとりでも多くの会員、つまりベテラン、中堅、新鋭の話を吸い上げ、「完全決定版」のような「ミステリーの書き方」読本を作りたい、と意気ごんでいた。

日本推理作家協会には、小説家以外にも評論家、翻訳家、画家といった方がたが所属している。だが、いくつかある文芸団体の中で、最もプロ、即ち専業作家の所属する割合が高いと、秘かに私は自負していた。

したがってS氏の熱弁に心を動かされる部分は大きく、この企画がスタートした。とはいえ、誰にどんな内容の〝指南〟を仰ぐかで、当初から難航したと記憶している。会員評論家諸氏のアドバイスを得て、「ポンツーン」誌上での連載という形でスタートしたのが、二〇〇三年八月である。

それから七年もが経過した。途中、S氏の退社という事態もあったが、後任のI氏、N氏、S氏らの努力で何とかここまでこぎつけた、という印象だ。だが、それだけの時間をかけただけのことはある。

通り一遍の指南が羅列された、凡百の「書き方」読本とは、まったく異なるのが本書だ。大ベテラン、現役ばりばりの売れっ子、そしてこれからそこに到達しようと牙をとぐ者、それぞれがそれぞれの視点で、本当に実践的な、ミステリーの書き方について語っている。はっきりいって、これが一出版社のみの企画なら、このメンバーは決して実現していない。それほど豪華であり、貴重な〝証言〟が本書には含まれている。

プロのミステリー作家になりたいと願うなら必読であり、おそらく向こう何年も、本書を越えるものは出現しない。

なぜか、と問われたらこう答えよう。

本書は、これからプロを目指す人のみならず、すでに書いている我々にとってすら、実に有用で有効な内容が多くあるからだ。

本物のプロ作家が、そこいらの「書き方」読本から学ぶものなど何ひとつない。しかし、本書から、私は多くのことを改めて、学んだ。誇りをもって、お薦めするしだいだ。

日本推理作家協会第23・24期理事長　大沢在昌

文庫版　あとがき

世の中には、多くのミステリー作家がおり、それぞれに作風が異なっている。本格、新本格と呼ばれるジャンルでも、作家によってそれぞれに特徴がある。ハードボイルドでもそうだし、警察小説でもそうだ。作風が違うから、それぞれの作家が成り立っていると言ってもいいだろう。

他人と同じものを書いていて、それが世に認められるはずがない。読者は、作家の独自性に惹《ひ》かれるのだ。

作風が違うということは、小説を書く方法にも違いがあるということだ。例えば、最後まできっちりと粗筋が決まっていなければ書き出せない作家がいる一方で、ほとんど何も決めずに書き出す作家もいる。

前者は、怖くてとても後者の真似はできないだろう。また、後者は、面倒臭くて前者の真似などできないのだ。先にプロットを決めてしまっては、書く楽しみがなくなると言う人もいる。

普段、作家は作品の作り方などは、あまり公表しないものだ。それは、言ってみれば企業秘密であり、あまり読者には知られたくない。

その意味で本書は、画期的だ。そこまで言っていいのか、と思ってしまうような内容まで含んでいる。いずれも、それぞれの分野の第一人者が、小説作法の秘密を公開しているのだ。

作家を志す方々にとっては、またとない教本になるはずだし、そうでない一般読者も、この書を読むことで、それぞれの作家の作品を読む楽しみが増すことと思う。

一方で、原稿を書いた側にも価値ある一冊となった。他人のやり方を覗《のぞ》き見できるのは実に楽しいし、自分自身の方法論を言語化しておくことは、プロとして重要だと感じた。

ぜひお手にとって、お好きなところからお読みいただくよう、お勧めします。


日本推理作家協会第25・26期代表理事　今野敏

〔初出〕

本書は「ポンツーン」に掲載されたものを加筆・修正しております。

福井晴敏　「はじめに人ありき」　（二〇〇三年九月号）
天童荒太　「ミステリーを使う視点」　（二〇〇四年七月号）
森村誠一　「ミステリーと純文学のちがい」　（二〇〇三年十二月号）
東野圭吾　「オリジナリティがあるアイデアの探し方」　（二〇〇三年十二月号）
法月綸太郎　「どうしても書かなければ、と思うとき」　（二〇〇四年二月号）
阿刀田高　「アイデア発見のための四つの入り口」　（二〇〇三年十月号）
有栖川有栖　「実例・アイデアから作品へ」　（二〇〇八年二月号）
柄刀一　「アイデアの源泉を大河にするまで」　（二〇〇四年八月号）
山田正紀　「ジャンルの選び方」　（二〇〇八年四月号）
五十嵐貴久　「クラシックに学ぶ」　（二〇〇七年十二月号）
船戸与一　「冒険小説の取材について」　（二〇〇三年十一月号）
垣根涼介　「長期取材における、私の方法」　（二〇〇七年五月号）

宮部みゆき「プロットの作り方」（二〇〇四年五月号）
乙一「プロットの作り方」（二〇〇四年三月号）
二階堂黎人「本格推理小説におけるプロットの構築」（二〇〇三年八月号）
朱川湊人「真ん中でブン投げろっ！」（二〇〇七年六月号）
北村薫「語り手の設定」（二〇〇七年九月号）
真保裕一「視点の選び方」（二〇〇三年八月号）
岩井志麻子「ブスの気持ちと視点から」（二〇〇三年十月号）
北方謙三「文体について」（二〇〇四年七月号）
柴田よしき「登場人物に生きた個性を与えるには」（二〇〇七年十月号）
野沢尚「登場人物に厚みを持たせる方法」（二〇〇三年九月号）
楡周平「背景描写と雰囲気作り」（二〇〇四年九月号）
黒川博行「セリフの書き方」（二〇〇四年十月号）
馳星周「ノワールを書くということ」（二〇〇三年八月号）
石田衣良「会話に大切なこと」（二〇〇四年一月号）
伊坂幸太郎「書き出しで読者を摑め！」（二〇〇七年十一月号）
赤川次郎「手がかりの埋め方」（二〇〇七年七月号）

綾辻行人「トリックの仕掛け方」（二〇〇七年四月号）
折原一「叙述トリックを成功させる方法」（二〇〇四年三月号）
我孫子武丸「手段としての叙述トリック——人物属性論」（二〇〇三年十月号）
逢坂剛「どんでん返し——いかに読者を誤導するか」（二〇〇三年九月号）
東直己「ストーリーを面白くするコツ」（二〇〇四年一月号）
小池真理子「比喩は劇薬」（二〇〇八年六月号）
今野敏「アクションをいかに描くか」（二〇〇三年八月号）
貴志祐介「悪役の特権」（二〇〇七年八月号）
神崎京介「性描写の方法」（二〇〇八年三月号）
花村萬月「推敲のしかた」（二〇〇三年十一月号）
恩田陸「タイトルの付け方」（二〇〇三年十一月号）
横山秀夫「作品に緊張感を持たせる方法」（二〇〇四年四月号）
大沢在昌「シリーズの書き方」（二〇〇四年四月号）
北森鴻「連作ミステリの私的方法論」（二〇〇四年二月号）
香納諒一「書き続けていくための幾つかの心得」（二〇〇三年十二月号）

小説を書き続けるために

●小説を書く上で自分のペースを作るにはどうすればいいですか　644⑧

●一日のノルマを決めて書くべきですか　646⑬, 647⑭

●一日にたくさん書いたほうがいいですか　642④

●作品は常に同じスタンスで書くべきですか　614㉑

●小説をずっと書き続けるためには、どんな工夫が必要ですか　645⑩

●挫折せずに書き続けていくためにはどうすればいいですか　641②③

5. ミステリー作家として

●作家としての心得を教えてください　277⑤
●作家を目指す人たちに必要なものは何ですか　377㉛
●作家になれた場合、肝に銘じておくべきことは何ですか　644⑦
●作家にとってタブーは何ですか　067㉒
●作家になるために、やっておいたほうがいいことは何ですか　018①
●新人賞に応募するときに気をつけるべきことは何ですか　038④, 121⑲, 409⑭
●新人賞を受賞できたら作家と名乗れますか　288⑯
●新人とベテランの描写の違いは何ですか　235⑪
●プロの作家になるにはどう努力すべきですか　047㉗
●プロの作家とアマチュアの違いは何ですか　019②, 301㉞, 643⑤⑥
●プロの作家になるためにはどんな才能や努力が必要ですか　019③
●プロの作家に必要なことは何ですか
025⑨, 059①, 099①, 264～270, 421⑦

シリーズの書き方

●連作ミステリー小説とは何ですか　629①
●シリーズ化する場合のポイントは何ですか　591⑪
●シリーズで、マンネリを防ぐためにはどうすればいいですか　604⑰, 609⑲
●シリーズミステリー小説のメリットを教えてください　629②
●シリーズもののデメリットは何ですか　622㉓㉔
●シリーズに挑戦する人に対するアドバイスはありますか　624㉕
●シリーズミステリー小説を書く上で注意すべきことは何ですか
630③, 631④⑤
●シリーズミステリー小説を書くとき実際にどのようなことをされましたか　632⑥

●短編小説で特別心がけることは何ですか　085⑥
●短編と長編では、構成の作り方を変えたほうがいいですか　543⑬
●アクションシーンを書くときに気をつけることは何ですか　367⑪, 368⑫⑬, 523③
●アクション場面で何を中心に考えていますか　363⑨⑩
●アクションシーンを描くために経験は必要ですか　525⑥
●アクションシーンに迫力をもたせるにはどうすればいいですか　525④⑤
●ミステリー小説におけるアクションシーンの存在意義は何ですか　523①
●ミステリー小説の中にアクションシーンはどれくらい書いてもいいですか　523②
●ノワールで一番大事にすべきものは何ですか　368⑭
●ノワールとは暴力とセックスの物語ですか　360①, 361②
●ノワールにはセックスと暴力が必要ですか　369⑯
●どうやって殺人事件を魅力的に描きますか　608⑱
●犯罪の動機を設定するときに注意すべきことはありますか　041⑪
●サスペンスを生み出すために効果的な方法を教えてください　473⑤
●音楽を演奏するシーンを描くとき、どんなことを注意すべきですか　527⑦
●官能シーンは必要ですか　546⑯
●性描写に擬態語、擬音語は使うべきですか　546⑰
●官能的なシーンが多い小説を書くときに最も重要なことは何ですか　537①, 538④
●官能的なシーンが多い小説を書くときに避けなければならないことは何ですか　537②③
●プロの作家として官能的シーンを書くときに必要なものは何ですか　548⑱

●作品に使うトリックは一つに絞ったほうがいいですか　495⑥
●アリバイトリックを考える上で気をつけなければならないことは何ですか　046㉒
●叙述トリックを成功させるためにはどうすればいいですか　470①, 484⑤
●新人作家が叙述トリックを使った作品を書くときに注意すべきことはありますか　472②③
●叙述トリックを扱った、押さえておくべきミステリー小説を教えてください　473④
●叙述トリックを考える上で具体的な方法を教えてください　475⑥⑦⑧
●トリックの伏線はどこに書けばいいですか　413①
●謎を解く手がかりはどう書けばいいですか　414②, 415③
●トリックを仕掛けるときに利用する読者心理とはどんなものですか　419④
●トリックの実現性は厳密に判断すべきですか　459⑲
●現実にありえないトリックは許されますか　421⑤
●トリックを書くときに一番気をつけなくてはならないことは何ですか　421⑥
●視点はトリックを書く上で重要ですか　428②
●単純明快なトリックに新鮮味をもたせるにはどうすればいいですか　071～079
●トリックを引き立たせる方法はありますか　206⑦
●タネ明かしの際、何を最も避けるべきですか　433⑤
●以前考えたトリックを使うことはありますか　438⑦
●前例のあるトリックを使ってもいいですか　043⑮, 440⑫, 482②, 497⑧
●効果的な伏線の張り方とは、どのようなものですか　405⑧, 493③
●読者をミスリードする上で効果的な書き方は何ですか　476⑨⑩
●ミスディレクションとはどういうものですか　483④

ジャンルの選択

●ジャンルを意識して書くことは必要ですか　113⑦, 495⑦
●ジャンルを意識して書く方法はありますか　109①③
●ジャンルを意識して書くことのメリットとデメリットは何ですか　113⑧, 115⑨
●一つのジャンルを研究すると、どのようなメリットがありますか　115⑩
●複数のジャンルを融合させた作品を作るにはどうすればいいですか　120⑬⑮⑰

●作品にリアリティを出すための小道具はどのように選べばいいですか　342⑤
●客観的に自分の作品をみるためにはどうすればいいですか　240⑯

比喩の使い方

●比喩はどのような場合に使いますか　362⑥
●比喩をうまく使うにはどうすればいいですか　508①③, 519⑬
●比喩の使い方のうまい作家を具体的に教えてください　509⑤, 511⑥
●豊かな比喩表現はどのようにすれば獲得できますか　514⑧, 515⑨, 516⑩
●優れた比喩とはどのようなものですか　519⑫

推敲の方法

●推敲とはどんな作業ですか　558①, 560④
●一番簡単な推敲の方法を教えてください　562⑦
●効果的な推敲の方法はどのようなものですか　352⑬
●推敲する上で避けるべきことは何ですか　561⑤

タイトルのつけ方

●タイトルはどうやって考えますか　565②
●タイトルの要素は何ですか　568④
●タイトルはいつつけますか　097③, 564①, 588⑦
●タイトルは重要ですか　410⑯
●いいタイトルとはどんなものですか　567③

トリックの使い方

●トリックを考えるときに何が一番大切ですか　459⑱
●トリックは謎とタネ、どちらから考えますか　061④, 071～079
●トリックを考えるときに参考となる作品を具体的に教えてください　044⑱
●トリックを小説にまでするにはどうすればいいですか　091②, 100④, 101⑦, 102⑩⑬
●ミステリー小説にとってトリックが一番重要ですか　458⑯

4.ミステリーをより面白くする

●小説を面白くする方法を教えてください　131⑥
●より優れたミステリー小説を書く方法を教えてください　651⑳
●作品のレベルを上げる特効薬はありますか　317⑧
●読者の心を掴むにはどうすればいいですか　397③, 407⑪, 409⑬, 544⑭
●読者をひきつける技術とは何ですか　027～032
●読者を感情移入させるために気をつけるべきことは何ですか　254③, 541⑩
●読者への効果的な語り方を教えてください　254④
●シンプルなストーリーをどうしたら面白くできますか　583①
●作品に緊張感をもたせる方法はありますか　570②
●密度の濃い小説を書くには、どのような方法がありますか　592⑫
●作品に説得力をもたせるにはどうすべきですか　333①
●意外性を演出するための方法はありますか　397④
●書きたいテーマを読者に効果的に伝えるためにはどうすればいいですか
225②, 227③④
●読者を驚かせるにはどうしたらいいですか　063⑧, 201②, 209⑧, 395②
●読者に与える衝撃を大きくするにはどうすればいいですか　486⑥
●読者を飽きさせないためにはどのようにすればいいですか　493②
●読者に見放されてしまう展開とはどのようなものですか　501①, 504③
●読者を誤導するためには何が必要ですか　493④, 494⑤

リアリティの持たせ方

●小説にリアリティをもたせるにはどうすればいいですか
103⑭, 181⑫, 350⑧, 370⑰, 572④
●日常をリアルに描くにはどうすべきですか　321②, 322④
●描写にリアリティを出すにはどうすればいいですか　234⑩
●場の雰囲気にリアリティをもたせるために心がけるべきことは何ですか　339③

会話の役割

●小説における会話の役割は何ですか　356⑰, 381③, 382⑤
●会話は重要ですか　311⑦
●会話で注意すべきことはありますか　351⑩, 381④, 382⑥, 385⑬⑮
●普段と小説中の会話との違いは何ですか　381①②
●男と女の会話はどう違いますか　382⑦, 383⑧
●会話を書く場合、「誰々が言った」という表現を入れるべきですか　383⑨
●格好いい会話はどうすれば書けますか　384⑩⑪⑫
●会話で登場人物を区別させるにはどうしたらいいですか　349⑤
●どうすればリズムのよい会話になりますか　385⑯
●上手なセリフとはどのようなものですか　347①
●会話にウイットやユーモアを出すにはどうしたらいいですか　385⑭
●小説に方言を使ってもいいですか　349⑥, 350⑦
●セリフが長すぎる場合はどうすべきですか　347②
●セリフを書くときに何を意識すべきですか　348③
●セリフを書く際に適切な分量はありますか　348④

●プロットづくりで一番大切なことは何ですか　491①
●プロットづくりに役立つ作品を具体的に教えてください　498⑩
●クライマックス設定の際の注意点は何ですか　048㉘
●結末にどんでん返しを書くときに注意しなければいけない点は何ですか　048㉙

キャラクターの設定

●登場人物の設定で注意すべき点は何ですか　351⑪
●地の文の語り手の条件は何ですか　351⑫
●地の文とセリフ、どちらが難しいですか　355⑭
●地の文とセリフの割合は、どのように考えればいいですか　355⑮
●キャラクターを作る上で効果的な方法はありますか　362⑦⑧
●人物を書くときにどのような方法がありますか　361③④⑤
●登場人物にリアリティをもたせるにはどうすればいいですか　370⑱⑲, 602⑯
●登場人物の人間関係にリアリティをもたせるにはどうすればいいですか　371⑳
●登場人物を事件に巻き込むためには、どんな工夫が必要ですか　599⑮
●登場人物を追いこんでいくにはどんな方法がありますか　369⑮
●共感を呼ぶ主人公の作り方を教えてください　539⑤⑥
●登場人物を魅力的に描くにはどうすればいいですか　305①
●登場人物を描きわけるにはどうすればいいですか　305②, 307⑤
●キャラクターを立たせるためには、どのようなことをすればいいですか　310⑥, 540⑨
●どうすればキャラクターの二面性が出ますか　340④
●魅力的な悪役の描き方はありますか　531②
●主人公と悪役の描き分け方を教えてください　532③
●物語を面白くする登場人物の設定方法を教えてください　589⑧, 591⑩
●読者の心を摑む人物設定の仕方とはどのようなものですか　264～270
●魅力的なキャラクターはどうやって作ればよいですか　502②
●物語の主人公は成長させなければいけないですか　619㉒
●キャラクターの魅力的な作品でお手本となるものは何ですか　586③

●一人称で書くべきですか、三人称で書くべきですか 227⑤, 229⑦, 276④, 543⑪
●一人称で書くメリットとは何ですか 260⑩
●一人称を使うときのリスクにはどんなものがありますか 543⑫
●一人称で書く場合の注意点はありますか 229⑥
●一視点で書く場合の注意点は何ですか 258⑧
●より効果的な一人称の書き方はありますか 237⑭
●三人称多視点で書かれた小説で参考になるものを具体的に教えてください 239⑮
●三人称で書く場合の注意点はありますか 229⑧
●神の視点は使ってもいいのでしょうか 324⑥
●語り手の性別はどう決めればいいですか 225①, 248⑲
●小説と映画では視点の考え方は違いますか 256⑥, 257⑦

プロットの作り方

●起承転結は必要ですか 217①
●起承転結に必要なものは何ですか 192②
●起承転結の理想的なバランスは存在しますか 187～197
●出だしは重要ですか 165⑦
●小説の冒頭で注意すべきことは何ですか 356⑯
●書き出しの一行にはどんな注意を払いますか 255⑤
●印象的な冒頭には、どんなものがありますか 400⑤
●スムーズなストーリー進行に何が必要ですか 530①
●物語の後半を盛り上げる方法を教えてください 589⑨
●プロットは必要ですか 136②, 159②, 162⑤, 183⑬, 204④, 395①
●プロットはどうやって作ればいいですか 187～197
●プロットは文字にしたほうがいいですか 160③, 162⑥, 183⑭
●プロットを作るときに注意すべきことはありますか 047㉕, 454⑮
●取材に行くときにプロットを決めたほうがいいですか 135①
●最初のプロットを変更してもいいですか 161④

●疑問符や感嘆符は使ってもいいですか　293㉔
●擬音語は使ってもいいですか　293㉕
●改行は必要ですか　296㉗
●一行空ける手法は使ってもいいですか　297㉘

描写の方法

●ディテールを描くことは重要ですか　305③, 572③
●描写するときに有効な方法はありますか　236⑫⑬
●実際に取材に行けないものを書くときは、どのようにすればいいですか　343⑥
●背景描写は何を参考にすればいいですか　343⑦
●上手な情景描写の方法を教えてください　518⑪
●文章中で固有名詞を使うときの注意点はありますか　540⑦
●服装や小物などの描写は必要ですか　305～318, 540⑧
●勉強すれば美しい文章を書けますか　562⑥
●そのジャンルにおける特殊な言葉や表現を使ったほうがいいですか　545⑮
●説明描写は入れてもいいですか　039⑥
●説明描写を魅力的な文章にする方法を教えてください　039⑦
●状況を読者にわからせる場合、何を心がければよいですか　274①
●効果的に状況を描写する方法を教えてください　276②③
●説明をうるさく思われない方法とは何ですか　259⑨
●説明的すぎる描写をなくすためにはどうすればいいですか　321③, 322⑤
●映像的な描写をする場合、注意すべきことは何ですか　408⑫

視点の設定

●視点を定めるのはなぜ重要なのですか　165⑧
●視点を定めるときに重要なこととは何ですか　306④
●視点の選び方を教えてください　252①, 253②, 320①
●視点の選択に迷ったときには、どう考えればいいですか　260⑪
●初心者におすすめの視点はありますか　243⑱
●三人称、一人称のどちらが優れていますか　243⑰

3. ミステリーを書く

●小説を書く上でどうしても必要なことは何ですか　175⑩
●物語を描くときに何を意識すべきですか　027～032
●どうしたら小説に厚みがでますか　024⑦
●ミステリー小説はどんな手順で書けばいいですか　100②, 101⑤, 102⑧⑪
●どうすれば頭に浮かんだシーンを書くことができますか　109②④
●ミステリー小説の中に偶然の出来事を書いてもいいですか　050㉝

文体の確立

●独自の文体を身につけたほうがいいですか　051㉟
●小説のジャンルによって文体は変えますか　282⑪
●ノワールとハードボイルドで文体は変わりますか　371㉑
●文体を確立する上で何に気をつけますか　279⑦⑧⑨, 372㉔㉕
●自分の文体をどのように確立すべきですか
051㉞, 288⑮, 298㉛, 508②④, 514⑦, 555㉑
●短い文章のメリットを教えてください　372㉓
●文章にメリハリをつけるためにはどうすればいいですか　282⑫, 301㉟
●文章のリズムは重要ですか　290⑲
●作品全体におけるテンポやリズムの注意点を教えてください　372㉖
●〝行間に思いをこめる〟とはどういう意味ですか　371㉒
●効果的な句読点の打ち方を教えてください　280⑩
●形容詞を使うときの注意点は何ですか　284⑬
●形容詞、副詞、接続詞を使うときの注意点を教えてください　288⑭, 289⑰
●体言止めは使ってもいいですか　289⑱
●語尾は現在形と過去形を使い分けるべきですか　290⑳
●漢字とひらがな、どちらを使うべきですか　292㉑
●漢字は統一したほうがいいですか　292㉒㉓

取材の方法

●小説を書くときに取材は必要ですか　611⑳
●取材時のメモの取り方を教えてください　136③
●効果的な取材の方法を教えてください　139④, 141①②③④
●現地取材で注意すべきことはありますか　142⑤
●取材先で写真を撮るときの注意点は何ですか　142⑥
●現地取材で得られるものは何ですか　143⑦

映画を参考にするべきか

●映画と小説の違いは何ですか　191①
●小説が映像より優れている点は何ですか　023⑤⑥
●映画から何かを学ぶことはできますか　020④, 112⑤, 113⑥
●映画は多く観たほうがいいですか　064⑨, 065⑰
●映画を観るときに心がけるべきことはありますか　065⑫⑭⑯⑱, 066⑳
●映画的手法を小説に使うことも可能ですか　376㉚

アイデアを生み出す方法

●日常生活の中でどんなことがヒントになりますか　047㉖, 060②, 351⑨
●アイデアはどのように見つければいいですか　082①
●ミステリー小説を描くための材料はどこから探せばいいですか　478⑪
●過去の作品をヒントにしてアイデアを生み出す方法を教えてください　128④, 130⑤
●独自のアイデアでないといけませんか　116⑪, 117⑫
●オリジナリティのあるアイデアを考えるにはどうすればいいですか　061⑤⑥, 062⑦
●思いがけない発見にめぐり会うためにはどうしたらいいですか　067㉓
●アイデアの整理の方法はありますか　085⑤
●アイデアはどのようにとどめますか　029①
●アイデアを小説にまでするにはどうすればいいですか　088⑦, 100③, 101⑥, 102⑨⑫, 187～197
●アイデアに詰まったときはどうしたらいいですか　067㉑, 458⑰
●メモはどう書きますか　082②③, 083④
●アイデア帳は作ったほうがいいですか　438⑧
●アイデア帳を作るとき、どんなことを注意すべきですか　438⑨⑩, 439⑪
●日記などの忘備録は付けたほうがいいですか　644⑨
●日記には何を書いたらいいですか　645⑪

●プロローグとエピローグは必要ですか　409⑮

題材の選び方

●ミステリー小説で避けるべき題材は何ですか　049㉜
●ミステリー小説を書くときに犯罪以外のものを題材にしてもいいですか　049㉚

参考にすべき作品

●読書はたくさんしたほうがいいですか　064⑩, 498⑨, 650⑱
●読書をするときに心がけるべきことはありますか　065⑪⑬⑮, 066⑲
●過去の作品は読んだほうがいいですか　044⑯
●書きたいジャンル以外の読書も必要ですか　373㉗
●過去の作品を参考にしてもいいですか　046㉔, 125②
●前例のある設定で書いてはいけませんか　132⑦
●エピゴーネンでもいいのですか　377㉝
●どのような作品でも参考になりますか　126③
●小説の作法を学ぶための参考書を教えてください　648⑮
●ミステリー小説で押さえるべき名作はありますか　141⑬
●トリックを使った名作を教えてください　430④
●小説を書くときに参考になる読書の方法を教えてください　650⑲
●密室ミステリー小説を書く上で参考となる作品を教えてください　044⑲, 045⑳
●アリバイトリックを書く上で参考となる作品を教えてください　045㉑
●冒頭にインパクトのある作品を具体的に教えてください　402⑥, 403⑦
●ハードボイルドの手本となる作家を教えてください　374㉘㉙
●警察小説の代表的なものを教えてください　587④
●警察小説には、独特の構成パターンがあるのですか　587⑤
●翻訳文で参考となる作品を教えてください　298㉙
●翻訳小説の影響とはどのようなものですか　558②, 560③
●ご自身の作品で最も構成がうまくできた作品を教えてください　594⑬⑭

2. ミステリーを書くまえに

●小説を書くときの心得を教えてください　640①
●ミステリー小説を書くときの心構えを教えてください　037②, 038③
●ミステリー小説を書くときに最初に考えるのは何ですか　462⑳
●うまく描写する力をつけるための心構えを教えてください　299㉜
●ミステリー小説を書くときに何に一番気をつけるべきですか
037①, 041⑩, 044⑰, 046㉓, 176⑪
●小説を書くには情熱と技術、どちらが大切ですか　646⑫
●作品を書いていく際に、どの部分に一番注意すればいいですか　648⑯, 649⑰
●小説を書くときの最低限の条件は何ですか　298㉚
●読者が一番求めているものは何だと思いますか　024⑧
●読者が感動する作品はどう書けばいいですか　121⑳
●誰かの意見や感想を真に受けるべきですか　434⑥
●表現者に必要なことは何ですか　234⑨, 249⑳
●クリエーターに必要な資質は何ですか　125①

実体験の必要性

●自分が未経験なことを書いてもいいですか　550⑲, 551⑳
●未経験なことを描く場合の注意点は何ですか　334②
●実体験を作品に生かすにはどのようにすればいいですか　091 ～ 097
●専門分野はどのような役に立ちますか　060③
●舞台となる街の空気感を小説に込めるにはどうしたらいいですか　588⑥

最初に決めるべき要素

●小説の要素のうち、何から決めて書きますか　406⑨⑩, 584②
●結末と冒頭、どちらから考えますか
088⑧, 091①, 158①, 201③, 204⑤⑥

1. ミステリーとは

●ミステリー小説はどんなジャンルですか　051㊱, 052㊲
●文芸小説とミステリー小説の違いは何ですか　038⑤
●ミステリー小説の趣向とは何ですか　049㉛
●本格推理小説とは何ですか　040⑧⑨, 200①
●ミステリー小説に不可欠な要素は何ですか　042⑫, 043⑬⑭
●本格ミステリー小説で大事なことは何ですか　446⑭
●最近のミステリー小説のトリックにはどんなものがありますか　427①
●現代のミステリー小説のトリックの種類にはどんなものがありますか　428③
●通常の小説と叙述トリックの違いは何ですか　482①③
●一つの小説は一つのジャンルに入るべきですか　120⑭⑯⑱
●短編小説と長編小説の違いは何ですか　089⑨, 173⑨, 300㉝, 570①
●文学に必要なものは何ですか　278⑥
●小説で最も大事なことは何ですか　296㉖
●良くない小説というのはありますか　377㉜

ミステリーを書くための
FAQ

この作品は二〇一〇年十一月小社より刊行されたものです。

ミステリーの書《か》き方《かた》

日本推理作家協会《にほんすいりさっかきょうかい》 編著

平成27年10月10日 初版発行
令和7年5月30日 4版発行

発行人――石原正康
編集人――宮城晶子
発行所――株式会社幻冬舎
〒151-0051東京都渋谷区千駄ヶ谷4-9-7
電話 03(5411)6222(営業)
03(5411)6211(編集)
公式HP https://www.gentosha.co.jp/
印刷・製本―TOPPANクロレ株式会社
装丁者――高橋雅之

幻冬舎文庫

ISBN978-4-344-42401-2 C0195 に-21-1